CORRESPONDANCE

II

TOME II

La publication de cet ouvrage a été préparée avec le concours des «Sources Chrétiennes» (UMR 5035 du Centre National de la Recherche Scientifique)

ISBN : 2-204-06490-4
ISSN : 0750-1978

SOURCES CHRÉTIENNES

N° 451

BARSANUPHE ET JEAN DE GAZA

CORRESPONDANCE

VOLUME II
AUX CÉNOBITES

TOME II
Lettres 399 - 616

TEXTE CRITIQUE, NOTES ET INDEX
par

François NEYT, o.s.b.
Moine du monastère S. André de Clerlande

Paula de ANGELIS-NOAH
Docteur ès lettres

TRADUCTION
par

Lucien REGNAULT, o.s.b.
Moine de l'abbaye de Solesmes

Ouvrage publié avec le concours de l'Œuvre d'Orient

LES ÉDITIONS DU CERF, 29, Bd Latour-Maubourg, PARIS 7e
2001

TEXTE ET TRADUCTION

SIGLES

DES MANUSCRITS ET ÉDITIONS

Volume II, Tome II
Lettres 399-616

C	*Coislin 124*	XIIe s.
M	*Coislin 281*	fin XIIe s.
P	*Paris grec 873*	XIIIe s.
R	*Panteleimon 192*	XIVe s.
A	*Vatopedi 2*	XIe s.
S	*Sinaï 410*	XIIe s.
K	*Koutloumousiou 3*	XIIIe s.
I	*Iviron 1307*	XIVe s.
V	Éd. de Schoinas à Volo	1960

399

Φιλόχριστος ἐξηγόρευσε τὰς ἁμαρτίας ἑαυτοῦ τῷ αὐτῷ Γέροντι, αἰτήσας καὶ συγχώρησιν αὐτῶν.

Ὁ δὲ Γέρων ἀποκριθεὶς εἶπεν αὐτῷ·

Ὁ ἐκφαίνων ἑαυτοῦ τὰς ἁμαρτίας, δικαιοῦται ἀπ' αὐτῶν κατὰ τὴν Γραφὴν τὴν λέγουσαν· «Εἰπὲ σὺ πρῶτος τὰς ἁμαρτίας σου, ἵνα δικαιωθῇς[a].» Καὶ πάλιν· «Εἶπα ἐγώ· Ἐξαγορεύσω κατ' ἐμοῦ τὴν ἀνομίαν μου τῷ Κυρίῳ, καὶ σὺ ἀφῆκας τὴν ἀσέβειαν τῆς καρδίας μου[b].» Τοῦ λοιποῦ ἀσφαλισώμεθα ἀδελφέ, καὶ τὰ πρῶτα, ἰδοὺ συνεχώρησεν ὁ Θεός.

400

Ὁ αὐτὸς ἠρώτησε τὸν αὐτὸν Γέροντα· Εἰπέ μοι Πάτερ, πῶς ἡ ψυχή μου πολλὰ ἔχουσα τραύματα οὐ κλαίει;

Ἀπόκρισις Βαρσανουφίου·

Ὁ αἰσθανόμενος τί ἀπώλεσε, θέλει αὐτὸ κλαίειν. Καὶ ὁ ἐπιποθῶν πράγματος, πολλὰς ὁδοιπορίας καὶ θλίψεις βαστάζει καρτερῶν ἵνα ἐπιτύχῃ τοῦ ποθουμένου.

401

Ὁ αὐτὸς ἠρώτησε τὸν αὐτὸν Γέροντα· Ἐὰν θέλῃ τις ποιῆσαι πρᾶγμα καλὸν διὰ ἴδιον μέντοι κέρδος εἴτε δι' ἄλλο αὐτοῦ θέλημα, ἆρα λογίζεται αὐτῷ εἰς δικαιοσύνην[a];

L. 399 RASKI V

4 ἀπ' αὐτῶν : ὑπ' αὐτῶν SK ἀπ' αὐτοῦ R ‖ 6 ἁμαρτίας : ἀνομίας I ‖ ἐγώ om. I V ‖ 9 ἰδοὺ om. V

L. 400 RASKI V

5 πράγματος : πρᾶγμα KI V

399

À UN PIEUX LAÏC

Un pieux laïc confessa ses fautes au même Vieillard, lui en demandant le pardon.

Le Vieillard lui dit en réponse :

Quiconque révèle ses fautes, en est justifié, selon la parole de l'Écriture : « Dis le premier tes péchés, afin d'être justifié[a]. » Et encore : « J'ai dit : Je confesserai contre moi mon injustice au Seigneur, et tu m'as pardonné l'impiété de mon cœur[b]. » Désormais faisons bonne garde, frère, et pour les fautes passées, voici que Dieu les a pardonnées.

400

Le même demanda au même Vieillard : Dis-moi, Père, comment se fait-il que mon âme ne pleure pas, alors qu'elle a tant de blessures?

Réponse de Barsanuphe :

Qui se rend compte de ce qu'il a perdu, veut le pleurer. Et qui désire une chose, supporte avec courage bien des voyages et des tribulations pour obtenir l'objet de son désir.

401

Le même demanda au même Vieillard : Si quelqu'un veut faire une bonne œuvre pour un avantage strictement personnel ou pour un autre désir à lui, cela lui sera-t-il imputé à justice[a]?

L. 401 RASKI V

---

399. a. Is 43, 26 b. Ps 31, 5
401. a. Cf. Gn 15, 6

Ἀπόκρισις Βαρσανουφίου·

Οἴδαμεν ὅτι ἐὰν νηστεύων τίς ποτε συμμίξῃ τῇ νηστείᾳ αὐτοῦ τί ποτε τοῦ ἰδίου θελήματος, ἢ πραγματευόμενος ἀνθρωπίνην δόξαν καὶ κέρδος ἐξ αὐτῆς, βδελυκτὴ γίνεται ἡ νηστεία αὐτοῦ τῷ Θεῷ. Καὶ οἱ Ἰσραηλῖται γὰρ ἐνήστευσαν, καὶ διὰ τὸ ἀδικεῖν ἐν ταῖς ἡμέραις τῆς νηστείας καὶ πληροῦν τὰ θελήματα αὐτῶν, ὠνείδισεν αὐτοὺς ὁ Θεός, διὰ Ἡσαΐου τοῦ Προφήτου λέγων· «Οὐ ταύτην τὴν νηστείαν ἐξελεξάμην, λέγει Κύριος[b].» Οὕτως οὖν καὶ ἐνταῦθα· πᾶν πρᾶγμα καλὸν γινόμενον μὴ δι' αὐτὴν καὶ μόνην τὴν ἀγάπην τοῦ Θεοῦ, ἀλλὰ διὰ ἴδιον θέλημα, μεμιασμένον εὑρίσκεται καὶ φευκτὸν τῷ Θεῷ τὸ πρᾶγμα. Καὶ ἐκ τοῦ θείου δὲ νόμου ἐστὶ γνῶναι τοῦτο, φησὶ γάρ· «Μεμιγμένον σπέρμα μὴ σπείρῃς ἐν τῷ ἀγρῷ σου, μηδὲ ποιήσῃς ἑαυτῷ χιτῶνα ἐξ ἐρίου καὶ λίνου[c].» Καὶ ἐὰν θέλωμεν γνῶναι ὅτι ἐπὶ τῶν ἐργατῶν[d] εἴρηται, ὁ Ἐκκλησιαστὴς σημαίνει λέγων· «Διὰ παντὸς ἔστωσαν τὰ ἱμάτιά σου λευκά[e].» Σημαίνων ὅτι ὀφείλει τὸ ἔργον εἶναι πάντοτε καθαρόν. Ἐὰν οὖν ἔχῃ τὸ γινόμενόν τι τοῦ ἰδίου θελήματος τοῦ ποιοῦντος, ἐρρυπώθη τὸ ἔργον καὶ οὐκ ἔστιν ἀρεστὸν τῷ Θεῷ. Καὶ ὁ Κύριος περὶ τῶν ἔργων τοῖς ἑαυτοῦ μαθηταῖς ἔλεγε· «Προσέχετε ἑαυτοῖς ἀπὸ τῶν ψευδοπροφητῶν τῶν ἐρχομένων πρὸς ὑμᾶς ἐν ἐνδύμασι προβάτων, ἔσωθεν δέ εἰσι λύκοι ἅρπαγες, ἀπὸ τῶν καρπῶν αὐτῶν ἐπιγνώσεσθε αὐτούς[f].» Ὥστε σπουδάσωμεν δι' οὐδὲν ἄλλο ποιεῖν τὸ ἔργον τοῦ Θεοῦ, εἰ μὴ διὰ μόνον τὸν Θεόν, ἐὰν γὰρ μὴ οὕτω γένηται, οὐ χρῄζει ἡμῶν ὁ Θεὸς ἵνα δι' ἡμῶν γένηται. Οὐ λείπει γὰρ τῷ Θεῷ δι' οὗ θέλει γενέσθαι ἀμέμπτως τὸ ἔργον αὐτοῦ. Ποιοῦντες οὖν τὸ ἀγαθὸν νήψωμεν, μήπως διὰ τὸ θέλημα ἡμῶν ἀνωφελῆ ποιήσωμεν τὸν κόπον.

10 τὰ θελήματα : τὸ θέλημα V ‖ 12 νηστείαν + ἐγὼ R ‖ 14 θέλημα + μεμιγμένον V ‖ 18 ἑαυτῷ : σεαυτῷ R V ‖ 19 εἴρηται : εἴρηκεν R

Réponse de Barsanuphe :

Nous le savons bien, si celui qui jeûne mêle à son jeûne un peu de volonté propre, ou recherche la gloire humaine et en fait son gain, son jeûne est une abomination devant Dieu. Les Israélites aussi jeûnaient, mais pour avoir commis l'injustice en ces jours de jeûne et accompli leurs volontés, ils ont encouru les reproches de Dieu par la bouche du prophète Isaïe : « Ce n'est pas ce jeûne que j'ai voulu, dit le Seigneur[b]. » Il en est de même ici : toute bonne œuvre qui n'est pas faite pour l'amour de Dieu et pour lui seul, mais par volonté propre, se trouve souillée et met Dieu en fuite. Et c'est la Loi divine qui nous l'apprend, car il est dit : « Ne sème pas dans ton champ de semence hybride, ne te fais pas une tunique de laine et de lin[c]. » Si nous voulons savoir qu'on parle des ouvriers[d], l'Ecclésiaste nous le montre en disant : « Que tes vêtements soient toujours blancs[e]. » Il signifie ainsi que l'œuvre doit toujours être pure. Or quand la volonté propre s'en mêle un peu, l'œuvre est souillée et ne plaît pas à Dieu. C'est aussi à propos des œuvres que le Seigneur disait à ses disciples : « Méfiez-vous des faux prophètes qui viennent à vous déguisés en brebis, mais qui au dedans sont des loups rapaces ; c'est à leurs fruits que vous les reconnaîtrez[f]. » Efforçons-nous donc d'accomplir l'œuvre de Dieu pour Dieu seul, car s'il n'en est pas ainsi, Dieu ne fera pas appel à nous pour qu'elle soit faite par nous. Dieu, en effet, ne manque pas d'ouvriers pour accomplir son œuvre de façon irréprochable conformément à sa volonté. Donc soyons vigilants. lorsque nous faisons le bien, de peur que, par notre volonté à nous, nous ne rendions notre labeur inutile.

b. Is 58, 5 c. Dt 22, 9-11 d. Cf. Mt 9, 37 ; 20, 1
e. Qo 9, 8 f. Mt 7, 15-16

402

Ἐρώτησις τοῦ αὐτοῦ πρὸς τὸν αὐτόν· Ἐπειδὴ βραδὺς ὢν εἰς μάθησιν, ταχύτερον μανθάνω τοὺς ψαλμούς. Ἆρα ἐκ τοῦ Θεοῦ συνέβη μοι τοῦτο ἢ ἐκ τῶν δαιμόνων, ἵνα ἔλθω εἰς κενοδοξίαν;

Ἀπόκρισις Βαρσανουφίου·

Ὅσα παρέχει σοι ὁ Θεός, μάθε μετὰ ταπεινώσεως, τὸ γὰρ μαθεῖν εὐχερῶς τὰ λόγια τοῦ Θεοῦ οὐκ ἀπὸ τοῦ διαβόλου γίνεται, σπέρμα γάρ εἰσιν τοῦ Θεοῦ. Ἀλλ' ἐὰν μή τις προσέχῃ ἑαυτῷ, σπείρει καὶ αὐτὸς τὰ ζιζάνια αὐτοῦ[a]. Ἐὰν θέλῃς ταπεινῶσαι τὸν λογισμόν, εἰπὲ αὐτῷ ὑπόδειγμα· Ἐάν τις λάβῃ παρὰ τοῦ δεσπότου αὐτοῦ ἀργύριον κατὰ τοὺς δούλους ἐκείνους[b] καὶ μὴ κερδάνῃ καὶ πλεονάσῃ, τί πανθάνει; Καὶ λέγει σοι ὅτι Κατὰ τὸν δοῦλον ἐκεῖνον, τὸν χώσαντα τοῦ δεσπότου αὐτοῦ τὸ ἀργύριον[c]. Καὶ εἰπὲ αὐτῷ οὐκοῦν· Μὴ ὑψηλοφρόνει, γεμίσας τὸν ἀέρα λόγους ἀκάρπους, εἰς κατάκριμά μου γάρ εἰσιν.

403

Ἐρώτησις τοῦ αὐτοῦ πρὸς τὸν αὐτόν· Ἐπεὶ οὖν τὸ ἀγαθὸν ἐκ τοῦ Θεοῦ ἐστι, δίδοται δὲ καὶ ἁμαρτωλοῖς, τοῦτο διὰ τί δίδοται;

Ἀπόκρισις Βαρσανουφίου·

Πᾶσα δόσις ἀγαθή, δηλονότι ἐκ τοῦ Θεοῦ ἐστιν[a]. Ἀγαθοῦ γὰρ ὄντος αὐτοῦ, πάντα τὰ ἀγαθὰ ἐξ αὐτοῦ γίνονται, τοῖς μὲν δικαίοις ὡς ἀξίοις, τοῖς δὲ ἁμαρτωλοῖς ὡς εὐεργετουμένοις ἐλθεῖν εἰς μετάνοιαν, κατὰ τὸ ἅγιον Παῦλον, λέγοντα· « Ἐγὼ γάρ εἰμι πρῶτος τῶν

L. 402 RASKI V

1 πρὸς – αὐτόν om. RI V ‖ 3-4 ἵνα – κενοδοξίαν om. V ‖ 8 εἰσιν : ἐστιν V ‖ 9 ἑαυτῷ : τῷ θεῷ V ‖ 12-14 κατὰ – ἀργύριον om. SKI

402

Demande du même au même : Bien que je sois lent à apprendre, j'apprends assez vite les Psaumes. Cela me vient-il de Dieu ou des démons pour que je tombe dans la vaine gloire ?

Réponse de Barsanuphe :

Tout ce que Dieu te donne d'apprendre, apprends-le avec humilité ; car apprendre facilement les paroles de Dieu ne peut venir du diable, c'est une semence de Dieu. Mais lorsqu'on ne veille pas sur soi-même, l'Ennemi sème son ivraie[a]. Si tu veux humilier ta pensée, dis-lui par exemple : « Quand quelqu'un reçoit de son maître de l'argent comme ces serviteurs-là[b] et ne le fait pas valoir ni fructifier, quel traitement subit-il ? » Et ta pensée te répondra : « Celui de ce serviteur qui a enfoui l'argent de son maître[c]. » Dis-lui alors : « Ne t'élève donc pas d'avoir empli l'air de paroles stériles, car elles seront pour ma condamnation. »

403

Demande du même au même : Puisque c'est Dieu qui donne le bien, pourquoi le donne-t-il même aux pécheurs ?

Réponse de Barsanuphe :

Tout ce qui est donné de bon, cela est évident, vient de Dieu[a]. Comme il est bon, tous les biens viennent de lui : aux justes, parce qu'ils en sont dignes ; aux pécheurs, parce que ce bienfait les conduit à la pénitence, selon cette parole de saint Paul : « Je suis en effet le premier

L. 403 RASKI V
1 τοῦ – αὐτόν om. RI V ‖ 2 τοῦ + ἀγαθοῦ R

402. a. Cf. Mt 13, 25 b. Cf. Mt 25, 14 c. Cf. Mt 25, 24-30
403. a. Cf. Jc 1, 17

ἁμαρτωλῶν, ἀλλ' ἠλεήθην πρὸς τὸ ἐν ἐμοὶ πρῶτον ἐνδείξασθαι τὸν Χριστὸν πᾶσαν αὐτοῦ τὴν μακροθυμίαν[b] »

404

Ἐρώτησις τοῦ αὐτοῦ πρὸς τὸν αὐτόν · Πῶς δύναται κατ' ἀξίαν εὐχαριστεῖν;

Ἀπόκρισις ·

Ἐὰν οἱ ἄνθρωποι οἱ μηδὲν ὄντες, συγχωρῶσί τινι ἕως οἰκτροῦ πράγματος ἤγουν ἐξαιροῦνται αὐτὸν ἀπὸ θλίψεων δεινῶν, καὶ χάριτας ὁμολογεῖ καὶ κηρύττει τὸ ἀγαθὸν τοῦτο πᾶσι. Πόσῳ μᾶλλον ἡμεῖς οἱ διὰ παντὸς εὐεργετούμενοι ἀπὸ τοῦ Θεοῦ οἵοις στόμασι δυνάμεθα αὐτῷ εὐχαριστῆσαι, πρὸ μὲν πάντων δημιουργήσαντι ἡμᾶς, ἔπειτα παρασχόντι ἡμῖν βοήθειαν πρὸ τοὺς ἀντικειμένους, σύνεσιν καρδίας, ὑγείαν σώματος, φῶς ὀφθαλμῶν, πνοὴν ζωῆς καὶ τὸ μεῖζον πάντων, τόπον μετανοίας καὶ τὸ λαβεῖν αὐτοῦ τὸ σῶμα καὶ τὸ αἷμα εἰς ἄφεσιν ἁμαρτιῶν καὶ στερέωσιν καρδίας. « Ἄρτος γάρ φησι, στηρίζει καρδίαν ἀνθρώπου[a]. » Καὶ εἰ περὶ τοῦ αἰσθητοῦ ἄρτου νομίζει τις αὐτὸ εἰρῆσθαι, πῶς αὐτὸ πάλιν τὸ Πνεῦμα λέγει ὅτι « Οὐκ ἐπ' ἄρτῳ μόνῳ ζήσεται ἄνθρωπος, ἀλλ' ἐν παντὶ ῥήματι ἐκπορευομένῳ διὰ στόματος τοῦ Θεοῦ[b]; » Εἰ περὶ αἰσθητῶν καὶ φθαρτῶν πραγμάτων οἱ ἄνθρωποι ἀμοιβὰς καὶ χάριτας ποιοῦσι, τί δυνάμεθα ἀνταποδοῦναι τῷ σταυρωθέντι ὑπὲρ ἡμῶν, ἐὰν θέλωμεν ἀνταποδοῦναι καὶ ἡμεῖς; Ὀφείλομεν ἕως θανάτου ὑπενεγκεῖν δι' αὐτόν. Μὴ οὖν κοπιάσῃς θέλων καταλαβεῖν τὴν ὀφειλομένην τῷ Θεῷ παρὰ τῶν ἀνθρώπων

10 πρῶτον : πρώτῳ R V

L. 404 RASKI V

1 τοῦ – αὐτόν om. R V ‖ 5 οἰκτροῦ : μικροῦ RI V ‖ ἤγουν ἐξαιροῦνται : ἢ ὡς ἐξαιροῦντες V ‖ 6 ὁμολογεῖ : -λογῆσαι V ‖ 11 πνοὴν om. KI ‖ 23 ὀφειλομένην + σοι SKI

des pécheurs, mais il m'a été fait miséricorde, pour qu'en moi en premier lieu le Christ manifestât toute sa longanimité[b]. »

404

Demande du même au même : Comment est-il possible de rendre à Dieu de dignes actions de grâces?

Réponse :

Lorsque les hommes qui ne sont rien, accordent à quelqu'un une chose qui va jusqu'à la compassion, ou bien qu'ils l'arrachent à des épreuves terribles, l'obligé exprime sa gratitude et proclame ce bienfait à tout le monde. Combien plus, nous qui bénéficions sans cesse des bienfaits de Dieu, pouvons-nous de toutes les bouches possibles lui rendre grâces, d'abord de nous avoir créés, ensuite de nous donner aide contre les adversaires, intelligence du cœur, santé du corps, lumière des yeux, souffle de la vie, et par-dessus tout, de nous permettre de faire pénitence et de recevoir son Corps et son Sang pour la rémission des péchés et l'affermissement du cœur. Car il est écrit que « le pain affermit le cœur de l'homme[a]. » Et si quelqu'un pense que cela est dit du pain matériel, comment l'Esprit dit-il encore : « L'homme ne vivra pas seulement de pain, mais de toute parole qui sort de la bouche de Dieu[b] »? Si les hommes s'adressent des dons et des remerciements pour des choses matérielles et périssables, que pouvons-nous rendre à celui qui a été crucifié pour nous, si nous voulons, nous aussi, donner en retour? Nous devons tout supporter jusqu'à la mort pour lui. Ne te fatigue donc pas à vouloir comprendre la dette de reconnaissance qu'ont les hommes envers Dieu, surtout

b. 1 Tm 1, 15-16

404. a. Ps 103, 15 b. Dt 8, 3

εὐχαριστίαν, μάλιστα ἁμαρτωλῶν, ὑπὲρ αὐτῶν γὰρ ἀπέθανεν. Ἐὰν φυλακισθῇ ἄνθρωπος διά σέ, ὑπὲρ τὴν δύναμίν σου θέλεις εὐχαριστῆσαι αὐτῷ. Μάλιστα πόσῳ τῷ ὑπὲρ σοῦ ἀποθανόντι; Τοῦτο μάθε ὅτι οὐδέποτε κατ' ἀξίαν φθάνομεν εὐχαριστεῖν. Ἀλλ' ὅμως κατὰ τὴν ἡμῶν δύναμιν, εὐχαριστήσωμεν αὐτῷ καὶ στόματι καὶ καρδίᾳ, καὶ φιλάνθρωπός ἐστι τοῦ συμψηφίσαι καὶ συναριθμῆσαι ἡμᾶς μετὰ τῆς χήρας ἐκείνης τῶν δύο λεπτῶν[c]. Ταῦτα περὶ τῶν ἁμαρτωλῶν εἰρήσθω, οἱ γὰρ δίκαιοι κατακοπτόμενοι καὶ θανατούμενοι ὑπερευχαριστοῦσι, κατὰ τὸν ἅγιον Παῦλον λέγοντα· « Εὐχαριστεῖτε[d] », δηλονότι Θεῷ. Αὐτῷ ἡ δόξα εἰς τοὺς αἰῶνας. Ἀμήν.

405

Ἐρώτησις τοῦ αὐτοῦ πρὸς τὸν αὐτὸν Γέροντα· Ἆρα δυνατόν ἐστι τοὺς δαίμονας ἀγαθοποιῆσαί τινι; Καὶ πῶς φανεροῦται ὅτι δαιμονιώδης ἐστί; Καὶ τίς ἡ διαφορὰ αὐτοῦ καὶ τοῦ θεϊκοῦ ἀγαθοῦ;

Ἀπόκρισις Βαρσανουφίου·

Ἐνδέχεται μὲν δόξα γίνεσθα τινι ἀγαθὸν πρὸς ἀπάτην ἐκ τοῦ πονηροῦ, ἀλλὰ πᾶν ἀγαθὸν γινόμενον ἐκ τοῦ διαβόλου πρὸς τὴν ἀπάτην τοῦ ἀνθρώπου, ψηλαφώμενον μετὰ ἀκριβείας, εὑρίσκεται μετασχηματισμός. Ψεύστης γάρ ἐστι καὶ ἀλήθειαν ἐν αὐτῷ οὐχ εὑρίσκεις[a], καθὼς τὰ ἔσχατα τῆς ἐκβάσεως δηλοῖ. Τὰ γὰρ ἔσχατα τοῦ φωτὸς αὐτοῦ σκότος, κατὰ τὸν Ἀπόστολον λέγοντα περὶ τῶν ἀγγέλων τοῦ διαβόλου τῶν μετασχηματιζομένων εἰς διακόνους δικαιοσύνης « ὧν τὸ τέλος κατὰ τὰ ἔργα αὐτῶν[b] », καὶ κατὰ τὸν Σωτῆρα λέγοντα· « Ἀπὸ τῶν

26 μάλιστα πόσῳ : πόσῳ μᾶλλον V ‖ 34 δηλονότι + τῷ R

L. 405 PRASKI V

1 πρὸς – γέροντα om. PR V ‖ 2 τινι : τινα V ‖ 3 δαιμονιώδης : -μονιῶδες V ‖ 6 δόξα : δόξῃ V ‖ 11 δηλοῖ : μαρτυρεῖ V

les pécheurs, car il est mort pour eux. Qu'un homme soit emprisonné pour toi, tu chercheras à faire l'impossible pour lui témoigner ta reconnaissance. Combien plus à l'égard de celui qui est mort pour toi! Sache bien que jamais nous ne parviendrons à rendre grâces comme il le faudrait. Cependant, autant que nous le pouvons, rendons-lui grâces de bouche et de cœur, et dans sa bonté il nous considérera et nous appréciera comme cette veuve avec ses deux liards[c]. Que cela soit dit des pécheurs, car les justes, eux, s'ils sont coupés en morceaux et mis à mort, remercient encore plus, selon la parole de saint Paul : «Rendez grâces[d]», à Dieu évidemment. A lui la gloire dans les siècles. Amen.

405

Demande du même au même Vieillard : Se peut-il que les démons fassent du bien à quelqu'un? Et comment voir que cela vient des démons? Quelle différence y a-t-il entre ce bien-là et le bien divin?

Réponse de Barsanuphe :

C'est une opinion reçue que le Mauvais peut faire du bien à quelqu'un pour le tromper, mais tout bien que fait le diable pour tromper l'homme, si on l'examine avec soin, apparaît comme un camouflage. Car il est menteur et tu ne trouveras pas de vérité en lui[a], comme le montrent les résultats auxquels il aboutit. En effet les résultats de sa lumière sont ténèbres, selon la parole de l'Apôtre au sujet des anges du diable qui se déguisent en ministres de justice, et «dont la fin correspond aux œuvres[b]» et selon cette parole du Sauveur : «C'est à leurs fruits que vous les

c. Mc 12, 42 d. 1 Th 5, 18
405. a. 1 Jn 2, 4 b. 2 Co 11, 14-15

καρπῶν αὐτῶν ἐπιγνώσεσθε αὐτούς[c].» Ἐὰν οὖν ἐρευνήσῃς ἐν γνώσει καὶ διακρίσει, εὑρίσκεις πάντως εἰς τὸ ὑπὸ τοῦ διαβόλου νομιζόμενον ἀγαθόν, μὴ ὂν τίποτε ἴχνος ἀγαθοῦ, ἀλλ' ἢ κενοδοξίαν ἢ τάραχον ἢ ἄλλο τι τοιοῦτον. Τὸ δὲ τοῦ Θεοῦ ἀγαθὸν ἀεὶ πλεονάζει φωτισμὸν καὶ ταπείνωσιν καρδίας καὶ εἰς γαλήνην φέρει τὸν ἄνθρωπον. Ἐὰν δὲ μὴ εἰδότες πάθωμέν τι ἐκ τῆς ἀπάτης τοῦ πονηροῦ καὶ ὕστερον μάθωμεν τὸν πειρασμόν, ἀνακαλεσώμεθα ἑαυτοὺς καὶ προσφύγωμεν τῷ καταργῆσαι δυναμένῳ τὸν πειρασμόν[d]. Γινώσκειν δὲ δεῖ ὅτι τοῖς μὲν ἁγίοις εὐθὺς ἐξ ἀρχῆς εὐκατάληπτός ἐστιν ἡ διαφορά, τοῖς δὲ ἁμαρτωλοῖς ἐκ τῆς ἀποβάσεως. Ὥσπερ ἐάν τις δόκιμος χρυσοχόος λάβῃ χρυσόν, δύναται πρὸ τοῦ πυρῶσαι εἰπεῖν τί ἐστιν, ὁ δὲ μὴ δόκιμος, ἡνίκα πυρώσῃ, τότε μανθάνει τί ἐστιν.

406

Ἐρώτησις· Ἐὰν φανερωθῇ τὸ ἐκ τῶν δαιμόνων νομιζόμενον ἀγαθόν, σαφήνισόν μοι πῶς τις ἐκφεύγει τὸν ἐξ αὐτοῦ κίνδυνον;

Ἀπόκρισις·

Τὸ λογίζεσθαι τὰ καλὰ ὡς καλά, ὀφείλομεν ἀεί. Ἐὰν δὲ δοκιμασθῇ τὸ καλὸν γινόμενον, εὑρεθῇ δὲ κακόν, χρὴ ἀποβάλλειν αὐτὸ ὃν τρόπον γὰρ βλέπει τίς ποτε βρώσιμόν τι καὶ νομίζει εἶναι καλόν, γευόμενος δὲ εὑρίσκει αὐτὸ πικρόν. Καὶ εὐθὺς ἀποβάλλει ἐκ τοῦ στόματος καὶ ναρκᾷ

16 οὖν om. PRI V ‖ 18 μὴ – ἀγαθοῦ : οὐδὲν ἄλλο K om. S ‖ 25 ἁγίοις : ἄλλοις V ‖ 27 ἐάν : ἄν P ‖ 28 πυρῶσαι : πυρωθῆναι K ‖ 29 τί ἐστιν om. PRI V

L. 406 PRASKI V

2 ἐκφεύγει : φύγῃ ASK ‖ 7 ποτε om. V ‖ 8 τι : τε RS ‖ 9 ἐκ : ἀπὸ V ‖ ναρκᾷ : ναρκεῖ V

reconnaîtrez[c].» Si donc tu examines avec science et discernement, tu découvriras certainement qu'en ce qui était regardé comme un bien venant du diable, il n'y a en réalité aucune trace de bien, mais seulement vaine gloire, trouble, ou quelque autre chose de ce genre. Au contraire, le bien qui vient de Dieu accroît toujours l'illumination et l'humilité du cœur, et porte l'homme au calme. Si, par ignorance, nous sommes victimes de quelque tromperie du Mauvais, et qu'ensuite nous prenions conscience de la tentation, revenons à nous-mêmes et fuyons auprès de celui qui peut dissiper la tentation[d]. Mais il faut savoir que, pour les saints, la différence est saisissable tout de suite, tandis que pour les pécheurs, elle l'est d'après le résultat. Tout comme un orfèvre expérimenté peut dire ce qu'est l'or qu'il reçoit, avant même de le passer au feu, alors que celui qui manque d'expérience ne le sait qu'après l'épreuve du feu.

406

Demande : L'orsqu'apparaît un bien supposé venant des démons, explique-moi comment on échappe au danger qui s'ensuit ?

Réponse :

Tenir les biens pour des biens, nous le devons toujours. Mais si le bien supposé se révèle un mal à l'épreuve, il faut le rejeter comme on fait pour une chose qui, à première vue, paraissait bonne à manger et qui au goût se révèle amère ; aussitôt on la rejette de la bouche et on en est dégoûté à cause de l'amertume. Cela arrive par exemple pour une noix, une amande, et les autres choses de ce genre. On n'en réclame plus à cause du goût qu'on a éprouvé. Mais si quelqu'un, connaissant son amertume, continue d'en manger et se

c. Mt 7, 16 d. Cf. 2 Th 2, 8

ἀπ' αὐτοῦ διὰ τὴν πικρίαν[a]. Οἷον κάρυον, ἀμύγδαλον καὶ τὰ λοιπά. Καὶ οὐκ ἐγκαλεῖται διὰ τὴν γεῦσιν. Ἀλλ' ἐὰν μάθῃ αὐτοῦ τὴν πικρίαν καὶ ἐμμείνῃ τρώγων αὐτό, ἐμπιπλᾷ τὴν γαστέρα αὐτοῦ τῆς πικρίας, καὶ αἴτιος ἑαυτῷ τυγχάνει. Οὕτω καὶ ἐνταῦθα· Ἐὰν οὖν χλευασθῇ ὁ ἄνθρωπος καὶ μάθῃ καὶ εἴπῃ· Ἐχλευάσθην Δέσποτα Κύριε, συγχώρησόν μοι, συγχωρεῖ, ἐλεήμων γάρ ἐστι. Τοῦτο δὲ μάθε, ἀγαπητέ, ὅτι ὁ Θεὸς οὐκ ἀφεῖ τινα πειρασθῆναι ὑπὲρ ὃ δύναται[b]. Ἐν παντὶ οὖν προσφέρωμεν αὐτῷ τὴν ἱκεσίαν, καὶ αὐτὸς διακρινεῖ ἡμῶν τὸ ἀγαθὸν ἀπὸ τοῦ νομιζομένου ἀγαθοῦ. Αὐτῷ ἡ δόξα εἰς τοὺς αἰῶνας. Ἀμήν.

407

Ἐρώτησις τοῦ αὐτοῦ πρὸς τὸν αὐτόν· Ἐὰν φαίνηταί μοί τι εἶναι ἀγαθόν, ἀντιπράττει δὲ ἐναντίος λογισμὸς κωλύων με ποιῆσαι αὐτό, ὡς μὴ ἀγαθόν, πόθεν δύναμαι καταλαβεῖν εἰ ἔστιν ἀληθῶς ἀγαθόν;

Ἀπόκρισις·

Ἐὰν φαίνηταί σοι τὸ πρᾶγμα ὅτι κατὰ Θεόν ἐστι, ἀντιπράττει δὲ ἐναντίος λογισμός, ἐκ τούτου δοκιμάζεται εἰ ἔστιν ἀληθῶς κατὰ Θεόν· Ἐὰν γὰρ ἡμῶν προσευχομένων στερεοῦται ἡ καρδία ἡμῶν εἰς τὸ ἀγαθόν, καὶ αὔξει μᾶλλον ἢ γὰρ μειοῦται, τότε κἄν τε ἐπιμείνῃ ὁ ἐναντίος λογισμὸς θλίβων ἡμᾶς, κἄν τε μὴ ἐπιμείνῃ, μάθωμεν ὅτι κατὰ Θεόν ἐστι τὸ πρᾶγμα. Τῷ γὰρ ἀγαθῷ θλῖψις μὲν ἀντίκειται ἐκ τοῦ φθόνου τοῦ διαβόλου, αὐτὸ δὲ διὰ προσευχῆς μᾶλλον πλεονάζει. Ἐὰν δὲ ἐκ τοῦ διαβόλου ὑπεβλήθη τὸ νομιζόμενον ἀγαθόν, πρὸς ὃ καὶ ἡ ἀντίστασις αὐτοῦ ἐστι,

12 ἐμμείνῃ : μείνῃ R ‖ 13 ἑαυτῷ : αὐτῷ I ὁ αὐτὸς V ‖ 17 ἀφεῖ : ἀφίησι V ἐᾷ R ‖ 19 ἀπὸ – ἀγαθοῦ om. S

L. 407 PRASKI V

1 τοῦ – αὐτόν om. PRI V ‖ 2 τι – ἀγαθόν : τὸ πρᾶγμα ὅτι κατὰ θεόν ἐστι PRI V ‖ ἐναντίος + ὁ V ‖ 3 αὐτό om. K ‖ μὴ + ὂν V ‖ 4 καταλαβεῖν :

remplit l'estomac de cette amertume[a], celui-là est coupable. De même ici : Si l'homme est le jouet des démons, qu'il s'en rend compte et dit : « J'ai été joué, Seigneur Maître, pardonne-moi », le Seigneur pardonne, car il est miséricordieux. Sache, bien-aimé, que Dieu ne permet pas qu'on soit tenté au-delà de ses forces[b]. En tout présentons-lui donc notre supplication et lui-même discernera notre bien du bien supposé. A lui la gloire dans les siècles. Amen.

407

Demande du même au même : Si une chose me semble être bonne et qu'une pensée contraire s'y oppose pour m'empêcher de la faire en me suggérant qu'elle n'est pas bonne, comment puis-je me rendre compte si elle est vraiment bonne ?

Réponse :

Si la chose te semble être selon Dieu, mais qu'une pensée contraire s'y oppose, voici ce qui prouvera qu'elle est vraiment selon Dieu : si, nous étant mis en prière, notre cœur s'attache fermement à ce bien, et si cela augmente au lieu de diminuer, que la pensée opposée continue ou non de nous tracasser, soyons-en certains, la chose est selon Dieu. Car au bien vient s'opposer de l'affliction par suite de l'envie du diable, mais par la prière le bien devient plus évident. Si c'est au contraire

κατανοῆσαι I V ‖ 6-7 ἐὰν – λογισμός om. PR ‖ 9 στερεοῦται : -ρεῶται PR ‖ αὔξει : αὔξῃ PR ‖ 10 μειοῦται : μειῶται PR ‖ ἐπιμείνῃ : ἐπιμένῃ SK ‖ 10-11 ὁ ἐναντίος – ἐπιμείνῃ om. SK

---

406. a. Cf. Ap 10, 9 b. Cf. 1 Co 10, 13

τότε αὐτὸ τὸ δοκοῦν ἀγαθὸν μειοῦται καὶ ἡ δοκοῦσα ἀντίστασις. Ὁ γὰρ ἐχθρὸς δοκεῖ ἀνθίστασθαι τῷ λογισμῷ τῷ παρ' αὐτοῦ ὑποβαλλομένῳ, ὥστε ἐκ τούτου πλανῆσαι ἡμᾶς, ἡγεῖσθαι αὐτὸ εἰς ἀγαθόν.

408

Ἐρώτησις· Τί οὖν ὅταν γίνηται τὸ ἀγαθὸν ἀθλίπτως, οὐκ ἔστι κατὰ Θεόν; Καὶ ὅτε συμβαίνει με μικρὰν ποιῆσαι εὐποιΐαν καὶ εὑρεῖν τὸν λογισμὸν ἄθλιπτον, ἆρα ἀκαίρως ἐποίησα καὶ οὐκ ἀρέσκει τῷ Θεῷ τὸ γινόμενον; Φώτισόν μου τὴν καρδίαν Πάτερ, παρακαλῶ.

Ἀπόκρισις·

Ἐάν τις ἀγαθὸν ποιήσας εὕρῃ τὸν λογισμὸν ἄθλιπτον, οὐκ ὀφείλει θαρρῆσαι ὅτι ἄνευ θλίψεως παρέρχεται. Πᾶν γὰρ ἀγαθὸν τῆς ὁδοῦ τοῦ Θεοῦ ἐστι καὶ οὐ ψεύδεται ὁ λέγων ὅτι « Στενὴ καὶ τεθλιμμένη ἡ ὁδὸς ἡ ἀπάγουσα εἰς τὴν ζωήν[a]. » Κἂν γὰρ μὴ τῷ καιρῷ τῆς πράξεως τοῦ ἀγαθοῦ συμβῇ ἡ θλῖψις, ἀλλὰ δεῖ μετὰ ταῦτα θλιβῆναι τὸν ἄνθρωπον. Ἡνίκα δὲ μετὰ προθυμίας ποιῇ τις τὸ ἀγαθόν, οὐκ αἰσθάνεται αὐτῆς, ἀλλ' οὐδὲ πάλιν αἰσθάνεται ὅτι πολυτρόπως ἡ θλῖψις συμβαίνει[b]. Κἂν θέλωμεν ἀκριβολογήσασθαι, πάντως εὑρίσκομεν αὐτὴν ἢ διὰ κενοδοξίας κεκρυμμένην, καὶ τοῦτο γὰρ τῶν θλίψεών ἐστιν, ἢ διὰ προσώπου κωλύοντος ἡμᾶς ἢ διὰ τὸ μετὰ ταῦτα χρῄζειν τῶν παρ' ἡμῶν ἐν εὐποιΐᾳ δοθέντων. Μὴ εὑρίσκοντες γὰρ εἰς τὰς χεῖρας, εἰς μετάμελον τρεπόμεθα.

16 τότε + καὶ PRI V ‖ δοκοῦσα + εἶναι PRKI V ‖ 19 εἰς : ὡς V
L. 408 PRASKI V
2 ὅτε συμβαίνει : ὅταν συμβῇ V ‖ με : μοι PRI om. V ‖ 10 ὅτι om. V

le diable qui a suggéré le bien apparent, l'opposition à ce bien venant aussi de lui, le faux bien lui-même diminue, ainsi que l'opposition apparente. Car l'Ennemi fait semblant de s'opposer à la pensée qu'il a suggérée, afin de nous égarer par ce procédé et de nous faire croire que c'est un bien.

408

Demande : Quoi donc ? Quand le bien se présente sans qu'il y ait affliction, il n'est pas selon Dieu ? Lorsqu'il m'arrive de faire un peu de bien sans que j'en aie la pensée tracassée, serait-ce donc que je l'ai fait à contretemps et que la chose n'est pas agréable à Dieu ? Éclaire mon cœur, je t'en prie, Père.

Réponse :

Si quelqu'un ayant fait du bien n'en a pas la pensée tracassée, il ne doit pas croire qu'il restera sans affliction. Car tout bien est de la voie de Dieu, et il ne ment pas celui qui a dit : « Étroite et tourmentée est la voie qui conduit à la vie[a]. » Même si l'affliction ne se présente pas au moment même de la bonne action, il faut cependant que l'homme soit affligé dans la suite. Lorsqu'on fait le bien avec ardeur, on ne s'aperçoit pas de l'affliction ; on ne s'en rend pas compte non plus parce que l'affliction se présente sous de multiples formes[b]. Mais si nous voulons y regarder de près, nous la reconnaîtrons certainement : ce peut être la vaine gloire qui la cache, car cela aussi fait partie des afflictions, ou bien c'est une personne qui nous en détourne, ou bien l'affliction viendra du fait que nous aurons besoin par la suite des choses que nous avons données en aumône. Ne les ayant plus en main, nous regretterons de les avoir données. Et comment alors

408. a. Mt 7, 14 b. Cf. He 1, 1

Καὶ τότε ποῦ εὑρίσκομεν τὸν ἄθλιπτον λογισμόν; Πρὸς ταῦτα οὖν οὐ δεῖ θαρρῆσαι. Τηρεῖ γὰρ τὴν θλῖψιν καὶ εἰς τὸ μετὰ ταῦτα τοῖς ἀσυνέτοις. Ὁ γὰρ συνιὼν πάντοτε, ἀεὶ προσδοκᾷ εὑρεῖν θλῖψιν, ἐὰν μὴ σήμερον αὔριον καὶ οὐ ταράττεται· «Ἡτοιμάσθην γάρ φησι, καὶ οὐκ ἐταράχθην[c].» Καὶ μακάριος ὁ ἔχων πρὸ ὀφθαλμῶν πάντοτε ὅτι «τοῦ Κυρίου ἡ γῆ καὶ τὸ πλήρωμα αὐτῆς[d]», καὶ λογιζόμενος ὅτι ὡς θέλει δυνατός ἐστιν οἰκονομῆσαί με τὸν δοῦλον αὐτοῦ. Ὁ γὰρ τοιοῦτος οὐ μεταγινώσκει περὶ τῶν δοθέντων. Κἂν οὖν εὕρωμεν θλῖψιν, μάθωμεν ὅτι πρὸς δοκιμὴν ἡμῶν συγχωρεῖ ὁ Θεός[e]. Ἐπεὶ οὐδέποτε παραβλέπει τοὺς φοβουμένους αὐτόν, μάλιστα τοὺς διὰ τὸ ὄνομα αὐτοῦ τι ποιοῦντας.

409

Ἐρώτησις τοῦ αὐτοῦ πρὸς τὸν αὐτόν· Ἆρα ἐνθυμεῖταί τι ἀγαθὸν ὁ ἄνθρωπος ἐξ ἰδίας κινήσεως;

Ἀπόκρισις·

Συμβαίνει μὲν πολλάκις ἀπὸ κινήσεως τοῦ φυσικοῦ λογισμοῦ ἐνθυμεῖσθαί τινα τὸ ἀγαθόν. Ἀλλὰ καὶ τοῦτο ἐπιγράφειν δεῖ τῷ Θεῷ, ἡ γὰρ φύσις ποίημα αὐτοῦ ἐστι. Γινώσκειν δὲ ὀφείλομεν ὅτι οὐκ ἄγομεν αὐτὸ εἰς τέλος, εἰ μὴ διὰ τῆς τοῦ Θεοῦ ἐντολῆς. Ὅταν γὰρ προτιθέμεθα αὐτὴν πρὸ ὀφθαλμῶν, τότε στερεοῦται ἐν αὐτῇ ἡ καρδία ἡμῶν[a] πληρῶσαι τὸ ἀγαθόν.

23 συνιὼν : συνιεῖς V ‖ 24 εὑρεῖν om. I V ‖ 25 ταράττεται : ταράττῃ V ‖ 28 με om. SK μετὰ I V ‖ 29 τὸν δοῦλον : τῶν δούλων I V ‖ 33 τι om. PSKI V

L. 409 RASKI V

1 τοῦ – αὐτόν om. RI V ‖ 2 κινήσεως : προαιρέσεως I V ‖ 4 ἀπὸ : ὑπὸ V ‖ 5 τοῦτο : οὕτως I V ‖ 8 προτιθέμεθα : προτιθώμεθα V

pourrons-nous avoir encore la pensée sans affliction? Il ne faut donc pas s'y fier avant cela. Car de l'affliction est réservée dans la suite aux insensés. En effet l'homme toujours circonspect ne cesse de s'attendre à l'affliction, le lendemain sinon le jour même, et il ne se trouble pas : «Je m'étais préparé, dit-il, et je n'ai pas été troublé[c].» Et bienheureux celui qui a toujours devant les yeux que «la terre est au Seigneur ainsi que tout ce qu'elle contient[d]», et qui comprend que le Maître peut disposer comme il veut de moi, qui suis son serviteur[1]. Car celui-là ne se repent pas de ses dons. Si donc nous trouvons de l'affliction, sachons que Dieu la permet pour nous éprouver[e]. Car jamais il ne détourne les yeux de ceux qui le craignent, surtout de ceux qui agissent en son nom.

409

Demande du même au même : L'homme pense-t-il à quelque bien de son propre mouvement?

Réponse :

Il arrive souvent que, par un mouvement de la pensée naturelle, on ait l'idée de quelque bien. Mais, même cela, il faut l'attribuer à Dieu : car la nature est son œuvre. Et nous devons savoir que si nous la menons à bonne fin, ce n'est que par le commandement de Dieu. C'est en effet quand nous nous le mettons devant les yeux, que notre cœur s'affermit en lui[a] pour accomplir le bien.

c. Ps 118, 60 d. Ps 23, 1 e. Cf. Rm 5, 4
409. a. Cf. 1 R 2, 1

1. Ici encore nous avons préféré la leçon des manuscrits PRA, qui donne plus de force à la réponse de Barsanuphe.

410

Ἐρώτησις τοῦ αὐτοῦ πρὸς τὸν αὐτόν· Ὅταν ποιῶ τι ἀγαθόν, πῶς ὀφείλω ταπεινῶσαί μου τὸν λογισμόν; Καὶ πῶς βαστάζω τὴν ἐμαυτοῦ μέμψιν, πράξας τὸ ἀγαθόν;

Ἀπόκρισις Βαρσανουφίου·

Εἰς ταπείνωσιν τοῦ λογισμοῦ, ἐὰν ποιήσῃς πᾶν ἀγαθὸν καὶ φυλάξῃς πάσας τὰς ἐντολάς, μνημόνευσον τοῦ εἰπόντος· « Ὅταν ταῦτα πάντα ποιήσητε, εἴπατε ὅτι Δοῦλοι ἀχρεῖοί ἐσμεν, ὃ ὀφείλομεν ποιῆσαι πεποιήκαμεν[a]. » Πόσῳ μᾶλλον ὅτι οὔπω ἐφθάσαμεν πληρῶσαι μίαν ἐντολήν; Καὶ οὕτω δεῖ φρονεῖν πάντοτε καὶ ἐπὶ τῷ ἀγαθῷ ἔργῳ βαστάζειν τὴν μέμψιν ὅτι « Οὐκ οἶδα εἰ ἀρέσκει τῷ Θεῷ. » Τὸ γὰρ ποιῆσαι τὸ θέλημα τοῦ Θεοῦ μέγα ἐστί, τὸ δὲ πληρῶσαι μειζότερόν ἐστι, συμπλήρωσις γάρ ἐστι πασῶν τῶν ἐντολῶν. Τὸ γὰρ ποιῆσαι τὸ θέλημα τοῦ Θεοῦ μερικόν ἐστι καὶ μικρότερον τοῦ πληρῶσαι. Διὰ τοῦτο εἶπεν ὁ Ἀπόστολος· « Τῶν ὄπισθεν ἐπιλανθανόμενος καὶ τοῖς ἔμπροσθεν ἐπεκτεινόμενος[b]. » Λοιπὸν γὰρ ὅσον ἐπεκτείνεται, οὐκ ἔχει διακοπήν, ἀλλὰ πάντοτε βλέπει ἑαυτὸν ὑστερούμενον καὶ προκόπτει. Αὐτὸς γὰρ εἶπεν ὅτι « Ὅσοι τέλειοι τοῦτο φρονοῦμεν », τοῦτ' ἔστι τὸ προκόπτειν, εἶπε δὲ ὅτι « Εἰ δὲ καὶ ἄλλο τι φρονεῖτε καὶ τοῦτο ὑμῖν ἀποκαλύψει ὁ Κύριος[c]. »

L. 410 RASKI V

1 τοῦ – αὐτόν om. R V ‖ τι : τὸ SK ‖ 3 βαστάζω : -τάσω V ‖ 5 ἐὰν : ὅταν I V ‖ 8 ἐσμεν + ὅτι V ‖ 13 μειζότερόν : μεῖζον V ‖ ἐστι om. V ‖ 15 διὰ om. SK ‖ 17 λοιπὸν om. K ‖ ὅσον + τις K V ‖ 19 ὅτι om. R V

410

Demande du même au même : Quand je fais quelque bien, comment dois-je humilier ma pensée ? Et comment supporter le blâme de soi-même, alors qu'on a fait le bien ?

Réponse de Barsanuphe :

Pour humilier ta pensée, quand tu as fait tout bien et observé tous les commandements, souviens-toi de cette parole : « Lorsque vous aurez fait tout cela, dites : Nous sommes des serviteurs inutiles, car nous n'avons fait que ce que nous devions faire[a]. » A plus forte raison si nous ne sommes pas encore parvenus à accomplir un seul commandement ! Tel doit être toujours notre sentiment, et, après une bonne œuvre, il faut supporter le blâme de soi en se disant : « Je ne sais si cela plaît à Dieu[1]. » C'est en effet une grande chose de faire la volonté de Dieu, mais une plus grande encore de l'accomplir, car il y a un accomplissement parfait de tous les commandements. Faire la volonté de Dieu n'est qu'une partie, et c'est moins que de l'accomplir. C'est pourquoi l'Apôtre disait : « Oubliant ce qui est en arrière, je suis tendu vers ce qui est en avant[b]. » Or aussi longtemps que l'on est tendu en avant, il n'y a pas d'arrêt, mais l'on se voit toujours en retard et l'on progresse. En effet l'Apôtre disait : « Nous tous, les parfaits, nous pensons à cela », c'est-à-dire à progresser ; et il ajoutait : « Si sur quelque point vous pensez autrement, cela aussi le Seigneur vous le dévoilera[c]. »

410. a. Lc 17, 10 b. Ph 3, 13 c. Ph 3, 15

1. Cf. *Alph. Agathon,* 29.

411

Ἐρώτησις· Ὅταν ποιῶ ἐντολήν, πῶς δύναμαι φυγεῖν τὴν ὑψηλοφροσύνην ἵνα οἶδα ὅτι καὶ ἀγαθὸν πρᾶγμα ἐποίησα καὶ ἀλλότριός εἰμι αὐτοῦ;

Ἀπόκρισις·

Ἄδελφε, τὰ καλὰ πράγματα, καλὰ ὀφείλομεν ἔχειν καὶ προστρέχειν αὐτοῖς ὡς καλοῖς, οὐ πρέπει γὰρ τὸ καλὸν ἔχειν ὡς κακόν, ἀλλ' ὅτε μὴ πράττει τις κατὰ τὸ ἀρέσκον Θεῷ τὸ καλόν, καὶ τοῦτο εὑρίσκεται κακῶς γινόμενον διὰ τὴν τοῦ ποιοῦντος διάκρισιν. Σπουδὴν δέ τις ὀφείλει ἔχειν τοῦ πάντοτε τὸ καλὸν ποιεῖν, καὶ ὕστερον Θεοῦ χάριτι προσγίνεται αὐτῷ τὸ κατὰ φόβον Θεοῦ γενέσθαι. Ὅτε οὖν γίνεται διὰ σοῦ τὸ ἀγαθόν, εὐχαρίστησον τῷ δοτῆρι τῶν ἀγαθῶν[a] ὡς αὐτοῦ ὑπάρχοντος τοῦ ἀγαθοῦ, ἑαυτὸν δὲ μέμψαι λέγων· Εἰ κἀγὼ καλῶς μετῆλθον τὸ πρᾶγμα, συμμέτοχος εἶχον εἶναι τοῦ ἀγαθοῦ. Καὶ τότε εὑρίσκεις δεηθῆναι τοῦ Θεοῦ μετὰ κατανύξεως καταξιῶσαί σε τοῦ γενομένου διὰ σοῦ ἀγαθοῦ.

412

Ἐρώτησις τοῦ αὐτοῦ πρὸς τὸν αὐτόν· Ἐὰν συμβῇ με μακροθυμῆσαι ἐν πράγματι, ὑψηλοφρονεῖ ὁ λογισμός, τί οὖν δεῖ με λογίζεσθαι;

Ἀπόκρισις·

Καὶ ἤδη εἶπόν σοι ὅτι, ἐὰν συμβῇ σε εἴ τι δήποτε ἀγαθὸν ποιῆσαι, γινώσκειν ὀφείλεις ὅτι αὕτη ἡ δωρεὰ τοῦ

L. 411 RASKI V

2 οἶδα : εἴδω V ‖ πρᾶγμα om. V ‖ 3 ἐποίησα καὶ : ποιήσας V ‖ 7 ὅτε : ὅταν K ‖ 10 ὕστερον : ὑστεροῦντι V ‖ 13 ἑαυτὸν : σεαυτὸν V ‖ 14 κἀγὼ om. SK ‖ 15-17 καὶ – ἀγαθοῦ om. K

L. 412 PRASKI V

2 πράγματι : πράγμασι R + καὶ V ‖ 5 σε : σοι PR ‖ εἴ τι δήποτε : ὅ τι δήποτε V τίποτε PR

411

Demande : Quand j'observe un commandement, comment puis-je fuir l'élèvement parce que je sais que, tout en faisant le bien, je lui reste étranger?

Réponse :

Frère, les bonnes actions, nous devons les tenir pour bonnes et courir vers elles en tant que bonnes; car il ne convient pas de tenir le bien pour un mal, sauf quand on ne fait pas le bien selon ce qui plaît à Dieu : et cela arrive malheureusement à cause du manque de discernement du sujet. On doit être empressé à toujours faire le bien, et finalement par la grâce de Dieu, il arrivera qu'il soit fait selon la crainte de Dieu. Donc lorsque le bien se fait par toi, rends grâces à celui qui donne les biens[a] comme à la source première du bien et blâme-toi toi-même en disant : « Si j'avais, moi aussi, participé comme il faut à cette action, j'aurais eu part au bien[1]. » Dès lors tu te trouves à même de prier Dieu avec componction de te rendre digne du bien qui se fait par toi.

412

Demande du même au même : S'il m'arrive d'être patient en quelque occasion, ma pensée s'élève; que dois-je donc avoir en tête?

Réponse :

Je t'ai déjà dit que, s'il t'arrive de faire quelque bien, tu dois reconnaître que c'est le don gratuit de Dieu qui

411. a. Cf. Jc 1, 17

1. συμμέτοχος : ce terme, plus puissant que le simple μέτοχος, est plutôt rare (voir Flavius Josèphe, *Bellum Iudaicum* 124, 6 et NT, Éph 3, 6; 5, 7).

Θεοῦ ἐστι διὰ τὴν ἰδίαν ἀγαθότητα, πάντας γὰρ ἐλεεῖ. Πρόσεχε δὲ σεαυτῷ, μὴ διὰ τὴν σὴν ἀσθένειαν ἀπολέσῃς τὸ παρ' αὐτοῦ γινόμενον εἰς σὲ ἔλεος, ὅπερ καὶ εἰς πάντας γίνεται τοὺς ἁμαρτωλούς. Εἰ αὐτὸς οὖν καλῶς ἔδωκε, σὺ μὴ ἀπολέσῃς κακῶς. Ὁ τρόπος δὲ τῆς ἀπωλείας τοῦ πράγματός ἐστιν οὗτος· Τὸ ἐπαινέσαι σεαυτὸν μακροθυμήσαντα καὶ ἐπιλαθέσθαι τοῦ εὐεργετήσαντός σε Θεοῦ. Οὐ μόνον δέ, ἀλλὰ καὶ κατάκρισιν ἑαυτῷ προξενεῖς, τολμῶν ἑαυτῷ τοῦτο ἐπιγράφειν, ἐφ' ᾧ μᾶλλον δεῖ εὐχαριστίαν ἀναπέμπειν τῷ φιλανθρώπῳ πευσαμένῳ Θεῷ. Φησὶ γὰρ ὁ Ἀπόστολος· «Τί γὰρ ἔχεις ὃ οὐκ ἔλαβες; Εἰ δὲ ἔλαβες, τί καυχᾶσαι ὡς μὴ λαβών[a];» Λέγε δὲ τῷ ἐπαινοῦντί σε ἐν οἱῳδήποτε πράγματι λογισμῷ ὅτι Οἱ ἐν τῇ θαλάσσῃ πλέοντες, κἂν συμβῇ αὐτοὺς γαληνιάσαι, ἀλλ' ἔτι ἐν τῷ πελάγει ὑπάρχουσι καὶ προσδοκῶσι τὴν ζάλην καὶ τὸν κίνδυνον καὶ τὸ ναυάγιον. Καὶ οὐδὲν αὐτοὺς ὠφέλησεν ἡ πρὸς μικρὸν γαλήνη, τότε γὰρ καὶ μόνον ἔχουσι τὸ ἀσφαλές, ὅταν εἰς αὐτὸν εἰσέλθωσι τὸν λιμένα, πολλοὶ δὲ καὶ ἐν αὐτῷ τῷ στομίῳ ἐναυάγησαν. Οὕτω γοῦν καὶ ὁ ἁμαρτωλός, ἐφ' ὅσον ἐστὶν ἐν τῷ κόσμῳ, πάντοτε τρέμειν ὀφείλει τὸ ναυάγιον. Μηδέποτε οὖν πλανηθῇς πιστεῦσαι τῷ ἐπαινοῦντί σε λογισμῷ ἐπὶ τῷ καλῷ πράγματι. Τὸ γὰρ καλὸν τοῦ Θεοῦ ἐστι καὶ οὐ δυνάμεθα θαρρῆσαι ὅτι παραμένει μεθ' ἡμῶν διὰ τὴν ἡμετέραν ἀμέλειαν, καὶ πῶς τολμήσωμεν ὑψηλοφρονῆσαι;

413

Ἐρώτησις· Ἐὰν δὲ εἴπω τῷ λογισμῷ θέλων αὐτὸ ταπεινῶσαι ὅτι οὐδὲ ἐκ τοῦ Θεοῦ ἐγένετό μοι ἡ μακροθυμία, ἀλλ' ἐκ τοῦ πονηροῦ πρὸς ἀπάτην τῆς

8 σὴν om. K ‖ 9 εἰς : πρὸς KI V ‖ 14; 15 ἑαυτῷ1+2 : σεαυτῷ K V ‖ 16 πευσαμένῳ om. V ‖ 24 εἰσέλθωσι : ἔλθωσι KI V

L. 413 PRASKI V

3-4 τῆς ὑψηλοφροσύνης : εἰς τὸ -λοφρονῆσαι V

te vient de sa bonté : car il fait miséricorde à tous. Mais veille sur toi-même, pour ne point perdre par ta faiblesse la miséricorde qu'il t'a montrée, ce qui arrive à tous les pécheurs. Ce qu'il a donné excellemment, ne va pas, toi, le perdre de méchante façon. Et la manière de le perdre, c'est de te féliciter de ta patience en oubliant Dieu qui t'a donné ce bien. Non content de cela tu ajoutes encore à ta propre condamnation, en osant t'attribuer ce pour quoi tu devrais plutôt rendre grâces à Dieu connu[1] pour sa bienveillance envers l'homme. Car l'Apôtre dit : « Qu'as-tu que tu n'aies reçu? Et si tu l'as reçu, pourquoi te glorifier comme si tu ne l'avais pas reçu[a]. » A la pensée qui te félicite d'une telle action, dis ceci : Ceux qui naviguent en mer, même s'il leur arrive de jouir du calme, n'en demeurent pas moins sur les flots et s'attendent à la tempête, au péril, au naufrage. La petite accalmie ne leur sert à rien, car ils ne sont en sécurité que quand ils sont entrés dans le port, et beaucoup ont fait naufrage à l'entrée même du port. De même le pécheur, tant qu'il est en ce monde, doit toujours craindre le naufrage. Ne commets donc jamais l'erreur de te fier à la pensée qui te félicite d'une bonne action. Car le bien est de Dieu, et nous ne pouvons être assurés qu'il demeure chez nous, à cause de notre négligence; comment donc oserions-nous en concevoir de l'élèvement?

413

Demande : Si je dis à ma pensée, pour l'humilier, que la patience ne me vient pas de Dieu, mais du Mauvais qui me tend un piège pour me pousser à l'élèvement, est-

412. a. 1 Co 4, 7

1. πευσαμένῳ : forme tardive de l'aoriste de πυνθάνομαι.

ὑψηλοφροσύνης, μὴ παροργίζω ἐν τούτῳ τὸν Θεόν, ἐπειδὴ πάντα τὰ καλὰ ἐκ τοῦ Θεοῦ ἐστιν;

Ἀπόκρισις·

Οὐκ ἔστι βαρὺ τὸ λέγειν μὴ εἶναι αὐτὸ ἐκ τοῦ Θεοῦ, οὐ παροργίζεται ἐν τούτῳ ὁ Θεός, ἐπειδὴ εἰς καθαίρεσιν τοῦ πονηροῦ λογισμοῦ λέγεται παρὰ σοῦ. Καὶ γάρ τις τῶν ἁγίων εἶπέ τισιν ἐλθοῦσι πρὸς αὐτὸν περὶ τοῦ ἀποθανόντος μετ' αὐτῶν ὄνου ἐν τῇ ὁδῷ. Καὶ θαυμάσαντες ἐκεῖνοι ἠρωτήσαντο, πόθεν ἔμαθε, καὶ εἶπεν αὐτοῖς ὅτι «Οἱ δαίμονες εἶπόν μοι.» Καίτοι ἐκ Θεοῦ ὑπῆρξεν αὐτῷ ἡ γνῶσις τοῦ γενομένου, ἀλλὰ πρὸς ὠφέλειαν ἐκείνων τοῦτο ἀπεκρίνατο, καὶ οὐ παρώργισε τὸν Θεόν.

414

Ἐρώτησις· Ἐὰν οὖν γίνωνται ὀπτασίαι ἁμαρτωλῷ, ἆρα οὐκ ὀφείλει ὅλως πιστεύειν ὅτι ἐκ τοῦ Θεοῦ εἰσιν;

Ἀπόκρισις·

Ὅταν τοῦτο γίνηται ἁμαρτωλῷ, φανερόν ἐστιν ὅτι ἐκ τῶν πονηρῶν δαιμόνων ἐστὶ πρὸς τὸ ἀπατῆσαι τὴν ἀθλίαν ψυχὴν εἰς ἀπώλειαν. Οὐ δεῖ οὖν οὐδέποτε πιστεύειν αὐτοῖς, ἀλλ' ἐπιγινώσκειν δεῖ τὰς ἰδίας ἁμαρτίας καὶ τὴν ἑαυτοῦ ἀσθένειαν καὶ ἐν φόβῳ καὶ τρόμῳ πάντοτε διάγειν[a].

415

Ἐρώτησις· Ἆρα καὶ ὅτε ἐν σχήματι τοῦ Δεσπότου Χριστοῦ φαίνονται, καὶ τότε δεῖ αὐτοὺς ἀποστρέφεσθαι;

5 ἐστιν om. V ‖ 7 αὐτὸ om. P ‖ 8 οὐ + γὰρ PRI V ‖ 12 ἠρωτήσαντο : ἠρώτησαν PRI V ‖ ὅτι om. V ‖ 13 ἐκ + τοῦ SK

L. 414 PRASKI V

7 δεῖ om. V ‖ ἑαυτοῦ : αὐτοῦ V

ce que je n'irrite pas Dieu en cela, puisque tous les biens viennent de Dieu?

Réponse :

Ce n'est pas grave de dire que cela ne vient pas de Dieu; Dieu ne s'en irrite pas, puisque tu le dis pour faire échec à la pensée mauvaise. Et en effet l'un des saints parla à des gens qui étaient venus le voir, de leur âne mort en cours de route. Ceux-ci très étonnés lui demandèrent comment il l'avait appris, et il leur répondit : « Les démons me l'ont dit[1]. » C'est évidemment par Dieu qu'il avait eu connaissance du fait, mais il répondit ainsi pour l'édification de ces gens, sans pour autant irriter Dieu.

414

Demande : Si donc des visions arrivent à un pécheur, ne doit-il pas absolument croire qu'elles viennent de Dieu?

Réponse :

Lorsque cela arrive à un pécheur, il est évident que cela vient des démons mauvais en vue de tromper la malheureuse âme pour sa perte. Il ne doit donc jamais s'y fier, mais reconnaître ses propres fautes et sa faiblesse, et vivre sans cesse dans la crainte et le tremblement[a].

415

Demande : Doit-on s'en détourner même lorsqu'elles apparaissent sous la figure du Maître, le Christ?

L. 415 PRASKI V

414. a. Cf. Ph 2, 12

1. Cf. *Alph. Antoine,* 12.

Ἀπόκρισις·

Τότε πολλῷ πλέον τὴν αὐτῶν πονηρίαν καὶ τὴν πλάνην ἀποστρέφεσθαι καὶ ἀναθεματίζειν ὀφείλωμεν. Μηδέποτε οὖν πλανηθῇς ἀδελφέ, εἰς τὴν τοιαύτην δαιμονιώδη πληροφορίαν. Τοῖς γὰρ ἁγίοις αἱ θεϊκαὶ γίνονται ὀπτασίαι, καὶ ἀεὶ προτρέχει γαλήνη καὶ εἰρήνη καὶ εὐθυμία ἐν ταῖς αὐτῶν καρδίαις. Καὶ ὅμως τὴν ἀλήθειαν ἐπιγινώσκοντες, ἀναξίους ἑαυτοὺς κρίνουσι. Πόσῳ μᾶλλον χρὴ τοὺς ἁμαρτωλοὺς μηδέποτε τούτοις πιστεύειν, εἰδότας τὴν ἰδίαν ἀναξιότητα.

416

Ἐρώτησις τοῦ αὐτοῦ· Εἰπέ μοι δέσποτα, πῶς τολμᾷ ὁ διάβολος εἴτε κατ' ὀπτασίαν εἴτε κατὰ φαντασίαν ὀνείρων δεῖξαι τὸν Δεσπότην Χριστὸν ἢ τὴν ἁγίαν Κοινωνίαν;
Ἀπόκρισις Βαρσανουφίου·

Οὐκ αὐτὸν τὸν Δεσπότην Χριστὸν οὐδὲ τὴν ἁγίαν Κοινωνίαν δύναται δεῖξαι, ἀλλὰ ψεύδεται καὶ σχηματίζεται οἱονδήποτε ἄνθρωπον καὶ ψιλὸν ἄρτον. Ἀμέλει τὸν ἅγιον σταυρὸν οὐ δύναται δεῖξαι, οὐχ εὑρίσκει γὰρ αὐτὸν ἑτέρῳ σχήματι ἐντυπῶσαι. Ἐπειδὴ γινώσκομεν αὐτοῦ τὸ ἀληθινὸν σημεῖον καὶ τὸν τύπον, καὶ αὐτῷ χρήσασθαι οὐ τολμᾷ. Ἐν αὐτῷ καθῃρέθη αὐτοῦ ἡ δύναμις καὶ δι' αὐτοῦ τὴν θανατηφόρον πληγὴν ἐδέξατο. Τὸν δὲ Δεσπότην Χριστὸν κατὰ σάρκα οὐ γινώσκομεν[a], καὶ πειρᾶται ἡμᾶς διὰ τοῦ ψεύδους πεῖσαι ὅτι αὐτός ἐστιν, ἵνα τῇ πλάνῃ ὡς ἀληθείᾳ πιστεύσαντες ἀπολώμεθα. Ὅταν οὖν ἴδῃς κατ' ὄναρ τὸν τύπον τοῦ σταυροῦ, μάθε ὅτι ἀληθινὸν καὶ ἐκ τοῦ Θεοῦ

5 ὀφείλωμεν : χρή I V ‖ 8 αὐτῶν : ἑαυτῶν PRI V ‖ 10 χρὴ om. K ‖ 11 ἰδίαν ἀναξιότητα : οἰκείαν ἀναξιότητα PR ἀναξιότητα τὴν οἰκείαν K

L. 416 PRASKI V

1 τοῦ αὐτοῦ om. PRI V ‖ 2 ὀνείρων : ἐν ὀνείρῳ PR ‖ 5 χριστὸν om. P ‖ 9 ἐντυπῶσαι : ὑποτυπῶσαι K τυπῶσαι V

Réponse :

C'est alors surtout que nous devons nous détourner de leur malice et illusion en leur jetant l'anathème. Ne te laisse donc jamais égarer, frère, en cette persuasion diabolique. Car les saints ont des visions divines, mais elles sont toujours précédées de calme, de paix et de confiance en leurs cœurs. Et bien qu'ils en reconnaissent la vérité, ils s'en jugent indignes. A plus forte raison les pécheurs ne doivent-ils jamais s'y fier, conscients de leur propre indignité.

416

Demande du même : Dis-moi, maître, comment le diable ose-t-il faire apparaître soit en vision soit en songe le Seigneur Christ ou la sainte Eucharistie?

Réponse de Barsanuphe :

Il ne peut faire apparaître le Seigneur Christ ni la sainte Eucharistie, mais il simule et figure un homme quelconque et du simple pain. En tout cas, la sainte croix, il ne peut la faire apparaître, car il ne trouve pas le moyen de la présenter sous une autre forme. Comme nous connaissons son image véritable et sa figure, il n'ose pas s'en servir. Son pouvoir échoue sur elle, et par elle il a reçu le coup mortel[1]. Nous ne connaissons pas le Seigneur Christ selon la chair[a], aussi essaie-t-il de nous persuader frauduleusement que c'est lui, afin qu'en ajoutant foi à l'erreur comme à la vérité nous nous perdions. Donc lorsque tu vois en songe la figure de la croix, sache qu'elle est véritable et

416. a. Cf. 2 Co 5, 16

1. Cette locution apparaît dans un texte liturgique utilisé pendant la semaine sainte : « Aujourd'hui l'Hadès en gémissant s'écrie : Mon pouvoir a été détruit! J'ai accueilli un mort comme un mortel, mais je ne peux absolument le retenir » (*Liturgia orientale*, II, p. 173).

τὸ ὄναρ ἐστίν. Ἀλλὰ σπούδασον παρὰ τῶν Πατέρων ἁγίων λαμβάνειν αὐτοῦ τὴν διάκρισιν καὶ μὴ πίστευε τῷ λογισμῷ τῷ ἰδίῳ. Ὁ Κύριος φωτίσει τοὺς ὀφθαλμοὺς τῆς διανοίας σου, ἄδελφε, τοῦ φυγεῖν πᾶσαν ἀπάτην τοῦ ἐχθροῦ.

417

Ἐρώτησις· Λέγει μοι ὁ λογισμὸς ὅτι Ἐὰν φανῇ σοι ὁ ἅγιος σταυρός, ὡς ἀνάξιος εὑρίσκῃ, καὶ ἔχεις ὑψηλοφρονῆσαι, καὶ δειλίαν μοι καὶ φόβον ἐμβάλλει.

Ἀπόκρισις·

Περὶ τούτου μὴ μεριμνήσῃς, ἐὰν γὰρ ὅλως φανῇ σοι ὁ ἅγιος σταυρός, αὐτὸς καταργεῖ τὸ φύσημα τῆς ὑψηλοφροσύνης. Ὅπου γὰρ ὁ Θεός, ἐκεῖ κακὸν οὐκ ἔστιν.

418

Ἐρώτησις· Ἤκουσα ὅτι ἐὰν ἐκ τρίτου φανῇ τινι ἐνύπνιον, καὶ αὐτὸ ἀληθινόν ἐστιν. Οὕτως ἔχει Πάτερ;

Ἀπόκρισις·

Οὐκ ἔχει οὐδὲ οὕτως, οὐδὲ δεῖ πιστεύειν τῷ τοιούτῳ ἐνυπνίῳ. Ὁ γὰρ ἅπαξ φαινόμενός τινι ἐν ψεύδει, δύναται καὶ τρίτον καὶ πολλάκις καὶ τοῦτο ποιῆσαι. Μὴ οὖν χλευασθῇς, ἀλλὰ πρόσεχε σεαυτῷ, ἄδελφε.

419

Ἐρώτησις· Ἔστιν ὅτε δοκῶ βλέπειν ἐν τῇ καρδίᾳ μου ὅτι οἱ πονηροὶ λογισμοὶ κύκλῳ εἰσὶ τοῦ ἐμοῦ λογισμοῦ ὡς θηρία, καὶ ὅτι οὐδὲν ἐξ αὐτῶν ἀδικεῖται. Τί ἐστι τοῦτο;

17 πατέρων om. I V ‖ 19 φωτίσει : -τίσοι V ‖ ὀφθαλμοὺς : λογισμοὺς V ‖ 20 τοῦ[1] om. PR V ‖ φυγεῖν – ἐχθροῦ om. PR

L. 417 PRASKI V

3 μοι om. ASK

que le songe vient de Dieu. Mais empresse-toi d'en demander le discernement aux saints Pères et ne te fie pas à ta propre pensée. Que le Seigneur éclaire les yeux de ton esprit, frère, pour fuir tout piège de l'Ennemi.

417

Demande : Ma pensée me dit : « Si la sainte croix t'apparaît, tu t'en trouveras indigne, et tu pourras en tirer de l'élèvement », ce qui met en moi de la frayeur et de la crainte.

Réponse :

Ne te soucie pas de cela, car de toute façon, si la sainte croix t'apparaît, elle éteindra le souffle de l'élèvement. Et en effet là où est Dieu, il n'y a pas de mal.

418

Demande : J'ai entendu dire que si l'on voit trois fois quelque chose en rêve, c'est que cela est vrai. En est-il bien ainsi, Père ?

Réponse :

Pas du tout, il ne faut pas croire à pareil rêve. Car la vision qui trompe une fois, peut le faire trois fois et même davantage. Ne te laisse pas illusionner, mais veille sur toi, frère.

419

Demande : Parfois je crois voir en mon cœur les mauvaises pensées assiéger mon esprit comme des bêtes sauvages, sans qu'elles me nuisent en rien. Qu'est-ce que cela ?

L. 418 PRASKI V
4 οὐδὲ[1] om. PR ‖ 6-7 μὴ – ἄδελφε om. PR
L. 419 PRASKI V
1 δοκῶ βλέπειν : βλέπων V ‖ 3 ἀδικεῖται : ἀδικεῖ με V ‖ 4 τοῦτο + σαφήνισόν μοι PR

Ἀπόκρισις ·

Τοῦτο ἀπάτη ἐστὶ τοῦ ἐχθροῦ καὶ κεκρυμμένην ἔχει τὴν ὑψηλοφροσύνην εἰς τὸ πεῖσαί σε ὅτι οὐδέν σε δύνανται ἀδικῆσαι οἱ πονηροὶ λογισμοί, καὶ οὕτως ἐπαρθῇ ἡ καρδία σου. Ἀλλὰ σὺ μὴ πλανηθῇς, ἀλλὰ μιμνήσκου τὴν σαυτοῦ ἀσθένειαν καὶ τὰς ἁμαρτίας. Καὶ ἐπικαλοῦ τὸ ἅγιον ὄνομα τοῦ Θεοῦ εἰς βοήθειαν κατὰ τοῦ ἐχθροῦ[a].

420

Ἐρώτησις τοῦ αὐτοῦ · Δύναταί τις εἰπεῖν ὅτι ἐνοικεῖ ἐν ἁμαρτωλῷ τὸ Πνεῦμα τὸ ἅγιον; Κἂν εἴπῃς Πάτερ ὅτι οὐκ ἔχει, καὶ πῶς φυλάττονται οἱ ἁμαρτωλοί;

Ἀπόκρισις ·

Οἱ ἅγιοι καταξιοῦνται ἔχειν τὸ Πνεῦμα τὸ ἅγιον καὶ ναὸς αὐτοῦ γίνονται · « Ἐνοικήσω γὰρ ἐν αὐτοῖς, φησί, καὶ ἐμπεριπατήσω[a]. » Οἱ δὲ ἁμαρτωλοὶ ἀλλότριοι τούτου τυγχάνουσι κατὰ τὸ εἰρημένον · « Εἰς κακότεχνον ψυχὴν οὐκ εἰσελεύσεται σοφία[b]. » Φυλάττονται δὲ τῇ τοῦ Θεοῦ ἀγαθότητι. Ἐν πᾶσιν οὖν ἀναπέμψωμεν τὴν εὐχαριστίαν τῇ ἀφάτῳ αὐτοῦ φιλανθρωπίᾳ. Αὐτῷ ἡ δόξα εἰς τοὺς αἰῶνας. Ἀμήν.

421

Ἐρώτησις · Ὅτε θλίβομαι ἔν τινι καὶ προσεύχομαι καὶ βοηθεῖ ἡ ἄφατος τοῦ Θεοῦ ἀγαθότης, ἐπαίρεται ὁ λογισμός μου ὡς εἰσακουσθείς. Τί οὖν ποιήσω;

9-10 τὴν – ἀσθένειαν : τῆς σαυτοῦ ἀσθενείας PR V ‖ 10 τὰς ἁμαρτίας : τῶν ἁμαρτιῶν PR V

L. 420 PRASKI V

2 ἁμαρτωλῷ : -τωλοῖς PR ‖ 9 τοῦ θεοῦ : αὐτοῦ I V ‖ 11 αὐτοῦ + ἀγαθότητι καὶ V ‖ 11-12 αὐτῷ – ἀμὴν om. PR

Réponse :

C'est une ruse de l'Ennemi et il y a l'élèvement caché dessous en te persuadant que les mauvaises pensées ne peuvent te nuire en rien ; ainsi ton cœur s'est élevé. Mais ne te laisse pas égarer et souviens-toi plutôt de ta faiblesse et de tes fautes. Invoque aussi le saint nom de Dieu à l'aide contre l'Ennemi[a].

420

Demande du même : Peut-on dire que l'Esprit Saint habite chez un pécheur ? Si tu réponds qu'il n'y est pas, Père, comment les pécheurs sont-ils gardés ?

Réponse :

Les saints sont dignes d'avoir l'Esprit Saint et ils deviennent son temple : « Car j'habiterai en eux, dit-il, et je m'y promènerai[a]. » Les pécheurs, eux, lui sont étrangers, et ils ont pour partage ce qui est écrit : « La sagesse n'entrera pas dans une âme perverse[b]. » Ils sont cependant gardés par la bonté de Dieu. En tout faisons donc monter l'action de grâces à son ineffable bonté pour les hommes. A lui la gloire dans les siècles. Amen.

421

Demande : Lorsque je prie en quelque affliction et que la bonté ineffable de Dieu vient à mon secours, ma pensée se félicite du fait que j'ai été exaucé. Que ferai-je donc ?

L. 421 PRASKI V
3 εἰσακουσθεὶς : -κουσθέντος PR || ποιήσω + δίδαξόν με PR

419. a. Cf. Rm 10, 13
420. a. Lv 26, 12 ; 2 Co 6, 16 b. Sg 1, 4

Ἀπόκρισις ·

Ὅταν προσευξάμενος καὶ ἐπιτυχὼν ἐπαρθῇς, φανερόν ἐστιν ὅτι οὔτε κατὰ Θεὸν ηὔξω, οὔτε ἐκ τοῦ Θεοῦ τὴν βοήθειαν ἔλαβες, ἀλλ' ἐκ τῶν δαιμόνων ἐνηργήθης, ἵνα ἐπαρθῇ ἡ καρδία σου. Ἡνίκα γὰρ ἐκ τοῦ Θεοῦ γίνεται, οὐκ ἐπαίρεται ἡ ψυχή, ἀλλὰ μᾶλλον ταπεινοῦται. Καὶ θαυμάζει τὸ μέγα ἔλεος τοῦ Θεοῦ, πῶς καταδέχεται ἐλεεῖν τοὺς ἁμαρτωλοὺς ἀναξίους ὄντας καὶ πάντοτε παροργίζοντας. Καὶ ὑπερευχαριστεῖ τῇ ἐνδόξῳ καὶ ἀφάτῳ ἀγαθότητι αὐτοῦ, ὅτι οὐ κατὰ τὰς ἡμῶν ἁμαρτίας ἡμᾶς παραδίδωσιν, ἀλλ' ἐν τῇ πολλῇ αὐτοῦ ἀνεξικακίᾳ μακροθυμεῖ καὶ ἐλεεῖ. Καὶ οὐκέτι ἐπαίρεται, ἀλλὰ τρέμει καὶ δοξολογεῖ.

422

Ἐρώτησις · Εἶπας Πάτερ, ὅτε περὶ τῆς μακροθυμίας ἠρώτησα, ὅτι καὶ αὕτη καὶ πᾶν ἀγαθὸν ἔργον δωρεὰ τοῦ Θεοῦ ἐστι. Καὶ νῦν περὶ τῆς προσευχῆς εἶπας ὅτι οὐκ ἔστιν ἐκ Θεοῦ βοήθεια. Σαφήνισον οὖν μοι, παρακαλῶ, τίς ἡ τούτων διαφορά;

Ἀπόκρισις ·

Ἐὰν μὲν ἐξ ἀρχῆς κατὰ κενοδοξίαν ἐγένετο τὸ ἀγαθὸν ἔργον, ἤγουν ἡ προσευχή, διαβολικὸν ἀναμφιβόλως ἐστίν. Ἐὰν δὲ τὴν μὲν ἀρχὴν οὐκ ἔσχε τὴν κενοδοξίαν, ὕστερον δὲ ἐδέξατο αὐτήν, ἐνταῦθα τὸ καλῶς γενόμενον κατέστρεψας διὰ τῆς κενοδοξίας, ὥσπερ ὁ τοῖχον οἰκοδομῶν καὶ στραφεὶς καταλύων αὐτόν. Ἐὰν δὲ ἡ κενοδοξία ἐπολέμει, αὐτὸς δὲ οὐ προσεδέξω, οὐδέν σε ἔβλαψεν.

L. 422 PRASKI V
4 ἐκ + τοῦ P ‖ 9 ἔσχε : ἔσχες I V ‖ 10 ἐδέξατο : ἐδέξω I V ‖

Réponse :

Dès lors que ta prière a été exaucée et que tu en as conçu de l'élèvement il est évident que tu n'as pas prié selon Dieu et que tu n'as pas reçu l'aide de Dieu, mais que tu as été travaillé par les démons, pour que ton cœur s'élève. Car lorsque cela vient de Dieu, l'âme ne s'élève pas, mais s'humilie plutôt. Elle admire la grande miséricorde de Dieu qui accepte de faire miséricorde aux pécheurs, bien qu'ils en soient indignes et qu'ils ne cessent de l'irriter. Et elle rend grâces le plus possible à sa glorieuse et ineffable bonté, car il ne nous donne pas selon nos fautes, mais dans son excessif oubli du mal, il patiente et fait miséricorde. Elle ne s'élève donc plus, mais tremble et rend gloire.

422

Demande : Père, lorsque je t'ai interrogé au sujet de la patience, tu m'as dit que, comme toute bonne œuvre, elle est un don de Dieu. Et maintenant au sujet de la prière, tu dis que le secours ne vient pas de Dieu. Explique-moi donc, je t'en prie, la différence entre ces choses.

Réponse :

Si dès le début la bonne œuvre, c'est-à-dire la prière, est faite par vaine gloire, elle est incontestablement diabolique. Si au contraire elle n'a pas la vaine gloire au début et qu'elle l'accueille par la suite, tu détruis là par la vaine gloire ce qui était bien fait ; comme celui qui est en train de construire un mur et qui se met à le démolir. Mais si la vaine gloire attaque et que tu ne l'accueilles pas, elle ne te cause aucun dommage.

11 τῆς κενοδοξίας : τὴν -δόξίαν PRI V ‖ στραφεὶς + καὶ R ‖ 13 προσεδέξω : -δέξατο SK

423

Ἐρώτησις· Πολλάκις ὅτε ψάλλω, αἰσθάνομαι ἑαυτὸν ὡς ὑψηλοφρονοῦντα. Τί οὖν ὀφείλω εἰπεῖν τῷ λογισμῷ;

Ἀπόκρισις·

Ὅτε ὑψοῦται ἡ καρδία ἐν τῇ ψαλμῳδίᾳ, μνήσκου ὅτε γέγραπται· «Οἱ παραπικραίνοντες μὴ ὑψούσθωσαν ἐν ἑαυτοῖς[a].» Παραπικράναι δέ ἐστι τὸ μὴ ψάλλειν συνετῶς κατὰ φόβον Θεοῦ. Καὶ ἐρεύνησον εἰ μὴ ῥέμβεται ὁ λογισμός σου ἐν τῷ ψάλλειν. Καὶ πάντως εὑρίσκεις ὅτι ῥέμβεται καὶ παροξύνεις τὸν Θεόν.

424

Ἐρώτησις· Ὅτε βαροῦμαι ἐν τοῖς λογισμοῖς εἴτε ἐν τῇ ψαλμῳδίᾳ εἴτε χωρὶς ψαλμῳδίας καὶ ἐπικαλοῦμαι τὸ ὄνομα τοῦ Θεοῦ εἰς βοήθειαν, ὑποτίθεταί μοι ὁ ἐχθρὸς ὅτι ἔπαρσιν ἔχει ὡς δοκῶν τι καλὸν ποιεῖν ἐν τῇ ἀδιαλείπτῳ μνήμῃ τοῦ Δεσπότου Θεοῦ. Πῶς οὖν δεῖ ἔχειν περὶ τούτου;

Ἀπόκρισις Βαρσανουφίου·

Οἴδαμεν ὅτι οἱ κακῶς ἔχοντες πάντοτε χρῄζουσι τοῦ ἰατροῦ καὶ τῶν αὐτοῦ φαρμάκων, καὶ οἱ χειμαζόμενοι ἀδιαλείπτως προστρέχουσι τῷ λιμένι μήποτε προκαταλάβῃ αὐτοὺς ναυάγιον. Διὰ τοῦτο γὰρ βοᾷ καὶ ὁ Προφήτης λέγων· «Κύριε, καταφυγὴ ἐγενήθης ἡμῖν ἐν γενεᾷ καὶ γενεᾷ[a].» Καὶ πάλιν· «Ὁ Θεὸς ἡμῶν καταφυγὴ καὶ δύναμις βοηθὸς ἐν θλίψεσι ταῖς εὑρούσαις ἡμᾶς σφόδρα[b].» Εἰ δὲ καταφυγὴ ἡμῶν ἐστιν, μνησθῶμεν ὅτι λέγει· «Ἐπικάλεσαί με ἐν ἡμέρᾳ θλίψεώς σου, καὶ ἐξελοῦμαί

L. 423 PRASKI V

1 ἑαυτὸν : ἐμαυτὸν V ‖ 4 μνήσκου : μιμνήσκου PRI V ‖ 5 ἐν om. PRI V ‖ 8 εὑρίσκεις : εὑρήσεις V

L. 424 PRASKI V

423

Demande : Souvent quand je psalmodie, je m'aperçois que je conçois de l'élèvement. Que dois-je donc dire à ma pensée?

Réponse :

Lorsque ton cœur s'élève durant la psalmodie, souviens-toi qu'il est écrit : «Que ceux qui exaspèrent ne s'élèvent pas en eux-mêmes[a]!» Exaspérer, c'est ne pas psalmodier avec attention selon la crainte de Dieu. Examine donc si ton esprit ne s'agite pas durant la psalmodie; tu constateras certainement qu'il s'agite et que tu provoques ainsi la colère de Dieu.

424

Demande : Lorsque, accablé par les pensées, soit dans la psalmodie, soit en dehors de la psalmodie, j'invoque le nom de Dieu pour être secouru, l'Ennemi me suggère qu'il y a orgueil à penser bien faire en se souvenant du Seigneur Dieu sans interruption. Que dois-je donc en penser?

Réponse de Barsanuphe :

Nous savons bien que ceux qui sont malades ont toujours besoin du médecin et de ses remèdes, et que ceux qui sont continuellement pris par la tempête accourent au port pour ne pas faire naufrage. C'est pourquoi le Prophète s'écriait : «Seigneur, tu es notre refuge de génération en génération[a].» Et encore : «Dieu est notre refuge et notre force, notre secours dans les épreuves qui nous ont durement atteints[b].» Et s'il est notre refuge, souvenons-nous qu'il dit : «Invoque-moi au jour de la tribulation, je

4 δοκῶν τι : δοκοῦν V ‖ 5 δεσπότου om. I V ‖ 9 προκαταλάβῃ : καταλάβῃ PRKI V ‖ 15-17 καὶ – θλίψεως om. SK

423. a. Ps 65, 7
424. a. Ps 89, 1 b. Ps 45, 2

σε καὶ δοξάσεις με[c].» Μάθωμεν οὖν ὅτι στηκούσης τῆς ἡμέρας τῆς θλίψεως, ἐπικαλεῖσθαι δεῖ ἀδιαλείπτως τὸν ἐλεήμονα Θεόν. Ἐπικαλούμενοι δὲ τὸ ὄνομα τοῦ Θεοῦ, μὴ ἐπαρθῶμεν τῷ λογισμῷ. Ἐὰν μὴ γὰρ ᾖ τις ἄφρων, ἐκδικούμενος ὑπό τινος οὐκ ἐπαίρεται. Οἱ οὖν χρήζοντες τοῦ Θεοῦ, μὴ ἐπαρθῶμεν τῷ λογισμῷ, ἀλλ' ἐπικαλώμεθα τὸ ὄνομα αὐτοῦ εἰς βοήθειαν κατὰ τῶν ἐναντίων[d]. Καὶ ἐὰν μὴ παραφρονῶμεν, οὐκ ὀφείλομεν ἐπαίρεσθαι τῷ λογισμῷ. Χρήζοντες γὰρ ἐπικαλούμεθα, καὶ θλιβόμενοι προσφεύγομεν. Ἐπὶ δὲ τούτοις πᾶσι μανθάνομεν ὅτι τὸ ἀδιαλείπτως ὀνομάζειν τὸν Θεόν, φάρμακόν ἐστιν ἀναιρετικόν, οὐ μόνον ὅλων τῶν παθῶν, ἀλλὰ καὶ αὐτῆς τῆς πράξεως. Καθὼς γὰρ ὑποβάλλει ὁ ἰατρὸς τὸ φάρμακον ἢ τὸ ἔμπλαστρον ἐπάνω τοῦ τραύματος τοῦ πάσχοντος, καὶ ἐνεργεῖ μὴ εἰδότος τοῦ ἀρρωστοῦντος τὸ πῶς, οὕτω καὶ τὸ ὄνομα τοῦ Θεοῦ ὀνομαζόμενον ἀναιρεῖ, καὶ ἡμῶν μὴ εἰδότων τὸ πῶς, πάντα τὰ πάθη.

425

Ἐρώτησις· Ὅτε δοκεῖ ἡσυχάζειν ὁ λογισμὸς καὶ ἄθλιπτος εἶναι, ἆρα οὐκ ἔστι καλὸν καὶ τότε ἀδολεσχεῖν ἐν τῇ ἐπικλήσει τοῦ ὀνόματος τοῦ Δεσπότου Χριστοῦ; Ἐπειδὴ ὑποτίθεταί μοι ὁ λογισμὸς ὅτι νῦν ἀφ' οὗ εἰρηνεύομεν, οὐ χρεία ἐστὶ τούτου.

Ἀπόκρισις·

Οὐκ ὀφείλομεν ἔχειν ταύτην τὴν εἰρήνην, ἐὰν ἔχωμεν ἑαυτοὺς ἁμαρτωλούς. Φησὶ γάρ· «Οὐκ ἔστι εἰρήνη τοῖς ἁμαρτωλοῖς, λέγει Κύριος[a].» Εἰ οὖν οὐκ ἔστιν εἰρήνη τοῖς

16-17 τῆς ἡμέρας om. PRSKI V ‖ 21 μὴ – ἀλλ' om. PRI V ‖ 27 ὅλων : πάντων V om. PR ‖ παθῶν : λογισμῶν PR ‖ 29 ἢ τὸ : εἴτε V ‖ 30-31 μὴ – ἀναιρεῖ om. R

L. 425 PRASKI V

te délivrerai et tu me glorifieras[c].» Sachons donc que, quand arrive le jour de l'épreuve, il faut invoquer sans cesse le Dieu de miséricorde. Mais en invoquant le nom de Dieu, ne nous élevons pas en esprit. Car à moins de n'avoir pas sa tête, un accusé ne fait pas le fier. Ayant donc besoin de Dieu, ne nous élevons pas en esprit, mais invoquons son nom pour avoir du secours contre les ennemis[d]. Et si nous ne sommes pas fous, nous ne devons pas nous exalter en esprit. Car c'est dans le besoin que nous appelons à l'aide, et c'est dans l'épreuve que nous cherchons un refuge. Mais en plus de tout cela, nous savons que le fait d'invoquer Dieu sans interruption est un remède qui supprime non seulement toutes les passions, mais encore l'action même. De même, en effet, que le médecin applique le remède ou le cataplasme sur la blessure du patient et que l'effet est produit sans que le malade sache comment, pareillement, le nom de Dieu invoqué anéantit toutes les passions, même si nous ne savons pas comment.

425

Demande : Lorsque mon esprit me paraît être tranquille et sans affliction, n'est-il pas bon, même alors, de s'ingénier à invoquer le nom du Seigneur Christ? Ma pensée me suggère au contraire que cela n'est pas nécessaire, dès lors que nous sommes dans la paix.

Réponse :

Nous ne devons pas avoir cette paix, si nous nous tenons pour pécheurs. En effet : «Il n'y a pas de paix pour les pécheurs, dit le Seigneur[a].» Si donc il n'y a pas de paix

5 ἀφ' οὗ : ἐπεὶ PR ‖ 8 ταύτην τὴν : τοιαύτην V ‖ 9-10 εἰ – ἁμαρτωλοῖς om. PR

c. Ps 49, 15 d. Cf. Rm 10, 13

425. a. Cf. Is 48, 22

ἁμαρτωλοῖς, αὕτη ποία εἰρήνη ἐστί; Φοϐηθῶμεν, ὅτι γέγραπται· « Ὅταν λέγωσιν εἰρήνην καὶ ἀσφάλειαν, αἰφνίδιος ἐφίσταται αὐτοῖς ὄλεθρος, ὥσπερ ἡ ὠδὶς τῇ ἐν γαστρὶ ἐχούσῃ, καὶ οὐ μὴ ἐκφεύξωνται[b]. » Ἔνι δὲ ὅτε καὶ κατὰ πανουργίαν ποιοῦσιν οἱ ἐχθροὶ τῷ ἡσυχάσαι τὴν καρδίαν μικρόν, ὥστε μὴ ἐπικαλέσασθαι τὸ ὄνομα τοῦ Θεοῦ. Οὐκ ἀγνοοῦσι γὰρ ὅτι ἐκνευρίζονται ἀπὸ τῆς ἐπικλήσεως αὐτοῦ. Εἰδότες οὖν μὴ παυσώμεθα ἐπικαλούμενοι τὸ ὄνομα τοῦ Θεοῦ εἰς βοήθειαν, αὕτη γὰρ εὐχή ἐστιν, καί φησιν· « Ἀδιαλείπτως προσεύχεσθε[c] », τὸ δὲ ἀδιαλείπτως πέρας ἢ μέτρον οὐκ ἔχει.

426

Ἐρώτησις· Ὅταν ἐπαινῶσί με οἱ ἄνθρωποι ἢ ὁ λογισμὸς ἐν τῇ καρδίᾳ, καὶ ὁρῶ ἐμαυτὸν βαρούμενον ἐξ αὐτοῦ, τί ὀφείλω εἰπεῖν πρὸς αὐτόν;

Ἀπόκρισις·

Ὅταν ἐπαινῇ σε ὁ λογισμὸς καὶ οὐ δύνῃ ἀϐλαϐῶς παρελθεῖν αὐτόν, σπούδασον τοῦ ἐπικαλέσασθαι τὸ ὄνομα τοῦ Θεοῦ καὶ εἰπὲ αὐτῷ· Γέγραπται· « Λαός μου, οἱ μακαρίζοντες ὑμᾶς πλανῶσιν ὑμᾶς, καὶ τὴν τρίϐον τῶν ὁδῶν ὑμῶν συνταράσσουσιν[a]. » Ὅτι δὲ ὁ ἔπαινος οὗτος, ἄδελφε, οὐδέν ἐστιν ἀλλ' ἀπάτη, βοᾷ ὁ Προφήτης ὅτι « Πᾶς ἄνθρωπος χόρτος καὶ πᾶσα δόξα ἀνθρώπου ὡς ἄνθος χόρτου[b]. » Καὶ ὅτι ὁ δεχόμενος ἔπαινον ἀνθρώπων οὐκ ὠφελεῖται, φησὶν αὐτὸς ὁ Δεσπότης· « Πῶς δύνασθε πιστεύειν εἰς ἐμέ, δόξαν παρὰ ἀνθρώπων λαμϐάνοντες[c]; » Εἴ τι δὲ κατὰ Θεὸν γίνεται, ὀφείλομεν μνημονεύειν ὅτι « Ὁ καυχώμενος ἐν Κυρίῳ καυχάσθω[d]. » Καὶ γὰρ καὶ ὁ

12 ἐφίσταται : ἐπέρχεται K ‖ 19 ἀδιαλείπτως[1] προσεύχεσθε om. SK
L. 426 PRASKI V

3 εἰπεῖν : ποιῆσαι I V ‖ 5 δύνῃ : δύνασαι PRI V ‖ 9 ὁδῶν : ποδῶν PRI V ‖ συνταράσσουσιν : ταράσσουσιν PRI V ‖ 10 προφήτης + λέγων I V ‖ 12 ἀνθρώπων : -ώπου K

pour les pécheurs, quelle paix est celle dont tu me parles? Craignons, car il est écrit : « C'est quand les hommes diront : 'Paix et sécurité', que subitement la ruine fondra sur eux comme les douleurs sur la femme enceinte, et ils n'échapperont pas[b]. » Il arrive parfois que, dans leur fourberie, les ennemis laissent le cœur un peu tranquille, afin qu'il n'invoque plus le nom de Dieu. Car ils n'ignorent pas que cette invocation énerve toute leur force. Nous qui le savons, ne cessons donc pas d'invoquer le nom de Dieu pour obtenir du secours, car c'est une prière, et il est dit : « Priez sans cesse[c] » ; sans cesse, donc sans aucune limite ni mesure.

426

Demande : Quand des hommes me louent ou la pensée dans mon cœur, et que je me vois alourdi par cela, que dois-je répondre?

Réponse :

Quand la pensée te loue et que tu ne peux passer outre sans dommage, empresse-toi d'invoquer le nom de Dieu et dis-lui : Il est écrit : « Mon peuple, ceux qui vous béatifient vous égarent, et ils bouleversent le chemin que vous foulez[a]. » Cette louange, frère, n'est qu'une ruse et c'est pourquoi le Prophète s'écriait : « Tout homme est comme l'herbe et toute la gloire de l'homme comme la fleur de l'herbe[b]. » Et parce que celui qui accepte d'être loué par les hommes n'en retire pas de profit, le Seigneur lui-même a dit : « Comment pouvez-vous croire en moi, vous qui tirez de la gloire des hommes[c]? » Et si quelque chose est selon Dieu, nous devons nous rappeler « que celui qui se glorifie, doit se glorifier dans le Seigneur[d]. » Et en effet même l'Apôtre, bien qu'il eût

b. 1 Th 5, 3 c. 1 Th 5, 17

426. a. Is 3, 12 b. Is 40, 6 c. Jn 5, 44 d. 1 Co 1, 31

Ἀπόστολος φθάσας εἰς μεγάλα μέτρα εἰς ἑαυτὸν οὐκ ἐκαυχᾶτο, ἀλλ' ἐβόα, λέγων· «Χάριτι Κυρίου εἰμὶ ὅ εἰμι[e].» Αὐτῷ γὰρ ἀληθῶς ἡ δόξα ἐν πᾶσι καὶ ἡ μεγαλοπρέπεια εἰς τοὺς αἰῶνας. Ἀμήν.

427

Ἐρώτησις· *Ἐὰν οὖν ψάλλω ἢ προσεύχομαι ἢ ἀναγινώσκω καὶ ἀνακύψῃ ἄτοπος λογισμός, κατανοήσω αὐτὸν καὶ διακόψω τὴν ψαλμῳδίαν ἢ τὴν προσευχὴν ἢ τὴν ἀνάγνωσιν, ἵνα διὰ τῶν τοιούτων λογισμῶν ἀντιπράξω αὐτῷ;*

Ἀπόκρισις·

Καταφρόνησον αὐτοῦ καὶ πρόσεχε μετὰ ἀκριβείας τῇ ψαλμῳδίᾳ καὶ τῇ προσευχῇ καὶ τῇ ἀναγνώσει, τοῦ δύνασθαι δύναμιν λαβεῖν ἀπὸ τῶν λεγομένων. Ἐὰν γὰρ ἀνασχώμεθα σχολάζειν τοῖς λογισμοῖς τοῦ ἐχθροῦ, οὐδέποτε ἔχομέν τι ἀγαθὸν πρᾶξαι, ὅπερ ἐκεῖνος πραγματεύεται. Καὶ ὅταν δὲ βλέπῃς τὴν ἀπ' αὐτῶν συνοχὴν τοιαύτην οὖσαν, ὥστε καὶ παρεμποδίσαι τῇ ψαλμῳδίᾳ ἢ τῇ προσευχῇ ἢ τῇ ἀναγνώσει, μηδὲ οὕτως ἀντιφιλονεικήσῃς αὐτοῖς, οὐκ ἔστι γὰρ τοῦτο τῆς σῆς δυνάμεως. Ἀλλὰ σπούδασον τὸ ἐπικαλεῖσθαι τὸ ὄνομα τοῦ Θεοῦ καὶ ἔρχεται εἰς τὴν σὴν βοήθειαν καὶ καταργεῖ τὰ μηχανήματα τῶν ἐχθρῶν. Αὐτοῦ γὰρ ἡ δύναμις καὶ ἡ δόξα εἰς τοὺς αἰῶνας. Ἀμήν.

428

Ἐρώτησις· *Πῶς τις κτᾶται κατάνυξιν ἐν προσευχῇ καὶ ἀναγνώσει καὶ ψαλμῳδίᾳ;*

17 εἰς[2] ἑαυτὸν : ἑαυτῷ SK ‖ 18 χάριτι + δὲ RI V ‖ κυρίου : χριστοῦ PR θεοῦ I V ‖ 19 ἐν πᾶσι om. PR V ‖ 19-20 καὶ – ἀμήν om. PR

L. 427 PRASKI V

4 ἵνα + καὶ I V ‖ 12 ἀπ' om. PRI V ‖ 15 τὸ[1] : τοῦ KPRI om. V ‖ ἐπικαλεῖσθαι : -καλέσασθαι I V ‖ 16 σὴν om. R ‖ 17-18 αὐτοῦ – ἀμήν om. PR

atteint une haute perfection, ne se glorifiait pas en lui-même, mais il s'écriait : « C'est par la grâce du Seigneur que je suis ce que je suis[e]. » A lui la gloire en tout et la magnificence dans les siècles. Amen.

427

Demande : Lorsque je psalmodie, prie ou lis, et qu'une pensée déplacée surgit, dois-je y prêter attention et suspendre la psalmodie, la prière ou la lecture afin de lui opposer telle ou telle pensée ?

Réponse :

Méprise-la et applique-toi fidèlement à la psalmodie, à la prière ou à la lecture, afin de pouvoir saisir le sens des paroles. Car si nous acceptons de prêter l'oreille aux pensées qui nous viennent de l'Ennemi, nous ne pourrons rien faire de bon, et c'est précisément ce qu'il cherche. Et lorsque tu t'en vois importuné au point d'être entravé dans la psalmodie, la prière ou la lecture, même alors ne lutte pas avec ces pensées, car cela n'est pas de ta force. Mais empresse-toi d'invoquer le nom de Dieu, il viendra à ton secours et réduira à rien les machinations des ennemis. C'est à lui en effet qu'appartiennent la puissance et la gloire dans les siècles. Amen.

428

Demande : Comment acquiert-on la componction dans la prière, la lecture et la psalmodie ?

L. 428 PRASKI V
1 κτᾶται : δύναται κτᾶσθαι P

e. 1 Co 15, 10

Ἀπόκρισις·

Ἡ κατάνυξις ἀπὸ τοῦ ἐνδελεχισμοῦ τῆς ὑπομνήσεως ἔρχεται τῷ ἀνθρώπῳ. Ὅτε οὖν προσεύχεταί τις ὀφείλει προσευχόμενος ἀγαγεῖν τὰς πράξεις αὐτοῦ εἰς τὴν ἰδίαν μνήμην, καὶ πῶς κρίνονται οἱ τὰ τοιαῦτα πράττοντες, καὶ τὴν φωνὴν τὴν φοβερὰν ὅτι « Πορεύεσθε ἀπ' ἐμοῦ οἱ κατηραμένοι εἰς τὸ πῦρ τὸ αἰώνιον[a] » καὶ τὰ ἑξῆς. Μνήμην δὲ ἁμαρτιῶν λέγω, οὐχὶ μιᾶς καὶ ἑκάστης, μήποτε καὶ διὰ παρενθέτου εἰσενέγκῃ ὁ ὑπεναντίος ἄλλην αἰχμαλωσίαν, ἀλλὰ τὸ μνησθῆναι μόνον ὅτι κατάχρεοί ἐσμεν ἁμαρτιῶν. Καὶ μετὰ ταῦτα ἐὰν ἐμμείνῃ ἡ σκληρότης μὴ ἐνδώσῃς, γίνεται γὰρ πολλάκις παρὰ τοῦ Θεοῦ ἡ ἀνοχὴ εἰς δοκιμασίαν ἀνθρώπου, εἰ ὑπομείνῃ. Καὶ περὶ τῆς ἀναγνώσεως καὶ τῆς ψαλμῳδίας τὸ γρηγορῆσαι τὸν νοῦν αὐτοῦ εἰς τὰ ὑπ' αὐτοῦ λεγόμενα καὶ ἀναλαβεῖν εἰς τὴν ἑαυτοῦ ψυχὴν τὴν δύναμιν τὴν ἐν αὐτοῖς ἐγκειμένην. Ἐὰν μὲν περὶ ἀγαθῶν, ἵνα ζηλώσῃ εἰς τὸ ἀγαθόν, ἐὰν δὲ περὶ ἀνταποδόσεως κακῶν, ἵνα φύγῃ τὴν προσδοκωμένην ἀπειλὴν τοῖς τὰ κακὰ πράττουσι. Καὶ ἐμμένων ἐν ταῖς αὐτῶν ὑπομνήσεσι, μὴ ἐνδώσῃ ἐπιμενούσης τῆς σκληρότητος. Ἐλεήμων γάρ ἐστι καὶ μακρόθυμος ὁ Θεός, προσδεχόμενος ἡμῶν τὴν σπουδήν. Μνημόνευε δὲ ἀεὶ τοῦ λέγοντος Ψαλμῳδοῦ ὅτι « Ὑπομένων ὑπέμεινα τὸν Κύριον καὶ προσέσχε μοι[b] » καὶ τῆς ἑξῆς. Ἀδολεσχῶν δὲ ἐν τούτοις ἔλπισον ὅτι προκαταλαμβάνει τὰ ἐλέη τοῦ Θεοῦ διὰ τάχους.

7 πράττοντες : πράξαντες P ‖ 10 μιᾶς καὶ[1] om. V ‖ 13 ἐνδώσῃς : -δώσωμεν I V ‖ 15 ὑπομείνῃ : ὑπομένει PR ‖ 21 τὰ om. P ‖ 22 ἐνδώσῃ : ἐνδώσῃς V ‖ 23 καὶ + οἰκτίρμων καὶ I V ‖ 25 ὅτι om. PRI V ‖ 25-26 καὶ προσέσχε μοι om. PR ‖ 27 προκαταλαμβάνει : καταλαμβάνει PRI καταλαμβάνει σε V

Réponse :

C'est de la continuité du souvenir[1] que la componction vient à l'homme. Lorsqu'on prie, on doit donc, tout en priant, se remémorer ses actions, le jugement réservé à ceux qui font de telles choses, et la parole si redoutable : « Allez-vous-en loin de moi, maudits, au feu éternel[a] », etc. Par mémoire des fautes, j'entends non pas qu'on se souvienne de chacune en particulier, de peur que par intrusion l'Adversaire ne produise une nouvelle captivité, mais qu'on se souvienne seulement qu'on est endetté de péchés. Et si après cela, la sécheresse persiste, ne te décourage pas ; car souvent c'est Dieu qui permet ce délai, pour se rendre compte si l'homme persévérera. Pour la lecture et la psalmodie, il faut que l'esprit soit attentif aux paroles dites et que l'on recueille dans son âme le sens qui s'y trouve : s'il s'agit de biens, que l'on ait le zèle du bien ; s'il s'agit du châtiment des maux, que l'on fuie la menace qui pèse sur ceux qui font le mal. Que l'on demeure dans de tels souvenirs, sans se décourager si la sécheresse persiste. Car notre Dieu est miséricordieux et longanime, attendant notre bonne volonté. Souviens-toi toujours du mot du Psalmiste : « Avec constance j'ai attendu le Seigneur et il s'est penché vers moi[b] », etc. T'ingéniant à cela, aie bon espoir que la miséricorde de Dieu te surviendra promptement.

428. a. Mt 25, 41 b. Ps 39, 2

1. Grâce au souvenir constant de nos péchés nous réussissons à emprisonner nos passions (voir *Alph. Synclétique*, 20).

429

Ἐρώτησις· Ὅτε ζητῶ μετὰ ἀκριβείας προσέχειν τῇ δυνάμει τῶν ῥημάτων τοῦ Ψαλμῳδοῦ, συμβαίνει πολλάκις ἐξ αὐτῶν γενέσθαι μοι πονηροὺς λογισμούς.

Ἀπόκρισις·

Ἐὰν ἴδῃς ὅτι ἀπ' αὐτῶν τῶν ῥημάτων τῆς ψαλμῳδίας ἐμηχανήσατο ὁ ἐχθρὸς παρασχεῖν σοι πόλεμον, οὐ χρὴ μετὰ ἀκριβείας καταλαβεῖν τὴν δύναμιν τῶν λεγομένων, ἀλλὰ νηφόντως καὶ ἀρεμβάστως αὐτὰ ψάλλειν. Κἂν γὰρ αὐτὰ λέγῃς μόνον, οἱ ἐχθροὶ τὴν δύναμιν αὐτῶν ἴσασι καὶ οὐ δύνανταί σοι ἀντιστῆναι. Καὶ γίνεταί σοι ἡ ψαλμῳδία ἀντὶ ἱκεσίας πρὸς τὸν Θεὸν καὶ εἰς κατάργημα τῶν ἐχθρῶν.

430

Ἐρώτησις· Ἐὰν ἐν τῇ ψαλμῳδίᾳ εἰμὶ ἢ μετὰ ἀνθρώπων καὶ θλίβωμαι ἐν τῷ λογισμῷ καὶ ὀνομάσω τὸν Θεὸν ἐν τῇ καρδίᾳ, μὴ δυνάμενος ἐν τῷ στόματι, ἢ καὶ μνησθῶ αὐτοῦ μόνον, ἆρα οὐκ ἐξαρκεῖ μοι τοῦτο εἰς βοήθειαν;

Ἀπόκρισις Βαρσανουφίου·

Ἐὰν στήκοντός σου ἐν τῷ χορῷ τῆς ψαλμῳδίας ἢ μετὰ ἀνθρώπων, ἔλθῃ σοι ὀνομάσαι τὸν Θεόν, μὴ νομίσῃς ὅτι ἐὰν μὴ εἴπῃς στόματι, οὐκ ὀνομάζεις αὐτόν, ἀλλὰ μνήσκου ὅτι καρδιογνώστης ἐστὶ καὶ εἰς καρδίαν προσέχει. Καὶ ὀνόμασον αὐτὸν ἐν τῇ καρδίᾳ σου. Τοῦτο γάρ ἐστιν ὃ εἶπεν ἡ Γραφή· «Κλεῖσον τὴν θύραν σου καὶ πρόσευξαι τῷ Πατρί σου τῷ ἐν τῷ κρυπτῷ[a].» Ἵνα κλείσωμεν τὸ στόμα καὶ ἐν τῇ καρδίᾳ προσευξώμεθα αὐτῷ. Ὁ κλείων

L. 429 ASKI V
10 σοι om. AS
L. 430 PRASKI V
1 εἰμὶ : ὦ V ‖ 2 ἐν τῷ λογισμῷ : ἐκ τῶν λογισμῶν PRI V ‖ 6 χορῷ : καιρῷ I V ‖ 7 νομίσῃς : -μίζῃς P ‖ 8 μνήσκου : μιμνήσκου V

429

Demande : Lorsque je cherche à m'appliquer exactement au sens des paroles du Psalmiste, il m'arrive souvent d'en concevoir des pensées mauvaises.

Réponse :

Si tu vois que l'Ennemi se sert des paroles mêmes de la psalmodie pour te faire la guerre, il ne faut pas t'attacher rigoureusement au sens des paroles, mais psalmodier avec vigilance et sans rêvasser. Car même si tu te contentes de dire les mots, les ennemis qui savent leur sens, ne peuvent te résister. Ainsi la psalmodie sera pour toi comme une supplication à Dieu et aboutira à l'anéantissement des ennemis.

430

Demande : Si durant la psalmodie ou étant avec des gens, je suis tourmenté par la pensée et que j'invoque Dieu dans mon cœur, ne pouvant le faire des lèvres, ou si je me souviens seulement de lui, cela me suffit-il pour obtenir du secours ?

Réponse de Barsanuphe :

Quand tu te tiens dans le chœur qui psalmodie ou avec des gens et qu'il t'arrive d'invoquer Dieu, ne t'imagine pas que tu ne l'invoques pas, si tu ne le fais pas des lèvres ; mais, souviens-toi qu'il connaît les cœurs et voit à l'intérieur. Invoque-le donc dans ton cœur. C'est ce que dit la sainte Écriture : « Ferme ta porte et prie ton Père dans le secret[a]. » Fermons la bouche et prions-le dans le cœur. Celui qui ferme la bouche et qui invoque

430. a. Mt 6, 6

οὖν τὸ στόμα καὶ ὀνομάζων τὸν Θεὸν ἢ προσευχόμενος αὐτῷ ἐν τῇ καρδίᾳ αὐτοῦ, τὴν τοῦτο λέγουσαν Γραφὴν πληροῖ. Ἐὰν δὲ καὶ μὴ ὀνομάσῃς ἐν τῇ καρδίᾳ σου, μνησθῇς δὲ μόνον αὐτοῦ ἐν αὐτῇ, τοῦτο μᾶλλον ὀξύτερόν ἐστι τοῦ ὀνομάσαι καὶ ἀρκεῖ σοι πρὸς βοήθειαν.

431

Ἐρώτησις· Ἆρα οὖν καλόν ἐστι τό τινα ἐν τῇ καρδίᾳ αὐτοῦ διὰ παντὸς μελετᾶν ἢ προσεύχεσθαι, μὴ συνεργούσης ὅλως τῆς αὐτοῦ γλώττης; Ὅτε δὲ συμβαίνει μοι τοῦτο, βυθίζεται ὁ λογισμός μου, καὶ αἰσθάνομαι βαρέως καὶ δοκῶ βλέπειν ὡς πράγματα καὶ φαντασίας, καὶ ὡς ἐν ὀνείροις διάγω.

Ἀπόκρισις·

Τοῦτο τῶν τελείων ἐστὶ τῶν δυναμένων κυβερνᾶν τὸν νοῦν καὶ εἰς τὸν φόβον τοῦ Θεοῦ ἔχειν, τοῦ μὴ πλαγιάσαι καὶ βυθισθῆναι εἰς μετεωρισμὸν βαθύτατον ἢ φαντασίας. Ὁ δὲ μὴ δυνάμενος ἔχειν διὰ παντὸς τὴν κατὰ Θεὸν νῆψιν, ἁρπάζει καὶ παραδώσει τὴν μελέτην καὶ τῇ γλώττῃ. Καὶ γὰρ οἱ κολυμβῶντες εἰς τὴν θάλασσαν, οἱ μὲν τεχνῖται αὐτῶν θαρροῦντες ῥίπτουσιν ἑαυτοὺς εἰς αὐτήν, εἰδότες ὅτι τοὺς ἐπισταμένους καλῶς τὴν τέχνην βυθίσαι ἡ θάλασσα οὐ δύναται. Ὁ δὲ ἀρχόμενος τῆς τοιαύτης τέχνης, ὅταν αἰσθάνηται τοῦ βυθισμοῦ τῶν ὑδάτων, ἀπὸ τῆς συνοχῆς διὰ τὸ μὴ πνιγῆναι, ἁρπάζει ἑαυτὸν ἀπὸ τοῦ πελάγους εἰς τὸν αἰγιαλόν. Καὶ λαμβάνων μικρὰν ἀναψυχήν, πάλιν χαλᾷ ἑαυτὸν εἰς τὸ πέλαγος, καὶ δοκιμάζει ταῦτα ποιῶν πρὸς τὸ μαθεῖν αὐτὸν τελείως τὴν τέχνην, ἕως οὗ φθάσῃ τὸ μέτρον τῶν πρὸ αὐτοῦ ἐπισταμένων τελείως.

15 γραφὴν : ἐντολὴν I V ‖ 16-17 τῇ καρδίᾳ – αὐτοῦ ἐν om. PRI V
L. 431 PRASKI V
10 βαθύτατον : βαρύτατον PR ‖ φαντασίας : -τασίαν V ‖ 12 ἁρπάζει :

Dieu ou le prie dans son cœur, accomplit donc ainsi la parole citée. Mais même si on ne l'invoque pas dans son cœur et qu'on s'y souvient seulement de lui, cela est beaucoup plus rapide que l'invocation et suffit pour obtenir du secours.

431

Demande : Est-il donc bon de méditer ou de prier constamment dans son cœur, sans aucun concours de la langue ? Lorsque cela m'arrive, mon esprit est complètement submergé, j'éprouve des sensations de lourdeur, j'ai l'impression de voir des sortes d'objets et des fantasmes, et je vis comme dans un rêve.

Réponse :

Cela est réservé aux parfaits, qui sont capables de diriger leur esprit et de le garder dans la crainte de Dieu, pour qu'il ne s'en aille pas à la dérive et ne soit pas englouti dans une profonde distraction ou dans des fantasmes. Mais celui qui ne peut garder sans cesse la présence de l'esprit à Dieu doit joindre et associer la méditation et la prière des lèvres. Voyez en effet ceux qui nagent dans la mer : les nageurs expérimentés se jettent dans l'eau avec assurance, sachant que la mer ne peut engloutir les bons nageurs. Au contraire, celui qui commence seulement à apprendre la natation, dès qu'il se sent enfoncer dans l'eau, craignant d'être asphyxié, il se retire aussitôt pour rester sur le rivage. Puis reprenant un peu courage, il se laisse de nouveau enfoncer dans les flots, et il fait ainsi des essais pour apprendre parfaitement cet art de la natation, jusqu'à ce qu'il ait atteint le niveau de ceux qui le possèdent à la perfection.

-πάσει PR V || 19 ἀναψυχήν : ψυχήν I V || 20 ἑαυτὸν om. V || 21 τελείως om. P || 22 τελείως om. I V

432

Ἐρώτησις· Τί ἐστιν ὃ λέγει τις τῶν Πατέρων, οὐ τὸ εἰσελθεῖν τοὺς λογισμούς ἐστι τὸ κατάκριμα, ἀλλὰ τὸ κακῶς αὐτοὺς διοικῆσαι; Ὁ δὲ ἀββᾶς Ἰωσὴφ εἶπεν ἑνὶ τῶν ἀδελφῶν· «Κόψον ταχέως τοὺς λογισμούς», ἄλλῳ δὲ εἶπεν· «Ἄφες αὐτοὺς εἰσελθεῖν, καὶ δὸς καὶ λαβὲ μετ' αὐτῶν, καὶ γίνῃ δόκιμος.»

Ἀπόκρισις·

Τὸ εἰσελθεῖν τοὺς λογισμοὺς τὸ σπαρῆναί ἐστιν καὶ οὐκ ἔστι κατάκριμα. Τὸ δὲ συγκαταθέσθαι ἐστὶ τὸ κακῶς αὐτοὺς διοικῆσαι καὶ ἔστι κατάκρισις. Ἡ διαφορὰ δὲ τοῦ ἐᾶσαι εἰσελθεῖν τοὺς λογισμοὺς καὶ τοῦ κόψαι αὐτοὺς αὕτη ἐστί· Τοῦ δυναμένου ἀντιστῆναι καὶ πολεμῆσαι καὶ μὴ ἡττηθῆναι, ἔστι τὸ ἐᾶσαι εἰσελθεῖν, τοῦ δὲ ἀσθενοῦντος καὶ μὴ δυναμένου, ἀλλὰ συγκατατιθεμένου, τοῦτ' ἔστι τὸ κόψαι διὰ τοῦ φυγεῖν πρὸς τὸν Θεόν.

433

Ἐρώτησις· Ὅταν εὑρεθῶ ἐν τόπῳ ἔνθα εἰσὶ λείψανα ἁγίων μαρτύρων, ὀχλεῖταί μου ὁ λογισμὸς ὥστε πολλάκις ἀπιέναι καὶ προσκυνεῖν αὐτά. Καὶ ὁσάκις ἐὰν παρέλθω δι' αὐτῶν, ὑποβάλλει μοι τὴν κεφαλὴν κλῖναι. Ἆρα δεῖ οὕτως ποιεῖν;

Ἀπόκρισις·

Οὐ χρὴ οὕτω ποιεῖν, ἀλλ' ἐὰν ἅπαξ προσκυνήσῃς, ἀρκεῖ σοι τοῦτο. Μὴ οὖν ἀνάσχῃ αὐτοῦ. Καὶ μάλιστα ὅταν ἔτυχες χωρὶς ὀχλήσεως, ἰδίᾳ προαιρέσει τρίτον προσκυνήσας.

L. 432 PRASKI V

1 πατέρων + ὅτι PR ‖ 4 ταχέως om. P ‖ 9-10 τὸ[2] κακῶς – ἔστι[2] om. PRASK ‖ 10 κατάκρισις : κατάκριμα I V ‖ 14 συγκατατιθεμένου om. K

L. 433 RASKI V

432

Demande : Que signifie ce que dit l'un des Pères, que ce qui est condamnable, ce n'est pas de laisser entrer les pensées mauvaises, mais de les maîtriser mal ? D'autre part, l'abbé Joseph a dit à l'un des frères : « Retranche sur-le-champ les pensées mauvaises », alors qu'il disait à un autre : « Laisse-les entrer, discute avec elles, et tu seras un homme éprouvé[1]. »

Réponse :

Que les pensées entrent, c'est le grain qui est semé et cela n'est pas condamnable. Mais leur accorder son consentement, c'est les maîtriser mal et c'est condamnable. Quant à la différence entre laisser entrer les pensées et les retrancher, la voici : celui qui est capable de résister et de lutter sans être vaincu les laisse entrer, tandis que le faible qui n'en est pas capable et qui donnerait plutôt son assentiment, doit les retrancher pour se réfugier auprès de Dieu.

433

Demande : Quand je me trouve en un lieu où il y a des reliques de saints martyrs, la pensée m'obsède d'aller souvent les vénérer. Et chaque fois que je passe devant elles, elle me suggère d'incliner la tête. Faut-il agir ainsi ?

Réponse :

Il ne faut pas agir ainsi, mais lorsque tu as vénéré une fois, cela te suffit. Ne t'arrête donc pas à cette pensée. Si tu n'es pas obsédé, vénère trois fois au plus, de ton

1 εὑρεθῶ : εὑρεθῶμεν SK ‖ 3 ἐὰν : ἂν RI V ‖ 4 κλῖναι : κλίνειν RI V ‖ 8 ἀνάσχῃ : ἀνάσχου V ‖ ὅταν : ὅτε K

---

1. Cf. *Alph. Joseph de Panepho,* 3. Au sujet des différentes 'techniques' contre l'assaut des pensées voir *Vita e Detti dei Padri del Deserto,* I, n. 42, p. 272-273.

Ἠκούσαμεν γὰρ ὅτι τὰ μετὰ ταραχῆς καὶ λύπης καὶ τὰ περισσὰ ταῦτα ὅλα, τῶν δαιμόνων ἐστίν. Καὶ τὸ κλίνειν δὲ τὴν κεφαλὴν ὁμοίως ἅπαξ ἀρκεῖ, ἢ ὅτε πολὺ ἕως τρίτου, καὶ τοῦτο χωρὶς ἀνάγκης ὑποβαλλομένης τῷ λογισμῷ.

434

Ἐρώτησις· Ἔστιν ὅτε ὑποβάλλει μοι δειλίαν, ἵνα προφάσει αὐτῆς εἰσέρχωμαι εὔξασθαι;

Ἀπόκρισις·

Προφάσει τῆς δειλίας μὴ εἰσέλθῃς, ἀλλ' εὐκαίρως εἰσέρχου προφάσει τῆς εὐχῆς[a] τοῦ παρακαλέσαι τὸν Θεὸν καὶ τοὺς ἁγίους περὶ τῆς ἑαυτοῦ σωτηρίας.

435

Ἐρώτησις· Εἶπάς μοι διὰ τὴν δειλίαν μὴ εἰσιέναι. Καὶ ὅτε θέλω εἰσελθεῖν καὶ εὔξασθαι περὶ τῆς ἐμῆς σωτηρίας, ὑποβάλλει μοι τὴν δειλίαν, ἵνα κωλύσω τὴν εὐχήν, διὰ τὸ παραγγελθῆναί με παρ' ὑμῶν προφάσει τῆς δειλίας μὴ εἰσελθεῖν.

Ἀπόκρισις·

Μηδὲ οὕτως ἀνάσχῃ αὐτοῦ, ἀλλ' εἴσελθε καὶ εὖξαι. Τὴν γὰρ δειλίαν μηδὲν ὅλως λογίζου, μήτε πρὸς τὴν εὐχήν σε κινοῦσαν, μήτε τῆς εὐχῆς ἀποτρέπουσαν, ἀλλὰ πάντα πράττε ἐν καιρῷ καὶ ἐν φόβῳ Θεοῦ.

11 ὅλα : πάντα V ‖ ἐστίν : εἰσίν I V ‖ κλίνειν : κλῖναι K
L. 434 RASKI V
2 εἰσέρχωμαι : εἰσερχώμενος S ‖ 6 ἑαυτοῦ : σαυτοῦ V om. K
L. 435 RASKI V
4 με : μοι V ‖ 7 ἀνάσχῃ : ἀνάσχου V ‖ 8-9 πρὸς – μήτε[2] om. SK ‖

propre mouvement. Car on nous a appris que tout ce qui se fait avec trouble et tristesse est des démons, comme tout ce qui dépasse la mesure[1]. Il suffit également d'incliner la tête une seule fois, ou au plus trois fois, et cela sans contrainte suggérée par la pensée.

434

Demande : Lorsqu'il m'arrive d'être pris de frayeur, dois-je, en raison de cette frayeur, entrer pour prier?

Réponse :

N'entre pas en raison de la frayeur, mais entre au moment opportun en vue de la prière[a], afin d'invoquer Dieu et ses saints pour ton salut.

435

Demande : Tu me dis de ne pas entrer à cause de la frayeur. Or quand je veux entrer et prier pour mon salut, la frayeur me prend, pour m'empêcher de prier, du fait que l'ordre m'a été donné par vous de ne pas entrer en raison de la frayeur.

Réponse :

En ce cas, ne t'y arrête pas, mais entre et prie. Ne tiens en effet aucun compte de la frayeur, qu'elle te pousse à la prière ou qu'elle t'en détourne ; mais fais tout au moment opportun et dans la crainte de Dieu.

10 ἐν[2] om. RKI V

434. a. Cf. Mt 6, 6

1. Cf. *Alph. Poemen,* 129.

436

Ἐρώτησις · Καὶ περὶ τοῦ πολλάκις κατασφραγίζεσθαι ἐνοχλεῖ μοι, εἴτε ἐν νυκτὶ εἴτε ἐν ἡμέρᾳ.

Ἀπόκρισις Βαρσανουφίου ·

Ἐὰν νήφωμεν, καὶ τὸ ἅπαξ κατασφραγίσασθαι εἴτε ἐν νυκτὶ εἴτε ἐν ἡμέρᾳ ἀρκεῖ ἡμῖν πρὸς φυλακὴν καὶ σωτηρίαν. Ἐὰν γὰρ πιστεύσωμεν ὅτι στήκει ἀκριβῶς ἡ πρώτη σφραγίς, οὐ χρεία τῆς δευτέρας. Τὸ γὰρ ζητεῖν δευτέραν σημαίνει ὅτι οὐκ ἔχομεν στήκουσαν τὴν πρώτην. Καὶ ἀπὸ τῶν τοῦ κόσμου πραγμάτων ἔνι τοῦτο θεωρῆσαι · Ἐὰν γὰρ σφραγίσῃ τις θησαυρὸν καὶ στήκει ἡ πρώτη σφραγίς, οὐ χρείαν ἔχει ἄλλης σφραγῖδος. Ἀλλὰ τοῦτο πράττουσιν οἱ δαίμονες ἵνα εἰς ἀκηδίαν καὶ εἰς ὀλιγωρίαν ἄξωσιν ἡμᾶς, τοῦ μὴ ὅλως μετὰ νήψεως, κἂν ἅπαξ καθαρῶς ποιῆσαί τι. Διὰ τοῦτο ὀλίγον κατὰ φόβον Θεοῦ ποιήσωμεν καὶ συμφέρει ἢ γὰρ πολλὰ μετὰ ταραχῆς τῶν ἐχθρῶν, φησὶ γάρ · «Κρεῖσσον ὀλίγον τῷ δικαίῳ[a].» Ταῦτα δὲ λέγω, ὅταν τὴν μετὰ νήψεως ὄχλησιν ὑποβάλλωσιν, ἐπείγοντες ἡμᾶς ποιῆσαί τι ἀκαίρως. Ἐπεὶ ὅταν βλέπωμεν τὸν λογισμὸν μετὰ χαρᾶς κατασφραγίζοντα, οὔτε κατὰ δειλίαν οὔτε κατά τινα ὄχλησιν, χρησώμεθα τοῦτο κατὰ τὸ ἐνδεχόμενον ἐν φόβῳ Θεοῦ, τὸ γὰρ κατὰ προαίρεσιν γινόμενον ἀρέσκει μᾶλλον τῷ Θεῷ.

437

Ἐρώτησις · Ἐὰν κατασφραγίσωμαι τῇ ἀριστερᾷ χειρὶ ἐν ᾧ μὴ δύναμαι τοῦτο ποιεῖν ἐν τῇ δεξιᾷ, μὴ ἄτοπόν ἐστιν;

L. 436 RASKI V
2 εἴτε[1] – ἡμέρᾳ om. R ‖ 6 πιστεύσωμεν : -τεύωμεν RI V ‖ 12 εἰς[2] om. RI V ‖ ἄξωσιν : ἐνάξωσιν I V ‖ 15 ἐχθρῶν : δαιμόνων K ‖ 21-22 ἐν φόβῳ – θεῷ om. P

L. 437 PRASKI V

436

Demande : Pour ce qui est de se signer souvent, cela me tracasse, soit la nuit, soit le jour.

Réponse de Barsanuphe :

Si nous sommes attentifs, se signer une seule fois, soit la nuit soit le jour, suffit à notre sauvegarde et à notre salut. Car si nous croyons que le premier signe de croix garde absolument sa valeur, il n'est point besoin d'un deuxième. Car en vouloir un second signifie que nous ne regardons pas le premier comme solide. On peut considérer cela d'après ce qui se fait pour les choses du monde : Si on scelle un trésor, tant que le premier sceau demeure, il n'est pas besoin d'un autre sceau. Mais les démons font cela pour nous amener à l'acédie et au découragement, en sorte que nous ne fassions plus rien du tout avec vigilance, même purement une seule fois. Aussi vaut-il mieux faire peu avec crainte de Dieu – et cela sera utile – que beaucoup avec trouble des ennemis, car il est écrit : « Peu vaut mieux pour le juste[a]. » Mais je dis cela pour le cas où ils mêlent subrepticement le trouble à notre attention, afin de nous pousser à faire quelque chose à contretemps. Car autrement, quand nous éprouvons de la joie à la pensée de nous signer sans qu'il y ait crainte ni tourment quelconque, prenons cela comme conçu dans la crainte de Dieu ; car ce qui est fait de plein gré plaît davantage à Dieu.

437

Demande : Si je me signe de la main gauche, ne pouvant le faire de la droite, n'est-ce pas déplacé?

1 χειρὶ om. PRI V ‖ 2 ἐν[1] ᾧ : ἐὰν I V om. PR ‖ δύναμαι : δύνωμαι I V δυνάμενος PR ‖ ποιεῖν : ποιῆσαι KI om. PR V ‖ ἐν[2] om. PRKI V ‖ 3 ἐστιν : εἴη V

436. a. Ps 36, 16

Ἀπόκρισις ·

Ἐγὼ τέως ὅταν θέλω σφραγίσαι τὴν δεξιάν μου, τῇ ἀριστερᾷ τοῦτο ποιῶ.

438

Ἐρώτησις · Ὅτε προσεύχομαι περὶ πολλῶν κεφαλαίων, ἆρα ὀφείλω μνημονεύειν ἑκάστου κεφαλαίου ἐν τῇ προσευχῇ;

Ἀπόκρισις ·

Ἐὰν περὶ πολλῶν κεφαλαίων θέλῃς εὔξασθαι, ἀφ' οὗ οἶδεν ὁ Θεὸς τίνων χρήζομεν[a], προσεύχου λέγων · Δέσποτα Ἰησοῦ Χριστέ, ὁδήγησόν με κατὰ τὸ θέλημά σου. Ἐὰν δὲ περὶ παθῶν, λέγε · Ἴασαί με κατὰ τὸ θέλημά σου. Ἐὰν δὲ περὶ πειρασμῶν, λέγε · Σὺ οἶδας τὸ συμφέρον, βοήθησόν μου τῇ ἀσθενείᾳ, καὶ δὸς κατὰ τὸ θέλημά σου ἔκβασιν τῷ πειρασμῷ.

439

Ἐρώτησις · Ἐὰν βραδύνω ἐν τῇ προσευχῇ, ἆρα τὰ αὐτὰ ῥήματα ὀφείλω ἐπιμεῖναι λέγων;

Ἀπόκρισις ·

Οὐ πάντως, ἀλλὰ τὴν δύναμιν αὐτῶν. Τοῦτο δὲ μόνον χρὴ παραφυλάττειν, ὥστε τῷ θελήματι τοῦ Θεοῦ τοῦ πάντα διδόναι δυναμένου. Ἵνα σκοπός ἐστι τῆς προσευχῆς τὸ κατὰ τὸ θέλημα τοῦ Θεοῦ γενέσθαι τὸ αἰτούμενον.

L. 438 PRASKI V

2 κεφαλαίου om. V ‖ 2-3 προσευχῇ : εὐχῇ I V ‖ 6 δέσποτα + κύριε PRI V ‖ 7-8 ἐὰν – σου om. SK ‖ 9 συμφέρον + μου I V ‖ 11 τῷ πειρασμῷ : τῶν πειρασμῶν PRI V τῷ λογισμῷ K

Réponse :

Moi, jusqu'à présent, quand je veux faire le signe de la croix sur ma main droite, je le fais de la gauche.

438

Demande : Lorsque je prie pour plusieurs choses importantes dois-je faire mémoire de chacune dans la prière?
Réponse :

Lorsque tu veux prier pour plusieurs choses importantes puisque Dieu sait ce dont nous avons besoin[a], prie en disant : « Maître, Jésus-Christ, conduis-moi selon ta volonté. » Si c'est à propos de passions, dis : « Guéris-moi selon ta volonté. » Si c'est à propos de tentations, dis : « Tu sais, toi, ce qui me convient ; viens en aide à ma faiblesse, et donne selon ta volonté une issue à la tentation. »

439

Demande : Si je m'attarde dans la prière, dois-je m'en tenir toujours aux mêmes paroles?
Réponse :

Pas nécessairement, mais à leur sens. Ce à quoi il faut seulement être attentif, c'est à la volonté de Dieu qui est capable de tout nous donner. Et ce doit être l'objectif de la prière, que la chose demandée soit selon la volonté de Dieu.

L. 439 RASKI V
6 σκοπός : κόπος SK ‖ ἐστι : ᾗ V

---

438. a. Cf. Mt 6, 32

440

Ἐρώτησις · *Ἐάν τις θέλων εὐσεβῶς διοικῆσαι πράγματα, ἤγουν ταῦτα παραπέμψαι τινὶ κατὰ τὸ ἀρέσκον Θεῷ, καὶ ἀγνοεῖ τὸ πῶς ὀφείλει χρήσασθαι, καὶ οὐχ εὑρίσκει παρὰ Πατέρων ὁδηγηθῆναι, τί ὀφείλει προσευχόμενος λέγειν;*

Ἀπόκρισις ·

Οὕτω προσευχέσθω · Κύριε, εἰς τὰς χεῖράς σού εἰμι, σὺ γινώσκεις τὸ συμφέρον, ὁδήγησόν με κατὰ τὸ θέλημά σου, καὶ μὴ ἐάσῃς με πλανηθῆναι τοῦ ἐλθεῖν εἰς κατάχρησιν πράγματος, σὰ γάρ ἐστι τὰ πράγματα, καὶ σὺ αὐτῶν καὶ ἡμῶν δεσπόζεις. Ὡς δεσπότης οἰκονόμησον γενέσθαι ἐν τῷ φόβῳ σου, ὅτι σοῦ ἐστιν ἡ δόξα εἰς τοὺς αἰῶνας. Ἀμήν.

441

Ἐρώτησις · *Ὅτε κάθημαι εἴτε ἀναγινώσκων εἴτε ἐργόχειρον ποιῶν καὶ θέλω προσεύχεσθαι, διακρίνω καθήμενος τί ποιῆσαι. Τὸ αὐτὸ πάσχω κἂν ἔχω τὴν κεφαλὴν ἐσκεπασμένην. Καὶ ὅτε δὲ περιπατῶ καὶ θέλω προσεύξασθαι, ἀπαιτεῖ με ὁ λογισμὸς προσέχειν εἰς ἀνατολάς. Πῶς χρὴ Πάτερ ποιεῖν;*

Ἀπόκρισις ·

Εἴτε κάθῃ, εἴτε περιπατεῖς, εἴτε ἐργάζῃ, εἴτε ἐσθίεις, εἴτε τι ἕτερον ποιεῖς, εἴτε αὐτὴν τὴν χρείαν τοῦ σώματος, κἂν πρὸς ἀνατολὰς κἂν πρὸς δύσιν ἔτυχες ἀποβλέπων, μὴ διακριθῇς προσεύχεσθαι, τὸ γὰρ ἀδιαλείπτως τοῦτο ποιεῖν[a] καὶ ἐν παντὶ τόπῳ τοῦτο ποιεῖν ἐνετάλθημεν[b]. Καὶ πάλιν γέγραπται · « Ὁδοποιήσατε τῷ ἐπιβεβηκότι ἐπὶ δυσμῶν ·

L. 440 RASKI V
2 ἤγουν : ἢ ὡς V ‖ ταῦτα om. K ‖ 3 τὸ om. RI V ‖ 4 προσευχόμενος : -ευχόμενον V ‖ 8 τοῦ om. K V ‖ ἐλθεῖν om. K ‖ 9-10 καὶ[2] ἡμῶν om. RI V ‖ 11-12 εἰς – ἀμήν om. R

440

Demande : Si quelqu'un veut affecter des choses à un usage pieux, c'est-à-dire par exemple, les abandonner à quelqu'un selon le bon plaisir de Dieu, et qu'il ignore comment il doit en disposer; s'il ne se trouve pas guidé par des Pères, que doit-il dire dans sa prière?

Réponse :

Qu'il prie ainsi : « Seigneur je suis entre tes mains ; tu sais toi, ce qui convient, dirige-moi selon ta volonté ; et ne me laisse pas m'égarer dans l'usage d'une chose ; car les choses sont à toi, et tu en es le maître comme de nous ; dispose de tout en maître, afin que cela se fasse dans ta crainte, car la gloire t'appartient dans les siècles. Amen. »

441

Demande : Lorsque je me tiens assis, lisant ou faisant un travail manuel, et que je veux prier, j'hésite à le faire étant assis. J'éprouve la même répugnance quand j'ai la tête couverte. D'autre part il m'arrive aussi de vouloir prier en marchant, et la pensée me demande de me tourner vers l'orient. Comment faut-il agir, Père?

Réponse :

Que tu sois assis, ou en marche, au travail ou en train de manger, faisant autre chose ou pourvoyant aux besoins du corps, que ton regard se trouve tourné vers l'orient ou vers le couchant, n'hésite pas à prier, car nous avons reçu l'ordre de le faire sans cesse[a] et de le faire en tout lieu[b]. Et il est encore écrit : « Frayez le chemin à celui

L. 441 PRASKI V
2-4 προσεύχεσθαι – θέλω om. PRI V ‖ 9 τι om. V ‖ αὐτὴν om. PR ‖ 11 τοῦτο ποιεῖν om. PR V

---

441. a. Cf. 1 Th 5, 17 b. 1 Tm 2, 8

Κύριος ὄνομα αὐτῷ[c]», ὅπερ δείκνυσι πανταχοῦ εἶναι τὸν Θεόν. Καὶ ὅτε δὲ τὴν κεφαλὴν ἔχεις ἐσκεπασμένην, μὴ παραιτήσῃ τὴν εὐχήν, ἐκεῖνο μόνον παραφυλαττόμενος τοῦ μὴ ἐν καταφρονήσει τοῦτο ποιεῖν.

442

Ἐρώτησις· Λέγει μοι ὁ λογισμὸς ὅτι Εἰς πάντα ἁμαρτάνεις καὶ ὀφείλεις ἐν ἑκάστῳ λόγῳ καὶ ἔργῳ καὶ ἐνθυμήσει λέγειν ὅτι Ἥμαρτον. Ἐὰν γὰρ μὴ ὁμολογήσῃς τὸ ἁμάρτημα, ἔχεις ἑαυτὸν μὴ ἁμαρτήσαντα. Καὶ πάνυ θλίβομαι ἐξ ἀμφοτέρων, οὔτε γὰρ ἐξαρκῶ λέγειν τοῦτο ἐν ἑκάστῳ, κἂν μὴ εἴπω, δοκῶ μὴ ἡμαρτηκέναι.

Ἀπόκρισις Βαρσανουφίου·

Ὀφείλομεν πάντοτε πληροφορίαν ἔχειν ὅτι εἰς πάντα ἁμαρτάνομεν καὶ ἐν λόγῳ καὶ ἐν ἔργῳ καὶ ἐν ἐνθυμήσει, τὸ δὲ ἐν ἑκάστῳ λέγειν ὅτι «Ἥμαρτον» οὐ δυνάμεθα, ἀλλ' αὕτη τῶν δαιμόνων ἐστὶν ἡ ἐνέργεια, βουλομένων ἡμᾶς εἰς ἀκηδίαν ἐμβαλεῖν. Ὁμοίως δὲ καὶ διὰ τὸ μὴ λέγειν περὶ ἑκάστου διακεῖσθαι ὅτι οὐχ ἡμάρτομεν. Ἀλλὰ μνημονεύσωμεν τοῦ Ἐκκλησιαστοῦ λέγοντος· «Καιρὸς τοῦ λαλῆσαι καὶ καιρὸς τοῦ σιωπῆσαι[a]», καὶ κατὰ πρωῒ ὑπὲρ τῆς νυκτός, καὶ καθ' ἑσπέραν ὑπὲρ τῆς ἡμέρας, εἴπωμεν ἐν προσευχῇ μετὰ κατανύξεως τῷ Δεσπότῃ Θεῷ ὅτι «Δέσποτα, πάντα συγχώρησόν μοι διὰ τὸ ὄνομά σου τὸ ἅγιον καὶ ἴασαι τὴν ψυχήν μου, ὅτι ἥμαρτόν σοι[b].» Καὶ ἐξαρκεῖ σοι τοῦτο. Ὥσπερ γὰρ ἐὰν ἔχῃ τις συναλλάκτην καὶ λαμβάνῃ παρ' αὐτοῦ διαφόρως, καὶ οὐ δύναται καθάπαξ

16 τοῦ : τὸ PRK V
L. 442 PRASKI V
2 ἁμαρτάνεις καὶ ὀφείλεις : ἁμαρτάνω καὶ ὀφείλω I ‖ 3 ὁμολογήσῃς : -γήσω I ‖ 4 ἔχεις : ἔχω I ‖ ἑαυτὸν : σεαυτὸν V ‖ μὴ om. ASK ‖ 5 ἐξ : ἐπ' V ‖ 6 μὴ[2] : μοι V ‖ 8 πάντοτε om. PR ‖ 11[2] δὲ om. PRI V ‖ 17 ὅτι om. PR V ‖ 20 γὰρ om. K

qui monte vers le couchant : Le Seigneur est son nom[c] », ce qui montre bien que Dieu est partout. Même lorsque tu as la tête couverte, ne te prive pas de prier ; veille seulement à ne pas le faire par mépris.

442

Demande : La pensée me dit : « Tu pèches en tout, et tu dois dire en toute parole, acte et pensée : J'ai péché. Car si tu ne confesses pas le péché, c'est que tu te considères comme n'étant pas pécheur. » Mais dans l'un et l'autre cas, je suis fort tracassé : car je ne suis pas capable de le dire chaque fois, et si je ne le dis pas, j'ai l'air de ne pas avoir péché[1].

Réponse de Barsanuphe :

Nous devons toujours être bien persuadés que nous péchons en tout, en parole, en acte et en pensée, mais nous ne pouvons dire chaque fois : « J'ai péché » ; ceci au contraire est le fait des démons qui veulent nous jeter dans l'acédie. Et qu'il soit également bien entendu qu'il n'y a pas péché, parce que nous ne le disons pas chaque fois. Mais souvenons-nous de cette parole de l'Ecclésiaste : « Il est un temps pour parler et un temps pour se taire[a] », et le matin pour la nuit, le soir pour la journée, disons avec componction au divin Maître dans la prière : « Maître, pardonne-moi tout à cause de ton saint nom et guéris mon âme, car j'ai péché contre toi[b]. » Cela te suffit. Comme lorsque quelqu'un a un agent d'affaires, dont il reçoit de l'argent en diverses circonstances, il ne peut

c. Ps 67, 5
442. a. Qo 3, 7 b. Ps 40, 5

---

1. Le passage est un peu confus, mais nous avons préféré la leçon des mss à celle de l'éditeur Schoinas : le choix μὴ ἡμαρτηκέναι est confirmé dans la réponse de ὁμοίως à οὐχ ἡμάρτομεν. De plus δοκῶ est à la première personne du singulier et n'a donc pas besoin de μοι.

ποιεῖν πρὸς αὐτὸν λόγον καὶ οὕτω πληροῖ, οὕτως καὶ ἐνταῦθα.

443

Ἐρώτησις· Ἐπειδὴ συμβαίνει με ὅτε στιχολογῶ τοὺς Ψαλμοὺς ῥέμβεσθαι ἢ πλανᾶσθαι, τί ποιήσω;

Ἀπόκρισις·

Ἐὰν πλανηθῇς, ἀνάλαβε ἀφ' οὗ καταλαμβάνεις ῥητοῦ τοῦ προκειμένου ψαλμοῦ. Καὶ ἐὰν ἅπαξ καὶ δὶς καὶ τρὶς ἀναλαβὼν οὐχ εὑρίσκῃς μνημονεῦσαί τινος ῥητοῦ, ἢ μνημονεύσας οὐχ εὑρίσκῃς εἰς τὰ ἔμπροσθεν προβῆναι, ἀνάλαβε ἐκ τῆς ἀρχῆς τοῦ αὐτοῦ ψαλμοῦ. Εἰ δὲ ἔτυχε τὸ πολυμερὲς αὐτοῦ παρελθὼν διὰ τὸ μὴ ἐμποδισθῆναι ἢ καὶ ἀκηδιάσαι, τότε ψάλλε ἐκ τοῦ ἑπομένου ψαλμοῦ, σκοπὸς γὰρ τῷ ἐχθρῷ διὰ τῆς λήθης ἐμποδίσαι τῇ δοξολογίᾳ. Τὸ δὲ εἰπεῖν ἐκ τῶν ἑξῆς δοξολογία ἐστί, τὸ δὲ μὴ ῥέμβεσθαί ἐστι τῶν ἐχόντων καθαρὰ τὰ αἰσθήρια[a], ἡμεῖς δὲ ἀσθενεῖς ἐσμεν. Ὅταν δὲ λαμβάνωμεν αἴσθησιν τοῦ ῥεμβασμοῦ, νήψωμεν τοῦ ἔκτοτε κατανοεῖν τὰ λεγόμενα, ἵνα μὴ γένωνται εἰς τὴν ἡμῶν κατάκρισιν.

444

Ἐρώτησις· Ἐὰν δὲ εἰς τὴν προσευχὴν ῥεμφθῶ, τί δεῖ ποιῆσαι;

Ἀπόκρισις·

Ἐὰν προσεύχῃ τῷ Θεῷ καὶ ῥεμφθῇς, ἀγώνισαι ἕως οὗ ἀρεμβάστως εὔξῃ, καὶ γρηγόρησόν σου τὸν νοῦν τοῦ μὴ

L. 443 PRASKI V

1 με : μοι V ‖ 4 οὗ : ὧν PRI V ‖ ῥητοῦ : ῥητῶν PRI V om. K ‖ 5 τοῦ : ἐκ τοῦ K ‖ 7 εἰς τὰ : αὐτὰ PR ‖ 8-10 εἰ δὲ – ψαλμοῦ om. PRI V ‖ 15 τοῦ om. V ‖ κατανοεῖν : μετανοεῖν SK

chaque fois faire le compte et l'acquitter; il en est de même dans le cas présent.

443

Demande : Lorsque je récite les Psaumes, il m'arrive de m'agiter ou de m'égarer. Que dois-je faire?
Réponse :

Si tu t'égares, reprends le psaume commencé au mot que tu te rappelles. Si après avoir repris une, deux et trois fois, tu ne parviens pas à te souvenir de quelque parole, ou si, t'en souvenant, tu ne parviens pas à avancer plus loin, reprends au début du même psaume. Mais s'il t'arrive d'en laisser passer la majeure partie, alors, pour ne pas être entravé ni pris par l'acédie, reprends ta psalmodie au psaume suivant, car le dessein de l'Ennemi est d'empêcher la louange par l'oubli. Or reprendre à partir de ce qui suit est une louange, mais ne pas s'agiter est le fait de ceux dont les sens sont purs[a], et nous, nous sommes faibles. Aussi lorsque nous prenons conscience de l'agitation, faisons aussitôt attention pour comprendre les paroles que nous disons, de peur qu'elles ne soient pour notre condamnation.

444

Demande : Lorsque je m'agite dans la prière, que faut-il faire?
Réponse :

Lorsque tu pries Dieu et que tu t'agites, lutte jusqu'à ce que tu pries sans distraction, et veille à ce que ton esprit

L. 444 PRASKI V
1 προσευχὴν : εὐχὴν V ‖ δεῖ om. V ‖ 4 ἐὰν – ῥεμφθῇς om. PR ‖ 5 τοῦ om. V

---

443. a. Cf. 2 Tm 2, 22; He 5, 14

μετεωρισθῆναι. Ἐὰν δὲ τοῦτο, ὅτι ἀσθενεῖς ἐσμεν, ἐπιμείνῃ, κἂν εἰς τὰ ἔσχατα τῆς εὐχῆς νύξον σου τὴν καρδίαν καὶ εἰπὲ μετὰ κατανύξεως· Κύριε, ἐλέησόν με καὶ συγχώρησόν μοι πάντα τὰ πλημμελήματά μου. Καὶ λαμβάνεις συγχώρησιν μετὰ ὅλων τῶν πλημμελημάτων καὶ τοῦ ῥεμβασμοῦ τοῦ γενομένου εἰς τὴν εὐχήν.

445

Ἐρώτησις· Ὅτε στιχολογεῖ ἀδελφὸς ἐν τῇ ψαλμῳδίᾳ, ποτὲ μὲν εἰρηνεύει μου ὁ λογισμός, ποτὲ δὲ ῥέμβεται, τί οὖν ὀφείλω ποιεῖν;

Ἀπόκρισις·

Ὅτε εἰρηνεύει ὁ λογισμός σου καὶ βλέπεις ἑαυτὸν λαμβάνοντα κατάνυξιν ἀπὸ στιχολογίας τοῦ ἀδελφοῦ, χρῆσαι τούτῳ τῷ πράγματι. Ἐὰν δὲ ἴδῃς ὅτι αἰχμαλωτίζεται ὁ νοῦς εἰς ἄλλας ἐνθυμήσεις, νύξον αὐτὸν τοῦ προσέχειν τῇ δοξολογίᾳ τοῦ ἀδελφοῦ.

446

Ἐρώτησις· Ἀλλὰ συμβαίνει ἐκ τοῦ θέλειν με κατανοῆσαι τὰ ὑπὸ τοῦ ἀδελφοῦ λεγόμενα γενέσθαι μοι πόλεμον εἰς αὐτόν.

Ἀπόκρισις·

Καὶ αὕτη αἰχμαλωσία ἐστί, μετοικίζει γὰρ ὁ ἐχθρὸς τὸν νοῦν ἀπὸ τόπου εἰς τόπον. Ἀλλὰ πάλιν νύξον σεαυτὸν ὅτε βλέπεις ἐλθόντα τὸν πόλεμον καὶ εἰπὲ τῷ νῷ μετὰ ἐπιτιμίας· Ποῦ ὑπάγεις ταλαίπωρε; Μνήσθητι τῶν μελλουσῶν σε βασάνων, ὅτι ταύτας ὑφίστανται οἱ ταῦτα

10 ὅλων : πάντων PR
L. 445 PRASKI V
5 σου om. ASK ‖ ἑαυτὸν : σεαυτὸν PR V ‖ 8 τοῦ om. V

ne s'élève pas. Mais si cela continue, à cause de notre faiblesse, même jusqu'à la fin de la prière, aiguillonne ton cœur et dis avec componction : « Seigneur, aie pitié de moi et pardonne-moi toutes mes fautes. » Tu recevras ainsi le pardon de toutes tes fautes et de l'agitation qui se produit dans la prière.

445

Demande : Quand durant la psalmodie un frère récite les versets, tantôt ma pensée est tranquille, tantôt elle s'agite, que dois-je donc faire?

Réponse :

Lorsque ta pensée est paisible, et que tu ressens de la componction en entendant réciter le frère, profites-en. Mais si tu vois ton esprit captivé par des pensées étrangères, aiguillonne-le à fixer son attention sur les louanges dites par le frère.

446

Demande : Mais il m'arrive, en voulant comprendre les paroles dites par le frère, d'être tenté vis-à-vis de lui.

Réponse :

Il s'agit encore d'une captivité, car l'Ennemi entraîne l'esprit d'une idée à une autre. Mais aiguillonne-toi de nouveau, lorsque tu vois venir le combat, et dis à ton esprit avec reproche : Où t'en vas-tu malheureux? Souviens-toi des tourments éternels qui t'attendent, car ils sont réservés à ceux qui se livrent à ces actions ou à

L. 446 PRASKI V

1 συμβαίνει + μοι V ‖ 6 ἀπὸ + τοῦ SK ‖ 7 τῷ νῷ : αὐτῷ PRKI V ‖ 9 μελλουσῶν : μενουσῶν PRKI V

πράττοντες ἢ ἐνθυμούμενοι. Οὐκ ἀκαίρως γὰρ προσέφερεν Ἰὼϐ ὑπὲρ τῶν τέκνων, λέγων · «Μήποτε ἐνενόησάν τι πονηρὸν ἐν ταῖς καρδίαις αὐτῶν πρὸς τὸν Θεόν[a].» Καὶ ταῦτα λέγων, θὲς τὸν νοῦν σου εἰς τὴν στιχολογίαν. Ἐὰν δὲ ἴδῃς πάλιν, ἐπιτίμησον αὐτόν, καὶ τοῦτο ἔστω σοι ἕως τρίτου. Κἂν ἐπιμείνῃ, τότε ἀπόστησον αὐτὸν καὶ μὴ ἐάσῃς αὐτὸν ἀργόν, ἀλλὰ λογίζου τὴν κρίσιν καὶ τὰς αἰωνίους κολάσεις. Καὶ προσεύχου τὸ ἅγιον ὄνομα τοῦ Θεοῦ, λέγων τὸ Κύριε Ἰησοῦ Χριστέ, ἐλέησόν με.

447

Ἐρώτησις · Ἐὰν ἱστάμενός τις ἐν ψαλμῳδίᾳ μετὰ τῶν ἀδελφῶν, οὐκ οἶδε τοὺς ψαλμοὺς μετ' αὐτῶν εἰπεῖν, τί συμφέρει; Ἀκούειν αὐτῶν ἢ ψάλλειν ἐξ ὧν οἶδεν;

Ἀπόκρισις ·

Ἐὰν μὴ οἶδε τοὺς ψαλμοὺς οὓς ἀντιφωνοῦσιν, ἀντὶ τοῦ ἀκούειν αὐτῶν συμφέρει μᾶλλον ἵνα ψάλλῃ ἐξ ὧν οἶδεν, τὸ γὰρ ἀκοῦσαι ἔχει μετεωρισμόν.

448

Ἐρώτησις · Ἐπειδὴ ὅτε ἐπέρχεταί μοι λογισμὸς πονηρός, ἅμα τῷ αἰσθανθῆναι αὐτοῦ κινεῖται καὶ ἀποπηδᾷ ἡ καρδία μου, φοβουμένη ἵνα μὴ διὰ τὴν ἀσθένειαν κατακυριευθῇ ὑπ' αὐτοῦ. Καὶ ὅτε τοῦτο ποιῶ, πολλοῦ βάρους αἰσθάνομαι ἐν τῇ ψυχῇ καὶ θλίβομαι. Καταξίωσον εἰπεῖν μοι Πάτερ, τί δεῖ με ποιεῖν ἐν τῇ ἀναιδείᾳ τοῦ πονηροῦ λογισμοῦ καὶ πῶς ἀπελαύνεται.

14 αὐτόν : αὐτῷ PRKI V ‖ 18 τὸ om. PR ‖ με + τὸν ἀνάξιον R

L. 447 PRASKI V

5-6 ἐὰν – αὐτῶν om. PR

ces pensées. Ce n'est pas sans opportunité que Job offrait un sacrifice pour ses enfants, disant : « Peut-être ont-ils conçu une mauvaise pensée contre Dieu dans leurs cœur[a] ? » Dis cela et applique ton esprit à la récitation. Si tu vois qu'il s'en va de nouveau, reprends-le, et ainsi jusqu'à trois fois. Si cela dure, alors dégage-le et ne le laisse pas oisif ; mais réfléchis au jugement et aux châtiments éternels. Invoque aussi le saint nom de Dieu en disant le : « Seigneur Jésus-Christ, aie pitié de moi. »

447

Demande : Si quelqu'un se tient à la psalmodie avec les frères sans savoir les psaumes pour les dire avec eux, qu'est-ce qu'il convient : de les écouter ou de psalmodier ce qu'il en sait ?

Réponse :

S'il ne sait pas les psaumes qui sont chantés à deux chœurs, au lieu de les écouter il vaut mieux qu'il psalmodie ce qu'il en sait ; car écouter apporte de la distraction.

448

Demande : Lorsqu'une pensée mauvaise me vient, dès que je m'en rends compte, mon cœur est poursuivi et désarçonné redoutant d'être dominé par elle à cause de sa faiblesse. Et ce faisant, je ressens un grand poids en mon âme et je suis affligé. Daigne me dire, Père, ce qu'il me faut faire devant l'impudence de la mauvaise pensée, et comment m'en défaire.

L. 448 PRASKI V

3-4 κατακυριευθῇ : -κυριευθῶ P ‖ 4-5 καὶ – αἰσθάνομαι om. R ‖ 6 πάτερ : πῶς V ‖ τί om. V ‖ 6 ἀναιδείᾳ : ἀκηδίᾳ V

---

446. a. Cf. Jb 1, 5

Ἀπόκρισις ·

Ἡ κίνησίς ἐστι τὸ μὴ πεισθῆναι μηδὲ συγκαταθέσθαι τῷ πονηρῷ λογισμῷ, ἀλλὰ προστρέχειν τῷ Θεῷ ἀταράχως. Καὶ μὴ εἴπῃς · Ἵνα μὴ προλάβῃ με θορυβοῦμαι. Ἐκ τοῦ γὰρ ὑποδείγματος τούτου μάθε τὴν δύναμιν · Ἐάν τις ἐναγάγῃ πρός τινα περὶ πράγματος καὶ μάθῃ ὁ ἐναγόμενος ὅτι οὐ δύναται πρὸς αὐτὸν ἀπαντῆσαι, φέρει τὰ δεύτερα. Ἐὰν δὲ ἔχῃ γεοῦχον ἰσχυρόν, μετὰ θάρρους προσέρχεται αὐτῷ, ἵνα ἐκδικήσῃ αὐτόν, καὶ οὐ ταράττεται, τὴν πεποίθησιν ἔχων εἰς αὐτόν. Καὶ πάλιν, ἐὰν προληφθῇ τίς ποτε ἐν τῇ ὁδῷ πεσεῖν εἰς χεῖρας ληστοῦ, ἂν χρονίσῃ ἀντιμαχόμενος καὶ μὴ ἐάσῃ αὐτὸν λαβεῖν παρ᾽ αὐτοῦ τίποτε, ἰδοὺ καλῶς. Ἐὰν δὲ καὶ λάβῃ, γνωρίσῃ μόνον τὸν ληστὴν καὶ τὸν τόπον αὐτοῦ, καὶ δράμῃ πρὸς τὸν ἄρχοντα, καὶ αὐτὸς τὴν ἐκδίκησιν ποιεῖ. Καὶ οὐ μόνον τὰ παρ᾽ αὐτοῦ ληφθέντα αὐτὸν ποιεῖ λαβεῖν, ἀλλὰ καὶ αὐτὸν τὸν ληστὴν κολάζει. Ἐὰν εἰσέλθῃ οὖν ὁ λογισμός, μὴ ταραχθῇς. Ἀλλὰ κατανόησον τί θέλει πρᾶξαι καὶ ἀντίπραξον ἀταράχως, τὸν Κύριον ἐπικαλούμενος. Οὐ γὰρ τὸ εἰσελθεῖν τὸν ληστὴν εἰς τὴν οἰκίαν ἐστὶ τὸ κακόν, ἀλλὰ τὸ λαβεῖν τὰ ἐν τῇ οἰκίᾳ. Ἐὰν δὲ ἐξέλθῃ μετὰ ἀτιμίας, αὕτη δόξα τοῦ οἰκοδεσπότου ἐστί, ἀτιμία δέ ἐστι τὸ ἐξελθεῖν αὐτὸν μηδὲν λαβόντα. Ἐὰν οὖν ἔλθῃ ὁ Κύριος εἰς τὴν γῆν τῆς Ἰουδαίας, τοῦτ᾽ ἔστιν εἰς τὴν καρδίαν τοῦ ἀνθρώπου, τότε ἐκβάλλει τὰ δαιμόνια. Αὐτῷ οὖν κράξον κατὰ τοὺς Μακεδόνας Παύλῳ · « Πάρελθε διὰ Μακεδονίας, βοήθησον ἡμῖν[a] », καὶ κατὰ τοὺς μαθητὰς βόησον αὐτῷ · « Ἐπιστάτα σῶσον, ἀπολλύμεθα[b]. » Καὶ ἐγείρεται καὶ ἐπιτιμᾷ τοῖς ἀνέμοις τοῖς νοητοῖς[c], καὶ ἡσυχάζουσιν. Αὐτοῦ γάρ ἐστιν ἡ δύναμις καὶ ἡ δόξα εἰς τοὺς αἰῶνας. Ἀμήν.

9 ἡ om. PRI V ‖ 13 ἐναγάγῃ : ἐνάγῃ V ‖ 17 πεποίθησιν : ἐπίθεσιν P ‖ εἰς : ἐπ᾽ V ‖ 21 δράμῃ : δραμεῖται V ‖ 29 ἀτιμία δέ ἐστι om. SK ‖ 34 μαθητὰς + πίστευσον καὶ K ‖ σῶσον + ἡμᾶς V ‖ 36-37 αὐτοῦ – ἀμήν om. PR

Réponse :

La poursuite, c'est ne pas céder ni consentir à la pensée mauvaise, pour courir à Dieu sans se troubler. Et ne dis pas : C'est la crainte d'être pris qui me déconcerte. Que l'exemple suivant te l'apprenne : Lorsque quelqu'un est traduit devant un tribunal pour une affaire, et que le prévenu comprend qu'il ne peut répondre à l'accusation, il en supporte les suites. Mais s'il a un propriétaire puissant, avec confiance il va le trouver afin qu'il prenne sa défense ; et il ne se trouble pas, car il a pleine confiance en lui. Ou encore lorsque quelqu'un en voyage tombe par surprise aux mains d'un brigand, s'il parvient à lui résister, il ne le laisse pas s'emparer de quoi que ce soit, et tout est pour le mieux. Mais s'il est dévalisé, il repère seulement le voleur et l'endroit du forfait, puis il court chez le magistrat et c'est celui-ci qui fait justice. Non seulement il fait rendre au voyageur ce qui lui a été pris, mais il châtie le brigand. Lors donc que la pensée te vient, ne te trouble pas. Mais remarque ce qu'elle veut faire, et agis en sens inverse, sans te troubler, en invoquant le Seigneur. Le mal, ce n'est pas que le brigand pénètre dans la maison, mais qu'il prenne ce qui est dans la maison. S'il en sort honteux, la gloire en revient au maître de la maison ; car la honte pour le brigand, c'est de sortir sans avoir rien pris. Lorsque donc le Seigneur vient en terre de Judée, c'est-à-dire dans le cœur de l'homme, il boute aussitôt dehors les démons. Crie-lui donc comme les Macédoniens à Paul : « Passe par la Macédoine, viens à notre secours[a] », et comme les disciples, lance-lui cet appel : « Maître, sauve-nous, nous périssons[b]. » Il s'éveillera et commandera aux vents des pensées[c] et ils se calmeront. Car la puissance et la gloire lui appartiennent dans les siècles. Amen.

448. a. Ac 16, 9 b. Lc 8, 24 ; Mt 8, 25 c. Mt 8, 26

449

Ἐρώτησις· Ἐπειδὴ εἶπας ὅτι ἡ κίνησίς ἐστι τὸ μὴ πεισθῆναι τῷ λογισμῷ τοῦ πονηροῦ, ἀλλὰ προστρέχειν τῷ Θεῷ ἀταράχως, παρακαλῶ σε, ἔτι σαφήνισόν μοι περὶ τῆς κινήσεως.

Ἀπόκρισις Βαρσανουφίου·

Ἐὰν ἐνάγηταί τίς ποτε ὑπό τινος καὶ ἀπέλθῃ αὐτὸς ὁ ἐναγόμενος πρὸς τὸν ἄρχοντα, κίνησις λέγεται. Λέγουσι γὰρ ἐπειδὴ ἐνῆγε κατ' αὐτοῦ, ἐκινήθη ἀπελθεῖν πρὸς τὸν ἄρχοντα. Κἂν χρονίσωσι δικαζόμενοι μετ' ἀλλήλων, οὐ δίδει λόγον διὰ τὸν χρόνον τῆς δίκης ὡς κινηθείς, τὰ ἔσχατα γὰρ τοῦ πράγματος καὶ τὸ τέλος τῆς ἐκβάσεως ζητεῖται. Τοῦτο γάρ ἐστι· «Καὶ σὺ τηρήσεις αὐτοῦ πτέρναν[a].» Ἡ πτέρνα οὖν τέλος σημαίνει. Στερεωθῇ οὖν ἡ καρδία σου ἐν Κυρίῳ[b] εὐχαῖς ἁγίων. Ἀμήν.

450

Ἀδελφὸς ἠρώτησε τὸν μέγαν Γέροντα· Ποίησον ἔλεος καὶ εἰπέ μοι πῶς σωθῶ, ἔταξα γὰρ εἰς τὸν λογισμόν μου ὑποταγῆναι τῇ σῇ ἐπιστολῇ.

Ἀπόκρισις Βαρσανουφίου·

Εἰ ἀληθῶς σωθῆναι θέλεις, ἄκουσον ἔργῳ· Ἆρον ἀπὸ τῆς γῆς τοὺς πόδας σου καὶ ἀνάγαγε εἰς τὸν οὐρανὸν τὸν νοῦν σου, καὶ ἐκεῖ γενηθήτω σου ἡ μελέτη νύκτα καὶ ἡμέραν. Καὶ ὅσην ἔχεις δύναμιν, καταφρονήθητι, πυκτεύων

L. 449 PRASKI V

1 εἶπας ὅτι om. P ‖ 3 ἔτι om. K τι AS ‖ 6 ποτε om. PR ‖ 9 χρονίσωσι : -νίζωσι PRI V ‖ δικαζόμενοι : δοκιμαζόμενοι I V ‖ 10 δίδει : δίδωσιν PR V ‖ ὡς : ὁ I V ‖ 11 ἐκβάσεως : ἐμβάσεως P ‖ 12 ἐστι + τὸ P ‖

449

Demande : Puisque tu m'as dit que c'est une poursuite de ne pas céder à la pensée du Mauvais, pour courir à Dieu sans se troubler, je t'en prie, donne-moi encore des éclaircissements sur cette poursuite.

Réponse de Barsanuphe :

Si un jour quelqu'un est traduit en justice par un autre et que le prévenu se rend lui-même devant le magistrat, on dit qu'il y a poursuite. C'est en effet, dit-on, parce qu'il est poursuivi qu'il s'en va chez le magistrat. Et même s'ils continuent à discuter l'un avec l'autre, en tant que prévenu il n'a pas à rendre compte pendant la durée du procès, car les conclusions de l'affaire et la solution finale sont l'objet des débats. Voilà pourquoi il est dit : « Et toi, tu surveilleras son talon[a]. » Le talon signifie donc la fin. Que ton cœur soit fortifié dans le Seigneur[b] par les prières des saints. Amen.

450

À UN FRÈRE

Un frère demanda au Grand Vieillard : Fais-moi miséricorde et dis-moi comment je me sauverai, car je me suis fixé en mon esprit de me soumettre à ta lettre.

Réponse de Barsanuphe :

Si tu veux vraiment être sauvé, écoute mes paroles en les mettant en pratique : soulève tes pieds de la terre et dirige ton esprit vers le ciel ; que là soit ta méditation nuit et jour. Avec tout ce que tu as de force, méprise-toi,

αὐτοῦ + τὴν PI V ‖ 13 στερεωθῇ : στερεωθείη PRSKI V ‖ 14 ἐν κυρίῳ om. PRI V

L. 450 RASKI V

1 γέροντα + λέγων V ‖ 8 καταφρονήθητι + νύκτα καὶ ἡμέραν I V

449. a. Gn 3, 15 b. Cf. 1 R 2, 1

ἰδεῖν σεαυτὸν ὑποκάτω παντὸς ἀνθρώπου. Αὕτη ἐστὶν ἡ ἀληθινὴ ὁδός· Ἐκτὸς αὐτῆς ἄλλη οὐκ ἔστι τῷ θέλοντι σωθῆναι ἐν τῷ ἐνδυναμοῦντι αὐτὸν Χριστῷ[a]. Τρεχέτω ὁ θέλων, τρεχέτω ὁ θέλων, τρεχέτω ὁ θέλων! Τρεχέτω ἵνα καταλάβῃ[b]. Μαρτύρομαι ἐνώπιον τοῦ Θεοῦ τοῦ ζῶντος καὶ θέλοντος ζωὴν αἰώνιον χαρίσασθαι παντὶ τῷ θέλοντι. Εἰ θέλεις, ἔργασαι, ἄδελφε.

451

Ἐρώτησις τοῦ αὐτοῦ πρὸς τὸν ἄλλον Γέροντα· Διὰ τὶ ἐτριπλασίασεν ὁ καλόγηρος τὸ Ὁ θέλων τρεχέτω;

Ἀπόκρισις Ἰωάννου·

Δεικνύων ὁ Γέρων τὸ χρήσιμον τῆς ὁδοῦ ταύτης καὶ ὅτι οὐκ ἔστιν αὐτῆς ἀναγκαιοτέρα, ἐκ τρίτου εἶπε τὸν λόγον. Καὶ γὰρ καὶ ὁ Κύριος ἐν μὲν τῷ κατὰ Ματθαῖον Εὐαγγελίῳ εἶπε πρὸς ἅπαξ τὸ ἀμήν, ἐν δὲ τῷ κατὰ Ἰωάννην ἐδιπλασίασε διὰ τοῦ εἰπεῖν· « Ἀμήν, ἀμήν, λέγω ὑμῖν[a] », ἐπειδὴ περὶ ἀναγκαιοτέρων ἐνταῦθα αὐτοῖς διελέγετο.

452

Ἐρώτησις· Παρακαλῶ μαθεῖν πόθεν ὡς ἐπὶ τὸ πλεῖστον ἐν τῇ πεντηκοστῇ ἀκηδία καὶ νυσταγμὸς παρὰ τὴν συνήθειαν συμβαίνει μοι.

12 τρεχέτω² – θέλων³ om. S ‖ τρεχέτω⁴ om. SKR ‖ 13 τοῦ¹ om. I V ‖ 15 ἔργασαι : ἐργάσασθαι SK

L. 451 RASKI V

L. 452 RASKI V

---

450. a. Cf. 1 Tm 1, 12 b. Cf. 1 Co 9, 24

en t'efforçant de te voir au-dessous de tout homme[1]. Voilà le vrai chemin : en dehors de celui-là, il n'en est pas d'autre pour celui qui veut être sauvé dans le Christ qui le fortifie[a]. Qu'il court, celui qui veut ! Qu'il court, celui qui veut ! Qu'il court, celui qui veut[2] ! Qu'il court afin de remporter le prix[b]. J'en témoigne devant le Dieu vivant qui veut accorder la vie éternelle à quiconque veut. Si tu veux, mets-toi à l'œuvre, frère.

451

Demande du même à l'Autre Vieillard : Pourquoi le bon Vieillard a-t-il répété trois fois : « Qu'il court, celui qui veut » ?

Réponse de Jean :

C'est pour montrer que ce chemin est avantageux et qu'il n'en est pas de plus nécessaire, que le Vieillard a dit trois fois cette parole. Car le Seigneur lui aussi, dans l'*Évangile selon saint Matthieu* disait un seul « Amen », alors que dans celui *selon saint Jean* il le doublait : « Amen, Amen, je vous dis[a] », parce que là il leur parlait de choses plus nécessaires.

452

Demande : Je te prie de m'apprendre comment il se fait que la plupart du temps, durant la cinquantaine pascale, l'acédie et la somnolence me viennent plus que d'habitude.

451. a. Jn 1, 51

---

1. Cf. *Alph. Sisoès,* 13.
2. Habitude liturgique chez les Byzantins de répéter trois fois les *troparia* (*Liturgia orientale,* II, p. 201, n. 24), voir aussi les L. 70, 87, 241, n. 3, 451, 573, etc.

Ἀπόκρισις·

Ἐπειδὴ λάκκος ἐσμὲν καὶ οὔκ ἐσμεν πηγή[a], πάσχομεν ταῦτα, τοῦτ' ἔστιν ἀσθενεῖς ἐσμεν καὶ οὐ δυνατοὶ τοῦ μεῖναι ἐν τῇ ταὐτότητι. Λοιπὸν ἀλλάσσονται οἱ ἀέρες καὶ μεγαλύνονται αἱ ἡμέραι, καὶ πάσχομεν τοῦτο, ἐπεὶ οἱ τέλειοι Πατέρες οὐ πάσχουσιν αὐτό.

453

Ἐρώτησις· Ἐὰν ἴδω τινὰ ποιοῦντα πρᾶγμα ἄτοπον, ἆρα οὐκ ὀφείλω κρίνειν αὐτὸ ἄτοπον; Καὶ πῶς φύγω τὴν ἐκ τούτου τοῦ πλησίον κατάκρισιν;

Ἀπόκρισις·

Αὐτὸ μὲν τὸ πρᾶγμα τὸ ὂν ἀληθῶς ἄτοπον, οὐ δυνάμεθα μὴ κρῖναι ἄτοπον, ἐπεὶ πῶς ἐκφύγωμεν τὴν ἐξ αὐτοῦ βλάβην, κατὰ τὴν τοῦ Κυρίου φωνὴν εἰπόντος· « Προσέχετε ἀπὸ τῶν ψευδοπροφητῶν τῶν ἐρχομένων πρὸς ὑμᾶς ἐν ἐνδύμασι προβάτων, ἔσωθεν δέ εἰσι λύκοι ἅρπαγες, ἐκ τῶν καρπῶν αὐτῶν ἐπιγνώσεσθε αὐτούς[a]; » Αὐτὸν δὲ τὸν τοῦτο ποιοῦντα, οὐ δεῖ κατακρίνειν διὰ τὸ « Μὴ κρίνετε, ἵνα μὴ κριθῆτε[b] », καὶ ὅτι χρὴ ἡμᾶς ἔχειν ἑαυτοὺς ἁμαρτωλοτέρους πάντων, καὶ ὅτι οὐ δεῖ ἐπιγράφειν τὸ ἁμάρτημα τῷ ἀδελφῷ ἀλλὰ τῷ διαβόλῳ τῷ αὐτὸν ἀπατήσαντι. Καθὼς γὰρ ἐάν τις ὠθήσῃ τινὰ εἰς φραγμόν, αὐτῷ τῷ ὠθήσαντι μεμφόμεθα, οὕτως καὶ ἐνταῦθα. Συμβαίνει δὲ καὶ γενέσθαι πρᾶγμα παρά τινος ὅπερ καὶ τοῖς μὲν ὁρῶσι φαίνεται ἄτοπον,

5 ἐσμὲν[2] om. V ‖ 6 τοῦ om. V

L. 453 RASKI V

2 αὐτὸ : τὸ V ‖ 3 τούτου om. RASK ‖ 6 ἐκφύγωμεν : φύγωμεν K ‖ 9 ἐκ : ἀπὸ RI V ‖ 10 τοῦτο om. R ‖ 12 ἡμᾶς om. I ‖ ἑαυτοὺς : αὐτοὺς V om. ASK ‖ 13 ὅτι om. R ‖ 13-14 οὐ – ἀπατήσαντι ASK : χρὴ τὸ ἁμάρτημα τοῦ ἀδελφοῦ ὡς οἰκεῖον λογίζεσθαι (ἔχειν R) καὶ τὸν διάβολον μισεῖν τὸν ἀπατήσαντα αὐτόν RI V ‖ 15 αὐτῷ – ὠθήσαντι : αὐτὸν τὸν ὠθήσαντα V ‖ 16 καὶ[2] om. RI V

Réponse :

Nous souffrons cela, parce que nous sommes une citerne, et non une source[a], c'est-à-dire que nous sommes faibles et incapables de demeurer dans le même état[1]. Donc les conditions atmosphériques changent, les jours s'allongent et nous souffrons cela, alors que les Pères parfaits ne connaissent pas cette épreuve.

453

Demande : Si je vois quelqu'un accomplir une action inconvenante, ne dois-je pas juger la chose inconvenante? Et comment alors éviter de condamner pour cela le prochain?
Réponse :

L'action elle-même en tant que réellement inconvenante, nous ne pouvons nous abstenir de la juger inconvenante, autrement comment éviterions-nous le dommage qui en résulte, selon ce que disait le Seigneur : « Méfiez-vous des faux prophètes qui viennent à vous déguisés en brebis, mais qui au-dedans sont des loups rapaces; c'est à leurs fruits que vous les reconnaîtrez[a] »? Quant à celui qui agit ainsi, il ne faut pas le condamner à cause de la parole : « Ne jugez pas, afin de n'être pas jugés[b] », et aussi parce que nous devons nous regarder nous-mêmes comme les plus grands de tous les pécheurs, et imputer la faute non au frère mais au diable qui l'a trompé. De même en effet quand quelqu'un est poussé par un autre sur un obstacle, nous accusons celui qui pousse, ainsi dans le cas présent. Il arrive d'ailleurs qu'une action faite par quelqu'un paraisse

452. a. Cf. Is 36, 16; Pr 10, 11
453. a. Mt 7, 15-16 b. Mt 7, 1

1. Cf. *Sent. Nouv.*, p. 246, Bu II, 437

ἀγαθῷ δὲ γίνεται σκοπῷ τοῦ ποιοῦντος. Ὥσπερ ποτὲ συνέβη τῷ ἁγίῳ Γέροντι, παρερχόμενος γὰρ διὰ τοῦ ἱππικοῦ ἀγομένου, εἰσῆλθεν ἐν γνώσει. Καὶ θεωρήσας ἕκαστον σπουδάζοντα προλαβεῖν καὶ τὸν ἄλλον νικῆσαι, εἶπε τῷ λογισμῷ· Βλέπεις πῶς οἱ τοῦ διαβόλου προθύμως ἀγωνίζονται; Πόσῳ μᾶλλον ἡμεῖς οἱ κληρονόμοι τῆς βασιλείας τῶν οὐρανῶν; Καὶ ἀπῆλθεν, ἔτι μᾶλλον προθυμότερος ἐκ τῆς τοιαύτης θεωρίας, ἐπὶ τὸν πνευματικὸν δρόμον τε καὶ ἀγῶνα[c]. Καὶ πάλιν οὐκ οἴδαμεν εἰ τῇ μετανοίᾳ χρώμενος ὁ ἁμαρτήσας ἀδελφὸς εὐάρεστος γένηται τῷ Θεῷ κατὰ τὸν τελώνην τὸν ἐν μιᾷ ῥοπῇ σωθέντα διὰ τῆς ταπεινοφροσύνης καὶ ἐξομολογήσεως. Ὁ γὰρ Φαρισαῖος ἐκ τῆς ἰδίας ἀλαζονείας κατακριθεὶς ἀνεχώρησε. Ταῦτα οὖν εἰδότες μιμησώμεθα τὴν τοῦ τελώνου ταπείνωσιν καὶ ἑαυτοὺς κατακρίνωμεν καὶ δικαιούμεθα, καὶ φύγωμεν τὴν τοῦ Φαρισαίου ἀλαζονείαν, ἵνα μὴ κατακριθῶμεν[d].

454

Φιλόχριστος ἠρώτησε τὸν αὐτὸν Γέροντα· Πολλάκις συμβαίνει με μετά τινων εὑρισκόμενον αἰδεῖσθαι οὕτως, ὥστε τὸ πρόσωπόν μου ἀλλοιοῦσθαι καὶ καταπίπτειν, καὶ μὴ δύνασθαι εἰρηνικῷ λογισμῷ ἀντιβλέπειν εἰς αὐτοὺς ἢ διαλέγεσθαι. Καὶ ἐκ τούτου στενοχωρεῖταί μου ἡ καρδία καὶ ἀπορεῖ[a]. *Κἄν τι λαλήσω, ἀφροσύνης καὶ ἀκαταστασίας καὶ κενοδοξίας πληροῦται ὁ λόγος. Καὶ γέλως πολλάκις*

18 ὥσπερ : ὅπερ R ‖ ποτὲ : τότε V ‖
20 ἀγομένου : ἀγῶνος SK V ‖ 23 μᾶλλον om. V ‖ 26 τε om. K V ‖ 28-29 κατὰ – σωθέντα om. RI V ‖ 32 ἑαυτοὺς : ἡμᾶς αὐτοὺς V

L. 454 RASKI V
2 οὕτως : αὐτῶν V ‖ 4 εἰρηνικῷ λογισμῷ om. I V ‖ 6 ἀκαταστασίας + καὶ ἀταξίας R

inconvenante à ceux qui la voient et qu'elle soit cependant faite avec une bonne intention. C'est ce qui est arrivé un jour au saint Vieillard qui, passant près d'un champ de courses hippiques[1], y entra à bon escient. Ayant vu chaque concurrent s'efforcer de l'emporter et de vaincre l'autre, il dit à sa pensée : «Vois-tu avec quelle ardeur luttent les suppôts du diable? Combien plus le devons-nous, nous les héritiers du royaume des cieux»? Et il s'en alla, rendu encore plus ardent, par ce spectacle, à la course et à la lutte spirituelle[c]. D'autre part, nous ne savons pas si, en se livrant à la pénitence, le frère qui a péché ne devient pas très agréable à Dieu comme le publicain qui fut sauvé en un instant par son humilité et sa confession. Car le Pharisien se retira condamné pour sa jactance. Sachant cela, imitons donc l'humilité du publicain, condamnons-nous et jugeons-nous nous-mêmes, et fuyons la jactance du Pharisien, pour n'être pas condamnés[d].

454

À UN PIEUX LAÏC

Un pieux laïc interrogea le même Vieillard : Souvent il m'arrive, me trouvant avec certains, d'avoir des sentiments de honte, au point que mon visage change et que je suis décontenancé; je ne peux avec un esprit paisible les regarder en face ni leur parler. Mon cœur en est angoissé et désemparé[a]. Si je parle, ce ne sont que propos insensés, tumultueux et vaniteux. Souvent le rire s'en vient se mêler

c. Cf. Ac 20, 24 d. Cf. Lc 18, 10-14
454. a. Cf. 2 Co 4, 8

1. Détail amusant de la vie de Barsanuphe, voir Introduction vol. I, p. 30, n. 2.

ἀναμεμιγμένος συνεξέρχεται τῷ λόγῳ, μηδεμίαν χάριν ἔχων, καὶ ὡς ἐμοῦ μὴ θέλοντος γίνεται, καὶ πάνυ ἐκ τούτου θλίβομαι. Ἀπορῶ γὰρ τί ποιήσω, ἐὰν γὰρ λαλήσω, περιπίπτω τοῖς τοιούτοις, κἂν σιωπήσω ἄκαιρον δοκῶ ποιεῖν, καὶ μάλιστα ἐκείνων πρός με πολλάκις λαλούντων. Τί οὖν ἐστι τοῦτο Πάτερ; Τῶν ἁγίων εὐχῶν ὑμῶν προκειμένων.

Ἀπόκρισις Ἰωάννου ·

Τοῦτο συμβαίνει ἡμῖν ἀπὸ τοῦ φθόνου τοῦ διαβόλου. Θέλων γὰρ μήτε ἡμᾶς ὠφεληθῆναι, μήτε τοὺς συντυγχάνοντας ἡμῖν, προσφέρει ἡμῖν τὸ ζιζάνιον τοῦτο, πρὸς τὸ εἰ δυνατὸν σκανδαλίσαι καὶ τοὺς συντυγχάνοντας ἡμῖν. Ἀλλ' ὁ φόβος τοῦ Θεοῦ ἐκτὸς ταραχῆς καὶ πάσης ἀκαταστασίας καὶ παντὸς θορύβου τυγχάνει. Ἐὰν οὖν πρὸ τῆς συντυχίας καταρτίσωμεν ἑαυτοὺς ἐν τῷ φόβῳ τοῦ Θεοῦ καὶ πρόσχωμεν τῇ καρδίᾳ μετὰ νήψεως, τίνος ἕνεκεν οὐ ταραττόμεθα οὐδὲ γελῶμεν; Ἐν γὰρ τῷ φόβῳ τοῦ Θεοῦ γέλως οὐκ ἔστι. Περὶ τῶν ἀφρόνων φησὶν ὅτι « Ἐν τῷ γέλωτι ὑψοῦσι τὴν φωνὴν αὐτῶν[b].» Καὶ τεταραγμένος ἐστὶν ὁ λόγος τῶν ἀφρόνων καὶ ἄχαρις τυγχάνει. Περὶ δὲ τοῦ δικαίου φησὶ ὅτι μόλις μέχρι μειδιάματος[c]. Ἐὰν οὖν φέρωμεν ἑαυτοῖς τὴν μνήμην τοῦ Θεοῦ καὶ ὅτι μετὰ ταπεινώσεως καὶ ἡσύχου λογισμοῦ ὀφείλομεν ποιῆσαι τὴν ἡμῶν συντυχίαν πρὸς τοὺς ἀδελφοὺς ἡμῶν, καὶ ἐν τούτοις ἀγαπῶμεν καὶ τὴν φοβερὰν κρίσιν τοῦ Θεοῦ πρὸ ὀφθαλμῶν ἔχωμεν[d], ὁ καταρτισμὸς οὗτος ἐξορίζει πάντα λογισμὸν πονηρὸν ἀπὸ τῆς καρδίας ἡμῶν. Ὅπου γὰρ ἡσυχία καὶ πρᾳότης καὶ ταπείνωσις, οἰκεῖ ὁ Θεός. Ἔχωμεν οὖν ταῦτα κατὰ τὴν συμβαίνουσαν συντυχίαν. Ἐὰν δὲ ἐπιμείνῃ ὁ ἐχθρὸς πολεμῶν ἡμᾶς ἐν τούτοις, ἐν τῇ αὐτοῦ ἀναιδείᾳ νομίζων παγιδεῦσαι καὶ καταβαλεῖν ἡμᾶς, μὴ ἐνδώσωμεν, καὶ ἁρπάζει ἡμᾶς. Ἀλλὰ μὴν μετὰ τὸ ἅπαξ, συνιῶμεν ἐν

10 γὰρ : οὖν V ‖ 18 προσφέρει : σπείρει SK ‖ ἡμῖν² om. SK ‖ 19 πρὸς τὸ : ὥστε R ‖ 23 πρόσχωμεν + ἐν I V ‖ 24 οὐ om. I V ‖ οὐδὲ : καὶ

à la parole, sans rien de plaisant; il vient malgré moi et j'en suis fort affligé. Je ne sais donc que faire : car si je parle, je tombe dans ces extravagances; et si je me tais, j'ai l'air de faire une chose déplacée surtout vis-à-vis de ceux-là qui souvent me parlent. Qu'est-ce donc que cela, Père? Que vos saintes prières m'assistent.

Réponse de Jean :

Cela nous arrive à cause de l'envie du diable. Il ne veut en effet ni notre profit, ni celui de ceux qui s'entretiennent avec nous; c'est pour cela qu'il jette en nous cette ivraie, afin de scandaliser aussi, si possible, nos interlocuteurs. Mais la crainte de Dieu est sans trouble, sans aucun désordre ni agitation. Si donc avant l'entretien nous nous disposons dans la crainte de Dieu et gardons notre cœur avec vigilance, de quoi pourrons-nous nous troubler et rire? Car dans la crainte de Dieu, il n'y a pas de rire. Des insensés il est dit : « Ils élèvent leur voix dans le rire[b]. » Et la parole des insensés est désordonnée, elle est dénuée d'agrément. Mais du juste il est dit qu'il sourit à peine[c]. Si donc nous portons en nous-mêmes le souvenir de Dieu, en nous rappelant l'humilité et la tranquillité d'esprit que nous devons avoir dans les entretiens avec nos frères, si nous aimons dans ces dispositions et gardons devant les yeux le redoutable jugement de Dieu[d], cette façon de nous disposer écartera toute pensée mauvaise de notre cœur. Car là où sont tranquillité. douceur et humilité, Dieu habite. Venons-en donc à l'entretien qui se présente. Si l'Ennemi persiste à nous attaquer ainsi, pensant nous prendre dans les filets de sa propre honte et nous abattre, ne nous livrons pas, et il cherchera à nous surprendre. Mais après la première

RI V ‖ γελῶμεν : γελώμεθα R ‖ 35 ταῦτα : τὰ I V ‖ 39 ἁρπάζει : ἁρπάσῃ V ‖ μὴν : εἰ SK om. A ‖ μετὰ : κατὰ ASK

b. Si 21, 20 c. *ibidem* d. Cf. He 10, 27

τῷ δευτέρῳ καὶ οὕτως καθεξῆς. Φησὶ γάρ· « Ἑπτάκις τῆς ἡμέρας πίπτει ὁ δίκαιος καὶ ἐγείρεται[e]. » Τὸ ἐγερθῆναι δὲ σημαίνει ὅτι ἀγωνίζεται. Ὁ ἀγωνιζόμενος δὲ τοιοῦτός ἐστι, πίπτων καὶ ἐγειρόμενος ἕως οὗ ὕστερον φανῇ τίς γίνεται. Ἐπὶ τούτοις δὲ πᾶσι, συνιῶμεν τοῦ ἐπικαλεῖσθαι τὸ ἅγιον ὄνομα τοῦ Θεοῦ, ὅτι ὅπου ὁ Θεός, ἐκεῖ πάντα τὰ ἀγαθά, δῆλον δὲ καὶ ὅτι ὅπου ὁ διάβολος, ἐκεῖ ὅλα τὰ κακά. Καὶ φανερόν ἐστιν ὅτι ἐὰν κατὰ κενοδοξίαν ἢ κατὰ ἀνθρωπαρέσκειαν ἢ καθ' οἱονδήποτε τρόπον κακίας ταραχωδῶς λαλήσωμεν, ταῦτα πάντα ἐκ τοῦ διαβόλου ἐστί. Καὶ μνησθῶμεν τοῦ ἁγίου Παύλου λέγοντος Τιμοθέῳ ὅτι « Ὁ λόγος σου μετὰ χάριτος ἔστω ἅλατι ἠρτυμένος[f]. » Καὶ ἐὰν ἀδολεσχήσωμεν ἐν τούτοις ὁ παντοκράτωρ Θεὸς διὰ τῆς αὐτοῦ εὐσπλαγχνίας, δίδωσιν ἡμῖν κατάστασιν τελείαν κατὰ τὸν φόβον αὐτοῦ. Αὐτῷ ἡ δόξα εἰς τοὺς αἰῶνας. Ἀμήν.

455

Ἐρώτησις τοῦ αὐτοῦ πρὸς τὸν αὐτόν· Τίς ποτε προετρέψατό τινα τῶν Πατέρων γεύσασθαι παρ' αὐτῷ, ὁ δὲ παρῃτήσατο ὡς μὴ δυνάμενος. Ἄλλος δέ τις ᾔτησεν αὐτὸν μόνον ποιῆσαι εὐχὴν ἐν τῷ κελλίῳ αὐτοῦ καὶ ὡς εἰσῆλθεν, ἐβιάσατο αὐτὸν μεῖναι γεύσασθαι, καὶ πολλῇ ἀνάγκῃ βιασθεὶς ἔμεινε. Γνοὺς δὲ ὁ ἐξ ἀρχῆς αὐτὸν προτρεψάμενος, πάνυ ἐλυπήθη. Ἆρα κατὰ Θεόν ἐστιν αὕτη ἡ λύπη[a];

Ἀπόκρισις·

Ὅταν προφάσει δῆθεν εὐλόγου πράγματος καὶ ψυχωφελοῦς ταράττηταί τις καὶ λυπῆται καὶ ὀργίζηται κατὰ τὸν πλησίον

43 φανῇ : φανεῖται K V ‖ 44 γίνεται : γένηται RI V ‖ δὲ πᾶσι om. K ‖ τοῦ om. R V ‖ 46 δῆλον δὲ om. R ‖ ὅτι om. RSKI V ‖ ὅλα : πάντα RI V ‖ 48 οἱονδήποτε : οἷον οὖν R

L. 455 RASKI V

5 μεῖναι + καὶ R

attaque, faisons attention à la deuxième et ainsi de suite. Car il est écrit : « Sept fois le jour le juste tombe et se relève[e]. » Se relever signifie que l'on combat. Tel est celui qui combat : il tombe et il se relève jusqu'à ce qu'enfin il montre qui il est. Et par dessus tout cela, pensons à invoquer le saint nom de Dieu ; car où est Dieu, là sont tous les biens, et au contraire, où est le diable, c'est évident, là sont tous les maux. Il est donc clair que si nous parlons avec trouble, par vaine gloire, pour plaire aux hommes ou pour tout autre mauvais motif de ce genre, tout cela vient du diable. Souvenons-nous aussi de cette parole de Paul à Timothée : « Que ta parole soit empreinte de grâce et assaisonnée de sel[f]. » Si nous nous exerçons assidûment à cela, le Dieu tout-puissant, dans sa miséricorde[1], nous donnera une sérénité parfaite selon sa crainte. A lui la gloire dans les siècles. Amen.

455

Demande du même au même : Quelqu'un avait invité l'un des Pères à manger avec lui, et ce dernier avait refusé, disant qu'il ne le pouvait pas. Un autre lui demanda de faire seulement une prière dans sa cellule et, quand il fut entré, il l'obligea à rester manger, et contraint par toutes ses instances, le Vieillard resta. Mais en l'apprenant, celui qui l'avait invité le premier, en fut fort triste. Cette tristesse est-elle selon Dieu[a] ?

Réponse :

Si à l'occasion d'une chose apparemment raisonnable et profitable à l'âme, on se trouble, on s'attriste et on

e. Pr 24, 16 f. Cf. Col 4, 6
455. a. Cf. 2 Co 7, 10

1. εὐσπλαγχνία : voir L. 386, n. 2.

αὐτοῦ, φανερὸν γίνεται ὅτι οὐκ ἔστι τοῦτο κατὰ Θεόν. Πάντα γὰρ τὰ τοῦ Θεοῦ εἰρηνικὰ καὶ ὠφέλιμα, καὶ εἰς ταπείνωσιν φέροντα τὸν ἄνθρωπον καὶ εἰς τὸ ἑαυτὸν κατακρίνειν. Φησὶ γὰρ ὅτι « Ὁ δίκαιος ἐν πρωτολογίᾳ ἑαυτοῦ κατήγορος γίνεται[b]. » Ὁ δοκῶν γὰρ θέλειν τίποτε κατὰ Θεὸν καὶ κωλυόμενος ὑπό τινος, εἶτα κατακρίνων τὸν κωλύσαντα καὶ καταλαλῶν αὐτοῦ, ἐκ τούτου φανεροῦται ὅτι οὐκ εἶχε τὴν πρόθεσιν κατὰ Θεόν, φησὶ γάρ · « Ἀπὸ τῶν καρπῶν αὐτῶν ἐπιγνώσεσθε αὐτούς[c]. » Ὁ γὰρ ἔχων τὴν πρόθεσιν κατὰ Θεὸν καὶ κωλυόμενος, μᾶλλον ταπεινοῦται καὶ ἡγεῖται ἑαυτὸν ἀνάξιον καὶ ὡς Προφήτην ἔχει τὸν κωλύσαντα αὐτόν, ὅτι ὡς προγινώσκων τὴν ἀναξιότητα αὐτοῦ ἐκώλυσεν αὐτόν. Ἐὰν οὖν κατὰ ἀγάπην Θεοῦ καλέσῃς τινὰ ἐλθεῖν εἰς τὸ κελλίον σου, ἢ καὶ αἰτήσῃς λαβεῖν παρά τινος τίποτε ὡς κατὰ πίστιν, καὶ μὴ πεισθῇ δοῦναί σοι, ἄλλος δέ τις αἰτήσῃ αὐτὸν καὶ καταδέξηται δοῦναι, μὴ ἐάσῃς τὸν δαίμονα τῆς ὀργῆς ταράξαι σου τὴν καρδίαν. Πᾶν γὰρ πρᾶγμα ἔχον ταραχὴν ἐκ τοῦ Θεοῦ οὐκ ἔστιν. Ἀλλὰ μᾶλλον ταπεινώθητι λέγων, ὅτι Ἐγὼ ἀνάξιος εὑρέθην, καὶ τοῖς Πατράσιν ἐφανέρωσεν ὁ Θεὸς τὰς ἁμαρτίας μου καὶ τὴν ἀναξιότητα, καὶ δίδωσι τὴν χάριν ὁ διδοὺς ταπεινοῖς[d]. Ὁ ἔχων γὰρ τὴν ταπείνωσιν οὐκ ἀεὶ θέλει τὰ ὑπὲρ αὐτόν[e], ἀλλὰ πάντοτε κάτω τρέχει εἰς ταπείνωσιν. Καὶ κατανόησον τὸν ἑκατόνταρχον τὸν προσελθόντα τῷ Ἰησοῦ διὰ τὸν παῖδα αὐτοῦ καὶ ἀκούσαντα · « Ἐγὼ ἐλθὼν θεραπεύσω αὐτόν », καὶ τρέχοντα εἰς τὴν ταπείνωσιν καὶ λέγοντα · « Δέσποτα, οὐκ εἰμὶ ἱκανὸς ἵνα μου ὑπὸ τὴν στέγην εἰσέλθῃς[f]. » Τίς οὐκ ἂν ἥρπαξε τοῦτο ; Ἀλλ' ἡ ταπείνωσις οὐδὲ τοῦτο ἐζήτησε, κατακρίνουσα ἑαυτὴν ἀναξίαν, καὶ ὁ καρδιογνώστης Θεὸς ὁ δεχόμενος τὴν προαίρεσιν τῶν ἀνθρώπων, ἐπῄνεσε τὴν

12 τοῦτο om. R ‖ 14 φέροντα : φέρει K ‖ 18 τούτου : τούτων I V ‖ 19 πρόθεσιν + αὐτοῦ I V ‖ 19-21 φησὶ – θεὸν om. R ‖ 24 οὖν om. ASK ‖ 25 θεοῦ om. SK ‖ 28 ταράξαι : ἐταράξῃ (sic) R ‖ 32 καὶ[1] – ἀναξιότητα om. R ‖ 40 ἥρπαξε : ἥρπασε R V

s'emporte contre son prochain, il est évident que cela n'est pas selon Dieu. Car tout ce qui est de Dieu est pacifique, profitable, porte l'homme à l'humilité et à se condamner lui-même. Il est dit en effet : « Le juste est le premier à s'accuser[b]. » Quelqu'un semble-t-il vouloir quelque chose selon Dieu, et en est-il empêché par un autre, s'il condamne ensuite celui qui l'a empêché et parle contre lui, c'est la preuve manifeste que son dessein n'était pas selon Dieu, car il est dit : « Vous les reconnaîtrez à leurs fruits[c]. » Celui dont le dessein est selon Dieu et qui est contrecarré, s'humilie plutôt, se juge indigne, et regarde celui qui l'a empêché comme un prophète ; il pense que c'est parce qu'il connaissait son indignité qu'il l'en a empêché. Si donc c'est par amour de Dieu que tu invites quelqu'un à venir dans ta cellule, ou si c'est dans une pensée de foi que tu demandes quelque chose à quelqu'un, sans obtenir qu'on te l'accorde, alors qu'un autre le demande et l'obtient, ne laisse pas le démon de la colère troubler ton cœur. Car tout ce qui comporte du trouble n'est pas de Dieu. Humilie-toi plutôt en disant : Je n'ai pas été jugé digne, Dieu a révélé aux Pères mes péchés et mon indignité, « et celui qui donne la grâce la donne aux humbles[d]. » Car qui possède l'humilité ne veut jamais ce qui le dépasse[e], mais il court toujours en descendant vers l'humilité. Pense aussi au centurion qui, venant trouver Jésus au sujet de son serviteur et s'entendant dire : « J'irai le guérir », courut à l'humilité et dit : « Maître, je ne suis pas digne que tu entres sous mon toit[f]. » Qui pourtant n'aurait saisi cette occasion? Mais l'humilité ne l'a pas même recherchée, s'en jugeant indigne, et Dieu, qui connaît les cœurs et agrée la bonne volonté des hommes, loua ainsi la foi du

b. Pr 18, 17 c. Mt 7, 16 d. Cf. Pr 3, 34 e. Cf. Ps 130, 1
f. Mt 8, 5-13

πίστιν αὐτοῦ λέγων ὅτι « Ἐν ὅλῳ τῷ Ἰσραὴλ τοιαύτην πίστιν οὐχ εὗρον[g]. » Καὶ ἔπαινον αὐτῷ προεξένησε μέγαν ἡ ταπείνωσις, καὶ ὑγείαν τῷ παιδὶ αὐτοῦ παρέσχε, καὶ πολλὰ τὰ χαρίσματα τὰ διδόμενα τῇ ταπεινώσει. Δράμωμεν εἰς αὐτήν, ἵνα τὴν χάριν αὐτῆς λάβωμεν καὶ τὸν ἔπαινον παρὰ Ἰησοῦ Χριστοῦ τοῦ ἑαυτὸν ταπεινώσαντος, καὶ ὑπηκόου γενομένου μέχρι θανάτου[h], καὶ τύπον ἡμῖν δόντος ταπεινώσεως. Αὐτῷ ἡ δόξα εἰς τοὺς αἰῶνας. Ἀμήν.

456

Ἐρώτησις· Ἐπειδὴ οὖν Πάτερ ὁ ἑκατόνταρχος τῇ ὑπερβαλλούσῃ ταπεινώσει χρησάμενος, ἀνάξιον ἑαυτὸν ἔκρινε τῆς παρουσίας τοῦ Δεσπότου, καὶ ἐπῃνέθη αὐτοῦ ἡ πίστις[a]. *Ὁ δὲ Ἀβραὰμ καὶ προετρέψατο καὶ προσέπεσεν ὥστε εἰσελθεῖν αὐτὸν εἰς τὴν σκηνήν*[b], *εἰ καὶ ὡς ἀνθρώπῳ προσῆλθεν, ἀγνοῶν ὅτι ὁ Δεσπότης ἦν. Ἆρα οὖν οὐκ εἶχε τὴν ταπείνωσιν ὁ Ἀβραάμ; Ἀλλὰ μείζων ἐστὶ τῆς ἀρετῆς τοῦ πατριάρχου ἡ τοῦ ἑκατοντάρχου ἀρετή; Ἡ γὰρ ταπείνωσις, ὡς ἀεὶ διδάσκετε, τὰ πρωτεῖα φέρει τῶν ἀρετῶν. Εἰπέ μοι οὖν τὴν δύναμιν καὶ τὴν διαφορὰν τῆς ἀμφοτέρων ἀρετῆς· Ὅτι ὁ μὲν οὐ κατεδέξατο τὴν παρουσίαν καὶ ἐπῃνέθη, ὁ δὲ σφόδρα αὐτὴν ἠσπάσατο καὶ ἐπῃνέθη;*

Ἀπόκρισις·

Οἱ δύο τέλειοι ἦσαν τῇ πίστει πρὸς Θεόν, καὶ πρὸς τὸ ἁρμόδιον τοῦ καιροῦ ἐχρήσαντο τῇ πίστει καὶ τῇ ταπεινώσει. Καὶ γὰρ εἶπε καὶ ὁ πατριάρχης Ἀβραὰμ ὅτι « Ἐγώ εἰμι γῆ καὶ σποδός[c]. » Καὶ τὸ ἡγεῖσθαι ἑαυτὸν οὕτως δείκνυσιν ὅτι οὐδὲ τῆς ξενοδοχίας ἄξιον ἑαυτὸν ἡγεῖτο. Καὶ ὅμως ἐπειδὴ τέλειος ἦν, πάντα ἄνθρωπον

L. 456 RASKI V

1 οὖν om. K ‖ 2 ταπεινώσει om. K ‖ 5 εἰσελθεῖν : ἐλθεῖν I V ‖ 6 οὖν om. K V ‖ 7 ἀρετῆς om. V ‖ 11 ἀμφοτέρων : ἑκατέρων RI V

centurion : «En tout Israël, je n'ai pas trouvé pareille foi[g] !» Son humilité lui valut de grands éloges, procura la santé à son serviteur, ainsi que toutes les faveurs qui sont données à l'humilité. Courons à elle, afin d'obtenir sa grâce et les éloges de Jésus-Christ qui s'est humilié lui-même, s'est fait obéissant jusqu'à la mort[h], et s'est donné à nous comme modèle d'humilité. A lui la gloire dans les siècles. Amen.

456

Demande : Père, le centurion, dans sa très profonde humilité, s'est jugé indigne de la visite du Maître, et sa foi a été louée[a]. *Abraham, lui, l'a supplié, prosterné à terre, d'entrer dans sa tente*[b], *encore qu'il l'eût abordé comme un homme, et qu'il ignorât que c'était le Maître. Abraham n'avait-il donc pas l'humilité? Et la vertu du centurion fut-elle plus grande que celle du patriarche? Car l'humilité, comme vous l'enseignez toujours, forme la base des vertus. Dis-moi donc ce qui caractérise et ce qui distingue la vertu de l'un et l'autre. Car l'un n'accepta pas la visite du Seigneur et fut loué, l'autre l'accueillit avec le plus grand empressement et fut loué?*

Réponse :

Tous les deux avaient une foi parfaite en Dieu, et ils manifestaient leur foi et leur humilité selon l'opportunité du moment. Car le patriarche Abraham a dit, lui aussi : «Je suis terre et cendre[c].» Qu'il se tint pour tel montre bien qu'il ne se jugeait même pas digne de recevoir des hôtes. Et cependant, parce qu'il était parfait, il recevait

g. Cf. Mt 8, 10 h. Ph 2, 8

456. a. Cf. Mt 8, 5-13 b. Cf. Gn 18, 1-15 c. Gn 18, 27; Jb 42, 6

ἐδέχετο, μὴ διακρίνων τοὺς ἁμαρτωλοὺς ἀπὸ τῶν ἁγίων. Περὶ αὐτοῦ γὰρ ἐρρέθη καὶ τοῦ Λὼτ ὅτι «Τῆς φιλοξενίας μὴ ἐπιλανθάνεσθε, διὰ ταύτης γὰρ ἔλαθόν τινες ξενίσαντες ἀγγέλους[d].» Εἰ ἔμαθεν οὖν ὁ Ἀβραὰμ ὅτι ὁ Δεσπότης ἐστί, χρήσασθαι εἶχε τῇ φωνῇ τοῦ ἑκατοντάρχου. Τοῦ γὰρ ἡγουμένου ἑαυτὸν γῆν καὶ σποδόν, οὐδὲν ταπεινότερον εὑρίσκομεν. Καὶ ὁ ἑκατόνταρχος δὲ τῷ ἁρμόττοντι καιρῷ ἐχρήσατο τῇ ταπεινώσει, γνοὺς αὐτὸν τὸν Σωτῆρα. Ἡμεῖς δὲ λέγομεν ὅτι καὶ τὸ ἔργον εἶχε τῆς φιλοξενίας[e], οὐκ ἐκτὸς γὰρ ἔργων ἡ πίστις αὐτοῦ ἦν[f]. Οὐδὲ ἐπῄνει ὁ Χριστὸς ἀργὴν πίστιν, ἤγουν καὶ τὰ ἔργα εἶχεν αὐτοῦ ἡ πίστις. Καὶ καιρῷ τῆς ξενοδοχίας ἐχρήσατο ἂν καὶ αὐτὸς τῇ παρακλήσει τοῦ πατριάρχου Ἀβραὰμ πρὸς πάντας. Ἀμφοτέρους οὖν τελείους εὑρίσκομεν.

457

Ἐρώτησις· Ἐπειδὴ οὖν ἐγὼ ἁμαρτωλός εἰμι, μήτε ταπείνωσιν ἔχων τὴν ἀληθῆ καὶ γνησίαν δι' ἣν ἐπῃνέθη ὁ ἑκατόνταρχος, μήτε τῆς φιλοξενίας ἀγάπην δι' ἧς Ἀβραὰμ Θεὸν ξενίσαι κατηξιώθη. Τί ὀφείλω ποιῆσαι; Ἆρα ὀφείλω ἀποβλέπων πρὸς τὴν ἐμαυτοῦ ἀναξιότητα παραιτεῖσθαι τῶν ἁγίων τὴν παρουσίαν καὶ τὸ ἐξ αὐτῆς ζημιοῦσθαι κέρδος; Ἢ μᾶλλον προστρέχειν οὐ τρόπῳ φιλοξενίας, ἀλλ' ὡς ἀσθενὴς τὴν ψυχὴν καὶ τῆς παρ' αὐτῶν ἰατρείας δεόμενος; Ἴδιον γὰρ τῶν ἀσθενούντων τὸ ἐπιζητεῖν τῶν ἰατρῶν τὴν παρουσίαν καὶ οὐ λογίζεται αὐτοῖς τοῦτο εἰς φιλοξενίαν. Κἂν αὐτοὺς μὴ προσκαλέσωνται, οὐκ ἔδοξαν ταπεινοφροσύνης ἀρετὴν ἔχειν, ἀλλὰ μᾶλλον ἀνοίας. Δίδαξόν με οὖν Πάτερ εἰ προτρέψομαι ὡς δεόμενος ἢ παραιτήσομαι ὡς ἀνάξιος.

21 μὴ : μηδένα I ‖ 25 εἶχε + ἂν K ‖ 31 ἤγουν : εἴ γε μὴ SK
L. 457 RASKI V
3 ἧς : ἣν V ‖ 5 ἐμαυτοῦ : ἐμὴν K ‖ 9 τὸ – ἰατρῶν om. SK ‖

tout homme, sans distinguer les pécheurs des saints. Car de lui et de Lot il est dit : « N'oubliez pas l'hospitalité, car c'est grâce à elle que d'aucuns, sans le savoir, ont hébergé des anges[d]. » Si donc Abraham avait su que c'était le Maître, il se fût exprimé dans les mêmes termes que le centurion. Car il n'est rien de plus humble que celui qui se juge terre et cendre. Et le centurion, lui, fit preuve d'humilité, comme il convenait en l'occurrence, puisqu'il savait que c'était le Sauveur. D'ailleurs nous lisons qu'il pratiquait aussi l'hospitalité[e], car sa foi n'était pas sans œuvres[f]. Le Christ ne loua pas une foi stérile et assurément sa foi avait aussi les œuvres. Et si cela eût été opportun, il aurait exercé, lui aussi, l'hospitalité envers tous, avec l'empressement du patriarche Abraham. Nous trouvons donc l'un et l'autre parfaits.

457

Demande : Je suis pécheur, je n'ai ni l'humilité vraie et sincère pour laquelle le centurion a été loué, ni la charité hospitalière par laquelle Abraham a été jugé digne d'héberger Dieu. Que dois-je donc faire? Dois-je, en considération de mon indignité, refuser la visite des saints et en perdre le profit? Ne dois-je pas plutôt accourir, non pour exercer l'hospitalité, mais comme un malade spirituel pour leur demander la guérison? Car il convient aux malades de demander la visite des médecins, sans qu'on mette cela au compte de l'hospitalité. Et s'ils ne font pas appel à eux, ils ne passeront pas pour posséder la vertu d'humilité mais plutôt pour être atteints de folie. Apprends-moi donc, Père, si je dois requérir les saints comme ayant besoin d'eux, ou les repousser comme indigne?

10 παρουσίαν : θεραπείᾳ K ‖ 13 πάτερ om. SK ‖ εἰ – δεόμενος om. SK

d. He 13, 2 e. Cf. Lc 7, 4-5 f. Cf. Jc 2, 20-26

Ἀπόκρισις·

Πρότρεψαι ὡς κακῶς ἔχων καὶ χρῄζων τοῦ ἰατροῦ. Τοῦτο δὲ μάθε, ὅτι τὸ παιδίον τὸ γεννώμενον οὐκ εὐθὺς γίνεται εἰς ἄνδρα τέλειον[a]. Ἀλλὰ διέρχεται διὰ τῆς ἁπαλῆς τροφῆς καὶ τότε ἔρχεται εἰς τὴν στερεὰν τροφήν, « τῶν τελείων γάρ ἐστιν ἡ στερεὰ τροφή[b]. » Διὰ τοῦτο ὁ Ἀπόστολος εἶπε· « Γάλα ὑμᾶς ἐπότισα οὐ βρῶμα[c]. » Ξενοδοχοῦντες οὖν μὴ εἴπωμεν ὅτι τὴν ἐντολὴν πληροῦμεν, ἀλλὰ δεόμενοι τῶν ἰατρῶν ὡς κακῶς ἔχοντες. Καὶ χρῶ τούτοις ἕως οὗ εἰσενέγκῃ σε ὁ Θεὸς εἰς τὰ τέλεια.

458

Ἐρώτησις· Τί ἐστι παρρησία καὶ γέλως ἀπρεπής;
Ἀπόκρισις·

Ἔστι παρρησία καὶ παρρησία. Ἔστι παρρησία ἀπὸ ἀναιδείας καὶ αὕτη ἐστὶ γεννήτρια πάντων τῶν κακῶν, καὶ ἔστι παρρησία ἀπὸ ἱλαρότητος, καὶ αὕτη μὲν οὐ πάνυ ὠφελεῖ τὸν κεχρημένον αὐτῇ. Ἀλλ' ἐπειδὴ τῶν ἰσχυρῶν καὶ δυνατῶν ἐστι τὸ φυγεῖν τὰς δύο, εἰ οὐ δυνάμεθα ἡμεῖς διὰ τὴν ἡμετέραν ἀσθένειαν τὰς δύο φυγεῖν, κἂν χρησώμεθα τῇ παρρησίᾳ τῆς ἱλαρότητος προσέχοντες τὸ μὴ ἐκ ταύτης δοῦναι πρόσκομμα ἢ σκάνδαλον τῷ πλησίον[a]. Οἱ γὰρ μετὰ τῶν ἀνθρώπων ὄντες, ἐὰν μὴ ὦσι τέλειοι, ἀπαλλαγῆναι τῆς δευτέρας ταύτης παρρησίας οὐ δύνανται. Εἰ οὖν

19-20 τῶν – τροφή om. R ‖ 20 τοῦτο + καὶ RI V ‖ 22 ὅτι τὴν om. I V ‖ 24 εἰσενέγκῃ : ἐνέγκῃ ASK

L. 458 RASKI V

3 ἔστι[1] – παρρησία[2] : διττή ἐστι ἡ παρρησία K ‖ ἔστι[2] + γὰρ K ‖ 7-8 τὰς[1] – φυγεῖν om. SK ‖ 9 τὸ : τοῦ RK ‖ 10 ἢ : εἰς SK V ‖ πλησίον : ἀδελφῷ I V

Réponse :

Requiers-les comme quelqu'un qui va mal et qui a besoin du médecin. Réfléchis à ceci : l'enfant nouveau-né ne devient pas aussitôt un homme mûr[a]. Mais il passe par la nourriture tendre et en vient ensuite à la nourriture solide; «car la nourriture solide convient aux parfaits[b].» C'est pourquoi l'Apôtre disait : «C'est du lait que je vous ai donné, non une nourriture solide[c].» Donc lorsque nous recevons des hôtes, ne prétendons pas accomplir le précepte, mais soyons comme des malades qui ont besoin des médecins. Et sers-toi d'eux, jusqu'à ce que Dieu te conduise à la santé parfaite.

458

Demande : Qu'est-ce que la liberté de parole et le rire malséant?

Réponse :

Il y a liberté de parole et liberté de parole. Il y a une liberté de parole provenant de l'impudence, et elle est génératrice de tous les maux[1]; il y a une liberté de parole par gaieté, et celle-ci n'est pas du tout utile à celui qui s'y laisse aller. Mais comme c'est le propre des forts et des puissants de fuir les deux, si nous ne pouvons, nous, en raison de notre faiblesse, éviter les deux, usons du moins de la liberté de parole par gaieté en veillant à ne pas donner par là au prochain une occasion de chute ou de scandale[a]. Car ceux qui vivent parmi les hommes, s'ils ne sont pas parfaits, ne peuvent se passer de cette seconde liberté de parole. Si donc nous sommes

457. a. Cf. Ep 4, 13 b. He 5, 14 c. 1 Co 3, 2
458. a. Cf. Rm 14, 13

1. Cf. *Alph. Agathon,* 1.

ἀδυνατοῦμεν, ἔστω ἡμῖν πρὸς οἰκοδομὴν καὶ μὴ εἰς σκάνδαλον, μάλιστα ὅταν σπουδάζωμεν συντομῆσαι καὶ τὴν αὐτῆς ὁμιλίαν. Καὶ γὰρ οὐ πάνυ ὠφελεῖ ἡ μακρολογία, κἂν δοκῇ μὴ ἔχειν τι ἄτοπον.

Περὶ δὲ τοῦ γέλωτος, τὴν αὐτὴν ἔχει δύναμιν, γέννημα γάρ ἐστι τῆς παρρησίας. Ἐὰν μὲν ἔχῃ τις παρρησίαν αἰσχρολογίας[b], δῆλον ὅτι γέλωτα ἔχει αἰσχρόν, ἐὰν δὲ παρρησίαν ἱλαρότητος, ἐκ τούτου δῆλον ὅτι γέλωτα ἔχει ἱλαρόν. Καὶ καθὼς εἴρηται περὶ τῆς παρρησίας ὅτι οὐκ ὠφελεῖ τὸ κεχρῆσθαι αὐτῇ, οὕτως καὶ ἐν τῷ γέλωτι αὐτῆς · Οὐ χρὴ ἐγχρονίζειν οὐδὲ ἐκχεῖσθαι, ἀλλὰ ἄγχειν τὸν λογισμὸν τοῦ μετὰ σεμνότητος διεξελθεῖν αὐτόν. Καὶ γὰρ οἱ ἐκχεόμενοι εἰς αὐτὸν μάθωσιν ὅτι καὶ εἰς πορνείαν ἐμπίπτουσιν ἅπαντες.

459

Ἐρώτησις · Παρακαλῶ σε Πάτερ ἵνα μοι εἴπῃς ποταπή ἐστιν ἡ πρέπουσα ἱλαρότης, καὶ πῶς δεῖ τὸν ἁμαρτωλὸν αὐτῇ κεχρῆσθαι πρὸς τὸ μὴ παρελθεῖν τὰ ἴδια μέτρα.

Ἀπόκρισις Ἰωάννου ·

Οἱ μὲν τέλειοι τελείως προσέχουσιν ἑαυτοῖς, κατὰ τὸν τεχνίτην τὸν ἐπιστάμενον τελείως τὴν τέχνην αὐτοῦ. Ἐὰν γὰρ συμβῇ αὐτῷ συντυχίαν ποιῆσαι ὡς ἐργάζεται πρός τινας, οὐ κωλύει ἐκείνων ἡ συντυχία ἤτοι ὁμιλία τὸ συναρμόσαι τὰ ἐπιτήδεια τῆς τέχνης, ἀλλ' ἀεὶ μὲν λαλεῖ μετὰ τῶν παρόντων, ὅλος δὲ ὁ νοῦς αὐτοῦ εἰς τὴν προκειμένην τέχνην ῥέπει. Οὕτως ὀφείλει ὁ συντυγχάνων

13 μὴ εἰς : οὐχὶ V ‖ 14 σπουδάζωμεν : -δάσωμεν V ‖ 20 παρρησίαν : ἔχῃ ἡ παρρησία δύναμιν SK ‖ ἐκ τούτου om. R ‖ 23 χρὴ : δεῖ R ‖ 24 τοῦ om. V ‖ 25 μάθωσιν : μαθέτωσαν K V

L. 459 RASKI V

1 σε + τίμιε K ‖ 3 παρελθεῖν : παρεξελθεῖν I V ‖ 5 ἑαυτοῖς : ἑαυτοὺς S ‖

faibles, qu'elle nous soit source d'édification et non de scandale, du fait surtout que nous nous empresserons toujours d'abréger la conversation qu'elle nous fait engager. Car les longs discours ne sont d'aucune utilité, même s'il semble qu'il n'y ait rien de déplacé.

Quant au rire, il a la même valeur, car c'est un rejeton de la liberté de parole. Si quelqu'un se laisse aller à des propos honteux[b], il aura aussi évidemment un rire honteux, mais si la liberté de parole est l'expression de la gaieté, il est clair qu'elle amènera un rire gai. Et comme il a été dit de la liberté de parole, qu'il n'est pas utile de s'y laisser aller, de même pour le rire qui l'accompagne : il ne faut ni le prolonger ni lui donner libre cours, mais contraindre sa pensée à le faire passer avec retenue. En effet, ceux qui lui donnent libre cours doivent savoir qu'ils tomberont tous aussi dans la luxure.

459

Demande : Je te prie, Père, de me dire de quelle sorte est la gaieté convenable, et comment le pécheur peut s'y laisser aller sans dépasser ses propres limites.

Réponse de Jean :

Les parfaits sont parfaitement attentifs à eux-mêmes, comme l'artisan qui connaît parfaitement son métier. Si, tandis qu'il travaille, il lui arrive d'avoir un entretien avec certains, leur conversation ni même leur entretien[1] ne l'empêchent pas de poursuivre en même temps l'exercice de son art ; tandis qu'il ne cesse de parler avec ceux qui sont là, son esprit est tout entier appliqué à l'ouvrage en cours. Ainsi doit faire celui qui s'entretient avec

6 αὑτοῦ : ἑαυτοῦ R || 7 αὐτῷ : αὐτὸν I V || 8 συντυχία ἤτοι om. R V

b. Cf. Col 3, 8

1. Voir L. 256. n. 2 et 595, 11.

τισίν· Ἱλαρὸν μὲν δεικνύειν τὸ πρόσωπον καὶ τὸν λόγον, ἔχειν δὲ ἔσωθεν τὸν λογισμὸν στενάζοντα, καὶ γὰρ περὶ τούτου ἐγράφη ὅτι «Καὶ ὁ στεναγμὸς τῆς καρδίας μου ἐνώπιόν σού ἐστι διὰ παντός[a].» Ὥσπερ δὲ ὁ ἄτεχνος τεχνίτης ἐὰν ἐργαζόμενος συντυγχάνῃ, κινδυνεύει τοῦ ἀφανίσαι τὴν τέχνην, οὕτως καὶ ὁ τῇ ἱλαρότητι χρώμενος. Χρῄζει οὖν ὁ τοιοῦτος μεγάλης ἀσφαλείας προσέχειν τοῖς ἑαυτοῦ λόγοις καὶ τῇ τῆς ὄψεως ἱλαρότητι, μήπως ἐξέλθῃ παντελῶς ἐκ τῆς τοῦ πένθους ὁδοῦ. Ὁ οὖν τοιοῦτος μέλλων συντυχίαν ποιεῖν, ὀφείλει ἐρωτᾶν τὸν λογισμὸν πῶς δεῖ ποιεῖν καὶ οὕτως ἑτοιμάζειν ἑαυτόν, γέγραπται γάρ· «Ἡτοιμάσθην καὶ οὐκ ἐταράχθην[b].» Τὸ δὲ ἑτοιμάσαι ἑαυτὸν τοῦτ' ἔστι τὸ διακρίνειν τὰ πρόσωπα διὰ ποίαν αἰτίαν θέλουσιν ἡμῖν συντυχεῖν, καὶ κατὰ τὸν σκοπὸν τοῦ ἐρχομένου ἑτοιμάσαι τὸν λογισμὸν ἐν φόβῳ Θεοῦ. Εἰ μὲν ἕνεκεν ἀσπασμοῦ γίνεται ἡ συντυχία, ἵνα χρήσηται ταύτῃ μετὰ χάριτος ἐν τοῖς ἁρμόττουσιν αὐτῇ λόγοις. Εἰ δὲ Πατέρων ἐστὶν ὑποδοχή, γενέσθω μετὰ χαρᾶς, κατὰ τὸν Ἀβραὰμ νίψαντα τοὺς πόδας τοῦ Δεσπότου καὶ τῶν ἀγγέλων, καὶ δεξάμενον αὐτοὺς μετὰ παρακλητικῶν λόγων[c]. Τὴν γὰρ φανέρωσιν τῆς ἱλαρότητος ἐν ἑκάστῳ δεικνύει ἡμῖν ἡ εὐκαιρία τῶν πραγμάτων. Ὅταν γὰρ τυχὸν προτρεπώμεθα τοὺς ἐρχομένους πρὸς ἡμᾶς ἐν τῇ ἀγάπῃ τοῦ Θεοῦ εἰς τὸ λαβεῖν τι ἢ βρώσιμον ἢ πόσιμον, μετὰ ἱλαρότητος τοῦτο ποιήσωμεν, συντομίζοντες δὲ αὐτὴν διὰ τὴν σύγχυσιν τοῦ λογισμοῦ.

460

Ἐρώτησις· Τί ἐστιν ὁ κενόδοξος καὶ τί ὁ ὑπερήφανος; Καὶ πῶς ἀπὸ κενοδοξίας ἔρχεταί τις εἰς ὑπερηφανίαν;

13 στενάζοντα : καὶ τὴν διάνοιαν στενάζουσαν K ‖ 20 ἐκ om. RI V ‖ 34 πρὸς ἡμᾶς om. RI V ‖ 34-35 ἐν – θεοῦ om. I V

L. 460 PRASKI V

d'autres : montrer de la gaieté sur le visage et dans les propos, mais avoir intérieurement la pensée gémissante, comme il est écrit : «Le gémissement de mon cœur est sans cesse devant toi[a].» Mais de même que l'artisan inexpérimenté qui converse en travaillant, risque de gâcher son ouvrage, ainsi celui qui se livre à la gaieté. Il doit donc veiller avec beaucoup de précaution sur ses paroles et la gaieté de son visage, pour ne pas sortir entièrement de la voie du deuil. Lorsqu'il va avoir une conversation, il doit se demander comment il fera et ainsi se préparer, car il est écrit : «Je m'étais préparé, et je n'ai pas été troublé[b].» Se préparer consiste en ceci : examiner pour quelle raison les personnes veulent s'entretenir avec nous et, selon le but du visiteur, préparer sa pensée dans la crainte de Dieu. Si c'est un entretien d'amitié, qu'on se montre aimable avec les paroles qui conviennent. Si nous accueillons des Pères, que ce soit avec joie, comme Abraham qui lava les pieds du Maître et des anges, et les reçut avec des paroles de réconfort[c]. En chaque cas, c'est l'opportunité des situations qui nous indique comment manifester la gaieté. Quand, par exemple, nous invitons ceux qui sont venus à nous dans la charité de Dieu à prendre un peu de nourriture ou de boisson, faisons-le avec gaieté, mais en abrégeant celle-ci à cause du trouble de l'esprit.

460

Demande : Qu'est-ce que le vaniteux et qu'est-ce que l'orgueilleux ? Et comment de la vaine gloire en vient-on à l'orgueil ?

1 ἐρώτησις : ἀδελφὸς ἠρώτησε τὸν αὐτὸν γέροντα ASK ‖ τί$^{1+2}$: τίς PRI V ‖ ἔστιν om. I V ‖ 2 ἀπὸ κενοδοξίας om. I V

459. a. Cf. Ps 37, 9-10 b. Cf. Ps 118, 60 c. Cf. Gn 18, 1-15

Ἀπόκρισις·

Ἐκ τοῦ θέλειν τινὰ τὴν ἀνθρωπαρέσκειαν ἔρχεται εἰς τὴν κενοδοξίαν, αὐξανομένης δὲ αὐτῆς ἔρχεται ἡ ὑπερηφανία. Συγχώρησον, ἄδελφε καὶ εὔχου ὑπὲρ ἡμῶν.

461

Ἀδελφὸς ἠρώτησε τὸν μέγαν Γέροντα· Εἰπέ μοι Πάτερ, εἰ ἡ κατάνυξις ἣν δοκῶ ἔχειν ἀληθής ἐστι καὶ εἰ ὀφείλω κατὰ μόνας ἐνταῦθα διάγειν. Καὶ εὖξαι ὑπὲρ ἐμοῦ ὅτι ὀχλοῦμαι ὑπὸ σωματικοῦ πολέμου.

Ἀπόκρισις Βαρσανουφίου·

Ἄδελφε, ὁ νῦν κλαυθμὸς καὶ ἡ κατάνυξις οὐκ ἔστιν ἀληθής, ἀλλ' ὑπάγει καὶ ἔρχεται. Ὁ γὰρ ἀληθινὸς κλαυθμὸς ὁ μετὰ κατανύξεως, δοῦλος γίνεται τοῦ ἀνθρώπου ἀχωρίστως ὑποτεταγμένος, καὶ τοῦ ἔχοντος αὐτὸν πόλεμος οὐ περιγίνεται. Ἀλλὰ καὶ τὰ πρῶτα πταίσματα ἐξαλείφει καὶ ἐκπλύνει τὰ σπιλώματα. Καὶ διηνεκῶς ὀνόματι Θεοῦ φυλάττει τὸν ἄνθρωπον τὸν κτησάμενον αὐτόν. Καὶ ἐξορίζει τὸν γέλωτα καὶ τὸν μετεωρισμόν, καὶ κρατεῖ πένθος ἀδιάλειπτον. Θυρεὸς γάρ ἐστιν ἀποστρέφων πάντα τὰ πεπυρωμένα βέλη τοῦ διαβόλου[a]. Ὁ ἔχων αὐτὸν οὐ πλήσσεται ὑπὸ πολέμου τὸ σύνολον, κἂν μετὰ ἀνθρώπων ᾖ, κἂν μετὰ πορνῶν γυναικῶν, μεθ' ἡμῶν ἐστι καὶ πολεμεῖ. Τὸ σημεῖον οὖν τῆς ἀσθενείας καὶ τῆς γενναιότητος ἔδειξά σοι. Καὶ μὴ νομίσῃς ὅτι οὐκ ἠδύνατο ὁ Θεὸς κουφίσαι ἀπὸ σοῦ τὸν πόλεμον, ἠδύνατο μὲν γάρ, μάλιστα διὰ τοὺς ὑπερευχομένους σου ἁγίους. Ἀλλ' ἀγαπῶν σε, ὁ Θεὸς

L. 461 PRASKI V
1 ἀδελφὸς – γέροντα om. ASK ‖ 7 ἀληθινὸς : ἀληθὴς V ‖ 9 αὐτὸν : αὐτὴν K ‖ 10-11 ἐξαλείφει – σπιλώματα om. ASK ‖ 12 αὐτόν : αὐτήν PRI V ‖

Réponse :

Lorsqu'on veut plaire aux hommes on en vient à la vaine gloire ; et si celle-ci augmente, l'orgueil survient. Pardonne-moi, frère, et prie pour nous.

461

À UN AUTRE FRÈRE

Un frère demanda au Grand Vieillard : Dis-moi, Père, si la componction que je crois avoir est véritable et si je dois alors vivre seul. Et prie pour moi, car je suis harcelé par un combat charnel.

Réponse de Barsanuphe :

Frère, les pleurs et la componction de maintenant ne sont pas véritables, mais ils viennent et s'en vont. Les pleurs véritables accompagnés de componction, deviennent pour l'homme un esclave immanquablement soumis ; qui les possède n'est vaincu dans aucun combat. Ils effacent même les fautes passées et lavent les souillures. Et continuellement au nom de Dieu ils gardent l'homme qui les a acquis. Ils bannissent le rire et la dissipation et ils maintiennent un deuil ininterrompu. Car ils sont un bouclier sur lequel ricochent tous les traits enflammés du diable[a]. Qui les possède ne recevra absolument aucune atteinte du combat, même s'il se trouve parmi les hommes, fût-ce avec des femmes de mauvaise vie ; car ils sont là pour lutter avec nous. Je t'ai donc montré le signe de la faiblesse et de la noblesse. Ne pense pas que Dieu était impuissant à alléger pour toi le combat ; il le pouvait assurément, surtout en raison des saints qui prient pour toi. Mais comme il

16 ᾖ : ὦμεν PR ‖ 18 ἀσθενείας – τῆς² om. PR ‖ 19 ὁ θεὸς om. PR V

461. a. Cf. Ep 6, 16

θέλει σε διὰ πολέμων καὶ γυμνασίων πολλῶν παιδευθῆναι, ἵνα ἔλθῃς εἰς τὰ μέτρα τῆς εὐδοκιμήσεως. Οὐκ ἔρχῃ δὲ εἰς ταῦτα, ἐὰν μὴ φυλάξῃς πάντα τὰ ἐνταλθέντα σοι διὰ τῶν ἐμῶν συλλαβῶν τοῦ κενοδόξου διδασκάλου. Περὶ δὲ τοῦ εἶναι κατὰ μόνας, τοῦτο ἱκανότης ἐστί. Καὶ ὅτε ἔρχεταί σοι, ἀπ' ἐμαυτοῦ πέμπω καὶ λέγω σοι. Ἔργασαι τέκνον τέως, ὡς εἶπόν σοι, καὶ πιστεύω ὅτι προκόψαι ἔχεις ἐν Χριστῷ. Μὴ φοβοῦ. Εἴη ὁ Κύριος μετὰ σοῦ. Ἀμήν.

462

Τοῦ αὐτοῦ πρὸς τὸν ἄλλον Γέροντα· Παρακαλῶ σε κύρι ἀββᾶ, ἵνα εὔξῃ ὑπὲρ ἐμοῦ, ἵνα δώῃ μοι ὁ Κύριος μικρὰν ταπείνωσιν. Καὶ ἐπειδὴ λέγουσιν οἱ Πατέρες ὅτι ἐὰν μή τις ἐκκόψῃ τὴν ῥίζαν τοῦ πάθους, πάλιν καιρῷ εἰς αὐτὸ ἐμπίπτει. Πῶς ἐκκόπτει τις τὴν ῥίζαν τῆς πορνείας καὶ τῆς γαστριμαργίας καὶ τῆς φιλαργυρίας; Καὶ ἐπειδὴ εἶπέ μοι ὁ μέγας Γέρων ὅτι ὁ νῦν κλαυθμὸς οὐκ ἔστιν ἀληθής, ἀλλ' ὑπάγει καὶ ἔρχεται, ἀπὸ ποίας διαθέσεως ἔρχεταί μοι τοῦτο; Καὶ ὀφείλω βιάσασθαι ἐμαυτὸν εἰς αὐτὸν ἢ ἀφήσω ἕως οὗ ἔλθῃ ἡ ἀληθινὴ κατάνυξις;

Ἀπόκρισις Ἰωάννου·

Ἄδελφε, δίδει ἡμῖν ὁ Θεὸς τὴν ταπείνωσιν καὶ ὠθοῦμεν αὐτήν, καὶ πάλιν λέγομεν· Εὖξαι ἵνα δώῃ ἡμῖν ὁ Θεὸς ταπείνωσιν. Ἡ ταπείνωσίς ἐστι τὸ κόψαι ἐν πᾶσι τὸ ἴδιον θέλημα καὶ ἀμεριμνῆσαι ἀπὸ πάντων. Περὶ δὲ τοῦ κόψαι τὴν ῥίζαν ὡς εἶπας τῶν παθῶν, διὰ τοῦ κόψαι τὸ θέλημα καὶ θλῖψαι ἑαυτὸν κατὰ τὸ ἐγχωροῦν καὶ βασανίσαι τὰ αἰσθήρια τοῦ φυλάξαι τὴν τάξιν αὐτῶν εἰς τὸ μὴ χρήσασθαι

L. 462 RASKI V
2 ἵνα : ὅπως V ‖ 5 πῶς – ῥίζαν om. SK ‖ 5-6 τῆς πορνείας : τοῦ πάθους RI V om. SK ‖ 10 αὐτὸν : αὐτὸ I V ‖ ἀφήσω : ἀφῆσαι I ἀφεῖναι

t'aime, il veut que tu sois formé par maintes luttes et exercices, afin que tu atteignes la perfection de la vertu éprouvée. Tu n'y parviendras qu'en observant tous les commandements que je t'ai prescrits dans mes lettres, moi le maître vaniteux. Quant à être seul, cela serait de la suffisance. Quand le moment en viendra pour toi, de moi-même je te l'enverrai dire. Pour le moment, enfant, travaille comme je te l'ai dit, et j'ai confiance que tu feras des progrès dans le Christ. Ne crains pas. Le Seigneur soit avec toi ! Amen.

462

Du même à l'Autre Vieillard : Je t'en supplie, seigneur abbé, prie pour moi, afin que le Seigneur me donne un peu d'humilité. Car les Pères disent que tant qu'on n'a pas arraché la racine de la passion, on y retombe à l'occasion. Comment arrache-t-on la racine de la luxure, de la gourmandise et de l'avarice ? Et puisque le Grand Vieillard m'a dit que mes pleurs actuels ne sont pas véritables, parce qu'ils viennent et s'en vont, de quelle disposition cela me vient-il ? Dois-je me faire violence en cela ou les laisser aller jusqu'à ce que vienne la vraie componction ?

Réponse de Jean :

Frère, Dieu nous donne l'humilité et nous la repoussons, et derechef nous disons : « Prie afin que Dieu me donne de l'humilité. » L'humilité, c'est retrancher en tout la volonté propre et ne s'inquiéter de rien du tout. Pour ce qui est de retrancher la racine des passions, comme tu dis, en retranchant la volonté, en s'affligeant soi-même selon ce qui est permis, et en mortifiant ses sens pour les garder dans l'ordre et ne pas en faire mauvais usage, on arrache

V ‖ οὗ om. I V ‖ 12 δίδει : δίδωσιν RI V ‖ 13 θεὸς + τὴν I V ‖ 16 εἶπας : εἶπε ASK ‖ τοῦ om. V

κακῶς, εἰς αὐτὰ κόπτεται ἡ ῥίζα οὐ μόνον τούτων καὶ τῶν λοιπῶν. Τὸ δὲ ἀπελθεῖν καὶ ἐξελθεῖν σοι τὸν νῦν κλαυθμὸν τὸν μὴ ἀληθινόν, διὰ τὸ χαυνοῦσθαι ἅπαξ τὸν λογισμὸν καὶ θερμανθῆναι γίνεται. Ὅταν οὖν μείνῃ ἡ θερμότης, γίνεται μεγάλη καὶ μόνιμος ἡ κατάνυξις, καὶ ταύτῃ ἕπεται ὁ ἀληθινὸς κλαυθμός. Περὶ οὗ ὀφείλεις φροντίσαι βιαζόμενος σεαυτὸν ἵνα ἔλθῃ σοι. Ἄδελφε, μὴ καταφρονήσῃς φυλάξαι τοὺς λόγους καὶ τὰς ἐντολὰς τοῦ Γέροντος καὶ σῴζῃ. Ἐφλυάρησά σοι κἀγώ, ἄδελφε, ἀλλ' οὐκ ἀπ' ἐργασίας, οὐδ' ἀπὸ πνεύματος. Πιστεύω δὲ ὅτι ὅσα εἶπέν σοι ὁ Γέρων καὶ λέγει καὶ ἀπὸ πράξεως τῆς πρότερον λαλεῖ καὶ ἀπὸ ἁγίου Πνεύματός ἐστι. Ἀλλ' ὅμως τὸ συνειδὸς μαρτυρεῖ μοι[a], ὅτι οὐ θέλω σε πλανῆσαι ὅλως ἐν οὐδενὶ πράγματι. Διὰ τοῦτο πιστεύω ὅτι οὔτε οἱ λόγοι μου βλάπτουσί σε, οὔτε αἱ συμβουλίαι μου. Οἶδε γὰρ ὅτι οὐ θέλω, ἀλλ' ἀντίψυχός σου πάντως ἐρωτῶντος καὶ θέλοντος σωθῆναι, θέλω εἶναι, ἐὰν ἐνδυναμώσῃ με ὁ Κύριος[b]. « Δώῃ σοι ὁ Θεὸς βοήθειαν ἐκ Σιών, καὶ ἴδοις τὰ ἀγαθὰ Ἱερουσαλὴμ πάσας τὰς ἡμέρας τῆς ζωῆς σου[c]. » Εὖξαι ὑπὲρ ἐμοῦ ἀδελφέ.

463

Φιλόχριστος ἠρώτησε τὸν αὐτὸν Γέροντα εἰ χρὴ πολυπραγμονεῖν τὰ περὶ τῶν θείων μυστηρίων, καὶ εἰ προσιὼν αὐτοῖς ὁ ἁμαρτωλός, ὡς ἀνάξιος κατακρίνεται.

20 σοι : σε V ‖ 25 ἔλθῃ σοι : ἔλθωσιν SK ‖ 30 ἀλλ' om. I V ‖ 32 οὐδενὶ : τινι R ‖ 36 κύριος : θεός K ‖ θεὸς : κύριος K ‖ ἴδοις : ἴδῃ V

L. 463 RASKI V

1 φιλόχριστος + τις V

la racine non seulement de ces passions (dont tu parles), mais encore de toutes les autres. Si les pleurs actuels, non véritables, te viennent et s'en vont, c'est que ta pensée se relâche et s'échauffe tour à tour. Lors donc que la chaleur persiste, la componction devient grande et stable, et s'ensuivent les pleurs véritables. Voilà de quoi tu dois te soucier en te faisant violence pour qu'ils viennent. Frère, ne néglige pas d'observer les paroles et les commandements du Vieillard et tu seras sauvé. Frère, moi aussi j'ai été bavard avec toi, mais ce que je dis ne vient ni de la pratique ni de l'Esprit. Je crois au contraire que toutes les paroles que t'a adressées et que t'adresse le Vieillard sont prononcées sous la dictée de l'expérience passée et de l'Esprit-Saint. Cependant ma conscience me rend ce témoignage[a] que je ne veux aucunement t'égarer en quoi que ce soit. C'est pourquoi je crois que ni mes paroles ni mes conseils ne te feront tort. Car Dieu sait que telle n'est pas ma volonté; au contraire, je veux, si le Seigneur m'en donne la force, être ta rançon, à toi qui demandes et veux absolument le salut[b]. «Que Dieu te donne son aide de Sion, afin que tu voies les biens de Jérusalem tous les jours de ta vie[c].» Prie pour moi, frère.

463

À UN PIEUX LAÏC (LE FUTUR ABBÉ ÉLIEN)

Un pieux laïc[1] *demanda au même Vieillard: Faut-il beaucoup réfléchir sur les divins mystères? Et le pécheur qui s'en approche, est-il condamné comme indigne?*

462. a. Cf. Rm 9, 1; 2 Co 1, 12 b. Cf. 1 Tm 1, 12 c. Ps 127, 5

1. Les mss RASK précisent que l'interlocuteur de Jean le Prophète est le futur abbé Élien, quand il était laïc (L. 463 à 482). Élien lui posera aussi de nombreuses questions quand il sera nommé abbé (voir L. 571-598).

Ἀπόκρισις Ἰωάννου·

Εἰσερχόμενος εἰς τὰ ἅγια[a], πρόσχες δεχόμενος τὸ σῶμα καὶ τὸ αἷμα τοῦ Χριστοῦ, ἔχειν ἀδιστάκτως, ὅτι ἀλήθειά ἐστι. Τὸ δὲ πῶς, μὴ πολυπραγμόνει. Κατὰ τὸν εἰπόντα· «Λάβετε, φάγετε, τοῦτο γάρ μού ἐστι τὸ σῶμα καὶ τὸ αἷμα», καὶ ταῦτα ἡμῖν ἔδωκεν εἰς ἄφεσιν ἁμαρτιῶν[b]. Ὁ πιστεύων οὕτως, ἐλπίζομεν ὅτι οὐ κατακρίνεται. Ὁ δὲ μὴ πιστεύων ἤδη ἔχει τὴν κατάκρισιν[c]. Μὴ οὖν ὡς κρίνων ἑαυτὸν ἁμαρτωλὸν κωλύσῃς ἑαυτὸν τοῦ προσελθεῖν. Ἀλλ' ἔχων ὅτι ὁ προσερχόμενος τῷ Σωτῆρι ἁμαρτωλός, ἀξιοῦται ἀφέσεως ἁμαρτιῶν, καθὼς εἰς τὴν Γραφὴν εὑρίσκομεν τοὺς προσελθόντας αὐτῷ μετὰ πίστεως, ἀκούσαντας τῆς θείας φωνῆς ὅτι «Ἀφέωνταί σοι αἱ ἁμαρτίαι σου αἱ πολλαί[d].» Εἰ οὖν ἄξιος ἦν προσελθεῖν αὐτῷ, ἁμαρτίαν οὐκ εἶχεν. Ἐπειδὴ δὲ ἁμαρτωλὸς ἦν καὶ χρεώστης, ἔλαβε συγχώρησιν τῶν ὀφλημάτων. Καὶ αὐτοῦ ἄκουσον τοῦ Κυρίου λέγοντος· «Οὐκ ἦλθον σῶσαι δικαίους, ἀλλὰ ἁμαρτωλούς[e].» Καὶ πάλιν· «Οὐ χρείαν ἔχουσιν οἱ ὑγιαίνοντες ἰατροῦ, ἀλλ' οἱ κακῶς ἔχοντες[f].» Ἔχε οὖν ἑαυτὸν ἁμαρτωλὸν καὶ κακῶς ἔχοντα, καὶ πρόσελθε πρὸς τὸν δυνάμενον σῶσαι τὸν ἀπολωλότα[g].

464

Τοῦ αὐτοῦ ὁμοίως· Δέσποτα πῶς συνεχώρησεν ὁ Δεσπότης ἡμῶν καὶ Σωτὴρ ὁ Χριστὸς τῷ Ἰούδᾳ προδότῃ ὄντι μετασχεῖν τοῦ μυστικοῦ δείπνου; Ὁ γὰρ ἅγιος

8-9 καὶ τὸ αἷμα om. ASK ‖ 12 ἑαυτὸν[1] : σεαυτὸν SK V ‖ ἑαυτὸν[2] : σαυτὸν RI om. V ‖ τοῦ om. V ‖ 14 εὑρίσκομεν : ἀκούομεν K ‖ 22-23 ἔχε – ἔχοντα om. SK ‖ 22 ἑαυτὸν : σεαυτὸν V ‖ 23 πρὸς τὸ δυνάμενον : τῷ δυναμένῳ V

L. 464 RASKI V

Réponse de Jean :

Lorsque tu t'approches des saints mystères[a], pense que tu reçois le corps et le sang du Christ, et n'aie aucun doute, c'est la vérité. Quant au comment, ne t'agite pas dans tous les sens[2]. Selon la parole du Seigneur : « Prenez, mangez, ceci est mon corps et mon sang », et il nous les a donnés pour la rémission des péchés[b]. Celui qui croit de la sorte, nous avons confiance qu'il ne sera pas condamné. Mais celui qui n'a pas cette foi, est déjà condamné[c]. Ne te retiens donc pas de t'en approcher, parce que tu te juges pécheur. Mais pense que le pécheur qui s'approche du Sauveur obtient la rémission de ses péchés, selon ce que nous trouvons dans l'Écriture, que ceux qui s'approchaient de lui avec foi, entendaient la voix divine leur dire : « Tes péchés nombreux te sont remis[d]. » Celui qui aurait été digne de s'approcher de lui, n'aurait pas eu de péché. Mais puisqu'il était pécheur et débiteur, il recevait remise de ses dettes. Écoute aussi la parole du Seigneur lui-même : « Je ne suis pas venu sauver les justes, mais les pécheurs[e]. » Et encore : « Ce ne sont pas les gens bien portants qui ont besoin de médecin, mais les malades[f]. » Tiens-toi donc pour pécheur, pour malade, et approche-toi de celui qui peut sauver celui qui est perdu[g].

464

Du même pareillement : Maître, comment notre Maître et Sauveur le Christ a-t-il permis à Judas le traître, de participer à la cène mystique ? saint Jean (Chrysostome)

463. a. Cf. He 9, 12. 24-25 b. Cf. Mt 26, 26-28 c. Cf. Jn 3, 18 d. Lc 7, 47-48 e. Mt 9, 13 f. Lc 5, 31 g. Cf. Lc 19, 10

2. Verbe rare 'ne t'agite pas dans tous les sens'. En grec classique on trouve l'adjectif πολυπράγμων et dans les textes scripturaires il est cité dans 2 Mac 2, 30. Voir aussi L. 600, 39.

Ἰωάννης ἐν τῇ κατὰ Ματθαῖον ἑρμηνείᾳ λέγει· «Χρὴ τὸν ἀνάξιον εἴργεσθαι τῆς φρικτῆς τοῦ μυστηρίου τραπέζης;» Καὶ ὁ ἅγιος δὲ Παῦλος κρίματι τὸν τοιοῦτον ὑπεύθυνον εἶναι ἀποφαίνεται, ὅπερ οὐκ ἐᾷ τινα συνειδότα ἑαυτῷ ἁμαρτήματα, θαρρῆσαί ποτε τῷ τιμίῳ καὶ φρικτῷ προσελθεῖν μυστηρίῳ καὶ τῆς ἐντεῦθεν ζωῆς μετασχεῖν[a]. *Τί οὖν χρὴ ποιῆσαι; Πάνυ γάρ με ἁμαρτωλὸν ὄντα, τὸ πρᾶγμα θορυβεῖ.*

Ἀπόκρισις·

Ἵνα δείξῃ ὁ Θεὸς τὴν μεγάλην αὐτοῦ φιλανθρωπίαν καὶ πῶς ἀνέχεται τοῦ ἀνθρώπου ἕως ὑστέρας ἀναπνοῆς, ὥστε μετανοῆσαι καὶ ζῆν αὐτόν[b], διὰ τοῦτο καὶ τοὺς πόδας αὐτοῦ ἔνιψε καὶ τῶν μυστηρίων ἀφῆκε μετασχεῖν ἵνα ἐπάρῃ αὐτοῦ πᾶσαν ἀπολογίαν, καὶ τῶν ἀεὶ λεγόντων ὅτι εἰ ἀφῆκεν αὐτὸν ἀπολαῦσαι τούτων, οὐκ ἂν ἀπώλετο. Καὶ αὐτοκατάκριτος ἐγένετο, καὶ ἐπληρώθη εἰς αὐτὸν τὸ τοῦ Ἀποστόλου λέγοντος· «Εἰ δὲ ὁ ἄπιστος χωρίζεται, χωριζέσθω[c]», καὶ περὶ τῶν ἁμαρτωλῶν καὶ μὴ μετανοούντων τὸ αὐτό. Τὸ δὲ κωλῦσαι αὐτοὺς κατὰ τὸν ἅγιον Ἰωάννην, διὰ μαθημάτων ἦν καὶ ἐπιτιμήσεως κρίσεως καὶ κολάσεων, οὐ γὰρ εἶπεν ὠθῆσαι αὐτοὺς οὐδὲ κόψαι ἀπὸ τῆς Ἐκκλησίας. Οὐδὲ Ἰησοῦς τοιοῦτον ἐποίησε τῷ Ἰούδᾳ. Ἐὰν δὲ μένωσιν ἐν τοῖς αὐτοῖς καὶ μετὰ ἀναισχυντίας προσέρχωνται, αὐτοκατάκριτοι γίνονται ἀποχωρίζοντες ἑαυτοὺς ἀπὸ τῆς δόξης τοῦ Θεοῦ. Οἱ δὲ προσερχόμενοι τοῖς ἁγίοις μυστηρίοις ἁμαρτωλοὶ ὡς τετραυματισμένοι καὶ δεόμενοι ἐλέους, τούτους ἰᾶται ὁ Κύριος καὶ ἀξίους ποιεῖ

7 ἀποφαίνεται : ἀπεφήνατο K ‖ 16 ἐπάρῃ + ἀπ' R ‖ 19 εἰς αὐτὸν : αὐτῷ RI V ‖ 24 κολάσεων : κολάσεως K V ‖ οὐδὲ + γὰρ ὁ V ‖ 28 ἀπὸ om. I V ‖ 30-31 τούτους – εἰπών : θεραπεύονται ὑπὸ Κυρίου καὶ ἄξιοι γίνονται τῶν αὐτοῦ μυστηρίων τοῦ εἰπόντος R

---

464. a. Cf. 1 Co 11, 27-28 b. Cf. Ez 18, 23 c. 1 Co 7, 15

ne dit-il pas dans son commentaire de saint Matthieu : « *Il faut que celui qui est indigne s'écarte de cette table redoutable et mystérieuse*[1] » ? *Et saint Paul montre que celui-là encourt une condamnation, lui qui ne laisse pas celui qui a des péchés sur la conscience avoir jamais l'audace de s'approcher du précieux et redoutable mystère et de participer à la vie qui en découle*[a]. *Que faut-il donc faire? Car, comme je suis un grand pécheur, cela me trouble.*

Réponse :

Pour montrer son grand amour des hommes[2] et comment il supporte l'homme jusqu'au dernier souffle[3], afin qu'il fasse pénitence et obtienne la vie[b], pour cela Dieu a lavé les pieds de Judas et l'a fait participer aux mystères, afin de lui enlever toute excuse, à lui et à ceux qui disent toujours : « S'il l'avait laissé jouir de ces mystères, il ne se serait pas perdu. » Mais il s'est condamné lui-même et la parole de l'Apôtre s'est accomplie pour lui : « Si l'infidèle veut se séparer, qu'il se sépare[c] » ; c'est la même chose pour les pécheurs et ceux qui refusent de faire pénitence. Si on les écarte des mystères comme le fait saint Jean (Chrysostome), c'est pour les instruire et les menacer du jugement et des châtiments, car le saint ne dit pas de les repousser de force ni de les retrancher de l'Église. Jésus lui-même n'a pas fait cela pour Judas. Mais s'ils persistent dans ces résolutions et ont l'impudence de s'approcher, ils se condamnent eux-mêmes en se séparant de la gloire de Dieu. Les pécheurs, au contraire, qui s'approchent des saints mystères comme des blessés qui ont besoin de miséricorde, ceux-là le Seigneur les guérit et les rend dignes de ses

1. Cf. saint Jean Chrysostome, *PG* 58, 743.
2. Formule très répandue dans les textes liturgiques byzantins (*Liturgia orientale,* II, p. 257). Voir L. 170, 370 n. 2, 390, 486, 570 b, n. 1, etc.
3. Voir L. 347, n. 2.

τῶν αὐτοῦ μυστηρίων, ὁ εἰπών· «Οὐκ ἦλθον καλέσαι δικαίους, ἀλλ' ἁμαρτωλοὺς εἰς μετάνοιαν[d].» Καὶ πάλιν· «Οὐ χρείαν ἔχουσιν οἱ ὑγιαίνοντες ἰατροῦ, ἀλλ' οἱ κακῶς ἔχοντες[e].» Πάλιν δὲ λέγω, ὃ ἔλεγεν ὁ ἅγιος Ἰωάννης κωλῦσαι τοὺς ἁμαρτάνοντας τῶν ἁγίων μυστηρίων, τὸ διαμαρτύρασθαι αὐτούς ἐστι τὴν κατάκρισιν. Καὶ γὰρ «ὁ ἐσθίων καὶ πίνων ἀναξίως, κρίμα ἑαυτῷ ἐσθίει καὶ πίνει[f]», καὶ ὁ τοιοῦτος ἐκβεβλημένος ἐστὶ τῆς Ἐκκλησίας τοῦ Θεοῦ. Οὐδὲ γὰρ ἔλαβεν εἰ μὴ κρίμα. Διὰ τοῦτο γὰρ καὶ εἶπε μὴ κόψαι ἵνα ἑαυτοῖς ἐκφέρωσι τὴν ἀπόφασιν. Οὐδεὶς δὲ ὀφείλει εἰπεῖν ἑαυτὸν ἄξιον εἶναι τῆς μεταλήψεως, ἀλλ' ὅτι Ἀνάξιός εἰμι καὶ πιστεύω ὅτι ἁγιάζομαι μεταλαμβάνων. Καὶ γίνεται αὐτῷ οὕτω κατὰ τὴν πίστιν αὐτοῦ[g] διὰ τοῦ Κυρίου ἡμῶν Ἰησοῦ Χριστοῦ, ᾧ ἡ δόξα εἰς τοὺς αἰῶνας. Ἀμήν.

465

Ἐρώτησις πρὸς τὸν αὐτὸν Γέροντα. Οὗτος ὁ ἐρωτῶν ἐστιν ὁ ἀββᾶς Αἰλιανὸς ἐν ὅσῳ ἦν λαϊκός. Τὸ εἰπεῖν τὸν Ἰούδαν· «Ἥμαρτον παραδοὺς αἷμα ἀθῷον[a]», καὶ τὸ ῥίψαι τὰ ἀργύρια, οὐ δοκεῖ εἶναι μετανοίας τεκμήριον;

Ἀπόκρισις Ἰωάννου·

Τότε μετάνοια ἦν τῷ Ἰούδᾳ, εἰ τῷ Κυρίῳ μετενόησε. Φησὶ γάρ· «Ὕπαγε πρῶτον διαλλάγηθι τῷ ἀδελφῷ σου[b]», ᾧ ἥμαρτες καὶ οὐκ ἄλλῳ. Αὐτὸς δὲ καὶ τὸ χεῖρον ἐποίησε, ἀπελθὼν γὰρ ἀπώλεσεν ἑαυτὸν διὰ τῆς ἀνελπιστίας[c], καὶ διὰ τοῦτο οὐκ ἐδέχθη.

36 αὐτούς : αὐτοῖς KI V ‖ 41 εἶναι om. V

L. 465 RASKI V

1 ἐρώτησις + φιλοχρίστου ASK ‖ 1-2 οὗτος – λαϊκός om. I V ‖ 4 ἀργυρία + ταῦτα R ‖ τεκμήριον : τεκμήρια R om. V ‖ 9 ἑαυτὸν : αὑτὸν SK ‖ 10 ἐδέχθη + παρὰ θεῷ R

mystères, lui qui a dit : « Je ne suis pas venu appeler les justes mais les pécheurs à la pénitence[d]. » Et encore : « Ce ne sont pas les gens bien portants qui ont besoin de médecin, mais les malades[e]. » Et je le répète, ce que disait saint Jean (Chrysostome) d'écarter les pécheurs des saints mystères, c'était pour leur attester la sentence de condamnation. Et en effet « quiconque mange et boit indignement mange et boit sa propre condamnation[f] » ; et celui-là est jeté hors de l'Église de Dieu. Car il n'a reçu que son jugement. Et voilà pourquoi il dit précisément de ne pas retrancher les pécheurs afin qu'ils ne se donnent pas à eux-mêmes de justification. Personne ne doit se prétendre digne de la participation aux mystères, mais chacun doit se dire : « J'en suis indigne et je crois que je serai sanctifié en y participant. » Et il en sera pour lui ainsi selon sa foi[g] par notre Seigneur Jésus-Christ, à lui la gloire dans les siècles. Amen.

465

Demande au même Vieillard. Celui qui interroge est l'abbé Élien, tandis qu'il était laïc : Le fait que Judas ait dit : « J'ai péché en livrant un sang innocent[a] », et qu'il ait jeté l'argent, ne semble-t-il pas une preuve de repentir ?

Réponse de Jean :

C'eût été le repentir pour Judas, s'il était allé demander pardon au Seigneur. Car il est dit : « Va d'abord te réconcilier avec ton frère[b] », contre lequel tu as péché et non avec un autre. Or Judas a fait le pire : il est allé se tuer de désespoir[c], et c'est pour cela qu'il n'a pas été accueilli.

d. Lc 5, 32 e. Lc 5, 31 f. 1 Co 11, 29 g. Cf. Mt 9, 29

465. a. Cf. Mt 27, 4-5 b. Mt 5, 24 c. Cf. Mt 27, 5

466

Ἐρώτησις· Δέσποτα, εἰπέ μοι, τί ἐστι Θεοῦ θέλημα καὶ τί συγχώρησις; Καὶ ὁποῖά ἐστι τὰ ἐξ ἀμφοτέρων ἀποτελέσματα;

Ἀπόκρισις·

Ὅταν ἔρχηταί σοι πρᾶγμα θλιβερόν, ἐρεύνησον εἰ καταγινώσκει σου* ὁ λογισμὸς ἔν τινι περὶ τοῦ πράγματος. Καὶ ἐὰν μὴ εὕρῃς, πρὸς δοκιμὴν ἦλθέ σοι τὸ πρᾶγμα καὶ τοῦτ' ἔστι τὸ κατὰ θέλημα τοῦ Θεοῦ. Ἐὰν δὲ εὕρῃς, τοῦτ' ἔστι τὸ κατὰ συγχώρησιν πρὸς παιδείαν. Ὅμως καὶ τὰ δύο ὠφέλιμα τῷ ἀνθρώπῳ.

467

Ἐρώτησις· Ἐπειδὴ καλόν ἐστιν, ὡς ἐδιδάξατε, τὸ ἀφιέναι τῷ Θεῷ τὸ θέλημα, ὅπερ φυλάττει τῷ ἀνθρώπῳ τὸ ἀτάραχον. Ὁ δὲ κατ' ἐμὲ ἀσθενὴς ἐὰν ἴδῃ πρᾶγμα μέλλον ἀπόλλυσθαι ἢ ταράττεται ἢ μακροθυμῶν μεταμελεῖται ὡσαύτως ἀπολέσας τὸ πρᾶγμα διὰ τῆς μακροθυμίας. Ἐν συγκρίσει ποῖον βέλτιον; Καὶ πῶς χρὴ ἐλθεῖν εἰς διόρθωσιν; Καὶ τί δεῖ λογίζεσθαι ἵνα τις φύγῃ τὴν ταραχήν;

Ἀπόκρισις·

Εἶπεν ὁ Κύριος· «Χαίρετε ὅταν πειρασμοῖς περιπέσητε ποικίλοις[a].» Τῶν ποικίλων οὖν πειρασμῶν ἐστι καὶ οὗτος εἷς ὃν ὀφείλει χαίρειν ὁ ἄνθρωπος. Ἐὰν δὲ ᾖ ἀσθενὴς καὶ μὴ δυνάμενος μακροθυμῆσαι χαίρων ἐπὶ τῇ ἀπωλείᾳ τοῦ πράγματος καὶ ῥίπτων τῷ θελήματι τοῦ Θεοῦ[b], πολεμῆσαι ὀφείλει πρῶτον πρὸς τὴν ταραχὴν λέγων·

L. 466 PRASKI V
2 ἐστι om. PRI V ‖ 8-9 θέλημα – κατὰ om. ASK
L. 467 RASKI V
2 τῷ θεῷ om. ASK ‖ 6 ἐν συγκρίσει om. I V ‖ 7 τί : πῶς K

466

Demande : Maître, dis-moi, que faut-il entendre par volonté de Dieu et par permission ? Quels sont les effets de l'une et de l'autre ?

Réponse :

Lorsque t'arrive une chose affligeante, cherche si ta conscience te reproche quelque chose à ce sujet. Si tu ne trouves rien, c'est que la chose arrive pour t'éprouver et voilà ce qui est par volonté de Dieu. Si tu trouves quelque chose à te reprocher, c'est que l'affliction t'est survenue par permission pour ta correction. Cependant les deux sont profitables à l'homme.

467

Demande : Il est bon, comme vous l'enseignez, d'abandonner sa volonté à Dieu ; c'est cela qui garde l'homme exempt de trouble. Mais lorsque quelqu'un faible comme moi voit une affaire sur le point d'échouer, ou bien il se trouble, ou bien, s'il patiente, il s'en repent tout autant comme si l'affaire échouait par suite de sa patience. Si l'on compare les deux, quel est le mieux ? Comment arriver à rectifier cela ? Et que faut-il penser pour éviter le trouble ?

Réponse :

Le Seigneur a dit : « Réjouissez-vous quand vous êtes en butte à diverses tentations[a]. Parmi les tentations diverses, il y a celle-ci dont l'homme doit se réjouir. S'il est faible et incapable de patienter en se réjouissant de l'échec d'une affaire et en la jetant à la volonté de Dieu[b], il doit combattre d'abord le trouble en se disant :

467. a. Jc 1, 2 b. Cf. Ps 54, 23

Ἑαυτῷ πρόσχες μὴ ταραχθῇς. Ἐὰν γὰρ ᾖ θέλημα Θεοῦ σωθῆναι τὸ πρᾶγμα, σῴζεται, καὶ εἴ τι ἀποβαίνει, δέξεται εὐχαρίστως. Οὐδὲν γὰρ ἀγαθὸν τῇ σπουδῇ ἡμῶν κατορθοῦται, ἀλλὰ τῇ δυνάμει καὶ τῷ θελήματι τοῦ Θεοῦ. Καὶ ὅμως ἀπαιτεῖ τὴν κατὰ Θεὸν σπουδὴν παρ' ἡμῶν ὁ Θεός, οὐ κατά τινα πανουργίαν ἢ ψεῦδος, ταῦτα γάρ ἐστι τοῦ πονηροῦ.

468

Ἐρώτησις· Ὅτε πολλοὶ παρεμπίπτουσι λογισμοὶ ῥυπαροὶ καὶ εὐλαβοῦμαι μήπως συνεθέμην τινὶ ἐξ αὐτῶν, τί ποιήσω;

Ἀπόκρισις·

Εἰπὲ τῷ Θεῷ· Δέσποτα, συγχώρησόν μοι εἴ τι παρὰ τὸ θέλημά σου ἐνεθυμήθην ἢ ἐν γνώσει ἢ ἐν ἀγνοίᾳ[a], ὅτι σοῦ ἐστι τὸ ἔλεος εἰς τοὺς αἰῶνας. Ἀμήν.

469

Ἐρώτησις· Ἆρα τὰ καλὰ διηγήματα ἀπὸ Γραφῆς καὶ Βίου τῶν Πατέρων καλόν ἐστι πάντοτε διηγεῖσθαι ἢ οὔ;

Ἀπόκρισις·

Ὅτι ἡδὺ τὸ μέλι, γνωστόν ἐστι πᾶσι, καὶ ὅτι ὁ Παροιμιαστὴς εἶπε· « Μέλι εὑρὼν φάγε τὸ ἱκανόν, μήποτε ἐκπερισσοῦ καὶ ἐμέσῃς αὐτό[a] », καὶ τοῦτο οὐκ ἔστιν

16 γὰρ : δὲ V ‖ θεοῦ + τὸ I V ‖ 21 ἐστι : εἰσι RI V

L. 468 PRASKI V

2 ῥυπαροὶ : πονηροὶ SK ‖ μήπως om. V ‖ συνεθέμην : ἀναθέμην PRI ἀναθέσθαι V ‖ 5 εἴ τι : ὅτι SK ‖ 6 ἢ[1] om. V

L. 469 RASKI V

6 ἐκπερισσοῦ : ἐμπλησθεὶς KI V ‖ αὐτό om. I V

« Veille à ne pas te troubler. » En effet si c'est la volonté de Dieu que la chose réussisse, elle réussira ; et quel que soit le résultat, il l'acceptera avec action de grâces. Car rien de bien n'est accompli par notre zèle, mais par la puissance et la volonté de Dieu. Cependant Dieu exige de nous le zèle selon Dieu, non le zèle inspiré par quelque ruse ou mensonge ; car ceux-ci viennent du Mauvais.

468

Demande : Lorsque surviennent plusieurs pensées impures et que je crains de céder à l'une d'elles, que dois-je faire ?
Réponse :

Dis à Dieu : « Maître, pardonne-moi toutes les pensées que je puis avoir contre ta volonté consciemment ou par ignorance[a], car à toi revient la miséricorde dans les siècles. Amen. »

469

Demande : Est-il bon ou non de raconter toujours les belles histoires tirées de l'Écriture et de la Vie des Pères ?
Réponse :

Que le miel soit doux, c'est connu de tout le monde, et ce que dit l'auteur des *Proverbes* : « Si tu trouves du miel, n'en mange que ce qui te suffit, de peur qu'il n'y ait du superflu[1] et que tu ne le vomisses[a] », cela non plus n'est

468. a. Cf. Ac 3, 17
469. a. Pr 25, 16

1. Cette image du superflu est plus prégnante que le participe ἐμπλησθεὶς (repu) donné par les mss K I V, dont les copistes citent plus fidèlement le verset 25, 16 des *Proverbes*. Elle fait penser à un enfant qui a bu trop de lait.

ἀγνώστως. Ἔστι γὰρ σακκία καὶ σακκία. Ἔστι σακκίον, ὅτι χωρεῖ ἕνα μόδιον, καὶ ἄλλο χωρεῖ τρία. Ἐὰν οὖν θελήσῃ τις ἀναγκάσαι τὸ τοῦ ἑνὸς μοδίου χωρῆσαι τὸ μέτρον τῶν τριῶν, οὐ δύναται δέξασθαι. Οὕτως καὶ ἐνταῦθα, οὐ δυνάμεθα ἰσῶσαι πάντας ἀνθρώπους· καὶ γὰρ ὁ μὲν δύναται ἀβλαβῶς λαλῆσαι, ὁ δὲ οὐ δύναται. Καλὴ μὲν καὶ θαυμαστὴ ἡ σιωπὴ πρὸ πάντων, καὶ αὐτὴν ἐτίμων οἱ Πατέρες καὶ ἠγάπων καὶ ἐν αὐτῇ ἐδοξάσθησαν. Δεικνύων γὰρ τὴν καλλονὴν αὐτῆς ὁ Ἰὼϐ καὶ τὴν ἀπὸ τῆς λαλιᾶς κατάκρισιν ἔλεγε· « Βαλῶ τὸν δάκτυλον ἐπὶ τῷ στόματι[b] », καὶ ὁ πρὸ τούτου πατριάρχης Ἀβραάμ, μετὰ τὴν λαλιὰν τῶν καλῶν ἐκείνων παρακλήσεων, εἶπεν ὅτι « Εἰμὶ γῆ καὶ σποδός, ἔτι ἅπαξ προσθήσω καὶ λαλήσω ἐνώπιον τοῦ Κυρίου[c] », δεικνύων τὴν μετὰ ταῦτα σιωπήν. Ἀλλ' ἐπειδὴ ἡμεῖς διὰ τὴν ἡμετέραν ἀσθένειαν οὐκ ἐφθάσαμεν εἰς τὴν τῶν τελείων βαδίζειν ὁδόν, λαλήσωμεν τὰ συντείνοντα πρὸς οἰκοδομήν, ἀπὸ τῶν ῥημάτων τῶν Πατέρων, καὶ μὴ βάλωμεν ἑαυτοὺς εἰς διηγήματα Γραφῶν. Καὶ γὰρ κίνδυνον ἔχει τὸ πρᾶγμα τῷ μὴ εἰδότι, πνευματικῶς γὰρ εἴρηνται, καὶ ὁ σαρκικὸς διακρῖναι τὰ πνευματικὰ οὐ δύναται[d]. Φησὶ γάρ· « Τὸ γράμμα ἀποκτένει, τὸ δὲ πνεῦμα ζωοποιεῖ[e]; » Φύγωμεν οὖν εἰς τὰ ῥήματα τῶν Πατέρων, καὶ εὑρίσκομεν τὴν ἐν αὐτοῖς ὠφέλειαν, καὶ τοῦτο μετὰ συντομίας, μνημονεύοντες τοῦ εἰπόντος· « Ἐκ πολυλογίας οὐκ ἐκφεύξῃ ἁμαρτίας[f]. » Κἂν εἴπῃ ὁ λογισμὸς ὅτι καλοί εἰσιν οἱ λόγοι ἢ τὰ διηγήματα, μνησθῶμεν ὅτι οὔκ ἐσμεν ἐργάται τῶν ὑφ' ἡμῶν λαλουμένων, καὶ νομίζωμεν ὅτι καὶ ἄλλους

8 ὅτι : ὅπερ V ‖ χωρεῖ om. R ‖ 10 ἐνταῦθα : ὧδε R ‖ 12 μὲν + οὖν I V ‖ 14 ἠγάπων : ἠσπάζοντο RKI V ‖ 15 ἰὼϐ : ἰακὼϐ K V ‖ 15-16 καὶ – κατάκρισιν om. I ‖ 20 σιωπήν : σπουδήν I V ‖ 21 εἰς om. V ‖ 27 ζωοποιεῖ : ζωογονεῖ K ‖ 31 ἁμαρτίας : ἁμαρτίαν RKI V ‖ 32 ὅτι om. I V

b. Jb 39, 34 c. Gn 18, 27.32 d. Cf. 1 Co 2, 15 e. 2 Co 3, 6 f. Pr 10, 19

pas ignoré. Car il y a sac et sac. Il y a tel sac qui contient un muid, et tel autre qui en contient trois. Si donc on veut forcer le sac d'un muid à contenir la mesure de trois, il ne pourra la recevoir. De même ici, nous ne pouvons considérer tous les hommes comme égaux : l'un peut parler sans dommage, l'autre ne le peut pas. Donc bon et admirable par-dessus tout est le silence[2]; c'est lui que les Pères ont honoré et aimé, et c'est par lui qu'ils sont devenus glorieux. Pour nous indiquer en effet sa beauté en même temps que la condamnation du flot de parole, Job disait : «Je mets le doigt sur ma bouche[b]», et avant lui le patriarche Abraham, après ses belles paroles d'intercession[3], avait dit : «Je suis terre et cendre, encore une fois j'ajouterai et parlerai devant le Seigneur[c]», montrant qu'après cela il garderait le silence. Mais comme nous, à cause de notre faiblesse, nous n'arrivons pas à marcher dans la voie des parfaits, disons ce qui tend à l'édification, tiré des *Paroles des Pères,* et ne nous risquons pas dans les récits des Écritures[4]. La chose est dangereuse[5] en effet pour qui n'a pas la science, car ces paroles ont été dites spirituellement, et le charnel est incapable de discerner les choses spirituelles[d]. N'est-il pas écrit : «La lettre tue et l'esprit vivifie[e]»? Réfugions-nous donc dans les *Paroles des Pères,* et nous y trouverons le fruit qu'elles renferment; et cela avec concision, nous souvenant de cette parole : «Dans le bavardage tu n'éviteras pas les péchés[f].» Et même si la pensée nous dit que ces paroles ou ces histoires sont belles, rappelons-nous que nous ne pratiquons pas ce que nous disons, et

2. Les deux Vieilllards ont souvent fait l'éloge du silence : voir vol. I (index); L. 283, 287, 310, 311, 470, 476, 481, 554, etc.

3. Intercession en faveur des habitants de Sodome.

4. Voir L. 49. Déjà les Pères du désert conseillaient de lire les Écritures avec beaucoup de prudence : voir *Arsène,* 42, *Pambon,* 9, *Poemen,* 8, etc.

5. Cf. *Alph. Ammoun,* 2.

οἰκοδομοῦμεν ταῦτα λέγοντες, κατακρινόμεθα δὲ μᾶλλον μὴ ὄντες αὐτῶν ἐργάται[g]. Ἀλλ' οὐ παρὰ τοῦτο κωλύσομεν τὴν κατὰ Θεὸν ἐν αὐτοῖς ὁμιλίαν, συμφέρει γὰρ τὸ ἐν αὐτοῖς ὁμιλεῖν ἢ γὰρ εἰς ἄλλα ἄτοπα. Ἀλλ' ἵνα μὴ ἐμπέσωμεν εἰς ὑψηλοφροσύνην ἢ καυχήματος λογισμόν, ὀφείλομεν ἔχειν ὡς καὶ ἔστιν, ὅτι μὴ πράξαντες τὰ παρ' ἡμῶν λαλούμενα, εἰς κατάκρισιν ποιοῦμεν αὐτά. Καὶ περὶ τούτων ὡς καὶ περὶ ἄλλων σφαλμάτων, δεηθῶμεν τοῦ Θεοῦ λέγοντες· Μὴ κρίνῃς με λαλήσαντα ταῦτα.

470

Ἐρώτησις· Ἐπειδή ἐστί τινα διηγήματα μέσα, μήτε ἁμαρτίαν ἔχοντα μήτε ὠφέλειαν, ὡς τὸ διηγεῖσθαι τυχὸν περὶ εὐθηνίας πόλεων καὶ τῆς αὐτῶν ἀκαταστασίας ἢ εἰρήνης ἢ περὶ πολέμων κινουμένων ἢ ὅσα τοιαῦτα, μὴ ἄτοπόν ἐστιν ἐκ τούτων λαλεῖν;

Ἀπόκρισις Ἰωάννου·

Εἰ ἐν τοῖς καλοῖς διηγήμασιν ἡ σιωπὴ ἀναγκαιοτέρα ἐστί, πόσῳ μᾶλλον ἐν τοῖς μέσοις. Ἀλλ' ἐὰν μὴ δυνάμεθα σιωπῆσαι, ἀλλὰ νικώμεθα πρὸς τὴν αὐτῶν λαλιάν, μὴ χρονίζωμεν ἐν τῇ ὁμιλίᾳ, ἵνα μὴ ἐκπέσωμεν ἐκ τῆς πολυλογίας εἰς τὴν τῶν ἐχθρῶν παγίδα.

471

Ἐρώτησις· Ἐπειδὴ οὖν πολλάκις ἐκ τῶν μέσων λαλῶν ἔρχομαι εἰς πολυλογίαν ἐξ ἧς οὐκ ἐκφεύγει τις ἁμαρτίαν[a]. Τί δεῖ με ποιεῖν;

34 οἰκοδομοῦμεν : οἰκονομοῦμεν SK ‖ 40 ποιοῦμεν : λέγομεν K λαλοῦμεν V ‖ 41 περὶ^2 + τῶν I V

L. 470 PRASKI V

2 τυχὸν : λοιπὸν I V om. PR ‖ 3 πόλεων : πόλεως PRI V ‖ αὐτῶν om. PRI V ‖ 8 πόσῳ : πολλῷ I V ‖ 9 ἀλλὰ νικώμεθα : νικώμεθα δὲ V ‖ 10 ἐκπέσωμεν : ἐμπέσωμεν RI V

reconnaissons que, si nous édifions les autres en les rapportant, nous sommes encore plus coupables de ne pas les pratiquer[g]. Mais ne nous interdisons pas pour autant de nous en entretenir selon Dieu, car il vaut mieux s'entretenir de cela que de choses déplacées. Mais pour ne pas tomber dans l'orgueil ou une pensée de gloriole, nous devons tenir pour la vérité même, que, si nous ne pratiquons pas ce que nous disons, nous agissons pour notre condamnation. Pour cela comme pour les autres fautes, prions Dieu en disant : « Ne me juge pas pour avoir dit cela ! »

470

Demande : Il est des propos indifférents, qui ne sont ni coupables ni profitables, comme de parler entre autres de la prospérité des villes, de leur agitation ou de leur paix, des guerres en cours ou de choses semblables ; est-il déplacé d'en parler ?

Réponse de Jean :

Si pour les bons propos le silence est plus nécessaire, combien plus pour les indifférents. Mais si nous ne pouvons garder le silence et si nous sommes entraînés dans de tels discours, ne prolongeons pas l'entretien, de peur que l'abondance des paroles ne nous jette dans le filet des ennemis.

471

Demande : Souvent les propos indifférents me conduisent au bavardage où l'on ne peut éviter le péché[a]*. Que me faut-il faire ?*

L. 471 PRASKI V
1 λαλῶν : λαλιῶν PR || 2 εἰς + τὴν I V || ἐξ : ἀφ' K

---

g. Cf. Jc 1, 22-23
471. a. Cf. Pr 10, 19

Ἀπόκρισις·

Μετρήσωμεν ἑαυτοὺς ἐν τούτῳ τῷ τρόπῳ· Ἐὰν οἴδαμεν ὅτι ἐλαλήσαμεν ἅπαξ ἡττηθέντες τῷ λογισμῷ, κωλύσωμεν τὸ δεύτερον κατὰ τὸ δυνατόν. Ἐὰν δὲ καὶ τῷ δευτέρῳ ἡττηθῶμεν, ἐσόμεθα ἕτοιμοι κωλῦσαι τὸ τρίτον, καὶ οὕτω κατὰ πρόβασιν ὅλων τῶν διηγημάτων. Ἐὰν γὰρ τυχὸν εὑρεθῇ ὁ ἀριθμὸς τούτων ἕως δέκα, εἴ τις ἡττᾶται εἰς τὰ ἐννέα καὶ κωλύει τὸ ἕν, καλλιώτερος εὑρίσκεται τοῦ τὰ δέκα διηγησαμένου.

472

Ἐρώτησις· Ἐὰν οὖν εὑρεθῶ μετά τινων λαλούντων εἴτε περὶ σαρκικοῦ εἴτε περὶ πνευματικοῦ πράγματος, τί ποιήσω; Λαλήσω ἢ οὔ;

Ἀπόκρισις·

Ἐὰν εὑρεθῇς εἰς συντυχίαν τινῶν διηγουμένων περὶ πράγματος κοσμικοῦ ἢ πνευματικοῦ, δόξον καὶ σὺ λέγειν τινά, μὴ ἔχοντα δὲ βλάβην ψυχῆς, ἀλλ' ἐν γνώσει πρὸς τὸ φυγεῖν τοὺς ὑπ' ἐκείνων ἐπαίνους, μήποτε νομισθῇς αὐτοῖς σιωπηλός, καὶ βαρηθῇς ἐκ τούτου. Ἀλλ' ἐὰν καὶ τοῦτο ποιήσῃς, πρόσχες, λαλῶν ὀλίγα, μὴ κατακρίνῃς ἐκείνους ὡς πολλὰ λαλοῦντας. Οὐκ οἶδας γὰρ εἰ βαρεῖ σε ὁ εἷς λόγος ὃν ἐλάλησας ἤπερ ἐκείνους οἱ πολλοὶ λόγοι.

L. 472 PRASKI V

1 οὖν om. PR ‖ 2 εἴτε[1] om. V ‖ εἴτε2 : ἢ V ‖ περὶ om. R V ‖ 5-6 ἐὰν – πνευματικοῦ om. PR ‖ 6 ἢ πνευματικοῦ om. SK ‖ 8 ἐπαίνους : πόνους ASK ‖ 11 βαρεῖ : κατακρίνει PR ‖ 12 λόγοι om. PRI V

Réponse :

Imposons-nous une mesure de la façon suivante : Si nous avons conscience d'avoir parlé une fois entraînés par la pensée, interdisons-nous, autant que possible, de le faire une seconde fois. Et si nous nous laissons entraîner la seconde fois, soyons prêts à éviter la troisième, et ainsi progressivement pour tous les discours. Si en effet leur nombre se trouve aller par exemple jusqu'à dix, celui qui se laisse entraîner à neuf et refuse la dixième, sera jugé meilleur que celui qui aura accepté les dix.

472

Demande : Si je me trouve donc avec des gens qui parlent de choses charnelles ou spirituelles, que ferai-je? Parlerai-je ou non?

Réponse :

Si tu te trouves en compagnie de gens qui parlent de choses profanes ou spirituelles, aie l'air, toi aussi, de dire quelque parole qui soit sans dommage pour l'âme, mais à bon escient, afin d'éviter qu'on te loue[1] et qu'on te regarde comme un silencieux, et que cela ne soit une charge contre toi. Mais ce faisant, veille, tout en parlant peu, à ne pas condamner les autres comme de grands bavards. Car tu ignores si la seule parole que tu as prononcée ne sera pas contre toi une charge plus lourde que contre eux tous leurs discours.

1. Éviter leurs louanges : voir L. 281 où Jean le Prophète cite Lc 6, 26 et L. 698.

473

Ἐρώτησις· Πόθεν μοι συμβαίνει τοῦτο μετὰ ταραχῆς ἐν πράγματι λαλεῖν μετά τινος καὶ πολλάκις μεταμελοῦμαι καὶ εἰς αὐτὸ πάλιν ἐμπίπτω καὶ μὴ θέλων; Θλίβει δέ με καὶ ἡ ἀκηδία.

Ἀπόκρισις·

Τοῦτο συμβαίνει ἐκ τοῦ μὴ ἔχειν τὴν καρδίαν ἡμῶν εἰς ἐργασίαν. Διὰ τοῦτο γὰρ καὶ τῇ ἀκηδίᾳ περιπίπτομεν καὶ ἄλλοις πολλοῖς κακοῖς.

474

Ἐρώτησις· Ἐπειδὴ εἶπεν ὁ μέγας Γέρων ὅτι ἐὰν αἰσθάνηταί τις ταραχῆς τῷ λογισμῷ, κἂν μέχρι τριχός, ἐκ τοῦ πονηροῦ ἐστι, σαφήνισόν μοι αὐτό.

Ἀπόκρισις·

Ἐάν τι λογίζῃ ποιῆσαι καὶ βλέπῃς ταραχὴν ἐν τῷ λογισμῷ, καὶ ἐπικαλουμένου σου τὸ ὄνομα τοῦ Θεοῦ, ἐπιμείνῃ κἂν ἕως τριχός, τότε νόησον ὅτι ὃ θέλεις ποιῆσαι ἐκ τοῦ πονηροῦ ἐστι καὶ μὴ ποιήσῃς αὐτό. Ἐὰν δὲ μετὰ τὸ λογίσασθαι ὑποβληθῇ ταραχὴ καὶ κατακυριευθῇ ὑπ' αὐτοῦ ὁ λογισμός, καὶ οὕτως οὐ χρὴ ὃ ἐλογίσω ποιῆσαι. Οὐδὲν γὰρ μετὰ ταραχῆς γενόμενον ἀρέσκει Θεῷ. Ἐὰν δὲ ἀντιπράττῃ τις τῇ ταραχῇ, οὐ δεῖ ἡγεῖσθαι τὸ πρᾶγμα πάντως εἶναι βλαβερόν, ἀλλὰ χρὴ διακρίνειν αὐτὸ εἰ ἔστι καλὸν ἢ μή. Καὶ εἰ μὲν οὐκ ἔστι καλόν, παραιτεῖσθαι, εἰ δὲ καλόν ἐστι, ποιῆσαι αὐτό, καταφρονοῦντα τῆς ταραχῆς διὰ τῆς βοηθείας τοῦ Δεσπότου Θεοῦ.

L. 473 PRASKI V
1 τοῦτο : τὸ PR ‖ 3 καὶ om. PRI V
L. 474 PRASKI V
1-2 ἐὰν αἰσθάνηταί : ἕως αἰσθάνεταί V ‖ 2 τριχὸς : τινος SK ‖

473

Demande : Comment se fait-il que parfois je sois troublé en parlant d'une affaire avec quelqu'un et qu'après en avoir eu souvent du regret, je retombe malgré moi dans le même trouble ? L'acédie aussi me tourmente.

Réponse :

Cela vient de ce que notre cœur n'est pas appliqué à la pratique. C'est pourquoi nous tombons dans l'acédie et dans beaucoup d'autres maux.

474

Demande : Le grand Vieillard a dit que tant qu'on ressent du trouble, ne fût-ce qu'un brin[1]*, en sa pensée, cela vient du Mauvais. Explique-moi cela.*

Réponse :

Quand, projetant de faire quelque chose, tu vois du trouble en ta pensée, invoque le nom de Dieu ; s'il persiste même un brin, sache alors que ce que tu veux faire vient du Mauvais et ne le fais pas. Si après que tu as projeté la chose, le trouble survient et s'empare de ta pensée, c'est qu'il ne faut pas faire ce à quoi tu pensais. En effet rien de ce qui se fait avec trouble ne plaît à Dieu. Mais lorsqu'on s'oppose au trouble, on ne doit pas croire que la chose est nécessairement nuisible ; il faut juger si elle est bonne ou mauvaise. Si elle n'est pas bonne, qu'on la repousse ; si elle est bonne, qu'on la fasse, en méprisant le trouble, avec l'aide du Seigneur Dieu.

13 χρὴ om. V ‖ αὐτὸ + καὶ PK ‖ 14 καλὸν^{1} : κακὸν PSK ‖ ἢ μὴ – καλόν^{2} om. PSK ‖ 16 δεσπότου om. PRI V

---

1. μέχρι (ἕως) τριχός : jolie image indiquant la minceur du cheveu pour dire 'tant soit peu' (Voir L. 365, 6).

475

Ἐρώτησις· Συμβαίνει ὅτι διαλέγομαί τινι καὶ μετὰ τὸ ἄρξασθαι τοῦ λόγου, ὑποβάλλει τὴν ταραχήν. Τί οὖν ποιήσω; Ἐὰν γὰρ περιμείνω διακρῖναι τὸν λόγον πρὸς τὸ μαθεῖν ὡς εἶπας, εἰ καλός ἐστιν ἢ μή, καταγινώσκομαι ὑπὸ τοῦ ἀκούοντος ὡς αἰφνιδίως σιωπήσας.

Ἀπόκρισις·

Ἐὰν οὐκ ἔστιν φανερόν σοι ὅτι ἁμαρτίαν ἔχει ὁ λόγος, δεῖ πληροῦν αὐτόν, καὶ μετὰ ταῦτα διακρίνειν εἰ κακῶς ἐλαλήθη, καὶ οὕτω παιδεύειν τὸν λογισμόν, κατακρίνοντα ἑαυτὸν[a] ὡς κακῶς λαλήσαντα τοῦ μὴ προσθῆναι ἔτι. Γέγραπται γὰρ ὅτι « Τέκνον, ἥμαρτες, μὴ προσθήσης[b]. » Καὶ προσέχειν ἀπ' ἄρτι τοῦ προλογίζεσθαι εἰ τὸ συμφέρον λαλεῖται τὰ λαλούμενα, καὶ τότε κεχρῆσθαι τῇ ὁμιλίᾳ. Ἐὰν δὲ φανερόν ἐστιν ὅτι ἁμαρτίαν ἔχει ὁ λόγος, τότε καὶ μὴ ὑποβαλλομένης ταραχῆς, σπούδασον ἀποκόψαι αὐτὸν ἢ προσποιούμενος τοῦ ἐπιλαθέσθαι, ἢ μεταφέρων αὐτὸν εἰς ἄλλην ὁμιλίαν χρησιμωτέραν, ἵνα μὴ ὑποπέσῃς τῇ ἐξ αὐτοῦ κατακρίσει.

476

Ἐρώτησις· Ἐπειδὴ εἶπας Πάτερ ὅτι πρὶν ἄρξασθαι τῆς ὁμιλίας χρὴ διασκοπήσασθαι τὸν λογισμόν, τί οὖν ὅτε ἀπαιτεῖ ἡ χρεία ῥηθῆναι τὸν λόγον; Ἤγουν ἐν συντυχίᾳ κάθημαι καὶ ἵνα μὴ δόξω σιωπῇ προσιέναι, θέλω κἀγὼ λαλῆσαι πρὸς τὰ λεγόμενα, καὶ οὐ βλέπω φανερὰν ἁμαρτίαν ἐν τῷ λόγῳ ἀλλὰ δοκεῖ μοι καλὸς εἶναι ἢ καὶ μέσος. Τί

L. 475 PRASKI V

7 ἔστιν : ᾗ V ‖ 8 πληροῦν : πληρῶσαι I V ‖ 10 ἑαυτὸν : σεαυτὸν V ‖ 11 ὅτι om. V ‖ 12 ἀπ' ἄρτι : ἀπὸ τῆς ἄρτι PR ἀπὸ τοῦ νῦν K ‖ τοῦ om. V ‖ προλογίζεσθαι : λογίζεσθαι PRI V ‖ 13 κεχρῆσθαι : κρατεῖσθαι SK ‖ 14 ἐστιν : ᾗ V ‖ λόγος : λογισμός V ‖ 16 τοῦ : τὸ K om. PRI V

475

Demande : Il arrive que j'aie un entretien avec quelqu'un, et qu'après avoir abordé le sujet, le trouble surgisse. Que faire alors ? Car si je m'attarde à examiner le sujet pour voir, comme tu l'as dit, s'il est bon ou non, l'interlocuteur remarque que je me suis tu subitement.

Réponse :

Si tu ne vois pas de faute évidente dans ce sujet, il faut l'achever, puis discerner ensuite si tu as eu tort de parler, et corriger ainsi ta pensée, en t'accusant d'avoir parlé à tort[a], afin de ne plus le faire. Car il est écrit : « Enfant, tu as péché, ne le fais plus[b]. » Et dès lors prends soin de te rendre compte si les propos ont de l'utilité, et en ce cas poursuis l'entretien. Si au contraire il est clair qu'il y a péché dans le sujet en question, alors, même si aucun trouble ne survient, empresse-toi de le retrancher ou efforce-toi de l'oublier, ou bien passe à une autre conversation plus utile de peur que tu n'encoures la condamnation qui s'ensuivrait.

476

Demande : Père, tu m'as dit qu'avant d'engager une conversation, il fallait scruter la pensée. Que faire donc lorsque la nécessité demande que je prenne la parole ? Par exemple quand je suis en compagnie, pour ne pas avoir l'air de me complaire au silence, je veux, moi aussi, parler de ce qui se dit, ne voyant aucune faute évidente dans le sujet abordé qui me paraît au contraire bon ou indif-

L. 476 RASKI V
2 διασκοπήσαθαι : -σκοπῆσαι R -σκορπίσασθαι V || 3 ἤγουν : ἕως V || 4 κἀγὼ om. R

---

475. a. Cf. Rm 2, 1 b. Si 21, 1

οὖν κελεύεις ποιήσω, μὴ ἔχων καιρὸν ἀκριβῶς διακρῖναι, εἰ ἔστιν ἐν αὐτῷ κεκρυμμένη ἁμαρτία;

Ἀπόκρισις·

Ἐὰν καλὸς φαίνηται ὁ λόγος ἢ καὶ μέσος, καὶ ἀπαιτῇ ἡ χρεία λαληθῆναι αὐτόν, λάλησον, πλὴν εἰ βλέπεις ἐκ τοῦ λόγου ὅτι μέλλει γενέσθαι σοι κενοδοξία ἢ ἐπαινούντων σε τῶν ἀκουόντων οἱωσδήποτε, χρὴ προδιαμαρτύρασθαι τὸν λογισμὸν μὴ δέξασθαι τὴν κενοδοξίαν. Ἐὰν δὲ ἴδῃς ὅτι νικᾶσαι ὑπ' αὐτῆς, συμφέρει μᾶλλον σιωπῆσαι ἢ βλαβῆναι.

477

Ἐρώτησις· Ἐφανέρωσάς μοι Πάτερ, πῶς τὰ μετὰ ταραχῆς καὶ κενοδοξίας γινόμενα τῶν δαιμόνων ἐστί. Καὶ εὐχαριστῶ τῷ Κυρίῳ τῷ φωτίσαντί με διὰ τῆς πνευματικῆς ὑμῶν διδασκαλίας καὶ χαρισαμένῳ τοῖς ἁμαρτωλοῖς διὰ τῶν ἁγίων γνῶναι τὴν ὁδὸν τῆς ζωῆς[a]. *Ἀλλὰ παρακαλῶ καὶ τοῦτο δίδαξόν με τί ἐστι τὸ δικαίωμα;*

Ἀπόκρισις·

Δικαίωμά ἐστιν ὅπερ καύχησιν μὲν οὐκ ἔχει, ἄρνησιν δὲ τοῦ σφάλματος, ὡς ἐπὶ τοῦ Ἀδὰμ καὶ τῆς Εὔας καὶ ὡς ἐπὶ τοῦ Κάϊν καὶ τῶν τοιούτων ἁμαρτήσαντες[b] γὰρ καὶ θέλοντες ἑαυτοὺς δικαιῶσαι, ἠρνήσαντο τὸ ἁμάρτημα.

478

Ἐρώτησις· Ἔστιν ὅτε οὐ μόνον ὑποβάλλει μοι ταραχήν, ἀλλὰ καὶ κατεπείγει με ποιῆσαι τὸ πρᾶγμα ἢ εἰπεῖν τὸν

8 κεκρυμμένη : κρυφία K ‖ 11 αὐτόν om. R ‖ 12 ὅτι om. V ‖ 12 μέλλει – κενοδοξία : ἐσομένην σοι κενοδοξίαν V ‖ 14 τὸν – δέξασθαι om. SK ‖ 15 νικᾶσαι : νικᾶται ASK

L. 477 PRASKI V

8-11 δικαίωμα – ἁμάρτημα om. K ‖ 10 ὡς ἐπὶ om. V ‖ 11 ἑαυτούς : αὐτοὺς AS

L. 478 RASKI V

férent. Que veux-tu donc que je fasse, n'ayant pas le temps d'examiner à fond s'il ne s'y trouve pas une faute cachée?

Réponse :

Si le sujet semble bon ou indifférent, et que la nécessité exige que tu parles, parle, sauf si tu vois que tu en retireras de la vaine gloire ou que tes interlocuteurs te loueront en quelque façon; auquel cas il faut d'abord prendre à témoin[1] ta pensée de ne pas accepter la vaine gloire. Mais si tu te vois vaincu par celle-ci, il est préférable de te taire plutôt que de te nuire.

477

Demande : Père, tu m'as expliqué comment tout ce qui est accompagné de trouble et de vaine gloire vient des démons. Je rends grâces au Seigneur de m'avoir éclairé par votre enseignement spirituel et d'avoir accordé aux pécheurs de connaître par les saints la voie de la vie[a]*. Mais, je t'en prie, apprends-moi aussi ce qu'est la prétention de justice.*

Réponse :

La prétention de justice est cela même dont on n'a pas à être fier, la négation de la faute, comme chez Adam, Ève, Caïn et tous les pécheurs[b] qui, voulant se justifier eux-mêmes, ont nié leur péché.

478

Demande : Il arrive que non seulement le trouble me vienne, mais qu'il me pousse à faire la chose ou à prendre

1-6 ἐρώτησις – ἰωάννου om. K || 1 μοι : με AS || 2-4 ἢ εἰπεῖν – πρᾶγμα om. S

477. a. Cf. Ps 15, 11 b. Cf. Gn 11, 13; 4, 9

1. Le verbe προδιαμαρτύρασθαι plutôt rare, est attesté chez Polybe et Jean Chrysostome. Ici il est choisi avec soin pour mieux convaincre l'interlocuteur.

λόγον. Συμβαίνει δέ, ὅτε ἐκ τοῦ ἐναντίου κωλύει με πληρῶσαι τὸν λόγον ἢ τὸ πρᾶγμα καὶ ἀνθίσταται διακόψαι θέλων. Τί οὖν ποιήσω;

Ἀπόκρισις Ἰωάννου·

Προείπομεν ὅτι περὶ παντὸς λογισμοῦ καὶ πράγματος δεῖ διακρίνειν εἰ καλόν ἐστιν ἢ μή, ὅπερ καταφρονεῖν ποιεῖ τούτων ἁπάντων. Κἂν μέν ἐστι καλόν, ποίησον αὐτό, εἰ δὲ μή, μὴ ποιήσῃς. Πλὴν ἵνα μὴ τὸ καλὸν διὰ τοῦ θορύβου γίνηται, ἐξετάζειν δεῖ τὸν ἡγεμονικὸν λογισμὸν[a] κατὰ ποῖον τρόπον ταῦτα ποιεῖ. Καὶ ἐὰν κατὰ φόβον Θεοῦ ἐξετάσῃς, οὐκ ἀφεῖ ὁ Θεὸς πλανηθῆναι. Πῶς γὰρ ὅτε εἰς ἑαυτὸν ὤμοσε λέγων· «Ζῶ ἐγώ, λέγει Κύριος ὅτι οὐ θέλω τὸν θάνατον τοῦ ἁμαρτωλοῦ ὡς τὸ ἐπιστρέψαι καὶ ζῆν αὐτόν[b];» Μάλιστα βλέπων σε ἐξετάζοντα τὸν λογισμὸν περὶ σωτηρίας ψυχῆς καὶ ἐπιστροφῆς τῆς εἰς Θεόν. Πανταχοῦ οὖν ἐπικαλοῦ τὸ ὄνομα αὐτοῦ καὶ ἀναπαύῃ.

479

Ἐρώτησις· Ἔστιν ὅτε ἐπικαλοῦμαι τὸ ὄνομα τοῦ Θεοῦ, καὶ ὅμως ἐναπομένει τῷ λογισμῷ ὥσπερ τι βάρος ἐκ τούτων. Ποσάκις οὖν δεῖ ἐπικαλεῖσθαι;

Ἀπόκρισις·

Ἀρκέσει τὸ ἅπαξ ἢ τὸ πολὺ μέχρι τρίτου, κἂν ὀχλῇ σοι ὁ λογισμὸς προστιθέναι, μὴ ἀνάσχῃ, ἀλλὰ καταφρόνησον τοῦ βάρους, τῶν γὰρ δαιμόνων ἐστί. Τοῦτο δὲ λέγω ἡνίκα

7 προείπομεν : προεῖπον RI V ‖ 9 ἐστι : ᾖ V ‖ 12 τρόπον : λόγον RI V ‖ 13 ἀφεῖ : ἀφίησιν V ‖ 14 ὅτι om. V ‖ 16 τὸν λογισμὸν : τῷ λογισμῷ SK ‖ 17 θεόν : τὸν θεόν R αὐτόν V ‖ 18 καὶ ἀναπαύῃ om. I V

L. 479 PRASKI V

3 τούτων : τούτου PR ‖ 5 ἀρκέσει : ἀρκεῖ σοι V ‖ 5-6 ἢ – λογισμὸς om. PRI V ‖ 6 προστιθέναι : προσθῆναι PRI V

la parole. D'autres fois au contraire, il m'empêche de poursuivre la conversation ou d'accomplir la chose et s'y oppose pour provoquer l'interruption. Que dois-je donc faire?

Réponse de Jean :

Nous avons déjà dit[1] qu'à propos de toute pensée ou action il faut discerner si elle est bonne ou non, ce qui précisément fait mépriser toutes ces tergiversations. Si elle est bonne, fais-la; sinon, ne la fais pas. Cependant afin de ne pas faire le bien avec trouble, il faut examiner soigneusement la pensée directrice[a] et voir pour quel motif elle fait cela. Or si tu l'examines selon la crainte de Dieu, Dieu ne permettra pas que tu t'égares. Sans quoi, comment se serait-il juré à lui-même : «Aussi vrai que je vis, dit le Seigneur, je ne veux pas la mort du pécheur, mais qu'il se convertisse et qu'il vive[b]»? A plus forte raison, lorsqu'il voit que tu examines ta pensée pour sauver ton âme et te convertir à lui. Ne cesse donc pas d'invoquer son nom, et tu seras en repos.

479

Demande : Il m'arrive d'invoquer le nom de Dieu, mais il s'ensuit comme un poids qui demeure dans ma pensée. Combien de fois faut-il donc l'invoquer?

Réponse :

Contente-toi d'une seule fois ou va tout au plus jusqu'à trois fois, et même si la pensée te harcèle pour faire plus, n'y consens pas, mais méprise ce poids, car il vient des démons. Je te dis cela pour toutes les fois où rien

478. a. Cf. Ps 50, 14 b. Ez 18, 23

1. Voir L. 474.

οὐ κεκώλυται τὸ λαλῆσαι ἢ ποιῆσαι τὸ πρᾶγμα, διὰ τὸ ἢ καλὸν εἶναι αὐτὸ ἢ μέσον, τότε γὰρ ἀρκέσει τὸ ἅπαξ ἤγουν τὸ τρίτον.

480

Ἐρώτησις· Ὅτε θέλω λαλῆσαι καλὸν πρᾶγμα ἢ ποιῆσαι καὶ φοβούμενος τὸ μὴ γενέσθαι μοι ἐν αὐτῷ ταραχὴν ἐν τῇ καρδίᾳ, ἀποφεύγω αὐτό, ἆρα καλῶς ποιῶ ἢ οὔ;

Ἀπόκρισις·

Ἐὰν μέλλων πρᾶγμα ποιεῖν ἢ λέγειν δειλιᾷς μήποτε κινηθῇ σοι ἐξ αὐτοῦ ταραχήν, καὶ διὰ τοῦτο ἀποφεύγεις αὐτό, οὐκ ὀρθῶς ποιεῖς, νῶτα γὰρ παρέχεις τῷ ἐχθρῷ, καὶ οὐκ ἐκφεύγεις τὴν ταραχήν. Οὐ λείπει γὰρ αὐτῷ ἐν ἑκάστῳ πράγματι ὑποβάλλειν σοι ταραχὴν καὶ χεῖρον γενήσεταί σοι τὸ πάθος. Ἐκ δὲ τοῦ ποιῆσαι τὸ πρᾶγμα μετὰ προσευχῆς καὶ φόβου Θεοῦ, διὰ τῆς αὐτοῦ βοηθείας καταργεῖται ἡ ταραχή.

481

Ἐρώτησις· Καὶ πῶς εἶπάς μοι Πάτερ ὅτι καλή ἐστιν ἡ σιωπή, ἐὰν οὖν ταύτῃ χρήσωμαι, δοκῶ ἀποφεύγειν καὶ βλάπτομαι. Πῶς οὖν ἐστιν;

Ἀπόκρισις·

Ὅτε κατὰ ἄσκησιν μετέρχῃ τὴν σιωπήν, τότε καλή ἐστιν. Ὅτε δὲ οὐχ οὕτως, ἀλλὰ φοβούμενος τὴν ταραχὴν σιωπᾷς, τότε βλαβερά ἐστιν.

8 ποιῆσαι : κωλῦσαι I V ‖ 9 γὰρ : δὲ P

L. 480 PRASKI V

3 αὐτό om. PR ‖ 7 ὀρθῶς ποιεῖς : ὀρθοποιεῖς I ‖ 10 γενήσεταί : γίνεταί PRI V ‖ ἐκ δὲ τοῦ : ἐν δὲ τῷ SK

ne t'empêche de parler ou d'agir, parce que la chose est bonne ou indifférente; il suffit alors, en effet, d'invoquer le nom de Dieu une seule fois, ou en tout cas pas plus de trois.

480

Demande : Lorsque je veux dire ou faire quelque chose de bon et que je m'en abstiens de peur que cela n'apporte du trouble dans mon cœur, est-ce que je fais bien ou non?

Réponse :

Si, sur le point d'agir ou de parler, tu crains d'en ressentir du trouble et pour cela tu t'en abstiens, tu ne fais pas bien, car tu tournes le dos à l'Ennemi, et tu n'échapperas pas au trouble. Il ne manquera pas, en effet, de t'inspirer du trouble en chaque action et l'agitation sera pire pour toi. Si au contraire tu fais la chose en priant et avec crainte de Dieu, grâce au secours divin le trouble disparaîtra.

481

Demande : Père, pourquoi m'as-tu dit que le silence est bon, car si j'y recours, j'ai l'air de fuir et je me fais du tort. Qu'en est-il donc?

Réponse :

Quand tu recours au silence par ascèse, en ce cas il est bon. Mais quand, au contraire, tu le gardes par crainte du trouble, il est nuisible.

L. 481 PRASKI V

3 βλάπτομαι : βλάπτει με SK ‖ 7 τότε om. PRI V ‖ βλαβερά : βλαβερόν V

482

Ἐρώτησις· Ἐπειδὴ τὸν ἄνθρωπον αὐτεξούσιον ἐποίησεν ὁ Θεὸς καὶ οὐ βιάζεται αὐτὸν ποιῆσαι τὸ δίκαιον, εἰπέ μοι Πάτερ, πῶς βοηθεῖ τῷ ἀδικουμένῳ καὶ πῶς εἴρηται· « Ἀθετεῖ λογισμοὺς λαῶν καὶ ἀθετεῖ βουλὰς ἀρχόντων[a] *;» Καὶ εὖξαι ὑπὲρ ἐμοῦ ἵνα ῥυσθῶ ἐκ τῆς διαβολικῆς ἀπιστίας καὶ νήψω εἰς τὴν πνευματικὴν ὑμῶν διδασκαλίαν.*

Ἀπόκρισις·

Ὁ Θεὸς οὐ καταναγκάζει τινὰ ποιῆσαι τὸ δίκαιον διὰ τὸ αὐτεξούσιον. Ἀλλ' ἐὰν ἀδικῆταί τις καὶ ἔστιν ἄξιον ῥυσθῆναι τῆς ἀδικίας, κωλύει ὁ Θεὸς τὸν ἀδικοῦντα, καὶ οὐ λογίζεται αὐτῷ εἰς δικαιοσύνην[b], διὰ τὸ κακὴν ἔχειν τὴν προαίρεσιν, καὶ προαιρεῖσθαι αὐτὸν πληρῶσαι πᾶσαν ἀδικίαν. Ἠδίκουν γὰρ οἱ Χαλδαῖοι τοὺς περὶ τὸν Ἀζαρίαν ῥίπτοντες αὐτοὺς εἰς τὴν κάμινον τοῦ πυρός[c]. Καὶ ἐπειδὴ ἄξιοι ἦσαν τοῦ λυτρωθῆναι, ἐφείσατο αὐτῶν ὁ Θεὸς καὶ ἐκώλυσε τὸ πῦρ ἀδικῆσαι αὐτούς. Καὶ οὐκ ἐπιγράφομεν τὸ δίκαιον τοῦτο τοῖς Χαλδαίοις διὰ τὸ κακὸν ἔχειν τὸ θέλημα, ἀλλὰ τῷ Θεῷ τῷ διασκεδάσαντι τὰς τῶν ἐθνῶν βουλάς[d], διὰ τοὺς φοβουμένους αὐτόν. Κἂν κωλυθῇ δὲ ἡ ἀδικία διὰ τοὺς ἀξίους, ἀλλ' οἱ ἄδικοι ἀξίως τῶν κακιῶν τῆς ἀδικίας αὐτῶν λαμβάνουσι τὸν μισθόν. Πρόσεχε σεαυτῷ, μὴ πλανηθῇς ἀπὸ τῆς ἀληθείας εἰς ἣν ὁδηγεῖ σε ὁ Θεὸς τῆς δόξης εὐχαῖς ἁγίων. Ἀμήν.

L. 482 PRASKI V

1 ἐπειδὴ + δὲ V ‖ 3 τῷ ἀδικουμένῳ : τὸν ἀδικούμενον SK ‖ 4 ἀθετεῖ[1] + δὲ KR ‖ 8 τινὰ om. I V ‖ 9 ἔστιν : ἦ V ‖ 13 ἀδικίαν : δικαιοσύνην SK ‖ 13-14 τοὺς – αὐτοὺς om. ASK ‖ 16 αὐτούς : αὐτῶν K ‖ 20 ἀδικία : κακία RI V ‖ 22 ἀληθείας : ἀδικίας S εὐθείας K

482

Demande : Puisque Dieu a fait l'homme libre et qu'il ne le contraint pas à faire ce qui est juste, dis-moi, Père, pourquoi il prête son concours à l'injuste et en quel sens il est dit qu'il « confond les pensées des peuples et confond les desseins des princes[a] *» ? Prie pour moi, afin que je sois délivré du doute qui vient du diable et que je sois attentif à votre doctrine spirituelle.*

Réponse :

Dieu ne contraint personne à faire ce qui est juste à cause de la liberté. Mais si quelqu'un subit une injustice et qu'il mérite d'être délivré de l'injustice, Dieu retient celui qui commet l'injustice, sans pourtant la lui imputer à justice[b], puisque, par son mauvais désir, il avait choisi d'accomplir toute iniquité. De fait ils étaient injustes les Chaldéens qui jetaient Azarias et ses compagnons dans la fournaise ardente[c]. Mais comme ceux-ci étaient dignes d'être sauvés, Dieu les épargna et ne permit pas que le feu les touchât. Nous ne mettons pas cet acte de justice au compte des Chaldéens puisque leur volonté était mauvaise, mais au compte de Dieu qui réduit à rien les projets des peuples[d], à cause de ceux qui le craignent. Que si l'injustice est empêchée à cause de ceux qui sont dignes, les méchants n'en recevront pas moins le juste salaire de leurs œuvres mauvaises. Veille sur toi, de peur que tu ne t'égares hors de la vérité dans laquelle le Dieu de gloire te conduit grâce aux prières des saints. Amen.

482. a. Ps 32, 10 b. Cf. Rm 4, 3 c. Cf. Dn 3, 21 d. Cf. Ps 32, 10

483

Ἀδελφὸς συνεργαζόμενος ἄλλῳ ἀδελφῷ ἐτυπτήθη παρ᾽ αὐτοῦ κατ᾽ ἐνέργειαν διαβόλου. Καὶ ἐντεῦθεν ταραχθεὶς ἠβουλήθη ἀποχωρισθῆναι τοῦ συνεργάζεσθαι αὐτῷ, καὶ ἠρώτησε τὸν μέγαν Γέροντα περὶ τούτου.

Καὶ Βαρσανούφιος ἀπεκρίνατο αὐτῷ οὕτως·

Ἄδελφε, περὶ ὧν ἠρώτησας, μὴ θορυβηθῇς τοῦ ποιῆσαι τίποτε μετὰ ταραχῆς, μάλιστα μετὰ ἀνθρώπου τεταραγμένου ἀπὸ λογισμῶν καὶ φθόνου τοῦ διαβόλου. Καθὼς καὶ σὺ ἐπειράσθης καὶ ἠγριώθης ἀπὸ λογισμῶν καιρῷ. Κἂν μνημονεύσῃς πῶς καὶ σὺ τότε ἔπαθες, οὐκ ἐξουδενώσεις τὸν ἀδελφόν σου ἐν τῷ πειρασμῷ αὐτοῦ. Πολλοὶ γὰρ τῶν ἀσθενούντων ἀπὸ τῆς καρώσεως τοῦ ἐγκεφάλου τῆς ἀπὸ τοῦ σφοδροτάτου πυρετοῦ εἴ τι δήποτε καὶ ἐνθυμοῦνται καὶ λαλοῦσι, κἂν ὑβρίζωσι τοὺς ὑγιαίνοντας καὶ ὑπηρετοῦντας αὐτοῖς, οὐκ ἴσασι, κατεκυρίευσε γὰρ αὐτῶν ἡ νόσος. Οὕτω καὶ νῦν. Κἂν εἴπῃ τις αὐτῷ περὶ ἰατροῦ, ἰατρείας οὐ δέχεται, οὐδὲ γὰρ οἶδε τί αὐτῷ συμφέρει, καὶ ὡσεὶ λῆρον δέχεται τὰ αὐτῷ λεγόμενα παρά τινος[a], καὶ ὑβρίζων καὶ ὀργιζόμενος καὶ αἰτῶν βρώματα βλάπτοντα ἢ ὠφελοῦντα, οὐκ οἶδε τί ποιεῖ. Οὕτως ἐστὶν ὁ πειραζόμενος, κἂν ἀπόλλῃ τὴν ψυχὴν αὐτοῦ[b], οὐκ οἶδε. Κἂν τοὺς ἁγίους τοὺς συμπάσχοντας αὐτῷ ὑπὲρ τῆς ψυχῆς αὐτοῦ ὑβρίσῃ ἢ ἐξουθενώσῃ, οὐκ οἶδε, κεκάρωται γὰρ τῷ πάθει τοῦ νοσήματος, τοῦ ὑπεναντίου τοῦ ἀεὶ στρέφοντος αὐτῷ τὰ πράγματα, ἕως οὗ ποιήσῃ αὐτὸν ἀρνήσασθαι καὶ αὐτὸν τὸν Θεόν. Οὕτω καὶ ὧδε ἐν τῷ μέρει τούτῳ[c].

L. 483 RASKI V

1 ἄλλῳ : ἑτέρῳ R ‖ 2 ἐνέργειαν + τοῦ RK V ‖ 3 ἀποχωρισθῆναι : χωρισθῆναι R ἀποχωρίσαι KI V ‖ 7 μετὰ : περὶ RI V ‖ 10 ἔπαθες + καὶ V ‖ 13 τῆς ἀπὸ om. R ‖ 17 ἰατρείας : ἰατρείαν RI V ‖ 21 ἀπόλλῃ : ἀπολέσῃ K

483

À DIFFERENTS FRÈRES

Un frère, qui travaillait avec un autre frère, avait été frappé par lui à l'instigation du diable. Très troublé de ce fait, il voulait se séparer de son compagnon de travail, et il interrogea le Grand Vieillard à ce sujet.

Barsanuphe lui donna la réponse suivante :

Frère, au sujet de ce que tu m'as demandé, ne t'agite pas pour faire quoi que ce soit avec trouble, surtout vis-à-vis d'un homme troublé par des pensées et par l'envie du diable. Tu as été tenté, toi aussi, de la même façon, et, à l'occasion, tu as été exaspéré par des pensées. Si tu te souviens de ce que tu as souffert alors, tu ne mépriseras pas ton frère dans son épreuve. Beaucoup de malades, par suite de l'engourdissement du cerveau provenant d'une fièvre très forte, quoi qu'ils pensent et qu'ils disent, même s'ils insultent les personnes en bonne santé qui les servent, ils n'en ont pas conscience, parce qu'ils sont complètement pris par leur maladie. Ainsi en est-il dans le cas présent. On a beau parler du médecin au malade, il n'accepte pas de remède, car il ne sait même pas ce qu'il lui faut ; il tient pour sottise tout ce qu'on lui dit[a], insultant, s'emportant, demandant des aliments nuisibles ou utiles, sans savoir ce qu'il fait. De même celui qui est tenté : même s'il perd son âme[b], il ne s'en rend pas compte. Même s'il insulte ou méprise les saints qui montrent de la compassion pour son âme, il ne s'en rend pas compte, engourdi qu'il est par le mal dont il souffre, du fait de l'Ennemi qui ne cesse de tout mettre en œuvre contre lui, jusqu'à ce qu'il lui ait fait renier Dieu lui-même. C'est bien ce qui se passe ici dans le cas présent[c]. Mais sachant cela, Dieu permet à

483. a. Cf. Lc 24, 11 b. Cf. Mt 10, 39 c. Cf. 2 Co 3, 10

Ἀλλ' εἰδὼς ὁ Θεὸς ταῦτα οἰκονομικῶς ἀφεῖ ἡμᾶς πειρασθῆναι, ἵνα δόκιμοι φανῶμεν αὐτῷ[d]. Ἵνα βαστάσωμεν τὸν πλησίον ἐν καιρῷ τῆς αὐτοῦ ἀσθενείας αἰσθητῆς τε καὶ νοητῆς. « Ἀλλήλων γάρ φησι, τὰ βάρη βαστάξατε, καὶ οὕτως ἀναπληρώσατε τὸν νόμον τοῦ Χριστοῦ[e]. » Εἴ τις οὖν συνεισέλθῃ τῷ ἀσθενοῦντι, οὐκ ἐν τῷ ποιεῖν τὸ θέλημα αὐτοῦ ἢ τῷ δοῦναι αὐτῷ τὰ βλάπτοντα αὐτόν ἐστιν, ἀλλ' ἐν τῷ βαστάξαι τὰς ὕβρεις αὐτοῦ καὶ τὰ ἄλλα βάρη, καὶ ἐν τῷ φείδεσθαι αὐτοῦ καὶ φυλάξαι τοῦ μὴ δοῦναι αὐτῷ τι βλαβερόν. Οὕτω καὶ ὧδε ἐν τῷ μέρει τούτῳ[f]. Οὐ τὸ ποιῆσαι τὸ θέλημα τοῦ αἰτοῦντός ἐστιν ἡ κηδεμονία, ἀλλ' ἐν τῷ εὔξασθαι περὶ αὐτοῦ. Κἂν μὴ ᾖ ἱκανός, δεηθήτω τῶν δυναμένων δυσωπῆσαι τὸν Δεσπότην Θεὸν τοῦ ῥύσασθαι αὐτὸν ἀπὸ τοῦ ἐπικειμένου αὐτῷ πειρασμοῦ. Καὶ γίνεται ὁ τοιοῦτος κατὰ τὴν Μάρθαν καὶ Μαρίαν, τὰς ἀδελφὰς τοῦ Λαζάρου, λεγούσας τῷ Δεσπότῃ ἐγεῖραι τὸν αὐτῶν ἀδελφόν[g]. Κἂν ποιήσῃ τις ταῦτα, μὴ μεγαφρονήσῃ, καθὼς γὰρ γίνεται αὐτῷ ὑπὸ ἄλλων, οὕτω καὶ αὐτὸς ποιεῖ. « Ἐν ᾧ γὰρ μέτρῳ μετρεῖ τις ἀντιμετρηθήσεται αὐτῷ[h]. » Καὶ μὴ νομίσῃς ὅτι ἐδάρης παρ' αὐτοῦ, ὅτι μέγα τι ἔπαθες, ὅτι ὁ Κύριος τοῦ οὐρανοῦ καὶ τῆς γῆς ἐδάρη καὶ ὅλα τὰ ἑξῆς. Καὶ μὴ σαλευθῇς ἀπὸ τοῦ τόπου σου τοῦ μεταβῆναι καὶ ἀφορισθῆναι ἀπὸ τοῦ ἀδελφοῦ σου, οὐ γάρ ἐστι κατὰ Θεὸν ἀλλὰ πλήρωμα θελήματος διαβόλου. Κἂν ποιήσῃς τοῦτο, οὐδὲ οὕτω παύεται, ἀλλ' ἔτι εἰς χεῖρον ἔρχεται[i], ἀπὸ κακοῦ γὰρ οὐδὲν ἐκβαίνει ἀγαθόν. Ἀλλ' αὕτη ἀνυποταξία ἐστὶ καὶ ἀσυνεσία· « Ὅπου γὰρ ζῆλος καὶ ἔρις, ἐκεῖ ἀκαταστασία καὶ πᾶν φαῦλον πρᾶγμα[j]. » Οὐδεὶς θεραπεύεται ἀπὸ

27 ὁ θεὸς om. R ‖ ταῦτα + καὶ ὅτι I V ‖ ἀφεῖ : ἀφίησιν RKI V ‖ 28 βαστάσωμεν : -τάζωμεν I V ‖ 30 βαστάξατε : -τάζετε I V ‖ 32 συνεισέλθῃ : συνέλθῃ RI V ‖ 33 αὐτόν : αὐτῷ R ‖ 34 βαστάξαι : -τάσαι V ‖ 34-35 καὶ τὰ – αὐτοῦ om. RI V ‖ 35 τοῦ om. V ‖ 37 οὐ τὸ : οὐκ ἐν

dessein que nous soyons tentés, afin que nous fassions nos preuves à ses yeux[d]. Supportons donc le prochain au temps de sa maladie corporelle et spirituelle. Il est dit en effet : « Portez les fardeaux les uns des autres, et ainsi vous accomplirez la loi du Christ[e]. » Pour celui qui vit avec le malade, cela consiste non pas à faire sa volonté et à lui donner ce qui lui est nuisible, mais à supporter ses injures et les autres charges, à le traiter avec ménagement et à prendre garde de ne rien lui donner de nuisible. De même ici, dans le cas présent[f]. La sollicitude ne consiste pas à faire la volonté de celui qui demande, mais à prier pour lui. Et si on n'en est pas capable, qu'on fasse appel à ceux qui peuvent supplier le Seigneur Dieu de le délivrer de l'épreuve qui le tient. Et ainsi on sera comme Marthe et Marie, les sœurs de Lazare, demandant au Maître de ressusciter leur frère[g]. Si quelqu'un fait cela, qu'il ne s'en élève pas, car il ne fait qu'agir comme les autres ont agi à son égard. « C'est, en effet, de la mesure dont quelqu'un mesure qu'on usera pour lui en retour[h]. » Et ne pense pas qu'en subissant ses mauvais traitements tu as souffert quelque chose d'extraordinaire, car le Seigneur du ciel et de la terre les a subis, ceux-là et tous les autres. Ne te laisse pas non plus ébranler pour changer de lieu et te séparer de ton frère, car cela ne serait pas selon Dieu mais accomplissement d'une volonté diabolique. Et même si tu fais cela, ce ne sera pas pour autant le repos, mais ce sera pis encore[i], car d'un mal ne peut sortir aucun bien. C'est là manque de soumission et d'intelligence, « et là où il y a jalousie et dispute, il y a aussi désordre et toute espèce de mal[j]. » Personne n'en guérit jamais, sinon celui qui

τῷ I V ‖ αἰτοῦντός : ἀρρωστοῦντός I V ‖ 38 περὶ : ὑπὲρ KI V ‖ ἢ om. R ‖ 40 θεὸν : χριστὸν R ‖ τοῦ[1] om. V ‖ 49 τοῦ[2] om. V

d. Cf. 1 Co 11, 19 e. Ga 6, 2 f. Cf. 2 Co 3, 10 g. Cf. Jn 11, 21.32 h. Cf. Lc 6, 38 i. Cf. Mc 5, 26 j. Jc 3, 16

τούτων εἰς τὸν αἰῶνα, εἰ μὴ ὁ κόπτων τὸ ἴδιον θέλημα καὶ ἀγωνιζόμενος μὴ περιεργάζεσθαι τὸν πλησίον μήτε ποτὲ εἰπεῖν · Τί ἐστι τοῦτο ἢ τοῦτο; Ὁ δὲ λέγων · Οὕτως κἀγὼ θέλω, ὁ τοιοῦτος υἱὸς διαβόλου γίνεται καὶ ἀλλότριος τοῦ Θεοῦ[k], καὶ φανερόν ἐστιν ὅτι τὸ ἴδιον θέλημα θέλει ποιῆσαι καὶ οὐ τὸ τοῦ Θεοῦ. Ἀνδρίζου, ἄδελφε, ὁ Θεὸς σκεπάσει σε! Καὶ ἐξ ὅλης ψυχῆς σου εὖξαι ὑπὲρ τοῦ ἀδελφοῦ σου καὶ ἀγάπησον αὐτὸν ἐν Χριστῷ Ἰησοῦ τῷ Κυρίῳ ἡμῶν, ᾧ ἡ δόξα εἰς τοὺς αἰῶνας. Ἀμήν.

484

Ἀδελφὸς ᾔτησε τὸν αὐτὸν μέγαν Γέροντα εὔξασθαι ὑπὲρ αὐτοῦ λέγων ὅτι Συγχώρησόν μοι ὅτι πολλὰ ὀχλῶ σοι, ἀλλὰ πιστεύω εἰς τὸν Θεὸν ὅτι διὰ τῶν εὐχῶν σου ἐνδυναμοῖ με ὁ Θεὸς καὶ οὐκέτι ὀχλῶ σοι τοσοῦτον.

Ἀπόκρισις Βαρσανουφίου ·

Ὅσοι εἰσὶ τοῦ Θεοῦ τέκνα καὶ κληρονόμοι πάντως τῆς χρηστότητος καὶ μακροθυμίας καὶ ἀνοχῆς καὶ φιλανθρωπίας αὐτοῦ καὶ ἀγάπης εἰσίν. Εἰ γὰρ τέκνα Θεοῦ, θεοὶ τυγχάνουσι[a], εἰ θεοί, καὶ κύριοι. Καὶ εἰ φῶς ὁ Θεός, καὶ αὐτοὶ φωστῆρες[b]. Εἰ οὖν ὀχλεῖται αἰτούμενος ὁ Θεὸς καὶ ἀκηδιᾷ, καὶ αὐτοί. Εἰ δὲ μὴ αἰτούμενος λυπεῖται, αἰτούμενος δὲ χαίρει, καὶ αὐτοί. « Ζήτησον τὸν πλησίον σου ὡς ἑαυτόν », φησιν ἡ παλαιὰ Γραφή[c], ἡ δὲ νέα δεικνύουσα τὴν τελειότητα φάσκει τὴν ψυχὴν τίθεσθαι ὑπὲρ ἀλλήλων[d],

57-58 μήτε ποτὲ : μήποτε R ‖ 58 οὕτως : τοῦτο V ‖ 59 ὁ τοιοῦτος : οὗτος R om. I V ‖ 60-61 καὶ φανερόν – θεοῦ om. RSK ‖ 62 σκεπάσει : -άσαι R -άσοι V ‖ σου om. V

L. 484 RASKI V

1 μέγαν om. R ‖ 2 λέγων om. I V ‖ ὅτι[1] om. RI V ‖ 4 ὁ θεὸς om. V ‖ 13 ἑαυτόν : σεαυτόν K V

k. Cf. Ac 13, 10

retranche la volonté propre et qui s'efforce de ne pas s'ingérer dans les affaires d'autrui et de ne dire en aucun cas : « Qu'est-ce que ceci ou qu'est-ce que cela[1]? » Celui qui dit : « Cela, je le veux aussi », devient fils du diable et étranger à Dieu[k], car il est évident qu'il veut faire sa propre volonté et non celle de Dieu. Courage, frère, que Dieu te protège ! Et de toute ton âme prie pour ton frère et aime-le en Jésus-Christ notre Seigneur, à lui la gloire dans les siècles. Amen.

484

Un frère demanda au même Grand Vieillard de prier pour lui, disant : Pardonne-moi de t'importuner beaucoup, mais de par Dieu j'ai confiance que, par tes prières, Dieu me fortifiera et qu'ensuite je ne t'importunerai plus autant.

Réponse de Barsanuphe :

Tous ceux qui sont enfants de Dieu sont nécessairement aussi héritiers de sa bénignité et de sa longanimité, de sa patience, de sa bonté pour les hommes et de sa charité. Car s'ils sont enfants de Dieu, ils se trouvent être aussi dieux[a] ; dieux, et donc aussi seigneurs. Et si Dieu est lumière, eux aussi sont illuminateurs[b]. Si donc Dieu est incommodé et ennuyé par les demandes qu'on lui adresse, eux aussi. Si au contraire il s'afflige qu'on ne lui pose pas de questions, et se réjouit quand il est interrogé, eux aussi. « Choie ton prochain comme toi-même[c] », dit l'Ancien Testament, et le Nouveau, montrant la perfection, nous enjoint de donner notre vie les uns pour les autres[d], comme le

484. a. Cf. Ps 81, 6 ; Jn 10, 34 b. Cf. Ph 2, 15 c. Cf. Lv 19, 18 d. Cf. 1 Jn 3, 16

---

1. L'idée de ne pas s'ingérer dans les affaires d'autrui apparaît déjà dans un Apopthegme d'Antoine (*Alph. Antoine,* 2) et les mêmes questions seront reprises par DOROTHÉE DE GAZA, *Instructions* VI, § 69, l. 17 ; voir aussi L. 92, 242, 546, 551, 553.

καθὼς ὁ τέλειος καὶ Υἱὸς τελείου τὴν ψυχὴν αὐτοῦ ὑπὲρ ἡμῶν τέθεικεν. Αἰτούμενοι οὖν οἱ ἅγιοι χαίρουσι, τέλειοι ὄντες καθὼς ὁ Πατὴρ αὐτῶν τέλειός ἐστιν[e]. Αἰτήσατε οὖν αὐτοὺς καὶ παρέχουσιν ἀόκνως, οὐ γάρ εἰσι κατ' ἐμὲ χαῦνοι καὶ ῥάθυμοι. Καὶ εὔξασθε εἶναί με ἐν τούτοις. Καὶ αἰτῶ τὸν Θεὸν δοῦναι ὑμῖν τὰ αἰτήματα ὑμῶν, πρῶτον δύναμιν ἐξ ὕψους καὶ ἀγάπην τὴν εἰς αὐτόν, καὶ στηρίξαι ἐν τῷ φόβῳ αὐτοῦ καὶ τῇ πίστει τὰς καρδίας ὑμῶν. Μείνατε οὖν μὴ διστάζοντες ἀπεκδεχόμενοι τὸ ἔλεος αὐτοῦ, καὶ αὐτὸς ποιεῖ ὑπερεκπερισσοῦ ὧν αἰτούμεθα ἢ νοοῦμεν[f]. Αὐτῷ ἡ δόξα εἰς τοὺς αἰῶνας. Ἀμήν.

485

Ἀδελφὸς ᾔτησε τὸν ἀββᾶν τοῦ κοινοβίου ἐν ᾧ ἦσαν οἱ ἅγιοι Πατέρες, δοῦναι αὐτῷ πλησίον αὐτῶν κελλίον, καὶ συνέθετο δοῦναι. Παρέβαλε δὲ ἐν τοσούτῳ πρός τινα μοναχὸν καὶ ᾔτησεν αὐτὸν ἐκεῖνος οἰκῆσαι εἰς διαφέρον αὐτῷ κελλίον. Ὁ δὲ ἀδελφὸς ἀπεκρίθη μὴ δύνασθαι τοῦτο ποιῆσαι χωρὶς γνώμης τῶν Γερόντων καὶ τοῦ ἀββᾶ τοῦ συνταξαμένου αὐτῷ δοῦναι τὸ κελλίον.

Καὶ ἐλθὼν ἠρώτησε τὸν ἄλλον Γέροντα τί δεῖ ποιῆσαι.

Ἀπόκρισις Ἰωάννου·

Ἄδελφε, ὁ Κύριος ἐνετείλατο ἡμῖν ἔχειν « ἀλλήλους ὑπερέχοντας ἑαυτῶν[a]. » Ἐὰν οὖν, διὰ τὴν ἀγάπην ἣν κατὰ Θεὸν ἔχομεν πρὸς σέ, εἴπωμέν σοι ὅτι Παρ' ἡμῖν οἴκησον, ἔργῳ δεικνύομεν ἑαυτοὺς ὑπερέχοντας τοῦ ἀδελφοῦ. Ἐὰν δὲ πάλιν εἴπωμέν σοι ὅτι Παρ' ἐκείνῳ μένε, τάχα λογίζεται τῇ ἀγάπῃ σου ὅτι ὡς μὴ ἔχοντες ἀγάπην πρὸς σέ, ὠθοῦμέν σε ἀφ' ἡμῶν. Ἀλλὰ σὺ δοκίμασον τὰς γειτονίας τῶν

20 τὸν θεὸν : τῷ θεῷ I

L. 485 RASKI V

1 ᾔτησε : ἠρώτησε RKI V ‖ ἀββᾶν – κοινοβίου : αὐτὸν μέγαν γέροντα SK ‖ 2 πατέρες : γέροντες I V ‖ αὐτῶν om. RI V ‖ 4 ᾔτησεν : παρεκάλεσεν I V ‖

Parfait et Fils du Parfait a donné sa vie pour nous. Donc quand ils sont sollicités, les saints se réjouissent, étant parfaits comme leur Père est parfait[e]. Demandez-leur donc, et ils vous donneront sans se lasser; car ils ne sont pas comme moi indolents et lâches. Et priez pour que je sois parmi eux. Je supplie Dieu de vous accorder ce que vous demandez, d'abord la force d'en haut et la charité envers lui, et aussi l'affermissement de vos cœurs dans sa crainte et dans la foi. Demeurez donc sans douter aucunement dans l'attente de sa miséricorde, et il fera «bien plus que ce que nous demandons ou concevons[f].» A lui la gloire dans les siècles. Amen.

485

Un frère avait demandé à l'abbé du monastère où étaient les saints Pères et de lui donner une cellule à proximité, et l'abbé y avait consenti. Il s'établit ainsi près d'un moine qui le pria d'aller loger dans une autre cellule. Le frère répondit qu'il ne le pouvait faire sans l'assentiment des Vieillards et de l'abbé qui avait décidé de lui donner cette cellule. Puis il s'en vint demander à l'Autre Vieillard ce qu'il devait faire.

Réponse de Jean :

Frère, le Seigneur nous a commandé de tenir «les autres pour supérieurs à soi[a].» Si donc, par la charité que nous te portons selon Dieu, nous t'avions dit : «Habite auprès de nous», en fait nous nous serions affichés comme supérieurs au frère. Et si nous te disons de nouveau : «Demeure auprès de lui», peut-être ta charité pensera-t-elle que nous t'écartons de nous parce que nous n'avons pas de charité pour toi. Mais toi,

5 τοῦτο : αὐτὸ V || 10 ἡμῖν + λέγων K ἡμῶν I V || 15 τῇ ἀγάπῃ : ἡ ἀγάπη RI V

e. Cf. Mt 5, 48 f. Cf. Ep 3, 20

485. a. Ph 2, 3

τόπων καὶ τὴν ὠφέλειαν τῆς ψυχῆς σου τὴν ἐξ αὐτῶν, καὶ χρῆσαι τῷ λόγῳ τοῦ Ἀποστόλου λέγοντος· «Πάντα δοκιμάζετε, τὸ δὲ καλὸν κατέχετε[b].» Ταῦτα ἀπὸ τῆς κατὰ Θεὸν ἀγάπης ἐλάλησα. Συγχώρησόν μοι, ἄδελφέ μου, διὰ τὸν Κύριον.

486

Μοναχός τις οἰκῶν ἐν ἀλλοτρίῳ κελλίῳ ᾠκοδόμησεν ἑαυτῷ κελλίον πλησίον. Καὶ παρέβαλεν αὐτῷ τις ἀδελφὸς χρήζων κελλίου, καὶ προετρέψατο αὐτὸν ἐκεῖνος οἰκῆσαι ἐν τῷ κτισθέντι αὐτοῦ κελλίῳ. Ὁ δὲ ἐπεζήτει δωρηθῆναι αὐτῷ τοῦτο δι' ἐγγράφου, καὶ συνετάξατο δωρεῖσθαι, εἰ ἐπιτρέψουσι τοῦτο οἱ Γέροντες, ἐπὶ τῷ μέντοι ἀντλεῖν καθ' ἑβδομάδα ἐκ τοῦ ἐν αὐτῷ κεράμια δύο ὕδατος. Καὶ ἠρώτησε τὸν μέγαν Γέροντα περὶ τούτου.

Ἀπόκρισις Βαρσανουφίου·

Τοῦτο μοναχῶν οὐκ ἔστιν· Εἰ γὰρ ἔγγραφον θέλετε παρ' ἀλλήλων καὶ εἰς δίκας μέλλετε ἔρχεσθαι, τὸ ἔργον τοῦτο οὐκ ἔστιν ἀγάπης. Ἀλλὰ μᾶλλον ἀγράφως διαγάγῃ ὁ ἀδελφὸς ἐν τῷ κελλίῳ, κἂν θελήσῃ καιρῷ ὁ κύριος τοῦ κελλίου ἐκβαλεῖν αὐτόν, μετὰ ταπεινώσεως ὀφείλει ἐξελθεῖν, μηδὲν ὅλως ἀντιλέγων. Ἐὰν δὲ καὶ αὐτὸς ὁ κύριος τοῦ κελλίου ἀπέλθῃ θέλων γεμίσαι τὰ δύο κεράμια τοῦ ὕδατος, καὶ μὴ παράσχῃ αὐτῷ ἐκεῖνος ὁ μένων ἐν τῷ κελλίῳ, οὐδὲ αὐτὸς ὀφείλει ταραχθῆναι, ἀλλὰ βαλεῖν αὐτῷ μετάνοιαν μετὰ ταπεινώσεως καὶ λαβεῖν τὸ κεράμιον κοῦφον καὶ ἀπελθεῖν, λέγων αὐτῷ ὅτι Συγχώρησόν μοι διὰ τὸν Κύριον, ἄδελφε, ὅτι ἔθλιψά σε καὶ εὖξαι ὑπὲρ ἐμοῦ. Ὀφείλει δὲ προσέχειν ἑαυτῷ, ἵνα μετὰ ταῦτα μὴ ταραχθῇ ἀπὸ τῆς ὀργῆς. Καὶ διὰ τὴν ταπείνωσιν αὐτοῦ σκεπάζει ὁ Θεὸς

18 χρῆσαι : κέχρησο V ‖ 19 δοκιμάζετε : -μάζοντες R V ‖ 20-21 διὰ – κύριον om. R

L. 486 RASKI V

4-5 δωρηθῆναι – συνετάξατο om. R ‖ 6 τοῦτο om. R ‖ 7 ἐκ : ἀπὸ R ‖ 8 ἠρώτησε : ἠρώτησαν V ‖ 10 ἔγγραφον : ἔγγραφα K ‖ 12 διαγάγῃ :

considère la proximité des lieux et le profit que ton âme en retire, faisant tienne la parole de l'Apôtre : « Éprouvez tout, retenez ce qui est bon[b]. » C'est la charité selon Dieu qui me fait te dire cela. Pardonne-moi, mon frère, par le Seigneur.

486

Un moine qui habitait la cellule d'un autre s'était construit une cellule à proximité. Un frère qui avait besoin d'une cellule étant venu le trouver, il l'engagea à habiter dans la cellule qu'il venait de se construire. Mais le frère voulait qu'elle lui fût donnée par contrat écrit et il fixa que le don, si les Vieillards le permettaient, serait à cette condition qu'il puiserait chaque semaine deux cruches de l'eau qui se trouvait dans la cellule. Alors il interrogea le Grand Vieillard à ce sujet.

Réponse de Barsanuphe :

Ceci n'est pas digne de moines; car si vous voulez établir un contrat entre vous et vous mettre à même d'en venir à des procès, vous ne faites pas œuvre de charité. Que le frère vive donc plutôt dans la cellule sans qu'il y ait de contrat écrit; et si, à l'occasion, le propriétaire de la cellule veut l'expulser, qu'il en sorte avec humilité, sans rien répondre. Si, par ailleurs, le propriétaire de la cellule lui-même s'en va remplir ses deux cruches d'eau, et que le locataire de la cellule ne lui offre pas ses services, il ne doit pas non plus se troubler, mais se prosterner avec humilité et prendre la cruche vide et s'en aller, en lui disant : « Pardonne-moi, par le Seigneur, frère, car je t'ai dérangé, et prie pour moi. » Il doit encore veiller sur lui-même, afin qu'après cela la colère ne le trouble pas. Et à cause de son humilité, Dieu préservera

διαγέτω K ‖ 14-16 ἐκβαλεῖν – κελλίου om. K ‖ 18 αὐτῷ om. RI V ‖ 19 τὸ κεράμιον : τὸν κέραμον SK ‖ 20 ὅτι om. I V

b. 1 Th 5, 21

καὶ τὸν ἀδελφὸν αὐτοῦ ἀπὸ τῆς ἔχθρας τοῦ διαβόλου. Καὶ κατανύσσεται τοῦ καταδραμεῖν ὀπίσω αὐτοῦ καὶ βαλεῖν αὐτῷ μετάνοιαν, ὥστε ἀνακάμψαι καὶ γεμίσαι ἢ καὶ βαστάξαι μετ' αὐτοῦ τὸ κεράμιον. Καὶ τότε ἡ ἀγάπη τοῦ Θεοῦ σκεπάζει ἀμφοτέρους καὶ σῴζει αὐτοὺς ὁ φιλάνθρωπος Θεός.

487

Ἐρώτησις· Τί οὖν ὅτι χρῄζει φιλοκαλίας τὸ κελλίον, ἆρα ὀφείλει ἀναλίσκειν ὁ μένων ἐν αὐτῷ, ἐπειδὴ οὐκ ἔστιν αὐτοῦ, ἀλλὰ προσδοκᾷ ὅτε δήποτε ἐξελθεῖν ἀπ' αὐτοῦ;

Ἀπόκρισις·

Εἴ τις ἔχει ἐν ἑαυτῷ ὅτι πάντα ὅσα ἔχει τοῦ Θεοῦ ἐστι καὶ τῶν πιστῶν ὅλων πάντα κοινά, καὶ ἴδιον οὐδεὶς ἔχει τι, οὐκ ὀφείλει ταῦτα λογίσασθαι, σαρκικοῦ γὰρ λογισμοῦ ἐστι ταῦτα. Καὶ γὰρ κἂν φθάσῃ ἀναλῶσαι καὶ μὴ μείνῃ ἐκεῖ, ἄλλος ἀδελφὸς εὑρίσκων τὴν ἀνάπαυσιν, ἀεὶ εὐλογεῖ τὸν ἀναλώσαντα καὶ κοπιάσαντα ἐν τῷ τόπῳ. Καὶ εἰ ἔχομεν ἀληθινὸν τὸν λέγοντα· « Ἐν ᾧ μέτρῳ μετρεῖς ἀντιμετρηθήσεταί σοι[a] » καὶ ὅτι « Ἀνταποδίδως ἑκάστῳ κατὰ τὰ ἔργα αὐτοῦ[b] », καὶ πάλιν· « Δῴη σοι κατὰ τὴν καρδίαν σου[c] », οὐκ ἀφεῖ αὐτὸν πελασθῆναι ἀκαίρως, ἀλλ' ἀεὶ βοᾷ πρὸς αὐτὸν πάντοτε· « Οὐ μή σε ἀνῶ, οὐδ' οὐ μή σε ἐγκαταλίπω[d]. »

488

Ἀδελφὸς ἠρώτησε τὸν αὐτὸν μέγαν Γέροντα· Συγχώρησόν μοι κύριε Πάτερ ὅτι τολμῶ λαλῆσαι. Ἐπειδὴ

25 τοῦ om. V ‖ καταδραμεῖν : δραμεῖν I V ‖ 27 βαστάξαι : -τάσαι V ‖ 28 σκεπάζει + τοὺς R ‖ σῴζει : σώσει R

L. 487 RASKI V

6 πάντα om. I V ‖ 8 ἀναλῶσαι : -λώσας V ‖ 11 ἔχομεν : εἴχομεν I V ‖

aussi son frère de l'inimitié inspirée par le diable. Et touché de componction, il courra après lui et se prosternera pour demander à pencher, à remplir ou même à porter avec lui la cruche. Alors la charité de Dieu protégera les deux, et, dans sa bonté pour l'homme, Dieu les sauvera.

487

Demande : Que faire donc si la cellule a besoin de réparations? Le locataire doit-il faire la dépense, alors qu'elle n'est pas à lui et qu'il s'attend à la quitter un jour ou l'autre?

Réponse :

Quiconque a la conviction que tout ce qu'il possède est le bien commun de Dieu et de tous les fidèles et que personne n'a rien en propre, ne doit pas faire de tels calculs, car c'est d'une pensée charnelle. Si en effet il s'empresse de faire la dépense et qu'il n'y reste pas, un autre frère y trouvant le repos ne cessera de bénir celui qui a fait la dépense et a peiné dans ce lieu. Si nous tenons pour véridique celui qui a dit : «C'est de la mesure dont tu mesures qu'il te sera mesuré en retour[a]» et «rendant à chacun selon ses œuvres[b]», ou encore : «Qu'il te donne selon ton cœur[c]», il ne le laissera pas s'approcher inopportunément, mais il ne cessera de crier à ses oreilles : «Je ne te délaisserai ni ne t'abandonnerai[d].»

488

Un frère interrogea le même Grand Vieillard : Pardonne-moi, seigneur Père, si j'ose parler. Mais je vois que le seigneur

14 ἀφεῖ : ἀφήσει RI ἀφήκαμεν V || πελασθῆναι : ἀπελαθῆναιV || 15 πάντοτε om. R

L. 488 RASKI V

---

487. a. Lc 6, 38 b. Cf. Ps 61, 13 c. Cf. Ps 19, 5 d. Cf. Jos 1, 5

βλέπω τὸν κύριον τὸν ἀββᾶν ὡς ἀγαπῶντά τινας ὑπὲρ τοὺς ἄλλους, καὶ θλίβει με ὁ λογισμὸς λέγων ὅτι ἀνθρωπαρεσκεῖ. Εἴ τι γὰρ θέλουσί τινες, δίδει αὐτοῖς, ἐμοὶ δὲ οὐ δίδει. Ἅπαξ γὰρ ᾔτησα μίαν θυρίδα καὶ οὐκ ἐποίησε, καὶ πάλιν μικρὸν ἄσβεστον, καὶ οὐκ ἔδωκεν, ἄλλοις δὲ δέδωκεν.

Ἆρα πῶς ποιεῖ ταῦτα; Καὶ τί ἀποκριθῶ τῷ λογισμῷ;

Ἀπόκρισις Βαρσανουφίου·

Ἄδελφε, ὑπομονῆς χρεία, καὶ γὰρ ὁ Κύριος εἶπε· « Ἐν τῇ ὑπομονῇ ὑμῶν κτήσασθε τὰς ψυχὰς ὑμῶν[a]. » Καὶ ὁ Ἀπόστολος λέγει· « Ὑπομονῆς γὰρ χρείαν ἔχετε[b] » καὶ τὰ ἑξῆς. Εἰ ἠθέλησεν ὁ Θεὸς δοκιμάσαι εἰ ὑπομένεις τίποτε, σὺ εὑρεθῇς μὴ ἔχων ὑπομονήν. Πόσα ἔτη ἔχετε οὕτω τὰ κελλία καὶ οὐδὲν εἴπατε; Καὶ ἐν τῷ ἰδεῖν ἄλλους ποιοῦντας τίποτε, τότε εὐθέως καίεσθε ὡς ἀπὸ πυρός. Διὰ τί οὐκ εἶπας τῷ λογισμῷ· Ὅλον τὸν καιρὸν ἔμεινα, καὶ ἐπὶ ὀλίγας ἡμέρας οὐχ ὑπομένω; Ἐὰν εἴπῃ σοι ὁ λογισμός· Καὶ πῶς ἄλλοις ἐποίησεν; εἰπὲ ὅτι Αὐτοὶ ἅγιοί εἰσιν, ἐγὼ δὲ ἀνάξιός εἰμι, ἄξιος δὲ θλίψεως. Ἐὰν ἔχῃς τὸν ἀββᾶν σου ἀνθρωπάρεσκον, μὴ ὄντα οὕτως, σὺ ἀπόλλεις τὴν ψυχήν σου, εἰ δὲ ἀληθῶς ἐστιν ἀνθρωπάρεσκος, σὺ ἀπολογίαν οὐ δίδεις ὑπὲρ αὐτοῦ, ἀλλ' αὐτὸς ὑπὲρ σοῦ. Ὀφείλει δὲ ὁ ζητῶν πρᾶγμα δοκιμάσαι τὸν καιρὸν καὶ τὰ ἐπιτήδεια καὶ τὴν σχολήν, καὶ τότε μανθάνει διότι οὐ γίνεται ὃ θέλει. Ἐὰν δὲ μὴ εὕρῃ, οὐκ ὀφείλει τινὰ μέμψασθαι ἀλλ' ἑαυτόν, λέγων· Ἐγώ εἰμι ὁ ἀνάξιος. Καὶ εὑρίσκεις ἔξοδον τῷ λογισμῷ, ἄδελφε. Αὕτη ἐστὶν ἡ ὁδὸς τῶν θελόντων σωθῆναι καὶ ζῆσαι κατὰ Θεόν.

3 τινας : τινα V ‖ 5; 6 δίδει[1+2]: δίδωσιν RK V ‖ 7 μικρὸν : μικρὰν V ‖ 8 δέδωκεν : ἔδωκεν K δίδει I δίδωσιν V ‖ 14 ἠθέλησεν : ἤθελεν RI V ‖ 21 εἰμι om. V ‖ δὲ[2] + πάσης I V ‖ 24 δίδεις : δίδως RK V ‖ 26 διότι : διὰ τί R V ‖ 28 ἑαυτόν : ἑαυτῷ K ‖ 29 εὑρίσκεις : εὑρίσκει ASK

abbé en aime certains plus que les autres, et je suis tracassé à la pensée qu'il cherche à plaire aux hommes. Car tout ce que veulent certains, il le leur accorde, mais à moi, il ne donne rien. L'unique fois où je lui ai demandé une fenêtre, il ne l'a pas fait faire; une autre fois, un peu de chaux vive, et il ne me l'a pas donnée, alors qu'il en a donné aux autres. Comment cela se fait-il donc? Et que répondre à la pensée?

Réponse de Barsanuphe :

Frère, il faut de l'endurance, car le Seigneur a dit : « Par votre endurance vous sauverez vos âmes[a]. » Et l'Apôtre : « Vous avez en effet besoin d'endurance[b] », etc. Dieu voulait t'éprouver pour voir si tu pouvais supporter quelque chose, et tu as montré que tu n'avais pas d'endurance. Combien d'années avez-vous ainsi passé dans les cellules sans rien dire? Et à en voir d'autres faire quelque chose, aussitôt vous vous enflammez comme si vous étiez dans un brasier. Pourquoi ne dis-tu pas à la pensée qui te vient : « J'ai persévéré tout ce temps, ne patienterai-je pas encore quelques jours? » Si la pensée te dit : « Et pourquoi l'a-t-il fait pour les autres? », réponds : « C'est parce que ceux-là sont des saints; moi, j'en suis indigne, ou plutôt digne d'affliction. » Si tu regardes ton abbé comme quelqu'un qui cherche à plaire aux hommes, alors qu'il n'en est rien, tu perds ton âme; et même si c'est vraiment quelqu'un qui cherche à plaire aux hommes, tu ne plaideras pas pour lui, mais c'est lui qui plaidera pour toi. Celui qui recherche le pourquoi d'une affaire, doit examiner l'opportunité, les convenances, le délai, et il se rend compte alors pourquoi ce qu'il désire ne se réalise pas. S'il ne trouve pas, il ne doit accuser personne sinon lui-même, en se disant : « C'est moi l'indigne ». Ainsi tu trouveras moyen de chasser la pensée, frère. Telle est la voie de ceux qui veulent être sauvés et vivre selon Dieu.

488. a. Lc 21, 19 b. He 10, 36

489

Τίς ποτε τῶν Πατέρων Γέρων ᾤκησεν ἐν τῷ κοινοβίῳ, ἐν ᾧ ἦσαν οἱ ἅγιοι Γέροντες. Καὶ ἐρωτώμενος παρὰ τοῦ ὑπηρετοῦντος αὐτῷ · Τί θέλεις ποιήσω σοι φαγεῖν; ἔλεγεν αὐτῷ μετ' ὀργῆς · Εἴ τι θέλεις ποίησον. Καὶ ἐθλίβετο ὁ ἀδελφός, μὴ εἰδὼς τί ποιῆσαι.

Καὶ ἠρωτήθη ὁ αὐτὸς μέγας Γέρων εἰ ἄρα καλῶς ποιεῖ οὕτω λέγων ἢ οὔ, καὶ ἀπεκρίθη ·

Ἐμοὶ οὐκ ἔστι κατακρῖναί τινα, ἕκαστος γὰρ τὸ ἴδιον φορτίον βαστάζει[a]. Ἀλλ' ὡς φαίνεταί μοι ἡ τοιαύτη ἀπόκρισις θλῖψιν παρέχει τῷ πλησίον, κἂν κατὰ ἄσκησιν αὐτὸ ποιῇ. Ἀλλ' ὀφείλει λέγειν τῷ ἀδελφῷ μετὰ ταπεινώσεως ὅτι τόδε τὸ πρᾶγμα δέχεται ἡ ἕξις μου ἄρτι, κἂν σαπρῶς αὐτὸ ποιήσῃ ὁ ἀδελφὸς καὶ κακῶς αὐτῷ ὑπηρετῇ, ὀφείλει δὲ εὐχαριστεῖν. Ἐὰν γὰρ ποιοῦντος τοῦ ἀδελφοῦ τὸ πρᾶγμα εἴτε καλῶς ἢ κακῶς, ἐκεῖνος εἰς ὀργὴν κινεῖται, χεῖρον ὅλων τῶν παθῶν ἐστι τοῦτο. Ὁ τοιοῦτος γὰρ ἀλόγως ὀργίζεται καὶ αὕτη οὐκ ἔστι γνῶσις Θεοῦ, ἀλλὰ μᾶλλον ἐνέργεια διαβολική[b]. Ὅμως ὁ ὑπηρετῶν ὀφείλει μακροθυμεῖν, ὅστις γὰρ βαστάζει τὸν ἀδελφὸν αὐτοῦ κατὰ φόβον Θεοῦ, ἐπ' αὐτὸν ἀναπαύεται τὸ Πνεῦμα τοῦ Θεοῦ[c].

490

Ὁ αὐτὸς τιμώμενος καὶ κατὰ φόβον Θεοῦ θεραπευόμενος ὑπὸ τοῦ ἀββᾶ καὶ τῆς ἀδελφότητος τοῦ κοινοβίου, οὐκ ᾐσθάνετο τῆς θεραπείας. Ἀλλ' ὡς μᾶλλον θλιβόμενος καὶ μὴ δεόντως ὑπηρετούμενος, λάθρα αὐτῶν ἀνεχώρησεν.

L. 489 RASKI V

5 ποιῆσαι : ποιήσῃ I V ‖ 7 ἢ οὔ om. R ‖ 8 ἔστι : ἔξεστι I V ‖ 13 καὶ κακῶς : κἂν κακῶς I V ‖ 15 ἢ κακῶς : εἴτε σαπρῶς I V ‖ 16 ὅλων : πάντων V ‖ 17 ἀλόγως : ἄλλως SK ‖ αὕτη : τοῦτο R

489

Parmi les Pères, un certain Vieillard habitait au monastère où étaient les saints Vieillards. Or son serviteur lui ayant demandé : « Que veux-tu que je te fasse à manger ? », il avait répondu avec colère : « Fais ce que tu veux. » Et le frère était affligé, ne sachant que faire.

Le même Grand Vieillard fut interrogé à ce sujet pour savoir si le Vieillard avait bien fait ou non de parler ainsi, et il répondit :

Ce n'est pas à moi de condamner quelqu'un ; car chacun porte son propre fardeau[a]. Mais à mon avis, une telle réponse fait de la peine au prochain, même si on la fait par ascèse. Le Vieillard devrait plutôt dire au frère avec humilité : « Telle chose me conviendrait bien aujourd'hui », et même si le frère la préparait de façon détestable et la lui servait mal, il devrait remercier. Car, que le frère ait fait la chose bien ou mal, si lui se met ensuite en colère, c'est la pire de toutes les passions. Il s'emporte en effet sans raison et ce n'est pas là science de Dieu mais plutôt activité diabolique[b]. Cependant le serviteur doit être patient, car quiconque supporte son frère par crainte de Dieu a l'Esprit de Dieu qui se repose sur lui[c].

490

Le même frère, ayant été estimé et réconforté selon la crainte de Dieu par l'abbé et la fraternité du monastère, n'en avait pas ressenti de consolation. Mais encore plus affligé et se considérant incapable de servir convena-

L. 490 RASKI V
2 τοῦ κοινοβίου om. R ‖ 4 αὐτῶν om. V

---

489. a. Cf. Ga 6, 5 b. Cf. 2 Th 2, 9 c. Cf. Ga 6, 2 ; 1 P 4, 14

Αὐτοὶ δὲ γνόντες μετὰ ταῦτα ποῦ διάγει, ἠβουλήθησαν ἀπελθεῖν καὶ παρακαλέσαι αὐτὸν ὑποστρέψαι πρὸς αὐτούς, ἤκουσαν γὰρ ὅτι θλίβεται. Καὶ ἠρώτησαν τὸν αὐτὸν μέγαν Γέροντα περὶ τούτου, εἰπόντες καὶ τὸ τοῦ Ἀποστόλου· «Μήποτε τῇ περισσοτέρᾳ λύπῃ καταποθῇ ὁ τοιοῦτος[a]*.»*

Ἀπόκρισις Βαρσανουφίου·

Ὁ Ἀπόστολος ἐπειδὴ παρέδωκεν ἐκεῖνον τῷ Σατανᾷ εἶπε τοῦτο[b], χώραν γὰρ εἶχεν ἐκεῖνος τοῦ λυπηθῆναι ὡς ἀπὸ τοῦ Ἀποστόλου ἀφορισθείς. Διὰ τοῦτο βλέπων αὐτὸν μετανοοῦντα, εἶπε «κυρωθῆναι εἰς αὐτὸν ἀγάπην[c].» Εἰ οὖν οἴδατε ὅτι ὑμεῖς ἐδιώξατε αὐτόν, χρὴ ἀπελθεῖν βαλεῖν αὐτῷ μετάνοιαν ἵνα ἔλθῃ. Εἰ δὲ ἰδίῳ θελήματι ἀπῆλθε, κἂν ἀπέλθητε ἐπ' αὐτὸν ὑμεῖς διὰ τὸν Θεόν, τὸ δικαίωμα αὐτοῦ ἔρχεται μετ' αὐτοῦ, μέλλει γὰρ διακεῖσθαι ὅτι εἰς τὴν θλῖψιν πάλιν ἐπανέρχεται. Καὶ εἰ συμβῇ αὐτῷ οἱαδήποτε ἀφορμή, ἀεὶ λέγει· Ἔξω ἤμην καὶ ἠνάγκασάν με ἐλθεῖν. Ἀλλ' ἄφετε αὐτὸν συντριβῆναι μικρὸν ὑπὸ τῶν λογισμῶν, μεταμελούμενον ὅτι ἐξῆλθε, κἂν γὰρ θλίβηται τῷ σώματι, ἀλλ' ὠφελεῖται τῷ πνεύματι. Περιαιρεῖται γὰρ αὐτοῦ ἡ ἔπαρσις καὶ τὸ δικαίωμα ἐν τῷ βλέπειν ἑαυτὸν ἐν θλίψεσι πολλαῖς, καὶ τότε μνημονεύει τῆς ἀναπαύσεως τοῦ κοινοβίου. Καὶ μετὰ ταπεινώσεως ἀναλύει, ἀναλαμβάνων ἀντὶ τῆς ἀχαριστίας, τὴν εὐχαριστίαν.

491

Ἐρώτησις· Τί οὖν, ὅτι μεταμελεῖται μέν, αἰσχύνεται δὲ ἐπαναλῦσαι;

6 ἀπελθεῖν καὶ om. ASK ‖ 8 περὶ τούτου om. V ‖ 11 ἐπειδὴ : ἐπεὶ V ‖ 12 γὰρ om. V ‖ 13 ἀπὸ : ὑπὸ RI V ‖ 15 ἀπελθεῖν : ἀπελθόντας I V ‖ 16 αὐτῷ om. RI V ‖ 18 μετ' αὐτοῦ : ἐπ' αὐτόν V ‖ 20 ἐλθεῖν : εἰσελθεῖν I V ‖ 22 γὰρ om. RSK

blement, il partit secrètement. Ceux qui savaient où il vivait, voulurent ensuite aller le trouver pour l'engager à revenir chez eux, car ils avaient appris qu'il était dans l'affliction. Ils interrogèrent donc le même Grand Vieillard à ce sujet, en citant la parole de l'Apôtre : « De peur que cet homme ne soit dévoré par une tristesse excessive[a]. »

Réponse de Barsanuphe :

L'Apôtre parle ainsi parce qu'il a livré cet homme à Satan[b], et celui-là avait bien lieu de s'attrister d'être excommunié par l'Apôtre. C'est pourquoi lorsqu'il le voit faire pénitence, l'Apôtre demande qu'on fasse « prévaloir envers lui la charité[c]. » Si donc vous avez conscience que c'est vous qui le chassiez, il faut aller lui demander pardon et le prier de revenir. Mais s'il est parti de sa propre volonté, et que vous alliez le trouver de par Dieu, sa prétention à se justifier reviendra avec lui, et il sera ainsi disposé à retourner à son affliction. Et à la première occasion, il ne manquera pas de dire : « J'étais dehors et ils m'ont forcé à rentrer. » Mais laissez-le un peu en proie à ses pensées et à son regret d'être sorti ; car s'il est affligé corporellement, cela lui profite du moins spirituellement. Il perdra en effet son élèvement et sa prétention de justice, en se voyant dans de multiples afflictions, et il se souviendra alors de la paix du monastère. Il reviendra avec humilité et au lieu de l'ingratitude reprendra l'action de grâces.

491

Demande : Pourquoi donc, tout en ayant du remords, a-t-il honte de revenir ?

L. 491 RASKI V

490. a. 2 Co 2, 7 b. Cf. 1 Co 5, 5 c. Cf. 2 Co 2, 8

Ἀπόκρισις ·

Ἐὰν μεταμεληθῇ καὶ βαστάξῃ τὴν ἑαυτοῦ μέμψιν λέγων ὅτι Ἐγὼ αἴτιός εἰμι ἐν πᾶσι, τότε ὁ Θεὸς ὁ εἰπὼν διὰ τοῦ Προφήτου · « Εἰπὲ πρῶτος τὰς ἀνομίας σου ἵνα δικαιωθῇς[a] », βλέπει ὅτι κατεπραΰνθη αὐτοῦ ἡ καρδία καὶ ὁδηγεῖ αὐτὸν ἐν τῷ φόβῳ αὐτοῦ πρὸς τὸ συμφέρον αὐτῷ. Φησὶ γάρ · « Ὁδηγήσει πραεῖς ἐν κρίσει, διδάξει πραεῖς ὁδοὺς αὐτοῦ[b]. » Καὶ εἰ ἐν τῷ πρώτῳ αὐτοῦ τόπῳ ὠφελεῖται πλέον, πληροφορεῖ τὴν καρδίαν αὐτοῦ τοῦ μετὰ ταπεινώσεως ἐκεῖ ἐπαναλῦσαι.

492

Ἀδελφὸς στρατευόμενος ἐν τῷ κόσμῳ ἀπετάξατο εἰς τὸ κοινόβιον καὶ ἠρώτησε τὸν αὐτὸν μέγαν Γέροντα εἰ δύναται μετανοῆσαι.

Ἀπόκρισις Βαρσανουφίου ·

Ἄδελφε, ὁ Θεὸς οὐκ ἀποβάλλει τινά, ἀλλὰ πάντας καλεῖ εἰς μετάνοιαν. Ὀφείλει οὖν ὁ προσερχόμενος αὐτῷ ἐξ ὅλης καρδίας προσελθεῖν, καὶ σπείρειν ἐπ' ἐλπίδι τοῦ καὶ θερίζειν καὶ προσδοκᾶν πειρασμὸν ἕως ὑστέρας ἀναπνοῆς.

493

Ἐρώτησις · Καὶ νῦν ἀντιλαμβάνεται αὐτοῦ ὁ Θεός ;

Ἀπόκρισις ·

Τέκνον, τὸ στάδιον ἤνοικται καὶ ὁ θέλων σωθῆναι ἀκούει τοῦ Ἰησοῦ βοῶντος πρὸς αὐτὸν καὶ λέγοντος · « Δεῦτε

4 βαστάξῃ : -τάσῃ V ‖ 6 προφήτου + αὐτοῦ SK ‖ πρῶτος + σὺ R ‖ 8 αὐτῷ : αὐτοῦ I V

L. 492 RASKI V

5 ἀποβάλλει : ἀποβάλλεται V

L. 493 RASKI V

Réponse :

S'il a du remords et supporte de s'accuser lui-même, en disant : « C'est moi qui suis coupable en tout », alors Dieu qui a dit par le Prophète : « Dis le premier tes iniquités, afin d'être justifié[a] », verra que son cœur s'est adouci et il le conduira dans sa crainte à ce qui lui est utile. Car il est dit : « Il conduira les doux dans la justice, et il enseignera aux doux ses voies[b]. » Et s'il avait plus grand profit là où il était avant, le Seigneur inspirera à son cœur d'y revenir avec humilité.

492

Un frère qui était soldat dans le monde[1] *se retira au monastère et demanda au même Grand Vieillard s'il pouvait faire pénitence.*

Réponse de Barsanuphe :

Frère, Dieu ne rejette personne, mais il appelle tout le monde à la pénitence. Il faut donc que celui qui vient à lui vienne de tout son cœur, qu'il sème dans l'espoir de moissonner et qu'il s'attende à la tentation jusqu'à son dernier souffle[2].

493

Demande : Et maintenant Dieu s'occupe-t-il de lui?

Réponse :

Enfant, le stade est ouvert et celui qui veut être sauvé entend Jésus lui crier et lui dire : « Venez à moi, vous

491. a. Is 43, 26 b. Ps 24, 9

1. Le frère qui interroge est un ancien soldat, d'origine copte et cultivé. Son langage contient des mots recherchés, assez rares. Barsanuphe lui répond avec des termes empruntés à la vie militaire.

2. Voir L. 347, n. 2.

πρός με πάντες οἱ κοπιῶντες καὶ πεφορτισμένοι, κἀγὼ ἀναπαύσω ὑμᾶς. Καὶ μάθετε ἀπ' ἐμοῦ ὅτι πρᾷός εἰμι καὶ ταπεινὸς τῇ καρδίᾳ, καὶ εὑρήσετε ἀνάπαυσιν ταῖς ψυχαῖς ὑμῶν, ὁ γὰρ ζυγός μου χρηστὸς καὶ τὸ φορτίον μου ἐλαφρόν ἐστι[a].» Βλέπε τί ἀκούεις· «πρᾶος καὶ ταπεινός», ἵνα ταῦτα μάθωμεν παρ' αὐτοῦ. Οὐκ ὀφείλει ἐκλύεσθαι καὶ φοβεῖσθαι ὁ προσερχόμενος Θεῷ, ἐπεὶ οὐδέποτε βάλλει ἀρχὴν εἰς τὴν ὁδὸν αὐτοῦ. Ὁ Θεὸς γὰρ εἰς τὴν καρδίαν προσέχει καὶ τὴν προαίρεσιν διακρίνει. Καὶ αὐτὸς οἶδε τὴν ἀσθένειαν τοῦ ἀνθρώπου ὅτι οὐδὲν ἀφ' ἑαυτοῦ δύναται κατορθῶσαι. Ἀλλ' αὐτός ἐστι τὸ πᾶν[b] καὶ αὐτὸς δίδωσι τῷ ἀξίῳ δύναμιν τοῦ ποιῆσαι δύναμιν. Ἐπεὶ ἐὰν κρατήσῃ τὴν δύναμιν τοῦ ἰσχυροῦ, ποῦ εὑρίσκεται ὁ ταλαίπωρος ἄνθρωπος; Καὶ ἐὰν κρατήσῃ τὴν σοφίαν τοῦ σοφοῦ[c] καὶ ἀλλοιώσῃ αὐτοῦ τὴν καρδίαν, εὑρίσκεται ἡ σοφία αὐτοῦ ὡς ἰδιώτου καὶ ἄφρονος. Πεποιθότες οὖν προσέλθωμεν αὐτῷ[d], εἰδότες ὅτι αὐτός ἐστιν ὁ ἐπιχορηγῶν ἡμῖν δύναμιν εἰς ἀγῶνα. Σὺ οὖν ἑτοίμασον τὴν ψυχήν σου, καὶ οὐ μόνον δέ, ἀλλὰ καὶ εἰς τὸ στεφανωθῆναι[e]. Ὁ Κύριος συνέλθῃ σοι τῷ θελήματι αὐτοῦ εὐχαῖς ἁγίων. Ἀμήν.

494

Δέησις τοῦ αὐτοῦ πρὸς τὸν αὐτὸν μέγαν Γέροντα· Διὰ τὸν Κύριον ἐπειδὴ οἱ λογισμοί μου φαντάζουσί με τὸν κόσμον, ἐρεθίζοντές με πρὸς αὐτὸν ἐπανελθεῖν, ποίησον ἔλεος μετ' ἐμοῦ, ἵνα σκεπασθῶ διὰ τῶν εὐχῶν ὑμῶν. Ἐπειδὴ εἰς αὐτὰς τὰς ἁμαρτίας ἔτι ὤν, ἐδεήθην τοῦ Θεοῦ ὑπὸ τὴν σκέπην ὑμῶν ἀξιωθῆναι.

5 πρός με om. RI ‖ 12 καρδίαν + αὐτοῦ KI V ‖ 14 ἀφ' : ἐφ' V ‖ 16-17 ἐπεὶ – δύναμιν^3 om. S ‖ 22 τὴν ψυχήν : τῇ ψυχῇ S ‖ 23 συνέλθῃ : συνέλθοι R V

L. 494 RASKI V

1 γέροντα om. R V ‖ 1-2 διὰ – κύριον om. V ‖ 5 θεοῦ : κυρίου SK

tous qui êtes las et accablés, et moi je vous soulagerai. Apprenez de moi que je suis doux et humble de cœur, et vous trouverez le repos pour vos âmes, car mon joug est amène et mon fardeau léger[a].» Considère ces paroles : «doux et humble», voilà ce que nous devons apprendre de lui. Celui qui vient à Dieu ne doit pas se décourager ni craindre, autrement il n'entreprendrait[1] jamais de marcher dans sa voie. Dieu considère attentivement son cœur et discerne son propos. Il connaît la faiblesse de l'homme et sait que, de lui-même, il est incapable d'arriver à quoi que ce soit. Mais Dieu est tout[b] et c'est lui qui donne à qui le mérite de pouvoir déployer sa puissance. Car si Dieu retient la puissance du fort, comment se trouvera-t-il, le malheureux homme? Et si Dieu retient la sagesse du sage[c] et altère son cœur, sa sagesse apparaîtra semblable à celle du sot et de l'insensé. Allons donc à lui pleins de confiance[d], sachant que c'est lui qui nous donne la force pour le combat. Toi, prépare ton âme, et non seulement au combat, mais encore à la couronne[e]. Que le Seigneur s'unisse à toi selon sa volonté, par les prières des saints! Amen.

494

Supplique du même au même Grand Vieillard : Par le Seigneur, puisque mes pensées me représentent des images du monde, qui m'incitent[2] à y retourner, exerce la miséricorde envers moi, pour que je sois protégé par vos prières. Étant toujours dans les mêmes péchés, j'ai demandé à Dieu d'être admis sous votre protection.

493. a. Mt 11, 28-30 b. Cf. Si 43, 27 c. Cf. Is 29, 14; 1 Co 1, 19 d. Cf He 10, 22 e. Cf. 2 Tm 2, 5

1. Copticisme : voir L. 55 n. 1; L. 66, 25; 234, 266, 276, 500, etc.
2. ἐρεθίζοντες – excitant, irritant : verbe poétique.

Ἀπόκρισις Βαρσανουφίου·

Τέκνον ἀγαπητόν, ἀνδρίζου ἐν Κυρίῳ! Ὁ Θεὸς ἐκάλεσέ σε. Μὴ ἐκλυθῇς, ἀλλὰ θάρσει[a]. Ἡ ἀρχὴ τῆς κατὰ Θεὸν ἐργασίας πολέμους ἔχει, ἀλλ' ὁ Κύριος συντρίβει αὐτούς. Ἡ τοῦ κόσμου στρατεία σκότος ἐστί, καὶ ἡ κληρονομία αὐτῆς κόλασις αἰωνία[b]. Ἡ δὲ τοῦ Θεοῦ φῶς ἐστι, καὶ ἡ κληρονομία αὐτῆς ζωὴ αἰώνιος. Μάλαξον τέως τὰ δύο ψιχία ταῦτα, καὶ τότε ἐπίλεξαι ὃ θέλεις. Καὶ ἔρχεται πρός σέ τις μεγαλόφωνος καὶ ἐξυπνίζει σου τὴν καρδίαν τὴν ἀκμὴν ψυχρὰν καὶ ποιεῖ σε ὀξυποδεῖν ὡς δεῖ. Μὴ θροηθῇς, ἔστι γὰρ ὁ χειραγωγῶν σε[c] πρὸς τὸν Δεσπότην, Θεόν.

495

Δέησις τοῦ αὐτοῦ πρὸς τὸν αὐτὸν μέγαν Γέροντα· Ἐπειδὴ ἡ θλῖψις τοῦ νῦν κινηθέντος μοι πολέμου ἐξ ἐμοῦ ἐγένετο, ἐλέησόν με, δέσποτα, ἵνα αἱ εὐχαί σου καταργήσωσιν αὐτόν. Ἀπωλόμην γὰρ τὸ ἐπ' ἐμοί, συναυχῶν τοῖς πρὸς ἐμὲ ἐλθοῦσι κατὰ σάρκα μου ἀδελφοῖς. Ἔμεινα γὰρ φανταζόμενος τὴν αὐτῶν συντυχίαν καὶ δοκῶν μετ' αὐτῶν συνδιάγειν. Ἀλλὰ βοήθησον τῇ πολλῇ μου ἀσθενείᾳ καὶ τῇ δειλίᾳ τῇ πρὸς τὴν ὁδὸν τῆς σωτηρίας. Πῶς γὰρ εὔξασθαι τὸν Θεὸν οὐκ οἶδα τὸν καλέσαντά με, σπουδάσας ἀθετῆσαι αὐτὸν καὶ ἐν μιᾷ ὥρᾳ ἐπιλαθόμενος πασῶν τῶν

12-13 κόλασις – ζωὴ αἰώνιος om. R

L. 495 RASKI V

1 δέησις – γέροντα : τοῦ αὐτοῦ ὁμοίως R V ‖ 4 ἐπ' : ἐν RI V ‖ συναυχῶν : συντυχὼν I V ‖ 10 πασῶν : πάντων ASK

494. a. Cf. Mt 9, 2 b. Cf. Mt 19, 29; 25, 46 c. Cf. Ac 9, 8

3. Les encouragements de Barsanuphe à ce frère, ex-soldat, pour affronter les débuts de la vie monastique, qui sont durs, sont

Réponse de Barsanuphe :

Enfant bien-aimé, courage dans le Seigneur! C'est Dieu qui t'a appelé. Ne te démonte pas, mais aie confiance[a]. Le début du travail selon Dieu comporte des combats[3], mais Dieu les brise. La milice du monde est ténèbre, et son héritage le châtiment éternel. Celle de Dieu au contraire est lumière, et son héritage est la vie éternelle[b]. Palpe donc bien ces deux mies[4], et choisis ensuite celle que tu veux. Alors viendra à toi quelqu'un à la voix forte pour exciter ton cœur encore si froid et te faire marcher allègrement comme il faut. Ne t'effraie pas, car c'est lui qui te conduit par la main[c] vers le Maître, Dieu.

495

Supplique du même au même Vieillard : L'affliction de la lutte qui m'agite actuellement vient de moi; aie donc pitié de moi, maître, afin que tes prières y mettent fin. Car j'ai perdu ce que j'avais, en me vantant[1] *auprès de mes frères selon la chair qui sont venus me voir. Je garde, en effet, dans mon imagination le souvenir de leur visite, et j'ai l'impression de me trouver encore avec eux. Viens donc au secours de ma grande faiblesse et de la frayeur que j'éprouve devant la voie du salut. Je ne sais comment prier Dieu qui m'a appelé, puisque je me suis empressé de le repousser et d'oublier en une heure tous ses bienfaits.*

semblables à ceux de saint Benoît dans le Prologue de la *Règle,* § 40-43 et 49.

4. ψιχίον : diminutif attesté dans le NT (Mt 15, 27) signifiant miettes, mie de pain. Le terme ψίξ n'apparaît qu'à l'époque de Plutarque.

1. Verbe rare, composé de συν + αὐχέω, venant de αὐχήν, le cou : 'gonfler son cou, se vanter'. Les mss I V l'ont transformé en συντυχὼν (rencontrant), plus facile. Remarquer le copticisme ἀδελφοὶ κατὰ σάρκα – frères selon la chair (voir L. 55, n. 1 et 232, n. 1, 548).

εὐεργεσιῶν αὐτοῦ. Διὸ παρακαλῶ, ἐλέησόν με ὅτι πολὺ ἥμαρτον. Καὶ οἱ πόλεμοι ἐκ τῆς ἐμῆς ἀσθενείας καὶ ὀλιγοπιστίας[a] *γινόμενοι, οὐκ ἀφίστανταί μου. Καὶ εἰ ἐγχωρεῖ καὶ συμφέρει τοῦ ἀποστῆναι τοὺς ἐμοὺς ἔρχεσθαι πρός με, ἕνεκεν τοῦ μὴ φέρειν μοι δελεασμῶν τοῦ κόσμου. Καὶ τοῦτο ὑμεῖς γινώσκετε ψυχρᾶς γὰρ οὔσης ἀκμὴν τῆς καρδίας μου πρὸς ταραχὴν καὶ ὁδὸν τοῦ πολέμου ἔρχονται πρός με. Μικρὸν δὲ ἀποστάντων ἀπ' ἐμοῦ χθὲς τῶν λογισμῶν διὰ τῆς σκέπης ὑμῶν, σήμερον ὡς ἐκάθισα μικρὸν κατ' ἰδίαν ἵνα μάθω ἕνα ψαλμόν, ἐπέθεντό μοι τοσοῦτον ὥστε ἀπὸ τῆς ὀλιγωρίας καὶ ἱδρώνειν με. Διὸ δέομαι μὴ ἐγκαταλίπῃς με τοῖς ἐχθροῖς μου, ἀλλὰ τῇ δυνάμει σου τὴν ἀδυναμίαν μου στήριξον καὶ ἐκείνους κατάργησον, ὅτι ἱκανῶς ἐνεπλήσθησάν μου. Καὶ σὺ βλέπεις τὴν καρδίαν μου, ὅτι τοὺς πολέμους οὐχ ἡδέως φέρω. Εἰ μὴ ἵνα μὴ ἡττηθῶ διὰ τὴν ἀσθένειάν μου καὶ τὸ ἀγνοεῖν με τὴν ποικιλίαν αὐτῶν, ἵνα μὴ εἰς τὰς παγίδας αὐτῶν ἐμπέσω εἰς ἃς πρὸ τοῦ προσφυγεῖν ὑμῖν ἐκυλιόμην*[b]. *Συγχώρησόν μοι καὶ εὖχου ὑπὲρ ἐμοῦ, Πάτερ ἀγαθέ.*

Ἀπόκρισις Βαρσανουφίου·

Ἄδελφε ἀγαπητέ, ματρίκιον ἔχει ὁ Δεσπότης ἡμῶν Θεὸς εἰς ὃ γράφονται οἱ προσερχόμενοι τοῦ δουλεύειν αὐτῷ γνησίως, καὶ προῖκα γράφονται ἀπὸ πρώτης ἡμέρας. Παρεκάλεσα αὐτὸν «τὸν μὴ θέλοντα τὸν θάνατον τοῦ ἁμαρτωλοῦ, ὡς τὸ ἐπιστρέψαι καὶ ζῆν αὐτόν[c]», ὥστε τάξαι σε εἰς αὐτὸ μετὰ τῶν σῳζομένων. Καὶ ἠλέησε καὶ

14 τοῦ R om. V ‖ 16 ἀκμὴν om. V ‖ 21 ἱδρώνειν : ἱδροῦν V ‖ 25-26 εἰ μὴ[1] om. K V ‖ 26 μὴ[2] om. RI ‖ 27 ποικιλίαν : πονηρίαν I V ‖ 29 εὖχου : εὖξαι I V ‖ 32 τοῦ om. RK V

495. a. Cf. Mt 17, 20 b. Cf. 2 P 2, 22 c. Cf. Ez 18, 23.32

Aussi je t'en supplie, aie pitié de moi, car j'ai gravement péché. De plus, les luttes qui me viennent de ma faiblesse et de mon peu de foi[a], *ne me quittent pas. Est-il possible et utile de détourner les miens de venir me voir, afin qu'ils ne m'apportent plus les séductions du monde? Vous savez aussi que c'est parce que mon cœur est encore froid que leurs visites m'apportent du trouble et donnent lieu au combat. Hier les pensées m'ont quitté un peu grâce à votre protection, mais aujourd'hui m'étant assis un peu à l'écart afin d'apprendre un psaume, elles m'ont assailli à ce point que j'en sue de découragement*[2]. *C'est pourquoi, je t'en prie, ne m'abandonne pas à mes ennemis, mais par ta puissance fortifie mon impuissance et fais-les disparaître, car ils s'en sont suffisamment donné avec moi. Et toi qui vois mon cœur, tu sais que je ne supporte pas volontiers ces combats. Fais donc en sorte que je ne sois pas vaincu à cause de ma faiblesse et que, du fait que j'ignore leur astuce, je ne retombe pas dans leurs filets*[3] *où je m'étais laissé envelopper*[b] *avant de me réfugier près de vous. Pardonne-moi et prie pour moi, bon Père.*

Réponse de Barsanuphe :

Frère bien-aimé, Dieu notre Maître a un matricule sur lequel sont inscrits ceux qui viennent se mettre sincèrement à son service, et ils y sont inscrits gratuitement dès le premier jour. J'ai invoqué celui qui « ne veut pas la mort du pécheur, mais qu'il se convertisse et qu'il vive[c] », le priant de te mettre ainsi au rang de ceux qui sont sauvés. Et il a eu pitié de toi, en même temps que

2. Le verbe ἱδρώνω du grec tardif remplace le terme plus classique ἱδρόω adopté par certains mss.

3. Ce thème des filets tendus par les ennemis est fréquent dans les *Psaumes* (cf. Ps 139, 6; 140, 9; 141, 4); ici l'image d'enveloppement indiquée par le verbe ἐκυλιόμην est particulièrement suggestive.

σὲ μετ᾽ ἐμέ, καὶ παραχρῆμα ἔταξέ σε, «ὁ πάντας ἀνθρώπους σωθῆναι θέλων καὶ εἰς ἐπίγνωσιν ἀληθείας ἐλθεῖν[d].» Δωρεὰν οὖν ἔλαβες. Ἐν σοὶ λοιπὸν κεῖται τὸ μὴ εἶναι ἐν τῇ τοιαύτη Γραφῇ ἢ τὸ εἶναι. Σοὶ οὖν θέλοντι, βοηθεῖ ὁ λέγων· «Ἐὰν θέλητε καὶ εἰσακούσητέ μου, τὰ ἀγαθὰ τῆς γῆς φάγεσθε[e]» καὶ τὰ ἑξῆς. Ἰδοὺ εἴρηκα, πρόσεχε μὴ ἐκπέσης τῆς τοιαύτης στρατείας, μήποτε καὶ ἀνίατον τραῦμα νοσήσης. Ταύτης γὰρ ἐκπεσών, οὐδὲ ἐν τῷ κόσμῳ χρησιμεύσεις. Ὁ Κύριος σκεπάσει σε ἀπὸ τοῦ πονηροῦ καὶ σώσει εἰς τὴν αἰώνιον ζωήν. Ἀμήν. Τέκνον, «ἄφες λοιπὸν τοὺς νεκροὺς θάψαι τοὺς ἑαυτῶν νεκρούς[f]», καὶ βλέπεις πῶς δοξάζεται ὁ Θεὸς ἐν βουλῇ ἁγίων.

496

Δέησις τοῦ αὐτοῦ πρὸς τὸν αὐτὸν μέγαν Γέροντα· Ἀββᾶ διὰ τὸν Κύριον ἐλέησόν με. Ἐπειδὴ κατ᾽ ἰδίαν μου ἀναπαυομένου ἐπεγείρονται φαντασίαι, ἀλλὰ καὶ συνοχὴ ὡς τινῶν ἐπερχομένων μοι ὥστε με καὶ καθεύδοντα συνέχεσθαι καὶ μὴ δύνασθαί με ἀναπαῆναι. Καὶ ἐπειδὴ δειλός εἰμι τῇ φύσει, πλέον ὁ πόλεμος ἐγείρεταί μοι καὶ οὐ συγχωρεῖ μοι ὑπνῶσαι εἰς μικρόν, καὶ τοῦτο ὡς εἶπον ἐν συνοχῇ καὶ μικροψυχίᾳ, ὥστε ἐκ τούτου αἰσθάνεσθαι καὶ ἀτονίας ἐν τῷ σώματι καὶ μὴ δύνασθαι σχεδὸν κινῆσαι ἐμαυτόν. Λοιπὸν δέσποτα, τὸ συμφέρον αὐτὸς οἶδας. Καὶ αὐτὸ ποίησον μετ᾽ ἐμοῦ Πάτερ ἀγαθέ, συγχώρησόν μοι τῷ ἁμαρτωλῷ καὶ πολὺ κακῶς ἔχοντι.

37 ἐμέ : ἐμοῦ I V ‖ 41 εἰσακούσητέ : ἀκούσατε R ‖ 43 τοιαύτης : τηλικαύτης RI V ‖ 45-46 σκεπάσει ... σώσει : -σοι ... -σοι V ‖ 46 αἰώνιον + ἐν χριστῷ R ‖ 46-48 τέκνον – ἁγίων om. K

L. 496 RAKI V

1 δέησις – γέροντα om. R ‖ 4 με om. R ‖ 7 εἰς : εἰ μὴ RI V ‖

de moi, et aussitôt il t'y a mis, lui « qui veut que tous les hommes soient sauvés et viennent à la connaissance de la vérité[d]. » C'est un pur don que tu as ainsi reçu. Désormais il dépend de toi de ne pas être compris dans cette parole de l'Écriture ou de l'être. Si donc tu le veux, il t'aidera celui qui dit : « Si vous le voulez et si vous m'écoutez, vous mangerez les biens de la terre[e] », etc. Voilà, j'ai dit ; veille à ne pas t'exclure d'une telle milice, pour n'être jamais atteint d'une blessure sans remède[4]. Car si tu t'en exclus, tu n'auras aucun profit dans le monde. Que le Seigneur te protège du Mauvais et te sauve pour la vie éternelle ! Amen. Enfant, désormais « laisse les morts enterrer leurs morts[f] », et tu verras comment Dieu est glorifié dans un conseil de saints.

496

Supplique du même au même Grand Vieillard : Abbé, par le Seigneur, aie pitié de moi. Alors que je me repose à l'écart, des fantasmes me réveillent ; bien plus la pensée qu'il m'en viendra d'autres m'accable au point qu'elles affluent même pendant mon sommeil et que je ne peux me reposer. Et comme je suis inquiet de nature, la lutte me réveille plus facilement et ne me laisse dormir que bien peu ; et cela, comme je viens de le dire, avec anxiété et pusillanimité, au point que je sens mon corps épuisé et que je puis à peine me remuer. Pour lors, maître, toi seul sais ce qu'il me faut. Fais-le donc, bon Père, et pardonne au pécheur et au scélérat que je suis.

9 ἀτονίας : ἀτονίαν V || 10 τὸ : ὡς τὸ K

d. 1 Tm 2, 4 e. Is 1, 19 f. Lc 9, 60

4. ἀνίατον – incurable : adj. peu courant, voir Is. 14, 6 (πληγῇ ἀνιάτῳ).

Ἀπόκρισις Βαρσανουφίου ·

Ἄδελφε, δόξασαι τὸν Θεὸν ὀφείλεις πῶς δεικνύει τὴν Γραφὴν ἀληθεύουσαν. Φησὶ γάρ · « Πιστὸς ὁ Θεός, ὃς οὐκ ἐάσει ὑμᾶς πειρασθῆναι ὑπὲρ ὃ δύνασθε[a]. » Καὶ τὴν δύναμίν σου οὖν ἐᾷ σε γυμνάζεσθαι, τοὺς δὲ μεγάλους κατὰ τὴν δύναμιν αὐτῶν εἰς ποικίλους πειρασμοὺς δοκιμάζει καὶ χαίρουσιν[b]. Εἰς προκοπὴν γὰρ φέρει τὸν ἄνθρωπον ὁ πειρασμός, ὅπου γὰρ πρόκειταί τι ἀγαθόν, ἐκεῖ πόλεμος γίνεται. Μὴ οὖν φοβηθῇς τοὺς πειρασμούς, ἀλλὰ χάρηθι ὅτε εἰς προκοπήν σε φέρουσι. Καταφρόνησον οὖν αὐτῶν καὶ βοηθεῖ σοι ὁ Θεὸς καὶ σκεπάζει σε.

497

Δέησις τοῦ αὐτοῦ · Πάτερ ἅγιε, ἀσθενὴς καὶ ἁμαρτωλὸς ὑπάρχων, οὐκ ἔχω παρρησίαν δεηθῆναί τι παρὰ τοῦ εὐσπλάγχνου Θεοῦ. Διὸ προσπίπτω σοι δεηθῆναι ὑπὲρ ἐμοῦ τοῦ ἁμαρτωλοῦ, ἵνα ἀξιωθῶ δουλεύειν αὐτῷ καὶ παράσχῃ μοι δύναμιν καὶ σύνεσιν, πάντων γὰρ τούτων, ὡς οἶδε καὶ ἡ καρδία σου, δέομαι μηδὲν ὢν παντάπασι. Πιστεύω γὰρ Πάτερ ἀγαθέ, ὅτι αἱ σαὶ εὐχαὶ ἱκαναί εἰσι δυσωπῆσαι τὸν Θεὸν περὶ τῶν ἁμαρτιῶν μου, ἵνα παρίδῃ αὐτὸς καὶ ἄξιόν με ποιήσῃ τοῦ ἄρξασθαι τῆς εὐλογημένης ὁδοῦ. Ἵνα ἐν γνώσει καὶ τῇ ὁδηγίᾳ τοῦ ἐλέους σου, εὐλογημένε, ὁδεύων, εὐχαριστήσω συνήθως τῷ φιλανθρώπῳ Θεῷ, τῷ διὰ σοῦ πάντων τῶν ἀγαθῶν ἀξιοῦντί με. Συγχώρησον τῇ ἀφροσύνῃ μου καὶ παρρησίᾳ καὶ εὖχου ὑπὲρ ἐμοῦ.

18 ποικίλους : μεγάλους RI V ‖ 20 τι om. V ‖ 22 ὅτε : ὅτι RI V ‖ οὖν om. K ‖ αὐτῶν : αὐτὸν V

L. 497 RASKI V

3 δεηθῆναι + τι K ‖ 10 τοῦ ἐλέους om. R ‖ εὐλογημένε : -γημένος RSK ‖ 12 ἀξιοῦντί – συγχώρησον om. V

Réponse de Barsanuphe :

Frère, tu dois glorifier Dieu de ce qu'il montre la vérité de l'Écriture. Car il est dit : « Dieu est fidèle, il ne permettra pas que vous soyez tentés au delà de vos forces[a]. » Selon tes forces, il te laisse donc t'exercer, tandis que les grands, il les éprouve selon leurs forces en de multiples tentations et ils s'en réjouissent[b]. Car la tentation fait progresser l'homme : où il y a du bien, là aussi il y a lutte. Ne crains donc pas les tentations, mais réjouis-toi de ce qu'elles te font progresser. Méprise-les donc ; Dieu t'aidera et te protégera.

497

Supplique du même : Père saint, étant faible et pécheur, je n'ai pas l'audace de demander quelque chose au Dieu de miséricorde[1]. C'est pourquoi je te supplie de lui demander pour le pécheur que je suis, que je mérite de le servir, qu'il m'octroie force et intelligence ; car je demande tout cela, ton cœur le sait, moi qui ne suis rien du tout. J'ai en effet confiance, bon Père, que tes prières suffisent à implorer Dieu pour mes péchés, en sorte qu'il en détourne les yeux et m'estime digne d'entrer dans la voie bénie. Alors, je marcherai avec science, sous la conduite de ta miséricorde, Père béni, et je ne cesserai de rendre grâces à Dieu si bon pour l'homme, qui par toi me gratifie de tous les biens[2]. Pardonne à ma folie et à mon audace et prie pour moi.

496. a. 1 Co 10, 13 b. Cf. Jc 1, 2

---

1. Voir L. 386, n. 2 et 499, 11.
2. Cette supplique rappelle la prière de Zacharie dans l'*Évangile selon S. Luc* 1, 68-79.

Ἀπόκρισις Βαρσανουφίου ·

Ἄδελφε, μᾶλλον δὲ τέκνον, ὁ Θεὸς τοῦ οὐρανοῦ καὶ τῆς γῆς ἐνδυναμώσει σε ἐν τῇ ἁγίᾳ κλήσει ᾗ ἐκάλεσέ σε, καὶ καταξιώσει σε τῆς τάξεως τῆς υἱοθεσίας[a] ἧς ὀλίγοι ἀξιοῦνται, καὶ στηρίξει σου τὴν καρδίαν κατὰ τὴν καρδίαν Ἄννης[b], ἵνα γεννήσῃς καρποὺς εὐπροσδέκτους τῷ Θεῷ, κατὰ τὸν Σαμουήλ[c], καὶ συνᾴσῃς αὐτῇ ᾆσμα καινὸν τῷ Θεῷ[d] καὶ προκόψῃς ἔργοις ἀγαθοῖς ἐν τῇ προκειμένῃ σοι ὁδῷ, καὶ δουλεύσῃς αὐτῷ γνησίως ὡς δόκιμος στρατιώτης. Μὴ οὖν ὀκλάσῃς μηδὲ παραλυθῇς, ἀλλὰ δράμε προθύμως τὴν πόλιν τῶν ἁγίων καὶ ἐκλεκτῶν κληρώσασθαι. Πίστιν, ἐλπίδα, ἀγάπην κτῆσαι καὶ φέρουσί σε εἰς τὴν ἁγίαν ταπείνωσιν, τὴν μητέρα πασῶν τῶν ἀγαθῶν, καὶ σωθήσῃ εἰς αἰῶνας αἰώνων. Ἀμήν.

498

Δέησις τοῦ αὐτοῦ · Ἐπειδὴ ἁμαρτωλὸς ὑπάρχω καὶ οὐκ εἰμὶ ἱκανὸς ὡς ἀσθενῶν τῷ σώματι τίποτε ποιῆσαι ἀγαθὸν καὶ ἀρέσκον Θεῷ. Δέομαί σου, δέσποτα, αὐτὸς δεήθητι ὑπὲρ ἐμοῦ τοῦ παροργίσαντος αὐτὸν καὶ μηδὲν ὡς εἶπον δυναμένου καμεῖν, τῆς ἀσθενείας μοι ἐμποδιζούσης.

Ἀπόκρισις Βαρσανουφίου ·

Μακάριος εἶ, ἄδελφε, ἐὰν ὅλως αἰσθανθῇς ὅτι ἔχεις ἁμαρτίας. Ὁ γὰρ αἰσθανόμενος πάντως βδελύσσεται αὐτὰς καὶ ἀφίσταται αὐτῶν. Καὶ μέρος ἐστὶ μετανοίας τὸ αἰσθανθῆναι αὐτῶν καὶ αἰτῆσαι βοήθειαν παρὰ τῶν Πατέρων,

16 ἐνδυναμώσει : -μώσαι R -μώσοι V ‖ κλήσει + αὐτοῦ RI V ‖ 17 καταξιώσει : -ώσοι V ‖ 18 στηρίξει : -ρίσοι V ‖ 20 αὐτῇ : αὐτῷ V ‖ 21 ἔργοις : ἐν ἔργοις I V ‖ 25 ἐλπίδα + καὶ RI V ‖ 26 ἀγαθῶν : ἀρετῶν RKI V

L. 498 RASKI V

5 καμεῖν : ποιῆσαι V ‖ μοι : μου SK om. R ‖ 7 αἰσθανθῇς : αἰσθάνῃ I V

Réponse de Barsanuphe :

Frère, ou plutôt enfant, que le Dieu du ciel et de la terre t'affermisse en la sainte vocation à laquelle il t'a appelé, qu'il te rende digne du rang de fils[a] dont bien peu sont dignes, qu'il fortifie ton cœur comme le cœur d'Anne[b], afin que tu produises des fruits agréables à Dieu, comme Samuel[c], que tu chantes avec elle pour Dieu un cantique nouveau[d], que tu progresses dans les bonnes œuvres en la voie qui t'est ouverte, que tu le serves sincèrement, en soldat éprouvé. Ne fléchis donc pas, ne te relâche pas, mais cours avec ardeur vers l'héritage de la cité des saints et des élus. Acquiers foi, espérance, charité, et elles te porteront à la sainte humilité, mère de toutes les vertus, et tu seras sauvé dans les siècles des siècles. Amen.

498

Supplique du même : Je suis pécheur et incapable, avec mon corps débile, de faire quoi que ce soit de bon et d'agréable à Dieu. Aussi je te le demande, prie-le toi-même pour moi qui l'ai irrité et qui ne puis rien supporter, comme je l'ai dit, à cause de l'infirmité qui m'en empêche.

Réponse de Barsanuphe :

Bienheureux es-tu, frère, si tu te rends parfaitement compte de tes fautes. Car qui s'en rend compte, les prend en grande horreur[1] et s'en débarrasse. C'est une partie de la pénitence de se rendre compte de ses fautes et de demander secours

497. a. Cf. Ga 4, 5 b. Cf. 1 R 1 – 2 c. Cf. 1 P 2, 5 d. Cf. Ps 95, 1

1. Le verbe βδελύσσεται, peu courant, est très approprié pour indiquer la nausée causée par l'horreur.

διὰ τῶν πρὸς Θεὸν εὐχῶν τοῦ ῥυσθῆναι ἀπ' αὐτῶν καὶ τῶν μενουσῶν αὐτὸν κολάσεων. Ἡμεῖς οὖν εὐχόμεθα, καὶ σὺ ποίησον τὴν δύναμίν σου κτήσασθαι ταπείνωσιν, ὑποταγήν. Καὶ μὴ κρατήσῃς ἑαυτῷ θέλημα ἔν τινι, ἐξ αὐτοῦ γὰρ ἡ ὀργὴ τίκτεται. Καὶ μὴ κρίνῃς μηδὲ ἐξουδενώσῃς τινά, ἐκ τούτου γὰρ ἀμβλύνεται ἡ καρδία καὶ τυφλοῦται ὁ νοῦς, καὶ ἐκεῖθεν ἔρχεται ἡ ἀμέλεια καὶ γεννᾶται ἡ σκληροκαρδία[a]. Ἀλλὰ νῆψον διὰ παντὸς εἰς τὴν τοῦ θείου νόμου μελέτην, ἐξ ἧς θερμαίνεται ἡ καρδία τῷ ἐπουρανίῳ πυρί. Φησὶ γάρ· « Καὶ ἐν τῇ μελέτῃ μου ἐκκαυθήσεται πῦρ[b]. » Καὶ μὴ λυπηθῇς, ἐκ Θεοῦ γάρ ἐστιν ἡ κλῆσίς σου ἀδελφέ. Καὶ μὴ χαυνωθῇς μηδὲ παραλυθῇς, οὐ γὰρ ἀπαιτεῖ σε ὁ Θεὸς ὑπὲρ τὴν δύναμίν σου[c], ἀλλὰ κατὰ τὸ δυνατόν. Φύλαξον τὸ στόμα σου ἀπὸ ἀργοῦ λόγου καὶ ματαιολογίας, καὶ τοῦ μὴ μελετᾶν ἐν τῇ καρδίᾳ σου εἰς κακοὺς λόγους. Καὶ ῥίψον τὴν δύναμίν σου[d] σὺν τῇ τῶν ἁγίων εὐχῇ ἐνώπιον τοῦ Θεοῦ λέγων· « Ἱλάσθητί μοι τῷ ἁμαρτωλῷ[e]. » Καὶ ἐλεεῖ σε, καὶ φυλάττει σε καὶ σκεπάζει σε ἀπὸ παντὸς πονηροῦ, τοῦ ἐλθεῖν ἀπὸ τοῦ σκότους εἰς τὸ ἀληθινὸν φῶς[f], ἀπὸ τῆς πλάνης εἰς τὴν ἀλήθειαν, ἀπὸ τοῦ θανάτου εἰς τὴν ζωήν[g], ἐν Χριστῷ Ἰησοῦ τῷ Κυρίῳ ἡμῶν. Ὧι ἡ δόξα εἰς τοὺς αἰῶνας. Ἀμήν.

499

Δέησις τοῦ αὐτοῦ πρὸς τὸν ἄλλον Γέροντα· Ἀββᾶ διὰ τὸν Κύριον, συγχώρησον τῇ προπετείᾳ καὶ ἀφροσύνῃ μου, καὶ βοήθησόν μοι διὰ τὸ πλῆθος τῶν ἁμαρτιῶν μου. Εἰ

11 τοῦ om. V ‖ 12 μενουσῶν : μελλουσῶν ASK ‖ αὐτὸν : αὐτῷ I ‖ 14 ἑαυτῷ : σεαυτῷ V ‖ 23 ὑπὲρ : περὶ A ‖ 25 ματαιολογίας : ματαιοπονίας K ‖ 28 σε[2] om. R

L. 499 RASKI V

498. a. Cf. Mt 19, 8 b. Ps 38, 4 c. Cf. 1 Co 10, 13 d. Cf. Ps 54, 23; 1 P 5, 7 e. Lc 18, 13 f. Cf. Col 1, 13 g. Cf. 1 Jn 3,14

aux Pères, afin que par leurs prières à Dieu, on en soit délivré, ainsi que des châtiments qui attendent le pécheur. Nous donc, nous prions, et toi, fais ton possible pour acquérir humilité et soumission. Ne retiens ta volonté en rien, car c'est cela qui engendre la colère. Ne juge ni ne méprise personne, car le cœur en est émoussé[2], l'esprit aveuglé, et c'est de là que vient la négligence et que naît la dureté de cœur[a]. Veille au contraire à méditer sans cesse la loi divine, qui réchauffe le cœur par le feu céleste. Il est dit en effet : « Dans ma méditation un feu s'est allumé[b] » Et ne t'attriste pas, car ta vocation vient de Dieu, frère. Ne mollis pas, ne te relâche pas, car Dieu ne te demande pas plus que tu ne peux[c], mais ce que tu peux. Garde ta bouche des paroles inutiles ou vaines, afin de ne pas retourner en ton cœur de mauvais propos. Jette tes forces[d] avec la prière des saints devant Dieu en disant : « Aie pitié[3] du pécheur que je suis[e]. » Et il aura pitié de toi, il te gardera et te protégera de tout mal, pour que tu passes des ténèbres à la vraie lumière[f], de l'erreur à la vérité, de la mort à la vie[g], dans le Christ Jésus notre Seigneur. A lui la gloire dans les siècles. Amen.

499

Supplique du même à l'Autre Vieillard : Abbé, par le Seigneur, pardonne ma témérité et ma folie, et viens à mon secours à cause de la multitude de mes péchés. Car si celui

2. ἀμβλύνεται : autre terme recherché et voulu par Barsanuphe ; voir L. 518, 19 où Jean applique ce terme à un outil et L. 600, 47 dans le sens figuré : « nous nous sommes affaiblis, nous avons émoussé notre vigueur ».

3. ἱλάσθητί μοι : cette expression est à la base de la Prière de Jésus (voir L. MORTARI, *Vita e Detti dei Padri del Deserto*, Roma 1971, I, p. 148, n. 120).

γὰρ μίαν ἁμαρτίαν ὁ πράττων ἐνώπιον τοῦ Θεοῦ δέεται πολλῆς τῆς μετανοίας, τί ποιήσω ἐγὼ ὁ συνανατραφεὶς τῇ ἁμαρτίᾳ καὶ παροργίζων τὸν Θεὸν οὐκ ἐπαυσάμην τὸ κατὰ δύναμίν μου; Καὶ δέομαι τῶν ὑμετέρων εὐχῶν, ἵνα ἀποστῇ ἀπ' ἐμοῦ ἡ ἁμαρτία. Καὶ ἐπειδὴ χρείαν ἔχω συνεχῶς διδάσκεσθαι τὴν ὁδὸν ταύτην, ἄνθρωπος ἀπὸ ἀπαντηρίων καὶ πολλῶν ἀδικιῶν ἐνταῦθα ἐλθὼν τῇ πολλῇ εὐσπλαγχνίᾳ τοῦ Θεοῦ. Δέομαί σου Πάτερ ὅσιε, ποίησον ἔλεος μετ' ἐμοῦ, καὶ ὡς δοκιμάζεις ὁδήγησόν με, καὶ εὖχου ὑπὲρ ἐμοῦ εἰς τὸ φυλάττειν τὰς ἁγίας σου ἐντολὰς ἅς μοι κελεύεις ποιεῖν.

Ἀπόκρισις Ἰωάννου·

Ἄδελφε, ἐπειδὴ τῷ σταυρωθέντι ὑπὲρ ἡμῶν προσῆλθες, καὶ σὺ λαβὲ τὸν σταυρόν σου καὶ ἐξακολούθησον αὐτῷ[a], ἐπιρρίπτων ἐπ' αὐτὸν πᾶσάν σου τὴν μέριμναν[b], τὸν ποιοῦντα «ὑπερεκπερισσοῦ ὧν αἰτούμεθα ἢ νοοῦμεν[c]», αὐτῷ γὰρ μέλλει ὑπὲρ ἡμῶν[d]. Μὴ οὖν θροηθῇς καὶ βοηθεῖ σοι ὁ Χριστός. Μόνον δὲ τέκνον, ἔχε ἐν τῷ νῷ τὸν λόγον τῆς θείας Γραφῆς καὶ τὴν ἑτοιμασίαν ἣν λέγει· «Υἱὲ εἰ προσέρχῃ δουλεύειν Θεῷ, ἑτοίμασον τὴν ψυχήν σου εἰς πειρασμόν[e]», καὶ ὅτι «ἀνὴρ ἀπείραστος ἀδόκιμος.» Καὶ πάλιν· «Μακάριος ἀνὴρ ὃς ὑπομένει πειρασμόν, ὅτι δόκιμος γενόμενος[f]», καὶ τὰ ἑξῆς. Οὐ φοβερίζων σε, ἄδελφε, ταῦτα λέγω σοι, ἀλλὰ στηρίζων σου τὴν καρδίαν[g] εἰς τὴν ὁδὸν τοῦ Θεοῦ. Οὕτω γὰρ προέκοψαν ὅλοι οἱ ἅγιοι, διὰ πειρασμῶν καὶ θλίψεων, καὶ εὐηρέστησαν συμβοηθούσης αὐτοῖς τῆς αὐτοῦ χάριτος. Μὴ φοβηθῇς μηδὲ ἐκλυθῇς, πιστεύομεν γὰρ ὅτι ὁ Θεός ἐστιν ὁ φυτεύων σε καὶ ἀρδεύων καὶ αὐξάνων[h] εὐχαῖς ἁγίων. Ἀμήν.

5 συνανατραφεὶς : συντραφεὶς V ‖ 6 καὶ : ὃς V ‖ 10 ἀδικιῶν : κακιῶν I V ‖ 13 σου om. R ‖ 14 μοι : με V ‖ 20 ὑπὲρ : περὶ RI V ‖ 23 θεῷ : κυρίῳ KI V ‖ 25 ἀνὴρ : ἄνθρωπος I V om. R ‖ 25-26 ὅτι – γενόμενος om. R ‖ 27 καρδίαν + ἐν τῷ φόβῳ τοῦ θεοῦ I V ‖ 28 τοῦ θεοῦ : αὐτοῦ I V ‖ ὅλοι : πάντες V ‖ 29 θλίψεων + πολλῶν I V ‖ 30 αὐτοῦ : τοῦ θεοῦ V

qui commet un seul péché devant Dieu a besoin d'une grande pénitence, que ferai-je, moi qui ai été élevé dans le péché et qui n'ai cessé de faire ce que je pouvais pour irriter Dieu? J'implore vos prières, afin que s'éloigne de moi le péché. De plus j'ai sans cesse besoin qu'on m'enseigne cette voie, étant venu ici grâce à l'immense miséricorde de Dieu, après avoir été un homme de bagarres et de nombreux forfaits. Aussi, je te le demande, Père saint, aie pitié de moi, conduis-moi comme tu le juges bon, et prie pour moi, afin que je garde les saints commandements que tu m'auras donnés.

Réponse de Jean :

Frère, puisque tu es venu à celui qui a été crucifié pour nous, prends, toi aussi, ta croix et marche à sa suite[a], rejetant tous tes soucis sur lui[b], qui fait « infiniment plus que ce que nous demandons ou concevons[c] »; lui-même, en effet, se soucie de nous[d]. Sois donc sans crainte et le Christ viendra à ton aide. Seulement, enfant, aie présente à l'esprit cette parole de la divine Écriture et la préparation dont elle parle : « Mon fils, si tu entreprends de servir Dieu, prépare ton âme à la tentation[e] », parce que « l'homme qui n'a pas été éprouvé n'est pas sûr[1] ». Et encore : Bienheureux l'homme qui endure la tentation, car, étant éprouvé[f] », etc. Ce n'est pas pour t'effrayer, frère, que je dis cela, mais pour affermir ton cœur[g] dans la voie de Dieu. Car tous les saints ont progressé ainsi, par des tentations et des afflictions, et ils s'en réjouissaient, soutenus par sa grâce. Ne crains pas, ne te décourage pas; car nous croyons fermement que c'est Dieu qui te plante, qui t'arrose et te fait croître[h] par les prières des saints. Amen.

499. a. Cf. Mt 16, 24 b. Cf. Ps 54, 23; 1 P 5, 7 c. Ep 3, 20 d. 1 P 5, 7 e. Si 2, 1 f. Jc 1, 12 g. Cf. Ps 103, 15; 111, 8 h. Cf. 1 Co 3, 6

1. Cf. Resch, *Agrapha* n° 90, p. 130-132.

500

Ἐρώτησις · Τί ποιήσω Πάτερ ὅτι ὀχλοῦμαι ὑπὸ τῆς πορνείας;

Ἀπόκρισις ·

Ὅσον δύνῃ κακουχήθητι, τοῦτο δέ ἐστι κατὰ τὴν δύναμίν σου, καὶ μὴ ἔσο πεποιθὼς ἐπὶ τοῦτο ἀλλ' ἐπὶ τὴν ἀγάπην καὶ σκέπην τοῦ Θεοῦ, καὶ μὴ ἀκηδιάσῃς, ἡ γὰρ ἀκηδία εἰς πᾶσαν ἀρχὴν κακὴν βάλλει ἑαυτήν.

501

Ἐρώτησις · Ἐπειδὴ ἐὰν λαλῶ τῷ ἀδελφῷ μου, πολλάκις μετ' ὀργῆς λέγω τὸν λόγον. Καὶ ἐὰν ὡς ἐν ἀγάπῃ θελήσω, εὐθέως μετὰ ἡδύτητος αἰσχρᾶς καὶ κινήσεως τοῦ σώματος κακῶς κινοῦμαι. Μηδὲ εἰς πρόσωπον ἀτενίσαι τοῦ ἀδελφοῦ ἄνευ τούτων δυνάμενος, τί ποιήσω Πάτερ;

Ἀπόκρισις Ἰωάννου ·

Τὸ λαλῆσαι μετ' ὀργῆς ἢ μετὰ ἀγάπης τῷ ἀδελφῷ κινουμένου τοῦ σώματος, τὰ δύο θάνατός ἐστιν. Ἀφεὶς οὖν τὰ ἀμφότερα, μετὰ ἕξεως λάλει τῷ ἀδελφῷ σου, καὶ βοηθεῖ σοι ὁ Θεός. Καὶ σὺν πᾶσι τούτοις φύλαξον τοὺς ὀφθαλμούς σου καὶ εὖξαι ὑπὲρ ἐμοῦ.

502

Ἐρώτησις · Τί ποιήσω ὀχλούμενος ὑπὸ τοῦ πολέμου τῆς γαστριμαργίας, καὶ τῆς φιλαργυρίας καὶ τῶν ἄλλων παθῶν;

L. 500 RASKI V
7 βάλλει : ἐμβάλλει K
L. 501 RASKI V
2 ἐὰν om. SK ‖ ἐν om. RI V ‖ 4 πρόσωπον + ἰδεῖν καὶ SK
L. 502 RASKI V

500

Demande : Que faire, Père, car je suis harcelé par la luxure ?

Réponse :

Sois tourmenté autant que tu le peux, c'est-à-dire selon tes forces, ne compte pas là-dessus mais sur l'amour et la protection de Dieu, et garde-toi de l'acédie[1], car l'acédie se précipite en tout mauvais début[2].

501

Demande : Lorsque je parle à mon frère, je lui adresse souvent la parole avec colère. Et si je veux le faire avec charité, aussitôt j'éprouve un désir mauvais avec plaisir honteux et mouvement du corps. Je ne puis même pas fixer le visage du frère sans que cela se produise. Que faire, Père ?

Réponse de Jean :

Parler avec colère[3] au frère ou avec charité en ayant des mouvements charnels, dans les deux cas c'est la mort ; évite donc les deux, parle à ton frère avec retenue et Dieu te portera secours. Outre tout cela, garde bien tes yeux et prie pour moi.

502

Demande : Que faire ? Je suis harcelé par les assauts de la gourmandise, de l'avarice et des autres passions.

1. Sur l'acédie dans le sens de découragement voir L. 13, n. 1, 137, 137 b, 144, 153, 167, 196, 201, 205, 240, 257, 269, 436, 442, 443, 452, 453, 514, 532, 564, 613, 621 et en particulier la L. 562.
2. Cf. *Alph. Poemen,* 149.
3. Voir L. 389, où Barsanuphe aussi condamne cette passion.

Ἀπόκρισις ·

Ὅταν πολεμῇ σε τὸ πάθος τῆς γαστριμαργίας, ἀγώνισαι ὅσον ἔχεις δύναμιν, μὴ δοῦναι τῷ σώματι ὅσον χρῄζει, κατὰ Θεόν. Καὶ ἐπὶ τῆς φιλαργυρίας ὁμοίως · Ἕως οὗ ὁ πόλεμος ὀχλεῖ σοι, μὴ κτήσῃ περισσὸν τίποτε ἕως ἑνὸς χιτῶνος, καὶ εἰς ὄστρακα καὶ εἰς αὐτὴν τὴν λεπτὴν ὕλην ἀγώνισαι. Μετὰ δὲ τὸ νικῆσαι σὺν Θεῷ τὸν πόλεμον, κτῆσαι τὴν χρείαν σου κατὰ Θεόν. Καὶ ἐπὶ τῶν ἄλλων παθῶν τὸ αὐτὸ ποίει.

503

Ἀδελφὸς συνοικῶν γέροντι ἠρώτησε τὸν αὐτὸν Γέροντα Ἰωάννην περὶ διαίτης καὶ ὕπνου καὶ τῆς αὐτῷ συμβαινούσης ταραχῆς πρὸς τὰ δοκοῦντα αὐτῷ μὴ ὀρθῶς παρὰ τοῦ γέροντος γενέσθαι.

Ἀπόκρισις ·

Οἱ Γέροντες λέγουσιν ὅτι «Τὸ ἀναπαῦσαι τὸν πλησίον ἀρετή ἐστι καὶ μεγάλη, μάλιστα ὅταν οὐ δι' ἧτταν ἢ διὰ ἀσωτίαν ποιεῖ τις τὸ πρᾶγμα.» Σὺ τὸ ἀρκετὸν τοῦ σώματος φύλαξον, κἂν φάγῃς τρίτον, οὐ βλάπτῃ. Τί γὰρ ἐὰν φάγῃ ἄνθρωπος ἅπαξ ἀδιακρίτως, τί αὐτὸν ὠφελεῖ; Μάθε οὖν μετ' ἐλευθερίας τὸν λογισμὸν τοῦ γέροντος. Ὁπότε γὰρ κατὰ Θεὸν ζῆτε ἀμφότεροι, καὶ αὐτὸς κατὰ φόβον Θεοῦ ὀφείλει εἰπεῖν τὴν ἐλευθερίαν, καὶ εἴ τι λέγει ὅτι ἀναπαύει αὐτόν, αὐτὸ ποίησον, καὶ τοῦτ' ἔστι τὸ θέλημα τοῦ Θεοῦ. Περὶ δὲ τοῦ ὕπνου δύο τρόπους ἔχει · Ἔστιν ὅτε ἀπὸ πολυφαγίας βαρεῖται τὸ σῶμα, καὶ ἔστιν ἀπὸ ἀδυναμίας.

7 οὗ om. ASK ‖ 8 κτήσῃ : κτήσῃς V ‖ τίποτε : τί R ‖ ἑνὸς om. RI V

L. 503 RASKI V

Réponse :

Lorsque tu es attaqué par la passion de gourmandise, lutte de toutes tes forces selon Dieu pour ne pas donner au corps tout ce qu'il désire. De même pour l'avarice : Tant que les assauts te harcèlent, ne possède rien de plus qu'une tunique ; pour la vaisselle et le moindre objet lutte aussi. Après que tu auras, avec Dieu, repoussé l'assaut, procure-toi ce qui t'est nécessaire selon Dieu. Pour les autres passions, fais la même chose.

503

À UN FRÈRE

Un frère qui habitait avec un vieillard interrogea le même Vieillard Jean au sujet du régime alimentaire, du sommeil et du trouble qu'il éprouvait devant certains faits de son vieillard qui ne lui semblaient pas convenables.

Réponse :

Les Vieillards disent : « Tranquilliser le prochain est une vertu et une grande, surtout quand on ne le fait pas par faiblesse ou par légèreté. » Pour toi, garde la mesure qui suffit à ton corps, et même si tu manges trois fois, cela ne te sera pas nuisible. Car si on mange une seule fois sans discrétion, quel profit en retire-t-on ? Informe-toi donc avec liberté de la pensée du vieillard. Car dès lors que vous vivez tous les deux selon Dieu, lui, d'une part, doit s'exprimer librement selon la crainte de Dieu, et toi, s'il dit que quelque chose lui procure du soulagement, fais-le : telle est la volonté de Dieu.

Pour ce qui est du sommeil, il y en a deux espèces, selon que le corps est accablé soit par l'abondance de

7 διὰ[2] om. V ‖ 10 αὐτὸν : αὐτῷ V ‖ 11 ὁπότε : ὁπόταν SK ‖ 15 περὶ – ὕπνου : ὁ δὲ ὕπνος V

Τὸ μὴ δύνασθαί τινα λειτουργῆσαι, καὶ ἔρχεται ὁ ὕπνος. Τῇ δὲ πολυφαγίᾳ ἐξακολουθεῖ ὁ πόλεμος τῆς πορνείας, βαρεῖ γὰρ αὐτὸν εἰς τὸν ὕπνον πρὸς τὸ μολῦναι αὐτοῦ τὸ σῶμα. Λοιπὸν ὁ διακρίνων μανθάνει πῶς καὶ πόθεν γίνεται αὐτῷ τοῦτο. Ποιῆσαι δὲ τὴν δύναμιν ἡμῶν ἀπαιτούμεθα καὶ οὐδὲν περισσόν. Καὶ ἡ σκέπη τοῦ Θεοῦ καὶ τὸ ἔλεός ἐστι τοῦ ἐνδυναμῶσαι τὴν ἀδυναμίαν ἡμῶν, ὅτι αὐτῷ ἡ δόξα εἰς τοὺς αἰῶνας. Ἀμήν. Εὖξαι ὑπὲρ ἐμοῦ, ἄδελφε.

Καὶ ποίησον τὴν ἀγάπην λαλῶν τῷ πλησίον, διάκρινον εἰ μὲν μετὰ ταπεινώσεως καὶ διακρίσεως ἀταράχως λαλεῖς, λάλησον, εἰ δέ ἐστι τίποτε μὴ τοιοῦτον, ἄγξον τὸν λογισμὸν καὶ καταίσχυνον αὐτὸν καὶ παύεται. Καὶ μὴ ταραχθῇς ἐπὶ πράγματι παρ' αὐτοῦ γινομένῳ, λέγων · Ὁ Θεὸς οἶδε τὸ συμφέρον, καὶ ἀναπαύῃ. Ὑπόμνησον δὲ αὐτὸν μετὰ ταπεινώσεως καὶ ἄφες αὐτὸν ὡς θέλει ποιῆσαι. Καὶ εὖξαι ὑπὲρ ἐμοῦ, ἄδελφε τιμιώτατε.

504

Ἐρώτησις · Ἐάν τις μένῃ μετὰ γέροντος καὶ οὐκ ἔστιν ἱκανὸς ὁ γέρων ἐρωτώμενος ἀποκρίνεσθαι, θλίβεται δὲ ὁ ἀδελφὸς ὑπὸ λογισμῶν, ἆρα ὀφείλει ἐρωτᾶν ἄλλον γέροντα, εἴτε κατὰ γνώμην αὐτοῦ εἴτε παρὰ γνώμην; Ἤγουν συντριβόμενος ὑπὸ τῶν λογισμῶν;

Ἀπόκρισις ·

Ἐὰν οἶδεν ὅτι θέλει ὁ ἀββᾶς αὐτοῦ ὠφελῆσαι τὴν ψυχὴν αὐτοῦ, ὀφείλει θαρρῆσαι αὐτῷ ὅτι «Λογισμοὺς ἔχω, τί δοκιμάζεις ποιήσω;» Καὶ αὐτὸς ἀφ' ἑαυτοῦ ὡς ἄνθρωπος ἔχων υἱὸν ἀρρωστοῦντα καὶ μετὰ σπουδῆς λαμβάνων αὐτὸν εἰς ἰατρόν, οὐ μόνον δέ, ἀλλὰ καὶ μισθοὺς ὑπὲρ αὐτοῦ

18 ἐξακολουθεῖ : ἐπακολουθεῖ RI V ‖ 20 πῶς καὶ om. R ‖ 23 τοῦ om. V ‖ ἀδυναμίαν : δύναμιν RASK ‖ 27 μὴ om. K ‖ τοιοῦτον + μέν, οὐ τοὐναντίον δὲ K ‖ 32 ἄδελφε τιμιώτατε om. R

nourriture, soit par la faiblesse. Lorsque quelqu'un ne peut plus accomplir son service, le sommeil lui vient. Mais l'assaut de la luxure accompagne l'abondance de nourriture : elle l'accable de sommeil pour souiller son corps. Du reste, celui qui a le discernement sait comment et d'où cela lui vient. On nous demande de faire notre possible et rien de plus. La protection de Dieu et sa miséricorde sont là pour fortifier notre faiblesse, à lui la gloire dans les siècles. Amen. Prie pour moi, frère.

Et sois charitable quand tu parles au prochain, rends-toi compte si tu parles avec humilité et discernement, sans te troubler, en ce cas parle; si telle n'est pas la situation, étrangle ta pensée[1], fais-lui honte et elle cessera. Et ne te trouble pas d'une chose faite par le vieillard, dis : «Dieu sait ce qui est utile»; et sois en paix. Avertis-le cependant avec humilité et laisse-le agir comme il veut. Prie pour moi, frère très cher.

504

Demande : S'il arrive qu'un frère demeure avec un vieillard et que celui-ci n'est pas en mesure de répondre à ses questions, lorsque le frère est affligé par des pensées, doit-il interroger un autre vieillard, avec son approbation ou sans son approbation? Ou bien (doit-il supporter d') être torturé par les pensées?

Réponse :

S'il sait que son abbé veut le bien de son âme, il doit lui confier : «J'ai des pensées, que faire à ton avis»? Et lui, de lui-même, comme un homme qui a un fils malade et s'empresse de le conduire chez le médecin, allant même

L. 504 PRASKI V
1 ἔστιν : ᾖ V || 2 ἀποκρίνεσθαι : -κρίνασθαι PRI V || 3 ὑπὸ : ἐπὶ S

1. Remarquer l'emploi particulièrement approprié de ce verbe peu courant (ἄγξον), appliqué à la pensée.

παρέχων, οὕτω καὶ αὐτὸς μετὰ χαρᾶς λαμβάνει τὸν μαθητὴν αὐτοῦ πρὸς ἄνθρωπον ἔχοντα τοῦτο τὸ χάρισμα, ἤγουν πέμπει αὐτὸν πρὸς αὐτόν. Ἐὰν δὲ οἶδεν ὅτι οὐ δύναται τοῦτο βαστάξαι ὁ γέρων, μηδὲν αὐτῷ εἴπῃ, ἀλλ᾽ ἐὰν εὕρῃ εὐκαιρίαν, οἰκονομοῦντος τοῦ Θεοῦ πρόφασιν, ἐρωτήσει ἄλλον γέροντα πνευματικὸν περὶ τῶν λογισμῶν αὐτοῦ, παρακαλῶν αὐτὸν μὴ μαθεῖν τὸν ἀββᾶν αὐτοῦ, ἐπεὶ ῥίπτει αὐτὸν εἰς τὸ πάθος τοῦ φθόνου. Καὶ γίνεται αὐτῷ εἰς μεγάλην θλῖψιν τὸ ἐκτὸς αὐτοῦ ἐρωτῆσαι καὶ μὴ σκανδαλισθῇ εἰς αὐτόν, ὡς μὴ ἔχοντα τοιοῦτον χάρισμα, οὐ πᾶσι γὰρ ἐδόθη. Καὶ ἐὰν ψηλαφήσῃ, εὑρίσκει ὅτι πάντως ἔχει ὁ ἀββᾶς αὐτοῦ ἄλλο χάρισμα. Τὰ γὰρ χαρίσματα τοῦ Πνεύματος διάφορά εἰσι καὶ τοῖς ἀνθρώποις μεμερισμένα[a], τῷ μὲν οὕτως, τῷ δὲ οὕτως. Ἐφ᾽ ὅσον δὲ οὐχ εὑρίσκει καιρὸν τοῦ ἐρωτῆσαι, ὑπομείνῃ, δεόμενος τοῦ Θεοῦ τοῦ βοηθῆσαι αὐτῷ.

505

Ἀδελφὸς εὐχερῶς κινούμενος εἰς ὀργὴν ἐρώτησε τὸν αὐτὸν Γέροντα περὶ τούτου.
Ἀπόκρισις Ἰωάννου·

Εἰ ἐπύκτευες τοῦ ἀποθανεῖν ἀπὸ τῶν ἀνθρώπων καὶ δέξασθαι μικρὰν ταπείνωσιν, εἶχες ἀναπαῆναι καὶ εὐλυτῶσαι ἀπὸ πολλῶν κινδύνων. Ταπεινωθήτω ἡ καρδία σου ἐνώπιον τοῦ Θεοῦ καὶ ἡ ἀγαθότης αὐτοῦ συναντιλαμβάνεται ἡμῖν εἰς πάντα.

13 ἔχοντα : ἔχων K ‖ 14 ἐὰν : εἰ V ‖ 15 βαστάξαι : -τάσαι V ‖ 16 ἐρωτήσει : ἐρωτῆσαι V ‖ 25 τῷ[2] δὲ – οὕτως[2] om. S ‖ 26 ὑπομείνῃ : -μένει K

L. 505 RASKI V
4 τῶν ἀνθρώπων : παντὸς ἀνθρώπου I V ‖ 5 ἀναπαῆναι : ἀναπαυθῆναι K

jusqu'à payer pour lui les honoraires, lui aussi adressera avec joie son disciple à un homme qui possède ce charisme; autrement dit il l'enverra le trouver. Mais si le frère sait que le vieillard ne pourra supporter cela, qu'il ne lui en dise rien et lorsqu'il trouvera une bonne occasion, ménagée par une disposition de Dieu, il interrogera un autre vieillard spirituel sur ses pensées, il le priera de ne pas le faire savoir à son abbé; autrement il le jetterait dans la passion de l'envie. Et il lui viendrait une profonde affliction de ce que l'interrogation a été faite à son insu, et il risquerait d'être scandalisé à son sujet, à la pensée qu'il ne possède pas ce charisme, lequel de fait n'est pas donné à tous. Et en cherchant bien, il trouvera que son abbé a certainement un autre charisme. Car les charismes de l'Esprit sont divers et répartis entre les hommes[a] : à l'un de telle manière, à l'autre de telle autre. Mais tant que le frère n'a pas l'occasion d'interroger, qu'il patiente, priant Dieu de venir à son secours.

505

À UN AUTRE FRÈRE

Un frère facilement porté à la colère, interrogea à ce sujet le même Vieillard.

Réponse de Jean :

Si tu t'efforçais de mourir aux hommes[1] et d'obtenir un peu d'humilité, tu pourrais avoir la paix et te tirer facilement de beaucoup de dangers. Que ton cœur s'humilie devant Dieu et sa bonté nous aidera en tout.

504. a. Cf. Rm 12, 6; 1 Co 12, 4

1. Ce thème est abordé dans de nombreuses lettres de la *Correspondance*. Voir L. 52, 68, 141, n. 2, 142, 553, 567, etc.

506

Ἀδελφὸς ἠρώτησε τὸν μέγαν Γέροντα λέγων· Εὖξαι ὑπὲρ ἐμοῦ Πάτερ, ὅτι ἀσθενῶ ψυχῇ καὶ σώματι, ἵνα ἐνδυναμώσῃ με ὁ Κύριος εἰς τὸ εὐχαριστῆσαι αὐτῷ, καὶ ὑπὲρ τοῦ συνόντος μοι ἀδελφοῦ, ὅτι καὶ αὐτὸς χρῄζει ἐλέους.

Ἀπόκρισις Βαρσανουφίου·

Ὁ Κύριος ἐνδυναμώσει σε εἰς πᾶν ἔργον ἀγαθόν, ὡς ᾔτησας. Ἰδοὺ καὶ τοῦτο ἔργον ἐστὶν ἀγαθὸν τὸ συνελθεῖν τῷ μετὰ σοῦ ἀδελφῷ κατὰ τὴν δύναμιν. Καὶ ὁ εἰπών· « Πῦρ ἦλθον βαλεῖν ἐπὶ τὴν γῆν[a] » ἐμβάλλῃ αὐτὸ εἰς τὴν σὴν καρδίαν καὶ τὴν ἐμήν, καὶ ἴδω σε θάλλοντα ὡς τὰς κέδρους τοῦ Λιβάνου καὶ ἀνθοῦντα ὡς φοίνικα[b] ἐν τῷ παραδείσῳ τοῦ Θεοῦ μου[c]. Καὶ γὰρ τούτων οὕτως ἐχόντων, κἀγὼ γεύομαί σου τῶν ἀγαθῶν καὶ εὐφραίνομαι ἐν Χριστῷ Ἰησοῦ τῷ Κυρίῳ ἡμῶν. Αὐτῷ ἡ δόξα εἰς τοὺς αἰῶνας. Ἀμήν.

507

Ἐρώτησις· Πάτερ, εὖξαι ὑπὲρ ἐμοῦ, καὶ παρακαλῶ μαθεῖν πόθεν ἡ τοσαύτη μοι ἀδυναμία συνέβη καὶ εἰς τὴν λειτουργίαν μου καὶ τὸ ἐργόχειρόν μου, καὶ πῶς ἀπὸ τῆς ὀλιγωρίας ἐπὶ τὸ φαγεῖν καὶ κοιμηθῆναι κλίνει ὁ λογισμός μου.

Ἀπόκρισις·

Περὶ τῆς εὐχῆς τέκνον, εἰ ἄρα ἔχω εὐχήν, οὐ δύναμαι εὔξασθαι περὶ τῆς ἐμαυτοῦ ψυχῆς περισσότερον τῆς σῆς,

L. 506 RASKI V
1 λέγων om. V ‖ 2 ἵνα + καὶ R ‖ 7 ἐνδυναμώσει : -ώσαι R -ώσοι V ‖ 9 ἀδελφῷ + σου ASK ‖ 10 ἐπὶ : εἰς RI V ‖ 11 ἴδω : ἴδοιμι R

L. 507 PRASKI V
1-2 παρακαλῶ μαθεῖν : εἰπέ μοι PR ‖ 2 μοι om. I V ‖ συνέβη :

506

À UN FRÈRE MALADE

Un frère interrogea le Grand Vieillard : Prie pour moi, Père, car je suis malade d'âme et de corps, afin que le Seigneur me donne la force de lui rendre grâces, et pour le frère qui est avec moi, parce que lui aussi a besoin de miséricorde.

Réponse de Barsanuphe :

Que le Seigneur te fortifie en toute œuvre bonne, comme tu le demandes. Voilà bien en effet aussi une œuvre bonne de t'accorder dans la mesure du possible avec le frère qui est avec toi. Et que celui qui a dit : « Je suis venu apporter le feu sur la terre[a] » le mette dans ton cœur et dans le mien, et qu'il m'accorde de te voir croître comme les cèdres du Liban et fleurir comme le palmier[b] « dans le paradis de mon Dieu[c]. » Car cela étant, je goûterai, moi aussi, de tes biens et je m'en réjouirai dans le Christ Jésus notre Seigneur. A lui la gloire dans les siècles. Amen.

507

Demande : Père, prie pour moi, et je te demande de m'apprendre d'où me vient une telle impuissance pour ma liturgie et pour mon travail manuel, et comment il se fait que, par négligence, ma pensée m'incline à manger et à dormir.

Réponse :

Au sujet de la prière, enfant, si du moins j'ai une prière, je ne puis prier pour mon âme à moi plus que pour la

συμβαίνει PRSKI V ‖ 3 πῶς om. I V ‖ 5 μου + ὠφέλησον PR om. AI V ‖ 7 τέκνον om. V ‖ ἄρα om. K

506. a. Lc 12, 49 b. Cf. Ps 91, 13 c. Ap 2, 7

τρέμω γὰρ τὸν λέγοντα · «Ζήτησον τὸν πλησίον σου ὡς ἑαυτόν[a].» Ἀλλ' ἐγὼ τέως ποιῶ μου τὴν δύναμιν, τοῦ δὲ Θεοῦ ἐστι τὸ ἔλεος, ὃς ἐποίησεν ἤδη μεθ' ἡμῶν μέγα ἔλεος καὶ ποιεῖ. Οὐκ ἀρνοῦμαι ὅτι ἐποίησεν, ἐπεὶ ἀχαριστία εὑρίσκεται. Περὶ δὲ τῆς ἀδυναμίας καὶ τὸ ἅπαξ εἶναι οὕτως καὶ ἅπαξ οὕτως, ἡ ὁδὸς οὕτως ἐστί · Περιπατεῖ τις ὀλίγον λείαν ὁδόν[b], καὶ πάλιν εὑρίσκει κρημνοὺς καὶ βουνοὺς καὶ ὄρη, καὶ ἀπαντᾷ πάλιν εἰς εὐθεῖαν ὁδόν[c]. Καὶ ἐπειδὴ λέγει · «Ἐν παντὶ εὐχαριστεῖτε[d]», «ὀφειλέται ἐσμέν[e]», περὶ δὲ τοῦ φαγεῖν καὶ πιεῖν καὶ κοιμηθῆναι, προηγείσθω ἡ εὐχαριστία. Μελέτησον εἰς τὸ ῥητὸν τοῦ Ἀποστόλου ὅτι «Εἴτε ἐσθίετε, εἴτε πίνετε, εἴτε τι ἕτερον ποιεῖτε[f].» Ἐν παντὶ φύλαξον καὶ φυλάττει σε ὁ τῆς εὐχαριστίας Θεός. Αὐτῷ ἡ δόξα εἰς τοὺς αἰῶνας. Ἀμήν.

508

Τοῦ αὐτοῦ μεγάλου Γέροντος ἀπόκρισις πρὸς τὸν αὐτὸν ἐρωτήσαντα εἰ δεῖ κεχρῆσθαι φαρμάκοις ·

Ἄδελφε, οἱ χρώμενοι ἰατροῖς καὶ οἱ μὴ χρώμενοι. Ἐπ' ἐλπίδι Θεοῦ χρῶνται λέγοντες · Ἐν ὀνόματι Κυρίου πιστεύομεν ἑαυτοὺς ἰατροῖς, ὅτι παρέχει τὴν ἴασιν δι' αὐτῶν. Καὶ οἱ μὴ χρώμενοι, ἐπ' ἐλπίδι τοῦ ὀνόματος αὐτοῦ οὐ χρῶνται καὶ θεραπεύει αὐτούς. Ἐὰν οὖν χρήσῃ, οὐχ ἥμαρτες, καὶ ἐὰν μὴ χρήσῃ, μὴ ὑψηλοφρονήσῃς. Τοῦτο δὲ ἵνα μάθῃς ὅτι ἐὰν χρήσῃ ἰατροῖς, τὸ θέλημα τοῦ Θεοῦ γίνεται καὶ οὐδὲν ἄλλο[a]. Ἐὰν δὲ θέλῃς τὸν λόγον τοῦ Ἠλίου[b] κρατῆσαι ὃν ἔλεγε · «Τὴν σήμερον», ἀμεριμνεῖς.

10 ἑαυτόν : σεαυτόν V ‖ 15-16 καὶ[2] βουνοὺς om. I V ‖ 16 εἰς om. SK ‖ καὶ[3] om. PRI V ‖ 17 ἐπειδὴ + δὲ I V ‖ 21 ἕτερον om. PR ‖ ποιεῖτε + καὶ I V

L. 508 PRASKI V

2 ἐρωτήσαντα : γέροντα ASK ‖ 9 ἵνα μάθῃς : μάθε PR ‖ 10 καὶ + εἰς PR

---

507. a. Lv 19, 18 b. Cf. Is 40, 4; Lc 3, 5 c. Cf. Ps 142, 10 d. 1 Th 5, 18 e. Rm 8, 12 f. 1 Co 10, 31

tienne, car je tremble en entendant la parole : « Choie ton prochain comme toi-même[a]. » Pour moi assurément je fais mon possible, mais c'est à Dieu de faire miséricorde, lui qui nous a fait déjà grande miséricorde et qui la fera encore. Je ne nie pas qu'il l'ait faite, ce serait de l'ingratitude. Quant à l'impuissance et au fait d'être tel une fois et tel une autre fois, c'est ainsi qu'est la route : on marche un peu en terrain plat[b], puis on tombe sur des précipices, des collines et des montagnes, et l'on rencontre ensuite une route droite[c]. Et puisqu'il est dit : « En tout rendez grâces[d] », « nous sommes débiteurs[e] », que l'action de grâces précède tout, qu'il s'agisse de manger, de boire ou de dormir. Médite la parole de l'Apôtre : « Soit que vous mangiez, soit que vous buviez, quoi que vous fassiez[f]... » Garde-la en tout, et le Dieu de l'action de grâces te gardera. A lui la gloire dans les siècles. Amen.

508

Réponse du même Grand Vieillard au même qui lui demandait s'il fallait user de médicaments :

Frère, les uns recourent au médecin, les autres non. Ceux qui y recourent, se fondent sur l'espoir en Dieu et disent : « C'est dans le nom du Seigneur que nous nous fions aux médecins, croyant qu'il nous procurera la guérison par eux. » Quant à ceux qui n'y recourent pas, ils ne le font pas, s'appuyant sur l'espérance de son nom, et lui les guérit. Donc si tu fais appel aux médecins, tu ne pèches pas ; mais si tu ne recours pas à eux, prends garde aux pensées d'élèvement. Et cela, afin que tu saches que si tu recours aux médecins, c'est pour que la volonté de Dieu se fasse et rien d'autre[a]. Mais si tu veux tenir pour règle la parole dite par Élie[b] : aujourd'hui[1], tu seras dégagé de tout souci.

508. a. Cf. Si 38, 1-15 b. Cf. 3 R 18, 15

1. Cf. *Vie de Saint Antoine*, 7 : *PG* 26, 853.

509

Ἐρώτησις · *Εὖξαι ὑπὲρ ἐμοῦ Πάτερ, καὶ εἰπέ μοι τί ἐστιν ὅτι τὴν νύκτα ὡς θέλω ψάλαι, ὄκνου αἰσθάνομαι, καὶ μάλιστα ὅτε γίνεται ψῦχρα. Καὶ λοιπὸν τὰς πολλὰς καθεζόμενος ψάλλω δῆθεν καὶ εὔχομαι. Ἐπειδὴ οὖν φοβοῦμαι μὴ ἀπὸ ῥαθυμίας ταῦτα πάσχω, καταξίωσον Πάτερ φωτίσαι με καὶ εὔξασθαι ἵνα ποιήσω εἴ τι λέγεταί μοι.*

Ἀπόκρισις ·

Τὸ ὑπὲρ ἄλλου εὔξασθαι πάντες ἐνετάλθημεν[a]. Περὶ δὲ ὧν ἠρώτησας μαθεῖν θέλων τί ἐστιν, ἔστι μέρος μεμιγμένον τοῦ σπέρματος τῶν δαιμόνων[b] καὶ μέρος τῆς ἀσθενείας τοῦ σώματος. Ὥστε οὖν τὸ ψάλλειν ἢ τὸ εὔξασθαι καθήμενον μετὰ κατανύξεως οὐκ ἐμποδίζει τὸ εὐαρεστῆσαι τῷ Θεῷ τὴν λειτουργίαν. Ἐὰν γὰρ στήκων ποιήσῃ τις μετὰ ῥεμβασμοῦ, εἰς οὐδὲν λογίζεται ὁ κόπος αὐτοῦ[c]. Ὁ Κύριος βοηθήσει σοι, ἄδελφε. Ἀμήν.

510

Ἐρώτησις · *Παρακαλῶ τὴν ἁγιωσύνην σου, Πάτερ, ἐπειδὴ ἀσθενῶ ψυχῇ καὶ σώματι. Ἔχω δὲ ἱκανὰς ἡμέρας τῷ σώματι ἐπιπλεῖον ἀσθενῶν, ὥστε τὰς πρωϊνὰς τρέφεσθαι, πολλάκις δὲ καὶ εἰς τὸ χαράδριον κεῖμαι. Καὶ ἔστιν ὅτε εὐχαριστεῖ ἡ ψυχή μου λέγουσα ὅτι Ὁ Θεὸς συνεχώρησέ μοι τὴν ἀσθένειαν ταύτην διὰ τὰς πολλάς μου ἁμαρτίας. Μίαν μίαν δὲ θλίβομαι μετ' ὀλιγωρίας λέγων ὅτι οὔκ εἰμι ἄξιος ὡς πάντες φαγεῖν τὸν ἄρτον μου ἅπαξ*

L. 509 PRASKI V

3 γίνεται : γένηται PR ‖ 4 ἐπειδὴ : ἐπεὶ V ‖ 6 φωτίσαι : φώτισον I V ‖ με : μου V ‖ 9 ἄλλου : ἀλλήλων V ‖ 10 μαθεῖν – ἐστιν[1] om. PR ‖ 11-12 τῶν δαιμόνων – σώματος om. SK ‖ 14 ἐὰν – τις om. P ‖ τις + τὴν λειτουργίαν R ‖ 16 βοηθήσει : -σαι PR -σοι V

509

Demande : Prie pour moi, Père, et dis-moi ce qu'il en est : la nuit, quand je veux psalmodier, je ressens de la nonchalance, et surtout quand il fait froid. Aussi maintenant la plupart du temps je psalmodie et je prie assis. Mais comme je crains que cela ne m'arrive par suite de mon insouciance, daigne m'éclairer, Père, et prier pour que je fasse ce qui m'est dit.

Réponse :

Nous avons tous reçu l'ordre de prier les uns pour les autres[a]. Quant à ce que tu demandes voulant savoir ce qu'il en est, il s'y mêle en partie de la semence des démons[b] et en partie de la faiblesse du corps. Donc le fait de psalmodier ou de prier assis avec componction n'empêche pas la liturgie d'être agréable à Dieu. Car si quelqu'un la fait debout avec agitation, sa peine n'est comptée pour rien[c]. Que le Seigneur t'aide, frère. Amen.

510

Demande : J'implore ta sainteté, Père, car je suis malade d'âme et de corps. Durant de longs jours je suis si faible de corps que dès le matin je mange et souvent je reste étendu sur ma couche. Il arrive aussi que mon âme rende grâces et dise : « Dieu m'a envoyé cette maladie à cause de mes nombreux péchés. » De temps en temps aussi, je suis affligé me disant avec découragement que je ne suis pas digne de manger comme tout le monde mon pain une

L. 510 RASKI V
2 ἐπειδὴ : ἐπεὶ V

509. a. Cf. Jc 5, 16 b. Cf. Mt 13, 39 c. Cf. 1 Th 3, 5

τῆς ἡμέρας μετὰ ἀναπαύσεως. Καὶ πάλιν λέγει μοι ὁ λογισμός· Μὴ ἀντειπεῖν ἔνι τῷ Θεῷ; Οὐκ οἶδε τὰ πάντα; Μὴ χωρὶς αὐτοῦ δύναταί τι γενέσθαι; Ὑπόμεινον μετ' εὐχαριστίας. Δέομαί σου, Πάτερ, διὰ τοὺς οἰκτιρμοὺς τοῦ Θεοῦ, εὖξαι ὑπὲρ ἐμοῦ, καὶ δήλωσόν μοι πῶς ὀφείλω παρελθεῖν ἵνα μὴ ὑπὸ τῆς λύπης καταποθῶ.

Ἀπόκρισις Βαρσανουφίου·

Ἡ ἁγιωσύνη σου τῇ ἁγιωσύνῃ μου ἔγραψεν εὔξασθαι ὑπὲρ τῆς σῆς θεοφιλίας. Καὶ ἐγὼ δὲ ὁ ἀσύνετος Πατήρ, δέομαί σου τοῦ συνετοῦ υἱοῦ τὸ αὐτὸ ποιῆσαι, τὸ εὔξασθαι ὑπὲρ ἐμοῦ τοῦ ἀναλίσκοντος ἑαυτοῦ τὰς ἡμέρας ἐν ματαιότητι. Σὺ μὲν λέγεις ὅτι κἂν ἅπαξ εὐχαριστεῖς τῷ Θεῷ, ἐγὼ δὲ οὐδέποτε. Ἀλλ' ἐπειδὴ οὐ δύναμαι σιωπῆσαι, ὡς ὑπολαμβάνω, λέγω ὅτι ἐὰν μὴ δι' ἡδονὴν ἐσθίῃ τις, ἀλλὰ δι' ἀσθένειαν σώματος, ὁ Θεὸς οὐ κατακρίνει αὐτόν. Διὰ τὴν πλησμονὴν γὰρ καὶ διὰ τὰ σκιρτήματα τοῦ σώματος κωλύονται αἱ βρώσεις. Ὅπου δὲ πρόκειται ἀσθένεια, ἐκεῖ πρόκειται ἡ τούτων ἀργία τῆς ἐνεργείας. Ὅπου γὰρ ἀσθένεια, ἐκεῖ ἐπίκλησις Θεοῦ. Λογίζομαι οὖν ὅτι τὸ δοῦναι τὴν χρείαν τῷ σώματι, ὡς ἀληθῶς χρεία ἐστί, καὶ τὸ εὐχαριστεῖν ἐν τῇ ἀσθενείᾳ οὐ κατακρίνει τὸν ἄνθρωπον. Οὐ γὰρ ἀπαιτεῖ ὁ Θεὸς τὸν ἄνθρωπον ὑπὲρ τὴν δύναμιν[a]. Ὡς εἶχον ἐλάλησα. Οὐ πάντως λέγω ὅτι ἀλήθειαν λαλῶ. Ἀλλ' εἴ τι εἶχέ μου ἡ καρδία ἐξέφανα. Λοιπὸν δοκίμασον καὶ σύ, καὶ γινώσκεις τὸ συμφέρον. Καὶ συγχώρησόν μοι τῷ μηδέποτε δυνηθέντι σιωπῆσαι.

17 ὁ : ὡς SK ‖ 18 ποιῆσαι + καὶ V ‖ 19 ἑαυτοῦ : αὐτοῦ RI V ‖ 20 ὅτι om. R ‖ 24 διὰ² om. R ‖ 27 οὖν om. R ‖ 28 τῷ σώματι : τοῦ σώματος SK ‖ 32 ἐξέφανα : ἐξέφηνα V ‖ 33 γινώσκεις : εὑρίσκεις I V

510. a. 1 Co 10, 13

seule fois par jour tranquillement[1]. *Puis ma pensée me dit : « Est-il permis de critiquer Dieu ? Ne sait-il pas tout ? Sans lui peut-il arriver quelque chose ? Endure donc avec action de grâces. » Je t'en supplie, Père, par la miséricorde de Dieu, prie pour moi, et indique-moi comment je dois me comporter pour ne pas être absorbé par la tristesse.*

Réponse de Barsanuphe :

Ta sainteté écrit à ma sainteté de prier pour ton amitié divine. Et moi, Père inintelligent, je demande au fils intelligent que tu es, de faire de même, prier pour moi qui dépense mes jours en vanité. Toi, tu dis que tu rends grâces à Dieu, au moins une fois en passant, mais moi, jamais. Cependant puisque je suis incapable de me taire, je dis, comme je pense, que si quelqu'un mange non par plaisir, mais par faiblesse du corps, Dieu ne le condamne pas. En effet c'est en cas de satiété et de soubresauts du corps qu'on interdit les aliments. Mais là où il y a faiblesse, il y a aussi cessation de ces mouvements. Car là où il y a faiblesse, il y a invocation de Dieu. Je pense donc que le fait de donner au corps ce qui lui est nécessaire, lorsqu'il y a vraiment nécessité, et de rendre grâces dans la maladie, ne rend pas l'homme coupable. En effet Dieu n'exige pas de l'homme au-delà de ses forces[a]. J'ai parlé comme je pouvais. Je ne prétends pas du tout dire la vérité. Mais j'ai exposé ce que j'avais dans le cœur. Il ne te reste qu'à examiner la chose, toi aussi, et tu sauras ce qui convient. Pardonne-moi, je ne suis jamais capable de garder le silence.

1. Voir L. REGNAULT, *La vie quotidienne des Pères du désert en Égypte au IV*[e] *s.*, Paris 1990, ch. VI ; P. DEVOS, *Règles et pratiques alimentaires selon les textes* dans *Actes du Colloque de Genève*, 13-15 août 1984, Genève 1986, pp. 73-84 ; A. J. FESTUGIÈRE, *Les Moines d'Orient*, I, p. 58-74 et I. PEÑA, *La straordinaria vita dei monaci siri nei sec. IV-VI*, éd. it. 1990, p. 98-103.

511

Ὁ αὐτός ἐστι ἀσθενῶν καὶ μὴ δυνάμενος ἱστάμενος ἐπιτελεῖν τὴν λειτουργίαν αὐτοῦ μηδὲ μονοσιτεῖν, παρεκάλεσε τὸν αὐτὸν μέγαν Γέροντα εὔξασθαι ὑπὲρ αὐτοῦ, καὶ δηλῶσαι αὐτῷ περὶ τούτων τί δεῖ ποιεῖν.

Ἀπόκρισις·

Ὅταν ἔμελλον οἱ Ἑβραῖοι ἐλευθεροῦσθαι ἐκ τῆς τῶν Αἰγυπτίων δουλείας, στένωσιν καὶ θλῖψιν μεγάλην ὑπέμειναν ἀνάμεσον θαλάσσης καὶ βαρβάρων χειρῶν[a]. Καὶ μετ' ἐκεῖνα τὰ σημεῖα καὶ τὰ τέρατα, ἃ εἶδον οἱ ὀφθαλμοὶ αὐτῶν γεγονότα ἐν τοῖς Αἰγυπτίοις καὶ τῇ χώρᾳ αὐτῶν πάσῃ[b], ἐπελάθοντο τοῦ ταῦτα ποιήσαντος Θεοῦ[c] καὶ ἤγγισαν εἰς ἀπόγνωσιν σωτηρίας, ὁρῶντες Φαραὼ καὶ πᾶσαν αὐτοῦ τὴν δύναμιν μέλλοντας ἐπιπεσεῖν αὐτοῖς[d]. Μόνος δὲ Μωϋσῆς ὑπελείφθη ἐν τοῖς πρὸς τὸν παντοδύναμον Θεόν[e], καὶ «ἐπειδὴ ἐγγὺς Κύριος πᾶσι τοῖς ἐπικαλουμένοις αὐτὸν ἐν ἀληθείᾳ[f]», κράζοντι ἀπὸ καρδίας τῷ Μωϋσῇ καὶ ὅλης τῆς ἐπικειμένης θύρας τῆς σιγῆς περὶ τὰ χείλη αὐτοῦ, ἀπεκρίθη ὁ καρδιογνώστης[g]· «Τί βοᾷς πρός με; Πάταξον τῇ ῥάβδῳ τῇ ἐν τῇ χειρί σου τὴν θάλασσαν καὶ διαρρήγνυται καὶ εἰσελεύσεται ὁ λαός, καὶ ἐνδοξασθήσομαι ἐν Φαραὼ καὶ ἐν πάσῃ τῇ δυναστείᾳ αὐτοῦ[h].» Οὕτως καὶ ἐνταῦθα, ἔστιν ἀσθένεια σώματος καὶ ἔστιν ἐμποδισμὸς δαιμόνων, λοιπὸν θλίψεις καὶ ταραχαὶ λογισμῶν. Χαυνοῦται λοιπὸν τὸ σῶμα ἀπὸ τῆς ἀσθενείας, ἐμποδίζεται ἀπὸ τοῦ βάρους τῶν δαιμόνων. Ἐὰν δὲ σιγῶν κράξῃ ὁ Μωϋσῆς, τοῦτ' ἔστιν ἐὰν γρηγορῶν κράξῃ ὁ νοῦς, εἴτε καθήμενος εἴτε ἀνακείμενος, ἀκούει αὐτοῦ ὁ τὰ κρύφια γινώσκων τῆς καρδίας[i] καὶ πληροῦται ὁ λόγος· «Ὅτι ἐγὼ κοιμῶμαι

L. 511 RASKI V

1 ἐστι om. V ‖ 2 ἐπιτελεῖν : -τελεῖσθαι R ποιῆσαι V ‖ 4 τούτων : τούτου V ‖ τί – ποιεῖν om. I V ‖ 6 ἐκ om. R ‖ 9 τὰ² om. RI V ‖ 22 σώματος om. V ‖ 27 γινώσκων : ἀκούων I V ‖ 28 κοιμῶμαι : καθεύδω RKI V

511

Le même étant malade et incapable de se tenir debout pour accomplir sa liturgie et de se contenter d'un repas par jour, supplia le même Grand Vieillard de prier pour lui et de lui indiquer ce qu'il devait faire à ce sujet.

Réponse :

Lorsque les Hébreux allaient être délivrés de l'esclavage des Égyptiens, ils endurèrent une grande angoisse et affliction, pris entre la mer et les mains des barbares[a]. Et après ces signes et prodiges que leurs yeux avaient vus arriver aux Égyptiens et à leur pays tout entier[b], ils oublièrent Dieu qui avait fait tout cela[c] et ils furent près de désespérer du salut en voyant Pharaon et toutes ses forces sur le point de fondre sur eux[d]. Mais Moïse resta seul en arrière devant le Dieu tout-puissant[e], et «comme le Seigneur est proche de tous ceux qui l'invoquent en vérité[f]», à Moïse qui criait de tout son cœur, tandis qu'autour de ses lèvres s'imposait complètement la porte du silence, celui qui voit dans les cœurs[g] répondit : «Pourquoi cries-tu après moi? Frappe la mer du bâton que tu as à la main, elle éclatera et le peuple y entrera et je serai glorifié en Pharaon et en toute sa puissance[h].» De même ici : il y a maladie du corps et il y a empêchement des démons, et par suite afflictions et troubles des pensées. Le corps donc se ramollit par la maladie, il est entravé par le poids des démons. Mais si Moïse crie silencieusement, c'est-à-dire si l'esprit crie en veillant, que l'on soit assis ou couché, il est entendu de celui qui perçoit les paroles secrètes du cœur[i] et la parole s'accomplit : «Moi, je dors

511. a. Cf. Ex 14, 9 b. Cf. Ps 104, 27-33 c. Cf. Ps 105, 13.21 d. Cf. Ex 14, 10-12 e. Cf. Ps 105, 23 f. Ps 144, 18 g. Cf. Ac 1, 24 h. Cf. Ex 14, 16-17 i. Cf. Ps 43, 22

καὶ ἡ καρδία μου γρηγορεῖ[j].» Καὶ ἐπιτιμᾷ τῇ θαλάσσῃ λέγων· «Ποίησον ὁδὸν τῷ λαῷ μου.» Καὶ τότε καταποντίζεται Φαραὼ σὺν πᾶσι τοῖς αὐτοῦ καὶ γαληνιᾷ ὁ λαὸς ποιῆσαι ἑορτὴν τῷ Θεῷ[k]. Εἴτε οὖν στήκεις εἴτε κάθῃ εἴτε ἀνάκεισαι, γρηγορείτω ἡ καρδία σου τοῦ ἐπιτελέσαι τὴν λειτουργίαν σου τῶν Ψαλμῶν. Εἰ δὲ μὴ δύνασαι ὑπουργῆσαι εἰς τὴν ψαλμῳδίαν, κλῖνον εἰς τὴν εὐχήν, προσπίπτων τῷ Θεῷ ἀδιαλείπτως, εἴτε νυκτὸς εἴτε ἡμέρας. Καὶ τότε ἀναχωροῦσι κατῃσχυμμένοι οἱ ἐχθροὶ[l] εἰς τὴν ψυχὴν πολεμοῦντες.

Περὶ δὲ τοῦ δευτέρου μεταλαμβάνειν, σεμνῶς ἔστω σου ἡ δίαιτα καὶ κατὰ φόβον Θεοῦ, καὶ μὴ διστάξῃς, οὐ κατακρίνῃ. Τοῦτο δέ ἐστι τὸ μὴ κατ᾽ ἐπιθυμίαν λαβεῖν τίποτε, ἀλλ᾽ εἴ τι εὑρίσκεις τὴν ἕξιν δεχομένην, καὶ τὸ μεῖναι πεινῶντα καὶ μὴ χορταζόμενον μετὰ τὸ φαγεῖν. Παρακαλῶ δὲ εὔξασθαι ὑπὲρ ἐμοῦ, ἵνα εὐθύμως καὶ μετὰ ἀγαλλιάσεως ὁδεύσω τὴν ἡπλωμένην ἔμπροσθέν μου ὁδόν, τὴν ὁμαλὴν καὶ τετριμμένην καὶ γέμουσαν τῆς εἰρήνης καὶ χαρᾶς καὶ εὐφροσύνης, φωτός τε καὶ ἀγαλλιάσεως, ἧς οὐκ ἔνι κορεσθῆναι, ἧς ἐκτὸς ἄλλη οὐκ ἔστιν[m].

512

Ὁ αὐτὸς κουφισθεὶς ἀπὸ τῆς ἀσθενείας, ἠρώτησε τὸν αὐτὸν μέγαν Γέροντα· Πάτερ, ὅτε μεταλαμβάνω τῆς τροφῆς, πάνυ βαροῦμαι. Καὶ πάλιν οὐ δύναμαι νηστεῦσαι, ἀτονεῖ δὲ τὸ σῶμά μου καὶ ἱδρῶτές μοι γίνονται. Καὶ ἡ σκληροκαρδία δὲ καὶ ἡ ὑπερηφανία διώκουσιν ἐξ ἐμοῦ τὰ δάκρυα.

29 γρηγορεῖ : ἀγρυπνεῖ RI V ‖ 33 τοῦ om. V ‖ 34-35 εἰ δὲ – ψαλμῳδίαν om. RI V ‖ 37 τότε om. R ‖ 38 εἰς : οἱ RSKI V ‖ 40 κατὰ φόβον : μετὰ φόβου V ‖ διστάξῃς : -τάσῃς V ‖ 44 εὐθύμως : προθύμως R ‖ 44-45 καὶ – ἀγαλλιάσεως om. R ‖ 48 ἔστιν + εὔχου ὑπὲρ ἐμοῦ R

et mon cœur veille[j].» Et il réprimande la mer en disant : «Laisse passer mon peuple.» Et alors Pharaon est englouti dans la mer avec tous les siens, et le peuple en paix fait fête à son Dieu[k]. Que tu sois donc debout, assis ou couché, que ton cœur veille pour accomplir ta liturgie des Psaumes. Et si tu ne peux remplir ton service par la psalmodie, incline-toi pour la prière, te prosternant devant Dieu sans cesse, nuit et jour. Alors les ennemis qui attaquent ton âme, se retireront couverts de honte[l].

Pour ce qui est du second repas quotidien, que ton régime soit mesuré et selon la crainte de Dieu, et ne doute pas, tu ne seras pas jugé. Autrement dit, ne prends rien par convoitise, mais ce que tu trouveras selon la coutume reçue, et reste toujours sur ton appétit sans être rassasié après avoir mangé. Je te supplie de prier pour moi, afin que je parcoure avec courage et allégresse le chemin qui s'étend devant moi, chemin uni et lisse, plein de paix, de joie et de plaisir, de lumière et d'allégresse, dont il est impossible d'être écœuré, hors de laquelle il n'y en a pas d'autre[m].

512

Le même, soulagé de sa maladie, interrogea le même Grand Vieillard : Père, lorsque je prends de la nourriture, je suis extrêmement alourdi. Et ensuite je ne puis jeûner, mais mon corps est sans force et j'ai des sueurs. D'autre part la dureté de cœur et l'orgueil chassent de moi les larmes.

L. 512 RASKI V
1 ἀπὸ om. AS ‖ 2 πάτερ om. K ‖ 5 ἐξ : ἀπ' I V

---

j. Ct 5, 2 k. Cf. Ex 12, 14 l. Cf. Ps 6, 11 m. Cf. Mc 12, 31

Ἀπόκρισις Βαρσανουφίου·

Ἄδελφε, ἀσπάζομαί σε ἐν Κυρίῳ, δεόμενος αὐτοῦ τοῦ ἐνδυναμῶσαί σε καὶ δοῦναί σοι ὑπομονήν. Ἵνα δὲ μάθῃς ὅτι πόλεμός ἐστι διαβολικός, ὁ βαρῶν σε εἰς τὰ βρώματα ἵνα ἐμβάλῃ εἰς σὲ χαύνωσιν. Κἀμοὶ γὰρ πολὺν χρόνον ἐπολέμησε, καὶ ἐβάρει με πάνυ καὶ ἐποίει με ἐμεῖν νύκτας νύκτας. Καὶ ἠρξάμην λαμβάνειν ὀλίγον, καὶ ἤλλαξε τὸν πόλεμον. Καὶ ὡς ἠρχόμην φαγεῖν, ὡς ἔβαλον τὸ βουκίον εἰς τὸ στόμα μου, ἐποίει με ἐμέσαι. Καὶ ἐποίουν δύο δύο, ἵνα ἀρέσῃ μοι τὸ φαγεῖν, καὶ αὐτὸ αὐτοῦ ἦν. Χάριτι δὲ Χριστοῦ δι' ὑπομονῆς καὶ εὐχαριστίας, ἐπαύσατο ἀπ' ἐμοῦ. Ἐγενόμην δὲ ἀδύναμος ὑπὲρ τὸ εἰπεῖν καὶ οὐκ ἐνεδίδουν, ἀλλ' ἐπύκτευον ἕως οὗ ἐνεδυνάμωσέ με ὁ Κύριος[a]. Ἐγώ, ἄδελφε, ἀσθενὴς ὤν, ταῦτα ἐποίουν. Σὺ δὲ περισσότερον προσέχεις ἑαυτῷ, καὶ ὁ Θεὸς ποιεῖ σοι. Οὐδεὶς γὰρ ὁ φθονῶν σοι εἰ μὴ εἷς, ὃν καταργήσει ὁ Κύριος[b].

Περὶ δὲ τῆς νηστείας, βάλε κάτω τὸν αὐχένα, μνημονεύων τῶν πολιτικῶν καὶ νηστειῶν τῶν Πατέρων καὶ ἀγρυπνιῶν, καὶ ταπεινώθητι τῇ καρδίᾳ, κἂν δύνασαι ἕως ἐνάτης, μεῖνον. Εἰ δὲ μήγε, οὐ μέλει σοι, σπούδαξον δὲ φυλάξαι τὴν νηστείαν τοῦ ἔσω ἀνθρώπου, φυλάττων τὴν ἐντολὴν τοῦ μὴ φαγεῖν ἀπὸ τοῦ ξύλου[c], καὶ προσέχειν ἑαυτῷ ἀπὸ τῶν ἄλλων παθῶν. Καὶ δεκτὴ γίνεται αὕτη ἡ νηστεία τοῦ ἔσω ἀνθρώπου τῷ θεῷ καὶ σκεπάζει σε περὶ τῆς σωματικῆς νηστείας.

8 τοῦ om. V ‖ 9 σε : σου τὴν ἀγάπην I V ‖ 11 εἰς[2] σὲ : σε εἰς RI V ‖ 18 ἀδύναμος : ἀδύνατος SK ‖ 19 ἐγὼ + δὲ RI V ‖ 21 ἑαυτῷ : σεαυτῷ RK V ‖ 22 καταργήσει : -γήσαι R -γήσοι V ‖ 24 πολιτικῶν : πολιτειῶν RI V ‖ καὶ νηστειῶν om. RI V ‖ 26 οὐ : μὴ V ‖ σπούδαξον : -δασον RKI V ‖ δὲ[2] : τέως R ‖ 29 ἑαυτῷ : σεαυτῷ V ‖ αὕτη : αὐτοῦ SK

Réponse de Barsanuphe :

Frère, je t'embrasse dans le Seigneur, le priant de te fortifier et de te donner de l'endurance. Il faut que tu saches que ce combat est du diable qui t'alourdit de mangeailles pour te jeter dans le relâchement. Car il m'a fait longtemps la guerre à moi aussi ; il me rendait extrêmement lourd et me faisait vomir nuit après nuit. Puis je commençais à supporter un peu de nourriture, et il changeait de combat. Et quand je me mettais à manger, dès que je déposais la bouchée dans ma bouche, il me faisait vomir. Et je faisais cela tous les deux jours, pour avoir le plaisir de manger, et cela aussi venait de lui. Mais par la grâce du Christ, avec de l'endurance et l'action de grâces, j'en fus délivré. J'étais sans force à un point que je ne saurais dire et cependant je ne me laissais pas aller, mais je luttais jusqu'à ce que le Seigneur me fortifiât[a]. Moi, frère, faible comme je suis, je faisais cela. Pour toi donc qui veilles bien davantage sur toi-même, Dieu fera aussi cela. Car celui qui te porte envie n'est autre qu'un seul : que le Seigneur le réduise à l'impuissance[b] !

Quant au jeûne, baisse la nuque[1], en te rappelant les façons de vivre des Pères, leurs jeûnes et leurs veilles, humilie-toi de cœur, et si tu le peux, reste à jeun jusqu'à la neuvième heure. Mais si tu ne le peux pas, ne t'en soucie pas, et empresse-toi d'observer le jeûne de l'homme intérieur, en gardant le précepte de ne pas manger de l'arbre[c], et de te garder des autres passions. Et ce jeûne de l'homme intérieur sera agréable à Dieu et te protégera plus encore que le jeûne corporel.

512. a. Cf. 2 Tm 4, 17 b. Cf. 2 Th 2, 8 c. Cf. Gn 2, 16-17

1. βάλε τὸν αὐχένα – baisse la nuque devant les Vieillards : acte d'humilité, voir L. 513, 535, 553, 572, etc.

Περὶ δὲ τῶν δακρύων εἶπας ὅτι ἡ σκληροκαρδία καὶ ἡ ὑπερηφανία διώκουσιν αὐτὰ ἀπὸ σοῦ. Ἔπαρον αὐτὰς καὶ τότε ἔρχονται τὰ δάκρυα, συνεργούντων τῶν ἁγίων. Ἀπὸ ψύξεως πάσχεις τὸ ἱδροῦν. Θέρμανον σεαυτὸν μικρόν, καὶ βοηθεῖ σοι ὁ Θεός. Καὶ εὖξαι ὑπὲρ ἐμοῦ, ὅτι ἡ χαυνότης μου εἰς πολλὰ κακὰ φέρει με. Ἀλλ' ὅμως οὐκ ἀπελπίζω, Θεὸν γὰρ ἔχω ἐλεήμονα.

513

Ὁ αὐτὸς πάθει περιπεσὼν καὶ μὴ φέρων τὴν ὀδύνην, ἐδεήθη τοῦ αὐτοῦ μεγάλου Γέροντος περὶ εὐχῆς καὶ βοηθείας.

Ἀπόκρισις ·

Ἄδελφέ μου καὶ ἀγαπητέ μου ἐν Κυρίῳ, διὰ τὴν πληροφορίαν τῆς πρὸς σὲ ἐν Χριστῷ πνευματικῆς ἀγάπης, ἀποκαλύπτω σοι τὰ μυστήρια τοῦ Θεοῦ. Οἶδας γὰρ καὶ πεπιστευμένος εἶ πῶς δέομαι τοῦ Θεοῦ νύκτα καὶ ἡμέραν, ἵνα σώσῃ ὑμᾶς ἀπὸ τοῦ πονηροῦ εἰς τὴν βασιλείαν αὐτοῦ τὴν αἰώνιον. Καὶ ὡς εὔχομαι κατὰ τὸ σύνηθες, εἶπέ μοι · Ἔασόν με[a] δοκιμάσαι αὐτὸν πρὸς ὠφέλειαν τῆς ἑαυτοῦ ψυχῆς, καὶ διὰ σωματικοῦ πάθους, ἵνα γνῷ τί ἐστιν ἡ ὑπομονὴ αὐτοῦ καὶ τί μέλλει κληρονομῆσαι διὰ δεήσεων καὶ πόνων. Καὶ εἶπον · « Οὐκοῦν Δέσποτα, μετὰ ἐλέους ὡς υἱὸν καὶ οὐχ ὡς νόθον[b]. » Καὶ οὐ χρεία ἦν ταῦτα φανερωθῆναι, ἀλλ' ἵνα μάθῃς τὴν χάραν τὴν ἀποκειμένην σοι, ἐφανέρωσά σοι. Μὴ οὖν λυπηθῇς, ἐλεεῖ σε ὁ Θεός. Εἰ δὲ οὐ βαστάζεις, βάλε κάτω τὸν αὐχένα, εἰδὼς τί ὑπέμειναν οἱ ἅγιοι μάρτυρες, καὶ βάλε ῥόδινον μετὰ ἁγιάσματος. Καὶ

34 ἔρχονται : ἔρχεται V ‖ 35 μικρόν om. R ‖ 36-37 ὅτι – μου om. ASK ‖ 38 γὰρ om. I V ‖ ἔχω : ἔχων I V

L. 513 RASKI V

5 μου[2] om. RI ‖ 8 πεπιστευμένος : πεπεισμένος RI V ‖ 9 ὑμᾶς :

Pour ce qui est des larmes, tu dis que la dureté de cœur et l'orgueil les chassent de toi. Enlève ceux-ci et alors les larmes viendront, avec l'aide des saints. Quant aux sueurs dont tu es éprouvé, elles viennent d'un refroidissement. Chauffe-toi un peu, et Dieu viendra à ton secours. Prie aussi pour moi, car ma mollesse me porte à beaucoup de maux. Cependant je ne désespère pas, car j'ai un Dieu miséricordieux.

513

Le même, étant tombé malade et ne supportant pas la douleur, sollicita du même Grand Vieillard prière et secours. Réponse :

Mon frère et mon bien-aimé dans le Seigneur, dans la pleine assurance de la charité spirituelle que j'ai pour toi dans le Christ, je te découvre les secrets de Dieu. Car tu sais avec certitude comment je prie Dieu nuit et jour de vous sauver du Mauvais pour vous introduire dans son royaume éternel. Alors que je me mettais en prière comme d'habitude, le Seigneur m'a dit : « Laisse-moi[a] l'éprouver pour le profit de son âme, même par la souffrance corporelle, afin que je connaisse quelle est son endurance et quel héritage il doit obtenir par ses prières et ses peines. » Je dis alors : « Traite-le donc, Maître, avec miséricorde, comme un vrai fils, et non comme un bâtard[b]. » Il n'était pas nécessaire de te révéler cela, mais je l'ai fait afin que tu saches la joie qui t'est réservée. Ne t'attriste donc pas, Dieu a pitié de toi. Et si tu ne le supportes pas, baisse la nuque, sachant ce qu'ont enduré les saints martyrs, et jette de l'eau de rose sur ton mal avec de l'eau bénite. Et notre

ἡμᾶς RKI V ‖ 10 εὔχομαι : ἔρχομαι I V ‖ 13 αὐτοῦ om. R ‖ 18 βαστάζεις : διστάζεις I V

---

513. a. Cf. Ex 32, 10; Dt 9, 14 b. Cf. He 12, 8

ὁ Θεὸς ἡμῶν τῷ οἰκείῳ βουλήματι ποιεῖ μετὰ σοῦ τὸ ἔλεος ὡς βούλεται. Οὐχ ἡδέως ἔχω σε πονεῖν τι, οὔτε ψυχῇ οὔτε σώματι. Ὁ Θεὸς ἐλεήσει σε. Εὖξαι ὑπὲρ ἐμοῦ.

514

Τοῦ αὐτοῦ πρὸς τὸν αὐτὸν μέγαν Γέροντα αἴτησις εὐχῆς καὶ βοηθείας περὶ τοῦ αὐτοῦ πάθους.

Ἀπόκρισις·

Ἄδελφε ἀκηδιαστὰ καὶ γογγυστά, τί θλίβῃ; τί κράζεις; Τί πέμπεις μακράν, ἐκ τοῦ σύνεγγυς ἔχων τὸν Ἰησοῦν στήκοντα καὶ ἐπιποθοῦντα καλεῖσθαι ὑπὸ σοῦ εἰς βοήθειαν σήν; Κράξον αὐτῷ· « Ἐπιστάτα[a] », καὶ ἀποκρίνεταί σοι. Ἅψαι τοῦ κρασπέδου αὐτοῦ[b] καὶ θεραπεύει σου οὐ μόνον τὸ πάθος τὸ ἕν, ἀλλ' ὅλα σου τὰ πάθη[c]. Εἰ ἦν ὁ νοῦς σου ὅπου ὤφειλεν, οὐδὲ δήγματα ἑρπετῶν ἰοβόλων καὶ σκορπίων[d] κατενεγκεῖν σε ἠδύναντο εἰς αἴσθησιν πόνου σαρκός. « Ἐπελαθόμην, λέγει, φαγεῖν τὸν ἄρτον μου ἀπὸ φωνῆς τοῦ στεναγμοῦ μου[e]. » Μὴ θλίβῃς, ἐγγύς ἐστι τὸ ἔλεος τοῦ Θεοῦ. Καὶ ἀσπάζομαί σε ὑγιαίνοντα ἐν Κυρίῳ, κράκτα.

515

Τοῦ αὐτοῦ σφόδρα βαρηθέντος καὶ βασανιζομένου δεινῶς δέησις πρὸς τὸν αὐτὸν μέγαν Γέροντα περὶ τῆς ἰάσεως.

21 ἔχω : ἔχων SK ‖ πονεῖν : ποιεῖν ASK ‖ 22 ἐλεήσει : -ήσαι R -ήσοι V ‖ εὖξαι – ἐμοῦ om. R

L. 514 RASKI V

5 σύνεγγυς : ἐγγὺς I V ‖ 7 σήν om. R ‖ 10 σου om. I V ‖ ἑρπετῶν om. I V

L. 515 RASKI V

1-3 τοῦ – ἀπόκρισις om. R ‖ 1 τοῦ – βασανιζομένου : ὁ αὐτὸς σφόδρα βαρυνθεὶς καὶ βασανιζόμενος V ‖ δέησις – γέροντα : ἐδεήθη τοῦ αὐτοῦ μεγάλου γέροντος KI V

Dieu de sa propre volonté te fera miséricorde comme il le veut. Ce n'est pas un plaisir pour moi de te voir souffrir quelque chose, soit en ton âme, soit en ton corps. Que Dieu ait pitié de toi. Prie pour moi.

514

Du même au même Grand Vieillard demande de prière et de secours pour la même maladie.

Réponse[1] :

Frère las et murmurateur, pourquoi t'affliger? Pourquoi jeter les hauts cris? Pourquoi aller chercher au loin, alors que tu as Jésus qui se tient tout proche et qui désire vivement être appelé par toi pour te secourir? Crie-lui : «Maître[a]», et il te répondra. Touche la frange de son vêtement[b], et il te guérira non seulement de cette maladie, mais de tous tes maux[c]. Si l'esprit était où il doit être, même les morsures des serpents venimeux et des scorpions[d] ne pourraient t'amener à sentir la souffrance de la chair. «Le cri de ma plainte, disait le psalmiste, me fait oublier de manger mon pain[e].» Ne t'afflige donc pas, la miséricorde de Dieu est proche. Je t'embrasse dans le Seigneur, rétablis-toi, criard.

515

Le même, très accablé et terriblement torturé, implora le même Grand Vieillard pour sa guérison.

514. a. Cf. Lc 8, 24 b. Cf. Mt 9, 20 c. Cf. Ps 102, 3 d. Cf. Lc 10, 19 e. Ps 101, 5-6

1. Dans sa réponse Barsanuphe désire secouer son interlocuteur : son style est très vivant (impératifs), son vocabulaire est riche en termes rares (ἀκηδιαστὰ, γογγυστὰ, κρακτὰ, ἑρπετῶν ἰοβόλων à la place de ὄφεων, δήγματα).

Ἀπόκρισις·

Πέμψει σοι ὁ Θεός μου τὴν ταχινὴν ἴασιν ψυχῇ καὶ σώματι[a]. Καὶ πιστεύω τῷ ὀνόματι τῷ ἁγίῳ αὐτοῦ ὅτι καλῶς ἔχεις. Ὅσον οὖν δύνασαι κράτει τὴν πρὸς αὐτὸν εὐχαριστίαν, πῶς σε ἠγάπησε καὶ ἠλέησε διὰ τῆς ἁγίας αὐτοῦ παιδείας.

516

Ἐξελθούσης τῆς ἀποκρίσεως ταύτης παρὰ τοῦ ἁγίου Γέροντος, παραχρῆμα ἰάθη ἐν τῇ ὥρᾳ ἐκείνῃ. Καὶ ἀνέπεμψεν εὐχαριστίαν τῷ Θεῷ καὶ τῷ Γέροντι, ἅμα αἰτῶν καὶ ἀδιάλειπτον ὑπὲρ τῆς αὐτοῦ προκοπῆς καὶ σωτηρίας προσευχήν[a].

Ἀπόκρισις·

Ἄδελφε προσφιλέστατε, τῷ Δεσπότῃ ἡμῶν Θεῷ ἀναπέμψωμεν ἀδιαλείπτως τὴν δοξολογίαν, πῶς τὰ παρόντα ἡμῖν παρέχει εἰς ἀνάπαυσιν ζωῆς. Παιδεύων γὰρ κτᾶται ἡμᾶς, καὶ πειράζων παρέχει τὴν ἔκβασιν[b] καὶ ἐνδυναμοῖ πρὸς ὑπομονὴν τῶν θλίψεων, τοὺς πάντας ἡμᾶς θανατοῖ καὶ ζωογονεῖ[c], « θέατρον ποιῶν τῷ κόσμῳ καὶ ἀγγέλοις καὶ ἀνθρώποις[d]. » Χαροποιήσωμεν οὖν αὐτὸν τῇ ταπεινώσει ἡμῶν, τῇ ὑπακοῇ, τῇ ὑπομονῇ, τῇ πρᾳότητι, τῇ μακροθυμίᾳ, τῇ σεμνότητι, τῇ εἰρήνῃ, τῇ εὐχαριστίᾳ. Ἔστω σοι, ὦ ποθεινότατε, ὅσα ᾔτησας ἐν Χριστῷ Ἰησοῦ, ἐν ᾧ ἀσπάζομαι ὑμᾶς καὶ δέομαι τοῦ φυλάξαι ὑμᾶς ἐν τῷ ὀνόματι αὐτοῦ ἀπὸ παντὸς κακοῦ[e]. Ἀμήν.

4 πέμψει : πέμψοι V

L. 516 RASKI V

4 ὑπὲρ : περὶ I V ‖ 4-5 προσευχήν : εὐχήν R ‖ 8 παρόντα : πάντα RASK ‖ 10 ἡμᾶς : ἡμῶν R V ‖ ἐνδυναμοῖ : δύναμιν I V ‖ 12 ζωογονεῖ : ζωοποιεῖ V ‖ 14 τῇ[1] ὑπακοῇ om. RI V ‖ 17 τοῦ om. K V ‖ φυλάξαι om. K ‖ ὑμᾶς[2] : ὑμῶν V om. K

Réponse :

Que mon Dieu t'envoie la prompte guérison de l'âme et du corps[a]. Par son saint nom j'ai confiance que tu iras bien. Garde donc autant que tu le peux l'action de grâces envers lui, pour l'amour dont il t'aime et la miséricorde qu'il exerce par sa sainte pédagogie.

516

Au moment même où le saint Vieillard avait expédié la réponse précédente, il avait guéri. Il adressa ses remerciements à Dieu et au Vieillard, demandant en même temps à celui-ci de prier sans cesse[a] *pour son progrès et son salut.*

Réponse :

Frère chéri, faisons monter sans cesse la louange vers Dieu notre Maître, le remerciant de nous accorder les choses présentes en vue du repos de la vie. Car en nous corrigeant, il se rend maître de nous, en nous éprouvant il procure le résultat[b] et il nous donne de la force pour endurer les afflictions ; nous tous, il nous mortifie et nous vivifie[c], « nous offrant en spectacle au monde, aux anges et aux hommes[d]. » Réjouissons-le donc par notre humilité, notre obéissance, notre endurance, notre douceur, notre patience, notre gravité, notre paix, notre action de grâces. Que se réalise pour toi, ô très-aimé, tout ce que tu demandes dans le Christ Jésus, en qui je vous embrasse et que je prie de vous garder de tout mal[e] en son nom. Amen.

515. a. Cf. 1 Th 5, 23
516. a. Cf. 1 Th 5, 17 b. Cf. 1 Co 10, 13 c. Cf. 1 R 2, 6 d. Cf. 1 Co 4, 9 e. Cf. Ps 120, 7

517

Τοῦ αὐτοῦ ὁμοίως περὶ θλίψεως καρδίας. Καὶ πόθεν ἔτι μικρὰ ἐπίκειται αὐτῷ ἀσθένεια;

Ἀπόκρισις Βαρσανουφίου·

Ἄδελφε χαῦνε, ἕως οὗ οὐκ ἀφεῖς τοὺς νεκροὺς θάψαι τοὺς ἑαυτῶν νεκρούς[a]; Καταφρόνησον τοῦ σκωληκοβρώτου σώματος. Ὠφελεῖς γὰρ αὐτὸ οὐδέν, ὅταν παραδοθῇ σηπεδόνι. Φησὶ γάρ· « Πρόνοιαν τῆς σαρκὸς μὴ ποιεῖσθε εἰς ἐπιθυμίαν[b]. » Καὶ ταῦτα μὲν πρὸς μελέτην. Περὶ δὲ ὧν ἔγραψας, ἔστιν ἔτι λεῖμμα χολῆς καὶ λεῖμμα δαιμόνων. Στρίφνωσον οὖν μικρόν σου τὸν λογισμὸν πρὸς αὐτοὺς καὶ ἐὰν θελήματι Θεοῦ κουφισθῇ τὸ τῶν δαιμόνων λεῖμμα, τὸ τῆς χολῆς οὐκ ἀδικεῖ. Ἐγὼ εὔχομαι κατὰ τὴν δύναμιν τῆς ἐμῆς ἀσθενείας, ἵνα μὴ ἀθετήσῃ ὁ Πατήρ μου καὶ Θεός μου τὰ αἰτήματά σου, ἀλλὰ παράσχῃ πλουσίως καὶ φιλανθρώπως. Καὶ αὐτοῦ ἐστι τὸ ἔλεος δοῦναι, σοῦ δέ ἐστι τὸ δέξασθαι. Νόει ἃ λέγω καὶ εὖξαι ὑπὲρ ἐμοῦ.

518

Ἐρώτησις τοῦ αὐτοῦ πρὸς τὸν ἄλλον Γέροντα· Εἰπέ μοι Πάτερ εἰ χρὴ βοηθεῖν τῷ σώματι ἐὰν δέηται τροφῆς ἁρμοττούσης τῇ ἀσθενείᾳ, ἢ καὶ ταχύτερον λαμβάνειν, ἤγουν δεῖ φυλάττειν τὸν συνήθη καιρὸν καὶ καταφρονεῖν πάντων τούτων, κἂν τι μέλλῃ ἐκ τούτου συμβαίνειν δυσχερές.

L. 517 RASKI V

4 ἕως οὗ : πῶς RI V ‖ ἀφεῖς : ἀφείης V ‖ θάψαι : θάψεις K ‖ 5 ἑαυτῶν : ἑαυτοῦ K ‖ 9 ἔτι : ὅτε V ‖ 10 στρίφνωσον (correxi) : στρέφνωσον RASKI V ‖ μικρόν : πρὸς μικρόν KI V ‖ σου om. V ‖ αὐτούς : αὐτὸν V ‖ 16 δέξασθαι : εὔξασθαι καὶ τὸ μὴ εὔξασθαι RI V

517

Du même pareillement au sujet d'une affliction du cœur. Et comment se fait-il qu'il soit encore sujet à une petite maladie? Réponse de Barsanuphe :

Frère flasque, jusques à quand ne laisseras-tu pas «les morts enterrer leurs morts[a]»? Méprise le corps destiné à servir de pâture aux vers. Car tu ne lui procures aucun avantage, dès lors qu'il doit être livré à la putréfaction. Il est dit en effet : «Ne prenez pas soin de la chair pour en satisfaire les convoitises[b].» Voilà matière à méditation. Quant à ce que tu m'écris, cela vient en partie de la bile et en partie des démons. Endurcis[1] donc un peu ta pensée contre eux et si, par la volonté de Dieu, tu es soulagé de ce qui est démoniaque, ce qui vient de la bile ne produira aucun dommage. Moi, je prie selon la possibilité de ma faiblesse, pour que mon Père et mon Dieu ne rejette pas tes demandes, mais que, dans son amour de l'homme il les exauce abondamment. C'est à lui d'octroyer sa miséricorde, et c'est à toi de la recevoir. Pense à ce que je dis et prie pour moi.

518

Demande du même à l'Autre Vieillard : Dis-moi, Père, s'il faut aider le corps lorsqu'il a besoin d'une nourriture adaptée à la faiblesse, ou aussi s'il faut manger plus tôt, ou bien s'il faut garder le régime habituel et mépriser tout cela, même s'il doit en résulter quelque accident fâcheux.

L. 518 PRASKI V
1 τοῦ – γέροντα om. ASK ‖ 5 τούτου : τούτων V

---

517. a. Cf. Lc 9, 60 b. Cf. Rm 13, 14

---

1. Le verbe στριφνόω est rare; seul l'adjectif στρίφνος est attesté dans le *Thesaurus Linguae Graecae.*

Ἀπόκρισις Ἰωάννου ·

Ἔδωκεν ἡμῖν ὁ Θεὸς σύνεσιν διὰ τῶν θείων Γραφῶν τοῦ ὁδηγηθῆναι εἰς τὴν εὐθεῖαν ὁδόν[a]. Ὁ οὖν Ἀπόστολος λέγει · « Πάντα δοκιμάζετε, τὸ δὲ καλὸν κατέχετε[b]. » Οὐδὲν ἄλλο ὀφείλει ὁ ἄνθρωπος, ἀλλ' ἵνα μὴ κατὰ πάθος λάβῃ τι πρᾶγμα ἢ ποιήσῃ. Ἐὰν δὲ δι' ἀσθένειαν ἢ διὰ χρείαν, οὐ λογίζεται αὐτῷ οὔτε εἰς ἁμαρτίαν οὔτε εἰς χαύνωσιν. Τὸ γὰρ ὑγιαίνειν καὶ ζητεῖν τῷ σώματι ἀνάπαυσιν, εἰς ἐπιθυμίαν γίνεται, τὸ δὲ κυβερνᾶν τὸ σῶμα διὰ τὴν χρείαν, εὑρίσκομεν αὐτὸ ὑπουργοῦν ἡμῖν εἰς τὴν ὑπηρεσίαν τῆς λειτουργίας. Εἰ τῶν ζῴων φροντίζομεν διὰ τὴν ἡμῶν χρείαν, πόσῳ μᾶλλον τοῦ σώματος ἐργαλείου ὄντος τῆς ψυχῆς; Καὶ ὅταν ἀμβλύνηται τὸ ἐργαλεῖον, ἐμποδίζει τῷ τεχνίτῃ, κἂν νοητικὸς ᾖ καὶ ἐπιστήμων. Ὁ Ἀπόστολος προσέχων τῇ ἀσθενείᾳ καὶ τῷ στομάχῳ Τιμοθέου, ἐπέτρεψεν αὐτῷ χρήσασθαι οἴνῳ[c], ὡς εἶπε κακοπαθῆσαι τοῦ ποιῆσαι ἔργον εὐαγγελιστοῦ[d]. Ὥστε οὖν διακρίσεως χρεία καὶ οὐ ταχέως ὀλισθαίνει ὁ ἄνθρωπος. Συγχώρησον, ἄδελφε, ὅτι οὐκ οἶδα εἰ καλῶς ἐλάλησα, ἀλλ' οὐ χρὴ ἀντιλέγειν. Εἴ τι εἶχον ἐν τῇ καρδίᾳ μου ἐλάλησα τῇ ἀγάπῃ σου. Λοιπὸν εἴ τι δοκιμάζεις ποίησον.

519

Ἐρώτησις · Πόθεν πολλοῦ κόπου αἰσθάνομαι, ἐὰν ἀναστῶ νυκτὸς εἰς ψαλμῳδίαν, καὶ ὡς ἀπὸ νόσου εἰμί; Καὶ ὃ ἐὰν ποιῶ, μετὰ βάρους ποιῶ. Ἆρα τοῦτο ἀσθένειά ἐστιν ἢ ὡς ἀπὸ τῶν δαιμόνων;

12 διὰ[2] om. PR V ‖ 13 οὔτε[1] om. PR ‖ 17 λειτουργίας : χρείας PRI V ‖ 19-20 τῷ τεχνίτῃ : τὸν τεχνίτην V ‖ 20 νοητικὸς + τις I V ‖ 22 ὡς : ὃς PR V ‖ 27 λοιπὸν + δὲ PR

L. 519 PRASKI V

4 ἐστιν om. V

Réponse de Jean :

Dieu nous a donné une conscience pour que, par les saintes Écritures, nous soyons conduits sur la voie droite[a]. L'Apôtre ne dit-il pas : « Éprouvez tout, retenez ce qui est bon[b] » ? L'homme est tenu seulement à ne rien prendre et à ne rien faire selon la passion. Si c'est par faiblesse ou par besoin, cela ne lui est imputé ni comme faute ni comme relâchement. Car être en bonne santé et chercher à satisfaire le corps, tourne à la convoitise ; mais en conduisant le corps par le besoin, nous trouvons en lui un aide pour le service de la liturgie. Si nous prenons soin des animaux à cause du besoin que nous en avons, combien plus devons-nous prendre soin du corps qui est l'outil de l'âme ? Lorsque l'outil est émoussé[1], il gêne l'artisan, même si celui-ci est intelligent et expérimenté. L'Apôtre, en considération de la faiblesse de Timothée et de son estomac, lui ordonna de prendre du vin[c], car il disait qu'il se trouvait dans une mauvaise condition pour accomplir l'œuvre d'évangélisation[d]. Il faut donc user ainsi de discernement et l'homme ne tombera pas facilement. Pardonne-moi, frère, car je ne sais si j'ai bien parlé, mais il ne faut pas discuter. J'ai dit à ta charité ce que j'avais dans le cœur. Fais donc ce que tu jugeras bon.

519

Demande : Comment se fait-il que je ressente une grande fatigue, quand je me lève la nuit pour la psalmodie, et que je sois comme atteint de maladie ? Alors ce que je fais, je le fais avec accablement. Est-ce faiblesse ou action des démons ?

518. a. Cf. Ps 142, 10 b. 1 Th 5, 21 c. 1 Tm 5, 23 d. Cf. 2 Tm 4, 5

1. ἀμβλύνηται – émoussé : voir L. 498, 16 ; 600, 47.

Ἀπόκρισις ·

Τὸ μὲν τῆς νόσου φανερόν ἐστιν. Ἐὰν γὰρ μὴ δέχηται τὴν συνήθη τροφὴν τὸ σῶμα, δῆλον ὅτι νοσεῖ καὶ ὀφείλει καὶ τὴν λειτουργίαν κουφίσαι. Εἰ δὲ τρέφεται ὡς κατὰ συνήθειαν τὸ σῶμα καὶ μὴ ἀναστῇ εἰς τὴν λειτουργίαν, δῆλον ὅτι ἐκ τῶν δαιμόνων ἐστί. Καὶ χρεία ἐστὶ βιάσασθαι ἑαυτούς, κατὰ τὴν δύναμιν μέντοι καὶ μὴ ὑπὲρ τὴν δύναμιν. Ἐὰν δὲ γρηγορήσῃ ἡ καρδία[a], ἡ κοίμησις τοῦ σώματος οὐδέν ἐστι, ὅμως δὲ ῥέγχει τις σχεδόν, καὶ εἰ ἀκούσῃ περὶ ἐφόδου ληστῶν, πᾶσαν ποιεῖ τὴν ἑαυτοῦ δύναμιν, ὅπως ἐξειλήσῃ ἀπ' αὐτῶν. Ὥστε οὖν ἐὰν νοήσωμεν, οὕτως ἐσμὲν καὶ ἡμεῖς.

520

Ἐρώτησις · *Εἰπέ μοι Πάτερ, εἰ ἔρχεται ἀνθρώπῳ ἀσθένεια παρὰ τοῦ Θεοῦ καὶ πόθεν αὕτη γνωρίζεται;*

Ἀπόκρισις ·

Ἔρχεται. Ὅταν οὖν αἰσθάνηταί τις ἀρρωστίας, ὄχλησις δὲ πάθους τέως οὐ πάρεστιν, ἡ τοιαύτη ἀρρωστία ἀπὸ Θεοῦ ἐστι, καὶ τὸν πόλεμον λύει. Καὶ χρεία ἐνταῦθα τῷ σώματι μικρᾶς συγκαταβάσεως. Ὅταν δὲ ἀσθένεια πάρεστι καὶ μετὰ ὀχλήσεως πάθους, τότε οὐ δεῖ ὅλως συγκαταβῆναι, δαιμονιῶδες γάρ ἐστι καὶ ἡ συγκατάβασις αὔξει τὸ πάθος. Ὥστε συμφέρει ὅπου ὁ πόλεμος κρατεῖ, καταπονῆσαι τὸ σῶμα, κἂν ἐμπέσῃ εἰς ἀρρωστίαν, καὶ μὴ ἵνα τις ἀντεχόμενος τοῦ σώματος, εἰς ἀρρωστίαν ἐμβάλῃ τὴν ψυχήν. Ἐὰν δὲ πάλιν φανερὰ ᾖ ἡ ἀρρωστία καὶ ἡ αἰτία τῆς

8 καὶ om. I V ‖ 10 ἐστί[1] om. V ‖ βιάσασθαι : σπουδάσαι SK ‖ 11 ἑαυτούς om. SK ‖ 15 ἐξειλήσῃ : εὐλυτώσῃ PR ἐκφύγῃ K

L. 520 PRASKI V

1 ἀνθρώπῳ om. V ‖ 2 αὕτη : αὐτῷ SK ‖ 5 ἀπὸ + τοῦ K ‖ 7 πάρεστι : παρῇ V ‖ 8 οὐ δεῖ om. P ‖ 10 συμφέρει om. K ‖ κρατεῖ om. PRI V ‖

Réponse :

Ce qui est de la maladie apparaît clairement. Si, en effet, le corps n'accepte pas la nourriture habituelle, il est évident qu'il est malade et qu'on doit alléger la liturgie. Mais si le corps est nourri comme d'habitude et qu'il ne se lève pas pour la liturgie, il est clair que cela vient des démons. Et il faut se faire violence, selon sa force cependant et pas au-delà. Si le cœur veille[a], le sommeil du corps n'est rien, et quand bien même il serait près de ronfler, celui qui entend une irruption de voleurs déploie toute son énergie pour leur échapper. Si nous réfléchissons, nous serons donc tels, nous aussi.

520

Demande : Dis-moi, Père, si une maladie de l'homme peut venir de Dieu et comment on s'en rend compte.

Réponse :

Elle peut venir de Dieu. Chaque fois donc qu'on se sent malade, et tant qu'on n'est pas harcelé par la passion, une telle maladie vient de Dieu, et elle dissipe la tentation. Et en ce cas le corps a besoin d'un peu de condescendance. Mais lorsque la maladie se présente avec le tourment d'une passion, alors il ne faut pas du tout condescendre, car les démons sont en cause et la condescendance augmente la passion. Aussi convient-il, là où il y a lutte, d'accabler le corps, même s'il tombe dans l'épuisement, de peur que, voulant soutenir le corps, on ne jette l'âme dans la maladie. Si par ailleurs la maladie et la cause de l'indisposition sont manifestes, par exemple

11 ἵνα τις om. PR || 13 ἐὰν : εἰ PR || ᾖ : εἴη PR || ἡ ἀρρωστία καὶ om. PRI V

---

519. a. Cf. Ct 5, 2

ἀνωμαλίας, ὅταν ἐξ ὁδοιπορίας τυχὸν ἤγουν ἀπὸ καυμάτων βαρέων ἀσθενήσῃ τὸ σῶμα, ὀφείλει συγκαταβῆναι, σεμνῶς μέντοι καὶ μὴ ὑπὲρ τὸ δέον, ἐπεὶ καὶ οἱ δαίμονες τὸ ἑαυτῶν μίσγουσιν.

521

Ἐρώτησις· *Δίδαξόν με δέσποτα, εἰ τῆς φύσεώς εἰσιν αἱ ἀπὸ τῆς ἀμελείας καὶ ἀταξίας ἀρρωστίαι. Καὶ ἐκ ποίας αἰτίας αἱ παρὰ τοῦ Θεοῦ ἐπάγονται τῷ ἀνθρώπῳ; Καὶ εἰ τὰ συναντήματα τὰ συμβαίνοντά τινι, κατὰ προηγουμένην συγχώρησιν Θεοῦ γίνονται;*

Ἀπόκρισις·

Αἱ ἀπὸ τῆς ἀμελείας καὶ ἀταξίας ἀρρωστίαι, τῆς φύσεώς εἰσιν. Αἱ δὲ διὰ παιδείαν πεμπόμεναι τῷ ἀνθρώπῳ ὑπὸ τοῦ Θεοῦ, διὰ τὴν παρακοὴν πέμπονται. Ἐν σοὶ οὖν ἐστι τὸ ἀμελῆσαι ἢ τὸ ἀσωτεύεσθαι καὶ πεσεῖν εἰς ἐκεῖνα, ἕως οὗ εὐτακτήσῃς. Ἐξελεῖς δὲ τῶν ἀρρωστιῶν τῆς παιδείας διὰ τῆς μετανοίας. Καὶ ἀπαντήματά εἰσι πάλιν, καὶ εἰσὶν ἀπ' αὐτῶν δι' ἀμέλειαν καὶ ἀπ' αὐτῶν διὰ παιδείαν πρὸς τὸ συμφέρον, ἵνα μετανοήσωμεν. Τοῦ δὲ πνευματικοῦ ἀνθρώπου ἐστὶ τὸ διακρίνειν ταῦτα ἀπὸ τούτων.

522

Ἐρώτησις· *Ὅτε μέμικται ἡ ἀσθένεια καὶ ἀπὸ φύσεως καὶ ἀπὸ δαιμόνων, εἰπέ μοι, Πάτερ, τί ὀφείλει τις ποιῆσαι; Πρὸ πάντων δὲ εὖξαι ὑπὲρ ἐμοῦ διὰ τὸν Κύριον.*

Ἀπόκρισις Ἰωάννου·

Ὁ θέλων νικῆσαι ἀναγκάζει ἑαυτὸν μικρὸν εἴτε εἰς νηστείαν, εἴτε εἰς ἀγρυπνίαν, εἴτε εἰς οἱονδήποτε πρᾶγμα.

14 καυμάτων : κατατρωμάτων PRI V

L. 521 PRASKI V

1 με : μοι V ‖ εἰσιν : ἐστιν P ‖ 3 τοῦ θεοῦ : τῷ θεῷ I ‖ 11 οὗ om.

si le corps est affaibli par un voyage ou par de fortes fièvres, il faut condescendre, avec retenue cependant et pas plus qu'il ne convient, car autrement les démons y mêleraient du leur.

521

Demande : Apprends-moi, maître, si les maladies qui viennent de la négligence et du désordre sont naturelles. Et pour quel motif y en a-t-il qui sont envoyées par Dieu à l'homme? Et les accidents qui arrivent à quelqu'un, se produisent-ils avec la permission préalable de Dieu?

Réponse :

Les maladies qui viennent de la négligence et du désordre sont naturelles. Mais celles qui sont envoyées par Dieu à l'homme pour sa correction sont envoyées à cause de la désobéissance. C'est donc de toi qu'il dépend d'être négligent, déréglé, et de tomber dans ces maladies, jusqu'à ce que tu sois bien établi dans l'ordre. Et tu te dégageras de ces maladies pénales par la pénitence. Quant aux accidents, certains arrivent par la négligence, d'autres en correction pour notre avantage, afin que nous fassions pénitence. C'est le propre de l'homme spirituel de discerner ceux-ci de ceux-la.

522

Demande : Lorsque la maladie vient à la fois de la nature et des démons, dis-moi, Père, ce qu'on doit faire. Mais avant tout prie pour moi par le Seigneur.

Réponse de Jean :

Qui veut vaincre se contraint un peu soit pour jeûner, soit pour veiller, soit pour toute autre chose. Par exemple

PRI V ‖ ἐξελεῖς : ἐκφεύγεις K ‖ 13 δι' – αὐτῶν[2] om. SK ‖ 15 ἐστὶ : εἰσὶ A ‖ διακρίνειν : -κρῖναι I V

L. 522 PRASKI V

Οἷον ἐὰν ὀφείλῃ τις κατὰ τὸ ἔθος ποιεῖν μὴ τρώγων ἕως ὥρας ἐνάτης, ἡ δὲ ἀσθένεια ἀπαιτεῖ τρίτην ὥραν φαγεῖν, ἀναγκάσῃ ἑαυτὸν ἕως ἕκτης ὥρας. Καὶ εἰς τὴν ἀγρυπνίαν οὕτως. Καὶ ὁ ἀναγκασμὸς εὑρίσκεται ἀντικρούων τῇ ἐνεργείᾳ τῶν δαιμόνων καὶ ἡ συγκατάβασις βοηθεῖ τῇ ἀσθενείᾳ τοῦ σώματος. Καὶ περὶ τῶν λοιπῶν οὕτως. Καὶ παρέρχεταί τις τὰς δύο ἡμέρας αὐτοῦ ποιῶν μετὰ διακρίσεως κατὰ φόβον Θεοῦ. Ὁ Κύριος συνέλθῃ ἡμῶν τῇ ἀσθενείᾳ ἐν πᾶσιν. Εὖξαι ὑπὲρ ἐμοῦ.

523

Ἐρώτησις· *Ἐὰν κακοεκτῇ τις πρὸς τὸ σύνηθες βρῶμα, τί δεῖ αὐτὸν ποιῆσαι;*

Ἀπόκρισις·

Εἰς τὴν κακοεξίαν, ἔστιν ὅτε δύναταί τις ἀναγκάσαι μικρὸν τὸν λογισμόν. Ἐὰν δὲ οὐ δύναται, συγκαταβῇ ὀλίγον. Ἀσθένεια γάρ ἐστι καὶ αὕτη. Σπούδασον, ἄδελφε, μὴ εἰς λήθην βαλεῖν ταῦτα. Καὶ πιστεύω εὐχαῖς ἁγίων ὅτι εὑρίσκῃ ὑπὸ Θεοῦ βοηθούμενος καὶ σῳζόμενος.

524

Ἐρώτησις· *Συγχώρησόν μοι κύρι ἀββᾶ, ἐπειδὴ οἱ Πατέρες λέγουσι καταφρονεῖν τοῦ σώματος, καὶ πάλιν λέγουσι τῇ διακρίσει κυβερνᾶν τὸ σῶμα. Παρακαλῶ μαθεῖν τὴν τούτων διαφοράν.*

Ἀπόκρισις·

Περὶ ὧν ἠρώτησας, ὁ Ἀπόστολος λέγει τὴν διαφορὰν τῶν ἀμφοτέρων ἐν τῷ λέγειν αὐτόν· « Τῆς σαρκὸς πρόνοιαν

7 ποιεῖν om. V ‖ 10 οὕτως om. PR ‖ 11 βοηθεῖ : βοήθεια V ‖ 11-12 τῇ ἀσθενείᾳ om. V ‖ 14 συνέλθῃ : συνέλθοι V ‖ 15 εὖξαι – ἐμοῦ om. R

L. 523 PRASKI V

2 δεῖ om. K ‖ 5 συγκαταβῇ : καταβαίνει K ‖ 7 ἁγίων : ἁγίαις V ‖ 8 ὑπὸ : ἀπὸ K

si, selon la coutume, on doit rester sans manger jusqu'à la neuvième heure et que la maladie demande qu'on mange à la troisième, qu'on se force à attendre jusqu'à la sixième heure. Et de même pour la veille. La contrainte se trouve faire obstacle à l'activité des démons et d'autre part la condescendance remédie à la faiblesse du corps. Et de même pour le reste. On passe ainsi ses deux jours agissant avec discernement selon la crainte de Dieu. Que le Seigneur accompagne notre faiblesse en tout. Prie pour moi.

523

Demande : Si on s'accommode mal de la nourriture habituelle, que faut-il faire ?

Réponse :

Dans le cas de mauvaise complexion[1], quand on le peut, il y a lieu de forcer un peu sa pensée. Mais si on ne le peut, qu'on use d'un peu de condescendance. Car cela aussi est une maladie. Applique-toi, frère, à ne pas laisser tomber cela dans l'oubli. Et grâce aux saintes prières, j'ai confiance que tu te trouveras aidé par Dieu et sauvé.

524

Demande : Pardonne-moi, seigneur abbé, les Pères disent d'une part de mépriser le corps, et d'autre part de le conduire avec discernement. Je te prie donc de m'expliquer la différence entre ces deux consignes.

Réponse :

Au sujet de ce que tu demandes, l'Apôtre donne la différence entre ces deux consignes lorsqu'il dit d'une part :

L. 524 PRASKI V
3 παρακαλῶ μαθεῖν : εἰπέ μοι PR

1. κακοεκτῇ, κακοεξία (s'accomode mal ; indisposition) : termes rares.

μὴ ποιεῖσθε εἰς ἐπιθυμίαν[a] », καὶ πάλιν ὁ αὐτὸς λέγει· « Οὐδεὶς γάρ ποτε τὴν ἑαυτοῦ σάρκα ἐμίσησε, ἀλλ' ἐκτρέφει καὶ θάλπει αὐτήν[b]. » Ἐὰν οὖν ἴδῃς ἐργαζομένην τὴν ἡδονήν, τότε καταφρόνησον τοῦ σώματος. Ἐὰν δὲ ἴδῃς κεκακωμένον καὶ τεταλαιπωρημένον τὸ σῶμα, τότε θάλψον καὶ ἔκτρεφε ἐν φόβῳ Θεοῦ, ἵνα ὑπουργήσῃ σοι εἰς τὴν πνευματικὴν λειτουργίαν.

525

Ἐρώτησις· Ἐπειδὴ εἴπατε ὅτι δοκεῖ τὸ κεκακωμένον σῶμα θάλπειν διὰ διαίτης, ἆρα δεῖ παραιτεῖσθαι τὰ βλάπτοντα ἢ οὔ;

Ἀπόκρισις·

Ἐὰν εὐτακτήσῃ ὁ ἄνθρωπος ἀπὸ τῶν βλαπτόντων αὐτὸν βρωμάτων, οὐκ ἔστι τοῦτο ἁμαρτία. Ἐὰν δὲ λάβῃ εἴ τι ἔρχεται, καταφρονῶν τῆς βλάβης τοῦ σώματος διὰ τὸν Θεόν, μείζων ἐκείνου ἐστί, ἐὰν μὴ κλαπῇ διὰ τῆς θύρας, τοῦτ' ἔστι τῆς ὑψηλοφροσύνης. Ὀφείλει δὲ παραφυλάττεσθαι τὸ μὴ κατὰ πάθος λαβεῖν, τοῦτο γὰρ ἥττημά ἐστι καὶ βλάπτει μᾶλλον ἢ ὠφελεῖ. Ἡ ὑγεία δὲ καὶ τὸ πάθος ἐκ τοῦ Θεοῦ ἐστι τοῦ εἰπόντος· « Ἐγὼ ἀποκτενῶ καὶ ζῆν ποιήσω. Πατάξω κἀγὼ ἰάσομαι, καὶ οὐκ ἔστιν ὃς ἐξελεῖται ἐκ τῶν χειρῶν μου[a]. » Ὅτε οὖν θέλει ὁ Θεὸς οἰκονομεῖ τὴν ὑγείαν διὰ τοῦ ἰατροῦ καὶ ὅτε θέλει διὰ λόγου, τὸ δὲ χρονίσαι τὸ πάθος ἢ μὴ χρονίσαι, τοῦτο τῆς προγνώσεως τοῦ Θεοῦ ἐστιν. Οἱ οὖν τελείως ἀφέντες τῷ Θεῷ ἀμεριμνοῦσι[b], καὶ αὐτὸς ὡς θέλει καὶ ὡς συμφέρει ποιεῖ.

9 ποτε om. V ‖ 12 κεκακωμένον : κεκαμμένον I V ‖ 13 ἔκτρεφε : ἔκθρεψον K ‖ 14 λειτουργίαν + ἔρρωσο PR

L. 525 PRASKI V

1 δοκεῖ : δεῖ PRI V ‖ κεκακωμένον : κεκαμμένον I V ‖ 5 εὐτακτήσῃ : εὐεκτήσῃ V ‖ 6 εἴ τι : εἴτε PR ὅτι SK ‖ 9 τοῦτ' ἔστι : ἤγουν PRI V

«Ne prenez pas soin de la chair, pour en satisfaire les convoitises[a]», et lorsque, d'autre part, il dit encore : «Personne ne hait sa propre chair, mais la nourrit et l'entoure de soins[b].» Si donc tu vois naître le plaisir, alors méprise le corps. Mais si tu vois le corps fatigué et souffrant, alors couve-le[1] et nourris-le avec crainte de Dieu, afin qu'il soit bien à ton service pour la liturgie spirituelle.

525

Demande : Puisque vous dites qu'il faut soigner tendrement par un régime le corps fatigué, doit-on ou non refuser ce qui lui est nuisible?

Réponse :

Si l'homme se porte bien en écartant les aliments qui lui font du mal, cela n'est pas un péché. Mais prendre ce qui vient, en méprisant pour Dieu le dommage du corps, c'est mieux, pourvu qu'on ne soit pas volé à la porte, je veux dire par la pensée d'élèvement. On doit, d'autre part, se garder de ne rien prendre pour une maladie, car cela est une défaite et c'est plus nuisible qu'utile. La santé comme la maladie vient de Dieu qui a dit : «C'est moi qui ferai mourir, et qui ferai vivre. Je frapperai et c'est moi aussi qui guérirai, et il n'y a personne qui échappera à mes mains[a].» Donc que Dieu veuille dispenser la santé par le médecin, ou qu'il veuille le faire par une parole, prolonger la maladie ou l'abréger, cela est connu d'avance par Dieu. Aussi ceux qui s'abandonnent complètement à Dieu n'ont aucun souci[b], et lui-même fait comme il veut

524. a. Rm 13, 14 b. Ep 5, 29
525. a. Dt 32, 39 b. Cf. 1 Co 7, 32

1. Θάλψον – chauffer, couver, entourer de soins : Jean reprend les mêmes termes de la citation (*Éphésiens* 5, 29) et les applique au corps fatigué. Remarquer le chiasme.

῞Εκαστος οὖν ὡς δύναται, μᾶλλον δὲ ὡς ἔχει πίστιν, χρήσεται.

526

Ἐρώτησις· Τί ἐστι, Πάτερ, τὸ ὡς ἔχειν πίστιν; Σαφήνισόν μοι αὐτό.

Ἀπόκρισις·

Εἰ ὁ Θεὸς ἡγίασε τὰ πάντα καὶ ἐκαθάρισεν εἰς μετάληψιν τῶν πιστῶν, μετὰ εὐχαριστίας ὀφείλει τις λαμβάνειν ἀπὸ τῶν εὑρισκομένων, μηδὲν διακρινόμενος. Τὰ γὰρ ἅγια καὶ καθαρά τινα οὐ βλάπτουσι, εἰ μὴ ἡ συνείδησις αὐτοῦ καὶ ἡ ὑποψία ἐν τῷ νομίζειν ὅτι βλάπτεται. Εὑρίσκεται γὰρ διακρινόμενος τῇ πίστει καὶ διὰ τοῦτο πλεονάζει ἐν αὐτῷ τὸ πάθος. Ἐὰν οὖν πιστεύσῃ εἰς τὸν ἐλθόντα καὶ θεραπεύσαντα πᾶσαν νόσον καὶ πᾶσαν μαλακίαν ἐν τῷ λαῷ, δυνατός ἐστιν οὐ μόνον τὰ σωματικὰ πάθη ἰάσασθαι, ἀλλὰ καὶ τὰ τοῦ ἔσω ἀνθρώπου. Ἐὰν δὲ διακριθῇ, τότε παραιτήσεται τὰ βλάπτοντα καταγινώσκων ἑαυτοῦ, ὅτι οὐκ ἠδυνήθη βαστάξαι, ἀλλ' ἡττήθη τῷ λογισμῷ καὶ βεβαίαν οὐχ εὑρέθη ἔχων πίστιν. Καὶ οὕτω δὲ φυλάξεται τὸ μὴ κατὰ πάθος λαβεῖν, ἐπεὶ βλάπτεται τῇ ψυχῇ καὶ τῷ σώματι.

527

Ἐρώτησις· Ἐὰν πιστεύσῃ τις ὅτι οὐ βλάπτεται καὶ αἰσθανθῇ δὲ ἑαυτὸν ὀδυνώμενον ὑπὸ τοῦ πάθους, τί ὀφείλει λογίζεσθαι, ἵνα μὴ εἰς ἀπιστίαν ἐμπέσῃ;

L. 526 PRASKI V

1 πάτερ om. I V ‖ 14 παραιτήσεται + τότε K ‖ 16 φυλάξεται : φύλαξαι K ‖ 17 τῇ ψυχῇ : τὴν ψυχὴν RI V ‖ 17-18 τῷ σώματι : τὸ σῶμα V

et comme il est utile. Chacun se comportera donc comme il peut, ou plutôt selon la foi qu'il a.

526

Demande : Que signifie, Père, le « selon la foi qu'il a » ? Explique-moi cela.

Réponse :

Si Dieu a sanctifié toutes les choses et les a purifiées pour les donner en partage aux fidèles, on doit recevoir avec action de grâces toutes celles qui se présentent, sans aucune discrimination. Car les choses saintes et pures ne nuisent à personne, sauf à celui dont la conscience et la méfiance craignent que cela ne soit nuisible. Celui-là en effet se trouve hésitant dans sa foi et c'est pourquoi la maladie triomphe en lui. Si donc on a foi en celui qui est venu guérir dans la foule toute maladie et toute infirmité, il est capable de guérir non seulement les maladies corporelles mais aussi celles de l'homme intérieur. Si au contraire on doute, alors on écarte les choses nuisibles en se condammnant soi-même parce qu'on est incapable de les supporter, mais on est vaincu en pensée et on montre qu'on n'a pas une foi assurée. Et ainsi on se gardera de ne rien prendre pour la maladie, car cela nuirait à l'âme et au corps.

527

Demande : Si l'on croit que quelque chose ne nous fera pas de mal et qu'on se sent ensuite tourmenté de douleur, que doit-on se dire pour ne pas tomber dans le manque de confiance?

L. 527 PRASKI V
3 λογίζεσθαι : -γίσασθαι PRI V

Ἀπόκρισις Ἰωάννου·

Ἐὰν πίστει φάγῃ καὶ μείνῃ δὲ ἡ ὀδύνη, μὴ διακριθῇ. Εἰδὼς γὰρ ὁ Θεὸς ὅτι ἡ ὀδύνη αὕτη ἀπαλλάττει αὐτὸν πολλῶν τῆς ψυχῆς παθῶν, ἀφῆκεν αὐτὸν ἐν τῷ πάθει. Ἐκεῖ οὖν μνησθῇ τοῦ Ἀποστόλου λέγοντος ὅτι « Ὅτε ἀσθενῶ, τότε δυνατός εἰμι[a]. » Καὶ μὴ νομίσῃ τοῦτο αὐτῷ γενέσθαι ἐκ τοῦ λαμβάνειν ἀπὸ τῶν δοκούντων βλάπτειν βρωμάτων, ἀλλὰ συγχώρησις Θεοῦ ἐστι, κἂν γὰρ μεταλάβῃ τῶν νομιζομένων καλῶν καὶ ὠφελίμων, οὐδὲν δύναται αὐτὸν ὠφελῆσαι δίχα τῆς κελεύσεως τοῦ Θεοῦ.

528

Ἐρώτησις· Εἰ πίστεως χρεία ἐστί, πῶς εἶπεν ὁ ἀββᾶς Ἡσαΐας ὅτι « Ἐὰν εἰσέλθῃ βρῶμα εἰς τράπεζαν καὶ βλάπτῃ σε, βίασαι ἑαυτὸν φαγεῖν αὐτό ; » Πίστεως γὰρ προκειμένης ἐβλάπτετο.

Ἀπόκρισις·

Σχολαστικῷ τινι εἶπεν ὁ ἀββᾶς Ἡσαΐας ὑγιαίνοντι τῷ σώματι καὶ δυναμένῳ λαβεῖν ἐκ τῶν εὑρισκομένων, ἵνα κόψῃ τὸ θέλημα αὐτοῦ. Ὁ Κύριος ἐλεήσει σε τέκνον, καὶ ἐνδυναμώσει σε[a].

529

Ἐρώτησις· Εἰπέ μοι Πάτερ, οἱ ἐν τῇ ἀρρωστίᾳ τῶν φαρμάκων καὶ τῶν βρωμάτων καταφρονήσαντες, ἆρα εἰς μέτρον εἰσὶ τελειότητος ;

8 μνησθῇ : μνησθήτω PR μνημονεύσει V ‖ ὅτι om. PRI V ‖ ὅτε : ὅταν I V ‖ 10 τοῦ – ἀπὸ om. I V ‖ 13 δίχα : διὰ V

L. 528 PRASKI V

3 ἑαυτὸν : σεαυτὸν V ‖ γὰρ : δὲ PR ‖ 4 ἐβλάπτετο : οὐ βλάπτεται K ‖ 7 λαβεῖν : βλαβεῖν PK ‖ 8-9 ἐλεήσει ... ἐνδυναμώσει : -σαι PR -σοι V

L. 529 PRASKI V

1-4 εἰπέ – ἀπόκρισις om. SK

Réponse de Jean :

Si quelqu'un mange avec foi et que la douleur persiste, qu'il ne soit pas pris par le doute. Car Dieu, sachant que cette douleur le délivre de nombreuses maladies de l'âme, le laisse tomber malade. Il se souviendra donc alors de la parole de l'Apôtre : « Lorsque je suis faible, c'est alors que je suis fort[a]. » Et il ne faut pas penser que cela vient de ce qu'il a pris des aliments qui semblent nuisibles, mais c'est Dieu qui le permet ; et en effet, même s'il prend des aliments qu'il croit bons et profitables, aucun ne peut lui faire du bien sans l'ordre de Dieu.

528

Demande : Si c'est une question de foi, pourquoi l'abbé Isaïe dit-il : « Quand est présenté à table un aliment qui t'est nuisible, force-toi à le manger[1] *» ? En effet. même avec la foi, l'aliment n'en était pas moins nuisible.*

Réponse :

L'abbé Isaïe parlait à un homme instruit en bonne santé qui pouvait prendre de ce qui se présentait, afin de retrancher sa volonté. Que le Seigneur te fasse miséricorde, enfant, et te fortifie[a].

529

Demande : Dis-moi, Père, ceux qui, dans la maladie, méprisent les médicaments et les aliments, sont-ils parvenus au degré suprême de la perfection[2] *?*

527. a. 2 Co 12, 10
528. a. Cf. Ep 6, 10

---

1. Cf. Abbé Isaïe, *Recueil* 5, 7 ; p. 27.
2. Voir L. 137 b, n. 7, 543, 623, etc.

Ἀπόκρισις·

Οἱ καταφρονήσαντες τῶν φαρμάκων καὶ τῶν βρωμάτων εἰς μέτρον ἔφθασαν πίστεως[a], ἀλλ' οὐ τελειότητος.

530

Ἐρώτησις· Ἐὰν οὖν μὴ ἔχῃ τις τοιαύτην πίστιν, ἆρα ὀφείλει ἐπιτηδεύειν βρώματα, ὠφελοῦντα τὴν ἀσθένειαν ἢ μόνον τὰ βλάπτοντα ἵνα παραιτῆται; Κἂν τύχῃ τι μήτε βλάπτον μήτε πάνυ ὠφελοῦν, ὀφείλει ἀδεῶς αὐτοῦ μεταλαμβάνειν;

Ἀπόκρισις·

Τὰ μόνον βλάπτοντα ἵνα παραιτῆται. Ἐὰν δὲ εὑρεθῇ μήτε βλάπτον μήτε ὠφελοῦν, μὴ λάβῃ εἰς χορτασίαν, ἀλλὰ παρὰ μικρόν. Καὶ γὰρ ἐὰν εἰς κόρον λάβῃ τις καὶ ἀπὸ τοῦ ὠφελοῦντος βλάπτεται.

531

Ἐρώτησις· Ἐὰν δὲ συμβῇ δύο βρώματα ἰσοδύναμα, καὶ τὸ ἓν εὐτελές, τὸ δὲ ἄλλο πολυτελέστερον, ἆρα ὀφείλει διὰ τοῦ εὐτελεστέρου ποιῆσαι τὴν χρείαν; Ἐὰν δὲ καὶ τὸ εὐτελέστερον ἡδύτερον ᾖ, ποῖον χρὴ λαβεῖν;

Ἀπόκρισις·

Ἐὰν πρόκεινται δύο βρώματα ἴσα, καὶ ἐκ τῶν δύο λάβῃ πρὸς ὀλίγον. Ἐὰν δὲ οὐ πρόκεινται τὰ δύο, τὸ εὐτελέστερον ἐπιτηδεύσῃ. Ἐὰν δὲ ἡδὺ ᾖ τοῦτο, καὶ πρόκειται τὸ πολυτελέστερον, αὐτὸ μᾶλλον λάβῃ. Ἐὰν δὲ

L. 530 RASKI V

1 οὖν om. V ‖ 3-4 μήτε βλάπτον om. K ‖ 10 τοῦ ὠφελοῦντος : τῶν ὠφελούντων K

Réponse :

Ceux qui méprisent médicaments et aliments, sont arrivés au degré suprême de la foi[a], mais non de la perfection.

530

Demande : Si donc on n'a pas une telle foi, doit-on rechercher les aliments aptes à remédier à notre faiblesse ou seulement écarter ceux qui sont nuisibles? Et s'il s'en présente un qui ne soit ni nuisible ni très salutaire, doit-on le prendre sans crainte?

Réponse :

Il faut seulement écarter ceux qui sont nuisibles. Et s'il s'en trouve un qui ne soit ni nuisible ni salutaire, il ne faut pas en prendre jusqu'à satiété mais un peu. Et en effet si on en prend jusqu'à la nausée, il nous fera du mal, même s'il était salutaire en soi.

531

Demande : Si on se trouve en présence de deux mets d'égale valeur nutritive, l'un de vil prix et l'autre plus coûteux, doit-on se contenter du moins cher? Et si le moins cher est plus agréable au goût, lequel faut-il prendre?

Réponse :

Si l'on se trouve devant deux mets également nourrissants, que l'on prenne un peu des deux. Mais si les deux ne sont pas devant nous, qu'on recherche le moins cher. Et si celui-là est agréable et que le plus coûteux se trouve

L. 531 RASKI V
1-5 ἐὰν – ἀπόκρισις om. R ‖ 1 συμβῇ + καὶ K ‖ 2 τὸ² δὲ : καὶ τὸ I V ‖ 4 ἡδύτερον om. K

529. a. Cf. Rm 12, 3

οὐ πρόκειται, λάβῃ ἐκ τοῦ εὐτελοῦς καὶ ἡδέως, ἀπομαχόμενος πρὸς τὸ ἡδύ, φυλάττων δὲ τὸ εἶναι παρὰ μικρόν. Τί γάρ; Οὐκ ἀπαιτεῖ ἡ νόσος πολλάκις πρᾶγμα ἔχον ἀηδίαν πολλήν; Καὶ ἀναγκάζεται λαβεῖν ὁ ἄνθρωπος πρὸς τὸ ὑγιάναι; Οὕτω κἂν ἔχῃ ἡδύτητα τὸ πρᾶγμα καὶ χρείαν ἔχῃ αὐτοῦ, δεῖ λαβεῖν. Προσέχειν δὲ ὀφείλει μόνον ὁ ἄνθρωπος, ὡς εἴπομεν, τοῦ μὴ ἡττηθῆναι τῇ ἡδονῇ. Ἀλλ' ὅμως οὕτω παρέλθῃ μὴ μεμφόμενος καὶ κατακρίνων ἑαυτὸν ἤδη τότε.

532

Ἐρώτησις· Ἐπειδὴ τὸ κεχρῆσθαι ἰατρῷ ἐν τῷ ὀνόματι τοῦ Θεοῦ, καθὼς εἴπατε, οὐκ ἔστιν ἀπόβλητον, καὶ πάλιν τὸ μετὰ πίστεως καὶ ταπεινοφροσύνης ἐᾶσαι τὸ πᾶν τῷ Θεῷ κάλλιόν ἐστι, λέγει δέ μοι ὁ λογισμὸς ὅτι Ἐὰν συμβῇ σοι σωματικὸν πάθος, ὀφείλεις δεῖξαι αὐτὸ ἰατρῷ, οὐκ ἔστι γὰρ τῶν μέτρων σου ἐκτὸς φαρμάκων θεραπευθῆναι. Καὶ πάλιν λέγει μοι μὴ τούτοις χρήσασθαι, ἀλλὰ τῷ ἁγιάσματι μᾶλλον τῶν ἁγίων, καὶ αὐτῷ μόνῳ ἀρκεσθῆναι. Παρακαλῶ Πάτερ οἰκτίρμον, εἰπέ μοι τί μᾶλλον τούτων κρατήσω;

Ἀπόκρισις Ἰωάννου·

Ἄδελφε, ἐπειδὴ βλέπω σε πολὺ φροντίζοντα τῆς θεραπείας τῶν παθῶν τοῦ σώματος, νομίζω ὅτι οἱ Πατέρες τούτων φροντίδα οὐ ποιοῦσιν. Ὁ οὖν δεύτερος λογισμὸς καλλίων ἐστὶ τοῦ πρώτου· Πίστιν γὰρ ἔχει τελείαν εἰς

10 λάβῃ[2] – ἡδέως : τὸ εὐτελέστερον καὶ ἡδύ, ἐπιτηδεύσῃ καὶ λάβῃ ἀπ' αὐτοῦ I V ‖ εὐτελοῦς : πολυτελοῦς R ‖ 15 χρείαν ἔχῃ : χρεία γένηται RI V ‖ 16 τοῦ om. V ‖ μὴ om. I ‖ 18 ἤδη om. R

L. 532 RASKI V

2 θεοῦ : κυρίου SK ‖ 6 τῶν μέτρων : τὸ μέτρον SK ‖ 7 πάλιν + ὁ λογισμὸς KI V ‖ 13 τῶν παθῶν om. ASK

devant nous, qu'on le prenne de préférence. Mais si le mets moins cher et meilleur n'est pas devant nous, qu'on en prenne, en luttant contre le goût agréable, et en prenant soin aussi de rester un peu sur sa faim. Pourquoi pas? La maladie ne réclame-t-elle pas souvent une chose très désagréable? Et l'homme n'est-il pas forcé de la prendre pour sa guérison? Ainsi même si la chose est de goût agréable et qu'on en a besoin, il faut la prendre. L'homme doit seulement veiller, comme nous l'avons dit, à ne pas se laisser vaincre par le plaisir. Mais cependant qu'il ne néglige pas de s'accuser et de se condamner alors aussitôt.

532

Demande : Comme le recours au médecin au nom de Dieu, comme vous l'avez dit[1], *n'est pas à rejeter, mais que, d'un autre côté, l'abandon total à Dieu avec foi et humilité est plus parfait, la pensée me dit : « Quand il t'arrive une maladie corporelle, tu dois la montrer à un médecin, car ce n'est pas à ta mesure d'être guéri sans médicaments. » Puis elle me dit au contraire : « Ne recours pas à ces remèdes, mais plutôt à la sainteté des saints et contente-toi d'elle seule. » Je t'en prie, Père compatissant, dis-moi à laquelle de ces deux pensées je dois m'arrêter.*

Réponse de Jean :

Frère, lorsque je te vois très soucieux du traitement des maladies du corps, je pense que les Pères n'ont pas cette préoccupation. La deuxième pensée est donc meilleure que la première[2]. Elle implique en effet une foi parfaite envers

1. Voir L. 508.

2. Voir L. 137 b, où les vertus s'engendrent les unes les autres et où l'on retrouve le même parallélisme entre les bonnes actions et les mauvaises préoccupations.

Θεόν, ὁ δὲ ἄλλος ἀπιστίαν. Ὁ μὲν ἔχει ὑπομονὴν τὴν φέρουσαν εἰς δοκιμήν[a], ἐξ ἧς γεννᾶται ἡ ἐλπὶς ἡ μὴ καταισχύνουσα, ὁ δὲ ἔχει ὀλιγωρίαν, τὴν ἀδελφὴν τῆς μικροψυχίας, ἐν ᾗ οἰκεῖ ἡ ὀλιγοπιστία, ἡ μήτηρ τῆς διχοστασίας ἡ ἀπαλλοτριοῦσα τοῦ Θεοῦ καὶ καταφέρουσα εἰς ἀπώλειαν τοὺς ἀνθρώπους. Ὁ μὲν φίλους ποιεῖ Θεοῦ τοὺς ἀνθρώπους, ὁ δὲ ἐχθρούς. Ὁ μὲν βασιλείας οὐρανῶν ἐστι πρόξενος, ὁ δὲ γεέννης. Ὁ μὲν ὑψοῖ τὴν κεφαλὴν[b] καὶ τὴν πρὸς τὸν Δεσπότην ἡμῶν Θεὸν δίδωσι παρρησίαν, ὁ δὲ μετ' αἰσχύνης ποιεῖ κλῖναι τὴν κεφαλὴν καὶ ἀπαρρησίαστον πρὸς τὸν Θεὸν ἱστᾷ τὸν ἄνθρωπον. Ὁ μὲν δοξάζει τὸν ἄνθρωπον, ὁ δὲ ἀτιμάζει. Ὁ μὲν τὴν αἰχμαλωσίαν κόπτει καὶ ἀμέριμνον ποιεῖ τὸν ἄνθρωπον τοῦ πᾶσαν αὐτοῦ τὴν μέριμναν ἐπιρρίψαι πρὸς Κύριον[c], ὁ δὲ αἰχμαλωσίαν καὶ ἄλλας κακὰς ἀδολεσχίας ἐμβάλλει εἰς τὴν καρδίαν τοῦ ἀνθρώπου. Ὁ μὲν εἰς οἰκοδομὴν ποιεῖ τὸ γινόμενον, ὁ δὲ εἰς χαύνωσιν τῶν θεωρούντων. Ὁ μὲν φρονήσεως γέμει, ὅτι δύναται ὁ βλέπων τὰ κρυπτὰ πάθη θεραπεῦσαι καὶ τὸ ἐμὸν πάθος, ὁ δὲ ἀφροσύνης περὶ Θεοῦ ἢ θεραπεύει ἢ οὔ. Ὁ μὲν εἰρηνικὴν κατάστασιν ἔχει καὶ διδάσκει τὸν μὴ ἀκηδιῶντα, ὁ δὲ ταραχώδη. Ὁ μὲν πελασθῆναι εἰς πόλεις καὶ χώρας ποιεῖ τοὺς ἀνθρώπους, ὁ δὲ ἀπαλλαγῆναι τούτων πάντων. Ὁ μὲν λύπην ἐμβάλλει εἰς τὴν καρδίαν διατήκων αὐτήν, ὁ δὲ εὐχαριστίαν τὴν καλῶς πρεσβεύουσαν ὑπὲρ τῆς τῶν ἀνθρώπων σωτηρίας πρὸς τὸν μέγαν ἰατρὸν τὸν βαστάζοντα ἡμῶν τὰ πάθη[d]. Ἐγὼ τέως, ἄδελφέ μου γνήσιε, ὁπότε ὀκνηρὸς ἐγενόμην, οὐκ ἔδειξα ἐμαυτὸν ἰατρῷ, οὐδὲ φάρμακον ἐπέθηκα τραύματι, οὐ κατὰ ἀρετὴν ἀλλὰ κατὰ ὀκνηρίαν, παραιτούμενος τὸ πελασθῆναι ἐν πόλεσι καὶ κώμαις καὶ

24 δεσπότην om. K ‖ ἡμῶν : ἡμῖν I ‖ 26-28 ὁ μὲν[1] – ποιεῖ τὸν ἄνθρωπον : ὁ μὲν συνάγει τὸν νοῦν I V ‖ 29 ὁ δὲ + εἰς I V ‖ 30 ἐμβάλλει : συμβάλλει SK ‖ εἰς om. IV ‖ 34 ἀφροσύνης : -σύνην V ‖ 35 ἔχει καὶ

Dieu, l'autre un manque de foi. L'une implique la patience qui porte à une vertu éprouvée[a] de laquelle naît l'espérance qui ne déshonore point; l'autre implique la timidité, sœur de la pusillanimité, en laquelle réside la faiblesse de la foi, mère du doute qui détache de Dieu et conduit les hommes à la ruine. L'une rend les hommes amis de Dieu, l'autre les fait ennemis. L'une introduit au royaume des cieux, l'autre dans la géhenne. L'une élève la tête[b] et donne la confiance vis-à-vis de Dieu notre Maître, l'autre fait courber la tête de honte et met l'homme mal à l'aise devant Dieu. L'une honore l'homme, l'autre le déshonore. L'une retranche la captivité et libère l'homme des soucis pour lui faire jeter au Seigneur tout son souci[c]; l'autre amasse dans le cœur de l'homme captivité et autres mauvaises préoccupations. L'une porte à l'édification, l'autre au relâchement ceux qui en voient les effets. L'une est pleine de sagesse en croyant que celui qui voit les maladies cachées peut guérir aussi ma maladie à moi; l'autre, pleine de sottise en se demandant si Dieu s'en occupe ou non. L'une comporte un état paisible et apprend à ne pas être pris par le découragement, l'autre ne connaît que le trouble. Celle-ci pousse les hommes à s'approcher des villes et des villages, celle-là à s'écarter de tout cela. Celle-ci jette la tristesse dans le cœur en l'amollissant, celle-là y met l'action de grâces qui plaide favorablement pour le salut des hommes auprès du grand Médecin qui porte nos maladies[d]. Moi en tout cas, mon cher frère, nonchalant comme je l'étais, je ne me suis jamais montré à un médecin, et je n'ai jamais appliqué un remède à une blessure, non par vertu mais par nonchalance, refusant de m'approcher des villes et des

om. ASK || 36 τὸν – ἀκηδιῶντα : τῶν μὴ ἀκηδιώντων SKI V || 37 πόλεις – χώρας : πόλιν καὶ χώραν R || 39 διατήκων : τήκην I V

---

532. a. Rm 5, 4 b. Cf. Ps 109, 7 c. Cf. Ps 54, 23; 1 P 5, 7 d. Cf. Is 53, 4; Mt 8, 17

τὸ μὴ βαρῆσαί τινα καὶ ποιῆσαί τινα σκυλῆναι πρός με τὸν ἀνάξιον, φοβούμενος τὴν μέλλουσαν ἔσεσθαι ἐπαγγελίαν ἐν τῇ προσδοκωμένῃ ὥρᾳ τοῖς κατ' ἐμέ. Ὁ δὲ δυνάμενος κατὰ ἀρετὴν ὑπενεγκεῖν μακάριός ἐστι, συμμέτοχος γὰρ γίνεται τῆς τοῦ ἐν ἁγίοις Ἰὼϐ ὑπομονῆς. Μνημονεύω δὲ ὅτι καὶ πολλαὶ γυναῖκες ὑπέμειναν καρτεροῦσαι ἐν τοῖς σωματικοῖς πάθεσιν, ἀφεῖσαι τὸ πᾶν τῷ Θεῷ. Καὶ αἰσχύνομαι ἐγὼ ὁ τῷ ὀνόματι ἀνὴρ λεγόμενος. Καὶ ἡ αἱμορροοῦσα ἀφεῖσα τὴν προτέραν αὐτῆς κατάστασιν, μαθοῦσα ὅτι οὐδὲν αὐτὴν ἠδυνήθησαν ὠφελῆσαι οἱ σωματικοὶ ἰατροί, οἷς καὶ τὰ αὐτῆς ἐδαπάνησεν, ἔλαϐε κατάστασιν ἄλλην καὶ προσέδραμε πρὸς τὸν μέγαν καὶ πνευματικὸν ἰατρὸν τὸν ἐπουράνιον, τὸν τὰς ψυχὰς καὶ τὰ σώματα θεραπεύοντα, καὶ πρὸ κελεύσεως φοϐηθὲν ἔφυγε τὸ πάθος[e]. Καὶ ἡ Χαναναία ἀφῆκε τοὺς ἀνθρώπους τοῦ κόσμου, τοὺς γόητας, τοὺς ἐγγαστριμύθους, τοὺς μάντεις, ἰδοῦσα ὅτι ματαία ἦν αὐτῶν ἡ τέχνη καὶ δαιμονιώδης, καὶ προσέδραμε τῷ Δεσπότῃ κράζουσα · « Ἐλέησόν με υἱὲ Δαβίδ[f]. » Καὶ ἀπὸ περάτων γῆς μέχρι τῶν περάτων αὐτῆς, κεκήρυκται πᾶσι τὸ γεγονὸς αὐτῇ παρὰ τοῦ φιλανθρώπου ἰατροῦ. Ἀφῶ τὰς λοιπὰς καὶ ἀδολεσχῶ εἰς ταύτας, εἴ πως δυνηθῶ ὀψέποτε καταντῆσαι εἰς τὴν αὐτῶν πίστιν[g] καὶ τοῦ μακαρισμοῦ μὴ ἀποτύχω. Ἀρκοῦσί με αἱ δύο αὗται εἰς ἔλεγχον αἰσχύνης καὶ οὐ χρεία ἐνεγκεῖν τὴν πίστιν καὶ τὴν ταπείνωσιν τοῦ ἑκατοντάρχου εἰς τὸ μέσον, ὅτι οὐ μόνον ἀφεὶς τοὺς ἰατροὺς καὶ τοὺς ἄλλους πρὸς τὸν Δεσπότην ἦλθεν, ἀλλὰ καὶ ἔκρινεν ἑαυτὸν ἀνάξιον τοῦ εἰσενεγκεῖν αὐτὸν εἰς τὸν οἶκον αὐτοῦ καὶ πίστει ἔλεγεν αὐτῷ · « Λόγῳ μόνον εἰπὲ καὶ ἰαθήσεται ὁ παῖς μου[h]. » Μεγάλη ἡ πίστις, καὶ ὑπὸ τοῦ Σωτῆρος ἡμῶν ἐπῃνέθη.

46 τὸ : τοῦ R ‖ μὴ om. V ‖ τινα[1] – τινα[2] om. ASK ‖ τινα[2] om. V ‖ 47 ἐπαγγελίαν : ἀπολογίαν RI V ‖ 50 ἐν ἁγίοις : ἁγίου I V ‖ 55 αὐτὴν : αὐτῇ S ‖ 62 ματαία : μάταιος I V ‖ καὶ δαιμονιώδης om. I V ‖ 63 προσέδραμε : προσέρχεται V ‖ 66 ἀδολεσχῶ : -λεσχῶν SK ‖ 68 με : μοι RI V

bourgs, d'être à charge à quelqu'un, et de faire qu'on se tourmente pour moi, l'indigne, craignant d'avoir à en répondre, à l'heure que nous attendons, à ceux qui seront contre moi. Bienheureux celui qui peut supporter par vertu, car il participe à l'endurance de saint Job. Et je me souviens que bien des femmes ont enduré avec courage les souffrances corporelles, en abandonnant tout à Dieu. Aussi j'ai honte d'être appelé homme. L'hémorroïsse, ayant renoncé à sa première conduite après avoir constaté que les médecins humains, auprès de qui elle avait dépensé tout son avoir, ne pouvaient rien pour elle, prit une nouvelle méthode et accourut auprès du grand Médecin spirituel et céleste, celui qui guérit les âmes comme les corps[3], et effrayée devant l'injonction la maladie disparut[e]. De même la Chananéenne laissa là aussi les hommes de ce monde, sorciers, ventriloques, devins, voyant que leur art était vain et démoniaque, et elle accourut devant le Maître en criant : « Aie pitié de moi, fils de David[f]. » Et d'une extrémité à l'autre de la terre, a été annoncé à tous le cri qu'elle a lancé au Médecin qui aime les hommes. J'omets les autres et je pense assidûment à celles-là, afin que je puisse peut-être finalement arriver à leur foi[g] et ne pas manquer la béatitude. Ces deux femmes suffisent à m'accabler de honte et il n'est pas nécessaire de proposer aussi en exemple la foi et l'humilité du centurion qui non seulement quitta les médecins et les autres pour venir trouver le Maître, mais se jugea même indigne de l'introduire dans sa maison et lui dit avec foi : «Prononce seulement une parole, et mon serviteur sera guéri[h].» Grande foi, qui a été louée par notre Sauveur! Et en disant cela je me

e. Cf. Mt 9, 20-22 f. Mt 15, 22 g. Cf. Ep 4, 13 h. Mt 8, 8

3. Voir L. 515, ligne 4 (Cf. 1 Th 5, 23), 553.

Ταῦτα δὲ λέγων ἐμαυτὸν καταισχύνω, ὅτι οὐκ ἐπιποθῶ, οὐ ζηλῶ, οὐ σπουδάζω, οὐ προσπίπτω, καὶ οὐκ οἶδα ὁ ἄθλιος πότε φθάνει μου ἡ ἀπόφασις. Πότε γίνεταί μου ἡ κλῆσις; Πότε ἔρχεται ὁ φοβερὸς καὶ ἀπότομος ἄγγελος μετ᾽ ἐπιτιμίας λαβεῖν μου τὴν ταλαίπωρον ψυχήν; Πότε κλείεται ἡ θύρα καὶ μένω κράζων μετὰ τῶν πέντε παρθένων[i], καὶ οὐδείς μου ὑπακούει. Ὅτι μὲν δάκνουσί με ταῦτα πρὸς τὸ παρόν, δῆλον, καὶ ὅτι νικᾷ με ἡ χαυνότης καὶ ἡ ὀκνηρία, οὐκ ἔστι κρυπτόν. Τί οὖν; Ἀπελπίσω ἐμαυτοῦ; Μὴ γένοιτο! Αὕτη γὰρ ἡ ἁμαρτία εἰς θάνατόν ἐστιν[j]. Ἀλλὰ παρακλήθητι, ἄδελφε, ὡς ἐπὶ νεκροῦ καὶ τάφου ὀζωμένου, ἐκχέαι ἐπ᾽ ἐμὲ πικρῶς τὰ δάκρυα. Οἴδαμεν γὰρ τί ἀνύουσιν, ὅτι ἐδίδαξεν ἡμᾶς ἡ πεῖρα τοῦ κλαυθμοῦ Πέτρου[k]. Καὶ εὖξαι ὑπὲρ ἐμοῦ τοῦ ταῦτα λέγοντος, ποιοῦντος δὲ οὐδὲν ἀγαθόν, ἵνα καὶ εἰς ἐμὲ σπλαγχνισθῇ ὁ ἀγαθὸς ἰατρός, καὶ θεραπεύσῃ μου τὰ πάθη ψυχῆς τε καὶ σώματος. Αὐτῷ ἡ δόξα εἰς τοὺς αἰῶνας. Ἀμήν.

533

Ἐρώτησις· Ἰδοὺ εἰς τὸν Θεὸν καὶ εἰς τὰς χεῖράς σου ἐμαυτὸν παραδίδωμι. Φρόντισον οὖν μου Πάτερ εὔσπλαγχνε, διὰ τὸν Κύριον.

Ἀπόκρισις·

Ἄδελφε, οὕτω πιστεύων, οὐκ ἀθετῇ παρὰ τοῦ Χριστοῦ τοῦ εἰπόντος τῇ ἁμαρτωλῷ· « Ἡ πίστις σου σέσωκέ σε[a]. » Τὸ πᾶν οὖν ἄφες τῷ Θεῷ[b], ὅτι αὐτῷ μέλει περὶ ἡμῶν. Αὐτῷ ἡ δόξα εἰς τοὺς αἰῶνας. Ἀμήν.

76 λέγων – καταισχύνω : λέγω – καταισχύνων I V ‖ 80 μου : μοι R με V ‖ 85 ἐμαυτοῦ : ἐμαυτόν V ἑαυτοῦ R ‖ 87 νεκροῦ – ὀζωμένου : νεκρῷ καὶ τάφῳ ὀζομένῳ I V ‖ ἐμὲ : ἐμοὶ V ‖ 88 τί : ὡς RI V ‖ ἡμᾶς om. RI V

L. 533. RASKI V

2 μου : μοι V ‖ 5 πιστεύων + ὅτι om. R

fais honte à moi-même, car je n'ai ni désir, ni ardeur, ni zèle pour courir, et ignore, malheureux que je suis, où me conduira la sentence. Quel sera mon sort? Où l'ange terrible et sévère emmènera-t-il ma pauvre âme en la réprimandant? Alors la porte sera fermée, et je resterai à crier avec les cinq vierges[i], et personne ne m'entendra. Je suis rongé par tout cela maintenant, évidemment, mais d'un autre côté, que je sois vaincu par ma mollesse et ma nonchalance, ce n'est pas un secret. Quoi donc? Vais-je me jeter dans le désespoir? A Dieu ne plaise! car ce péché conduit à la mort[j]. Mais je t'en prie, frère, répands sur moi des larmes amères comme sur un cadavre et un sépulcre nauséabond. Car nous savons qu'elles sont très puissantes, comme nous l'apprend l'expérience des pleurs de Pierre[k]. Et prie pour moi qui dis cela et ne fais rien de bon, afin que, pour moi aussi, le bon Médecin soit ému de pitié dans ses entrailles[4] et qu'il guérisse les maladies de mon âme et de mon corps. A lui la gloire dans les siècles. Amen.

533

Demande : Voici que je m'abandonne à Dieu et entre tes mains. Prends donc soin de moi, Père compatissant, par le Seigneur.

Réponse :

Frère, ayant une telle foi, tu ne seras pas rejeté du Christ qui a dit à la pécheresse : « Ta foi t'a sauvée[a]. » Abandonne donc tout à Dieu[b], car c'est lui qui prend soin de nous. A lui la gloire dans les siècles. Amen.

i. Cf. Mt 25, 10-11 j. Cf. 1 Jn 5, 16 k. Cf. Mt 26, 75
533. a. Mt 9, 22; Lc 8, 48 b. Cf. 1 P 5, 7

4. Voir L. 386, n. 2.

534

Ἀδελφὸς ἠρώτησε τὸν αὐτὸν Γέροντα λέγων· Ἐάν τις ἔχῃ πάθος δεόμενον χειρουργίας, εἰ ὀφείλει χειρουργηθῆναι; Καὶ εἰ δεῖ γνώμης γενέσθαι Πατέρων περὶ τούτου;

Ἀπόκρισις Ἰωάννου·

Χρὴ τέκνον, τὸν ἔχοντα οἱονδήποτε πάθος ἐρωτᾶν περὶ αὐτοῦ τινα τῶν Πατέρων καὶ κατὰ γνώμην αὐτοῦ ποιεῖν πάντα. Ἐνίοτε γὰρ εὑρίσκεται ἔχων χάρισμα ἰαμάτων ὁ γέρων καὶ ἐργάζεται λεληθότως τὴν ἴασιν, καὶ οὐκ ἀεὶ χρῄζει σαρκικῶν ἰατρῶν.

535

Ἐρώτησις· Ἐὰν φαίνηταί μοι πρᾶγμα καλόν, τυχὸν τὸ ἐγκρατεύσασθαι ἢ ἀσκῆσαι ἡσυχίαν ἢ δοῦναί τινι εὐποιΐαν καὶ τὰ τοιαῦτα, ἆρα χρὴ ἀπ' ἐμαυτοῦ ποιῆσαι ἢ γενέσθαι γνώμης Πατέρων;

Ἀπόκρισις·

Τὸ μὴ λαβεῖν γνώμην Πατέρων περὶ πράγματος νομιζομένου καλοῦ τὰ ἔσχατα αὐτοῦ εἰς κακὰ ἔρχεται. Καὶ παραβαίνει τις τὴν ἐντολὴν τὴν λέγουσαν· « Υἱὲ μετὰ βουλῆς πάντα ποίει[a] », καὶ τὸ « Ἐπερώτησον τὸν πατέρα σου, καὶ ἀναγγελεῖ σοι, τοὺς πρεσβυτέρους σου, καὶ ἐροῦσί σοι[b]. » Καὶ οὐδαμοῦ εὑρήσεις τὴν Γραφὴν ἐπιτρέπουσάν τινι ἀφ' ἑαυτοῦ τι ποιεῖν. Τὸ γὰρ μὴ λαβεῖν γνώμην ὑπερηφανία ἐστί, καὶ ὁ τοιοῦτος εὑρίσκεται πολέμιος τῷ

L. 534 RASKI V
2 εἰ om. R ‖ 3 γνώμης : γνώμην RK γνώμη V ‖ γενέσθαι + τῶν RI V ‖ περὶ τούτου : τοῦτο V ‖ 6 ποιεῖν : πονεῖν R om. K ‖ 7 χάρισμα : χαρίσματα R ‖ ἰαμάτων om. RI V
L. 535 PRASKI V
4 γνώμης : γνώμη K V ‖ 7 κακὰ : κακὸν V ‖ 11 εὑρήσεις om. P ‖

534

À UN FRÈRE

Un frère interrogea ainsi le même Vieillard : Lorsqu'on souffre d'un mal qui requiert une intervention chirurgicale, doit-on se faire opérer? Et cela doit-il se faire avec l'avis des Pères?

Réponse de Jean :

Enfant, quel que soit le mal dont on souffre, il faut interroger à son sujet l'un des Pères et faire tout sur son avis. Car il peut se trouver que le vieillard ait un charisme de guérison et qu'il opère invisiblement la guérison[1]; il n'est donc pas toujours besoin des médecins du corps.

535

Demande : Si une chose me semble bonne, par exemple pratiquer l'abstinence, m'exercer à la retraite, donner une aumône à quelqu'un et autres choses semblables, dois-je faire cela de moi-même, ou demander l'avis des Pères?

Réponse :

Ne pas prendre l'avis des Pères pour une chose réputée bonne conduit aux dernières extrémités du mal. C'est transgresser le précepte qui dit : « Mon fils, fais tout avec conseil[a] », et la parole : « Interroge ton père, et il te l'apprendra ; tes anciens, et ils te le diront[b]. » Nulle part tu ne trouveras l'Écriture ordonnant à quelqu'un de faire quelque chose de sa propre initiative. Car ne pas prendre conseil, c'est de l'orgueil, et l'orgueilleux est ennemi de

12-13 τὸ – ἐστί om. K ‖ μὴ – ὑπερηφανία om. S

535. a. Pr 31, 4 b. Dt 32, 7

1. Sur les petites guérisons des Pères du désert, voir L. REGNAULT, *La Vie quotidienne des Pères du Désert*, éd. it. 1994, p. 238-240.

Θεῷ. « Ὁ Θεὸς γὰρ ὑπερηφάνοις ἀντιτάσσεται, ταπεινοῖς δὲ δίδωσι χάριν[c]. » Καὶ τίς ἂν εἴη ταπεινός, εἰ μὴ ὁ κλίνων τὸν αὐχένα πρὸς τοὺς Γέροντας καὶ λαμβάνων τὴν αὐτῶν γνώμην κατὰ φόβον Θεοῦ;

536

Ἐρώτησις· Ἐάν τις ὑπονοῆται εἶναι αἱρετικός, ὁμολογῇ δὲ τὴν ὀρθὴν πίστιν, ἆρα δεῖ πιστεύειν αὐτῷ ἢ οὔ;

Ἀπόκρισις·

Οἱ Πατέρες οὐκ ἀπήτησαν εἰ μὴ ὀρθὴν πίστιν καὶ ὁμολογίαν στόματος. Ἐὰν οὖν κατὰ ἀλήθειαν εὑρεθῇ τις βλασφημῶν τὸν Χριστὸν[a] εἰς τὸ στόμα αὐτοῦ καὶ δίχα ζῶν αὐτοῦ, ἀπὸ τούτου χρὴ φυγεῖν καὶ μὴ ἐγγίζειν αὐτῷ. Περὶ γὰρ καρδίας, πᾶς ὁ μὴ φυλάσσων τὰς ἐντολὰς τοῦ Χριστοῦ αἱρετικός ἐστι καὶ ἐὰν ὁ ἄνθρωπος μὴ πιστεύσῃ ἐν τῇ καρδίᾳ αὐτοῦ[b], οἱ λόγοι οὐδὲν ὠφελοῦσιν αὐτόν.

537

Ἐρώτησις· Ἐὰν ἀββᾶς τινος εὑρεθῇ αἵρεσιν ἔχων, ἆρα ὀφείλει ἐξ αὐτοῦ ἀναχωρεῖν ὁ ἀδελφός;

Ἀπόκρισις·

Ἐὰν ἀκριβῶς φανερωθῇ ὅτι ἔχει τὴν αἵρεσιν, δεῖ ἀναχωρεῖν ἐξ αὐτοῦ. Ἐὰν δὲ ἐξ ὑπονοίας μόνης, οὐ δεῖ ἀναχωρεῖν οὐδὲ ἀναζητεῖν τὰ κατ' αὐτόν. Τὰ γὰρ κρυπτὰ τοῖς ἀνθρώποις, τῷ Θεῷ τὰ φανερά[a].

L. 536 PRASKI V

4-5 πίστιν – στόματος : ἀπολογίαν στόματος PR ἀπολογίαν πίστεως I V ‖ 8 τὰς ἐντολὰς : τὴν ἐντολὴν K ‖ 9 πιστεύσῃ : πιστεύῃ PR

L. 537 PRASKI V

1 τινος : τις V ‖ 2 ἐξ : ἀπ' PRI V ‖ 5 ἐξ[1] : ἀπ' PR ‖ ἐὰν om. PR ‖ δὲ : post ὑπονοίας transp. PR ‖ 6 ἀναχωρεῖν + ὁ ἀδελφὸς S + τὸν ἀδελφὸν K

---

c. Pr 3, 34

536. a. Cf. Mt 12, 31 b. Cf. Rm 10, 9

Dieu. « Dieu, en effet, résiste aux orgueilleux, et il donne la grâce aux humbles[c]. » Et qui serait humble, sinon celui qui courbe la nuque[1] devant les Vieillards et reçoit leur avis dans la crainte de Dieu ?

536

Demande : Si quelqu'un est soupçonné d'être hérétique[2], *mais qu'il confesse la foi droite, faut-il ou non lui faire confiance ?*

Réponse :

Les Pères n'ont réclamé qu'une foi droite et un accord exprimé par la bouche. Si donc quelqu'un se trouve vraiment blasphémer le Christ[a] par sa bouche et ne pas vivre selon lui, il faut le fuir et ne pas l'approcher. De cœur, en effet, quiconque ne garde pas les préceptes du Christ est hérétique et si l'homme n'a pas la foi en son cœur[b], les paroles ne lui servent à rien.

537

Demande : Le frère dont l'abbé devient hérétique doit-il se séparer de lui ?

Réponse :

S'il y a évidence absolue qu'il est hérétique, il doit s'en séparer. Mais s'il y a seulement soupçon, il ne doit pas s'en séparer, ni même enquêter sur lui. Car ce qui est caché aux hommes est évident pour Dieu[a].

537. a. Cf. Dt 29, 28 ; Si 11, 4

1. Voir L. 512, n. 1.
2. Allusion aux dogmes hérétiques qui circulaient à cette époque (voir L. 57, 58, 547, 600-607, 694-702, 734-736). Voir Lorenzo PERRONE, *La Chiesa di Palestina e le controversie cristologiche*, Brescia 1980, et CYRILLE DE SCYTHOPOLIS, *Storie monastiche del deserto di Gerusalemme*, Ab. di Praglia 1990, p. 78 et s. ; 121 ; 310-323.

538

Ἐρώτησις · Ἐὰν ὁ μὲν ἀββᾶς ὀρθῶς φρονῇ, ἐν δὲ τῷ τόπῳ ἐκείνῳ προσδοκᾶται κινεῖσθαι αἵρεσις καὶ δέος μήπως ἀνάγκη γένηται τοῦ παραβῆναι τὴν ὀρθὴν πίστιν, καὶ οὐ βούλεται μεταστῆναι ὁ ἀββᾶς, ὁ δὲ ἀδελφὸς γινώσκων τὴν ἑαυτοῦ ἀσθένειαν θέλει ἀναχωρῆσαι ἐκ τοῦ τόπου ἐκείνου εἰς ἕτερον τόπον, ἆρα καλῶς ποιεῖ ἢ οὔ;

Ἀπόκρισις ·

Πρὸ καιροῦ τοῦ φανερωθῆναι τὴν αἵρεσιν τὴν φέρουσαν τὴν ἀνάγκην, οὐκ ὀφείλει τις ἀναχωρῆσαι, μήποτε πληρωθῇ περὶ αὐτοῦ τὸ «Φεύγει ὁ ἀσεβὴς μηδενὸς διώκοντος[a].» Ἐὰν δὲ φανερωθῇ, τότε ὀφείλει μετὰ γνώμης Πατέρων πνευματικῶν κατὰ φόβον Θεοῦ τοῦτο πρᾶξαι.

539

Ἐρώτησις · Τί οὖν ὅτε ἐν αὐτῷ τῷ τόπῳ οὐχ εὑρίσκονται Πατέρες εἰς οὓς πληροφορεῖται, ὅτι δύνανται αὐτῷ διακρῖναι τὸ πρᾶγμα; Ἆρα χρὴ αὐτὸν ἐξελθεῖν τέως διὰ τὸν κίνδυνον τῆς αἱρέσεως, καὶ ἀπελθεῖν ἀλλαχοῦ ἔνθα εἰσὶν οἱ δυνάμενοι διακρῖναι, κἀκεῖ ἐρωτῆσαι αὐτοὺς περὶ τούτου;

Ἀπόκρισις Ἰωάννου ·

Ναί, ὀφείλει οὕτως ποιῆσαι καὶ τὰ λεγόμενα αὐτῷ παρ' αὐτῶν πληρῶσαι.

540

Ἐρώτησις · Ἐάν τις συνοδεύσῃ μοι τῶν Πατέρων καὶ φιλονεικῇ βαστάξαι ὃ ἐγὼ βαστάζω, καὶ οὐ πρέπῃ οὐδὲ

L. 538 RASKI V
1 ὁ μὲν om. SK ‖ 2 αἵρεσις : αἵρεσιν V ‖ μήπως : μήποτε I V ‖ 4 δὲ om. K ‖ 5 ἐκ – ἐκείνου om. V
L. 539 RASKI V
1 ὅτε : ὅτι I V ‖ αὐτῷ om. V ‖ 1-2 οὐχ εὑρίσκονται : οὐκ εἰσί τινες V ‖

538

Demande : Si l'abbé est orthodoxe, mais que l'on habite dans une région où l'on s'attend à une poussée de l'hérésie et si l'on craint d'être forcé de s'écarter de la foi droite, l'abbé ne voulant pas s'en aller, le frère, conscient de sa propre faiblesse, a-t-il raison ou non de vouloir partir de cet endroit vers un autre?

Réponse :

Tant que l'hérésie ne s'est pas révélée contraignante, le frère ne doit pas partir, de peur que ne se réalise à son sujet cette parole : « L'impie fuit sans que personne le chasse[a]. » Mais si elle se révèle, il doit alors le faire avec l'avis des Pères spirituels et selon la crainte de Dieu.

539

Demande : Que faire si, dans le lieu même il ne se trouve pas de Pères en qui le frère ait pleine confiance et qui soient capables de juger la chose pour lui? Doit-il donc partir dans l'immédiat à cause du danger de l'hérésie, et aller là où se trouvent des Pères qui puissent en juger, afin de les interroger à ce sujet?

Réponse de Jean :

Oui, il doit agir ainsi et accomplir ce qu'ils lui auront dit.

540

Demande : Quand un Père fait route avec moi et insiste pour porter mon bagage, si cela ne sied pas et n'est pas

2 δύνανται : δύναται SK ‖ 3 αὐτῷ om. I V ‖ 8 αὐτῷ om. I V
L. 540 RASKI V
2 βαστάξαι : -τάσαι V

538. a. Pr 28, 1

οἰκοδομῇ τοὺς ὁρῶντας, ὅτι μείζων μού ἐστι, τί ὀφείλω ποιῆσαι;

Ἀπόκρισις ·

Βάλε μετάνοιαν μετὰ ταπεινώσεως, ἵνα σὺ βαστάξῃς. Ἐὰν δὲ μηδὲ οὕτως ἀνάσχηται, βάλε ἐκ δευτέρου μετάνοιαν λέγων ὅτι « Οὐκοῦν συγχώρησόν μοι διὰ τὸν Κύριον, ὅτι οὐ δυνάμεθα ὁμοῦ περιπατῆσαι, σκάνδαλον γὰρ παρακολουθεῖ τοῖς ὁρῶσι. » Καὶ ἐὰν μετὰ τὴν μετάνοιαν φιλονεικήσῃ, μὴ ἀνάσχῃ αὐτοῦ, τοῦτο γὰρ διαβόλου ἐστί.

541

Ἐρώτησις · Καὶ ἆρα οὐ συμφέρει κόψαι τὴν φιλονεικίαν καὶ ἐᾶσαι αὐτὸν βαστάξαι, κἂν σκάνδαλον τοῖς ὁρῶσι γίνηται; Φαίνεται γὰρ ἐνταῦθα ἡ φιλονεικία κακωτέρα εἶναι ἐκείνου. Ἐν δύο δὲ κακοῖς τάχα δεῖ τὸ ἔλαττον ἐπιλέξασθαι.

Ἀπόκρισις ·

Ἡ φιλονεικία ἡ μετὰ τὴν μετάνοιαν γινομένη, φανεροῖ ὅτι κατὰ διάβολόν ἐστι καὶ οὐ χρὴ ἀκολουθῆσαι αὐτῇ. Οἱ Πατέρες γὰρ λέγουσιν ὅτι τὰ περισσὰ τῶν δαιμόνων εἰσί.

542

Ἀδελφὸς ἠρώτησε τὸν μέγαν Γέροντα εἰ συμφέρει αὐτῷ ἡσυχάσαι.

3-4 ὀφείλω ποιῆσαι : ποιήσω V ‖ 6 βαστάξῃς : -τάσῃς V ‖ 7 μηδὲ : μὴ I V

L. 541 RASKI V

2 βαστάξαι : -τάσαι V ‖ 8 αὐτῇ : αὐτῷ K

fait pour édifier les passants, parce qu'il est plus digne que moi, que dois-je faire?

Réponse :

Prosterne-toi avec humilité, demandant à le porter toi-même. Si même ainsi il ne l'admet pas, prosterne-toi de nouveau et dis : « Pardonne-moi donc, par le Seigneur, nous ne pouvons marcher ensemble, cela scandaliserait les passants. » Si, après que tu t'es prosterné, il insiste encore, ne discute plus avec lui, car ce serait faire le jeu du diable.

541

Demande : Ne convient-il donc pas de couper court à la discussion et de le laisser porter le bagage, même si c'est un scandale pour les passants? Car il semble en ce cas que la discussion soit un plus grand mal. Or entre deux maux il faut choisir le moindre.

Réponse :

La discussion qui a lieu après que tu t'es prosterné, s'avère manifestement inspirée du diable et il ne faut pas la poursuivre. Car les Pères disent que les choses qui dépassent la mesure viennent des démons[1].

542

À UN FRÈRE

Un frère demanda au Grand Vieillard s'il était bon pour lui de vivre dans la retraite.

L. 542 RASKI V

1. Cf. *Alph. Poemen,* 129.

Ἀπόκρισις Βαρσανουφίου ·

Ὁ τὴν ὁδὸν τοῦ Θεοῦ θέλων ὁδεῦσαι, μὴ ἀπαιτήσῃ ἑαυτῷ τὴν τιμήν. Ἡ ὁδὸς δὲ τοῦ Θεοῦ ποία ἐστίν, εἰ μὴ ἵνα βάλῃ τίς ποτε τὸ θέλημα ἐν πᾶσιν ὀπίσω καὶ τὸ ἔχειν ἑαυτὸν ὑστερώτατον πάντων καὶ ἐλαχιστότερον πάντων; Ὁ τοιοῦτος δύναται ὁδεῦσαι τὴν ὁδὸν ταύτην. Ἐὰν γὰρ μή τίς ποτε κόψῃ τὸ θέλημα ἑαυτοῦ καὶ θήσῃ τὴν ἐλπίδα αὐτοῦ ἐπὶ τὸν Κύριον[a], οὐ δύναται. Καὶ εἰς αὐτὸν πληροῦται ὁ λόγος τοῦ ἁγίου Εὐαγγελίου · « Ζητεῖτε καὶ εὑρήσετε, κρούετε καὶ ἀνοιγήσεται ὑμῖν[b]. » Ἡ ζωὴ καὶ ἡ σωτηρία αὕτη ἐστὶν ἣν ζήλωσον κτήσασθαι, ἄλλη γὰρ ὁδὸς οὐκ ἔστιν εἰ μὴ αὕτη. Ἄδελφε, μὴ χλευασθῇς.

543

Ἐρώτησις · Τί ποιήσω Πάτερ, ὅτι οἱ πόλεμοι θλίβουσί με καὶ σφίγγουσι κατ' ἐμοῦ; Καὶ εἰπέ μοι τί ἐστι τὸ σημεῖον τοῦ ἔχειν με τὴν ἐλπίδα πρὸς τὸν Θεὸν καὶ τὸ σημεῖον τῆς συγχωρήσεως τῶν ἁμαρτιῶν, καὶ πῶς ἐστι τὸ καθίσαι με κατὰ Θεόν.

Ἀπόκρισις ·

Ἄδελφε, ὁ καιρὸς τῶν πολέμων καιρὸς ἐργασίας ἐστί. Μὴ παραλυθῇς, ἀλλ' ἔργασαι, πολέμησον. Ὅταν σφίγξῃ ὁ πόλεμος, σφίγξον καὶ σύ, κράζων · Κύριε Ἰησοῦ Χριστέ, σὺ βλέπεις τὴν ἀδυναμίαν μου καὶ τὴν θλῖψίν μου, βοήθησόν μοι καὶ ῥῦσαί με ἀπὸ τῶν καταδιωκόντων με, ὅτι πρὸς σὲ κατέφυγον[a]. Καὶ εὖξαι τοῦ λαβεῖν δύναμιν δουλεῦσαι

6 ἵνα – ποτε : τὸ βαλεῖν R ‖ 7 ὑστερώτατον : -ρώτερον R ‖ πάντων om. R ‖ 7-8 καὶ[2] – πάντων[2] om. ASK ‖ 9 ποτε om. I V ‖ ἑαυτοῦ : αὐτοῦ RI V ‖ θήσῃ : θῇ V ‖ 11 ἁγίου om. I V ‖ 13 ζήλωσον : ζήλωσιν V ‖ 14 ἄδελφε + ὅρα R

L. 543 PRASKI V

3-4 τοῦ – σημεῖον om. SK ‖ 3 με om. R ‖ 5 με om. PRK ‖ 8 ὅταν : ὅτε P ‖ 10 μου[1] om. V ‖ 11 καταδιωκόντων : διωκόντων SK ‖

Réponse de Barsanuphe :

Qui veut marcher dans la voie de Dieu, ne doit pas revendiquer pour lui-même l'honneur. Or la voie de Dieu, quelle est-elle, sinon de rejeter derrière soi sa volonté en toutes choses et de se tenir pour le dernier de tous et le moindre de tous? Celui qui fait cela peut marcher dans cette voie. Mais si on ne retranche sa volonté et si on ne met son espoir dans le Seigneur[a], on ne le peut. En celui-là s'accomplit la parole du saint Évangile : « Cherchez et vous trouverez, frappez et l'on vous ouvrira[b]. » Telle est la vie et le salut que tu dois t'efforcer d'acquérir, car il n'y a pas d'autre voie que celle-là. Frère, ne te laisse pas jouer.

543

Demande : Que dois-je faire, Père, car les combats m'affligent et se serrent[1] *contre moi? Dis-moi à quel signe reconnaître que je mets mon espoir en Dieu, quel est le signe de la rémission des péchés et comment il convient que je me tienne en cellule selon Dieu.*

Réponse :

Frère, le temps de guerre est un temps de travail. Ne te relâche pas, mais travaille, combats. Lorsque le combat talonne, talonne, toi aussi, pour crier : « Seigneur Jésus-Christ, tu vois mon impuissance et mon affliction, viens à mon aide, arrache-moi à ceux qui me poursuivent, car je me réfugie près de toi[a]. » Et prie pour devenir capable de

12 κατέφυγον : κατέφυγα SK || τοῦ om. V

542. a. Cf. Ps 145, 5 b. Mt 7, 7
543. a. Cf. Ps 142, 9

1. Ce verbe (σφίγγουσι) peu courant est repris deux fois dans la réponse.

τῷ Θεῷ ἐν καθαρᾷ καρδίᾳ. Τὸ σημεῖον ὅτι ἔχει τις τὴν ἐλπίδα πρὸς τὸν Θεόν, ἐστι τὸ ἐκτινάξαι ἑαυτὸν ἀπὸ παντὸς μολυσμοῦ τῆς φροντίδος τῆς σαρκὸς[b] καὶ μὴ λογίσασθαι ὅλως ὅτι ἔχει τίποτε τοῦ αἰῶνος τούτου, ἐπεὶ εἰς αὐτὸ ἔχει τὴν ἐλπίδα καὶ οὐκ εἰς τὸν Θεόν. Τὸ σημεῖον τῆς συγχωρήσεως τῶν ἁμαρτιῶν ἐστι τό τινα μισῆσαι αὐτὰ καὶ μηκέτι ποιῆσαι αὐτά. Ἐὰν δὲ ἀκμὴν μελετᾷ εἰς αὐτὰ καὶ συντίθεται ἐν τῇ καρδίᾳ αὐτοῦ ἢ καὶ πράττῃ, σημεῖόν ἐστιν ὅτι ἀκμὴν οὐ συνεχωρήθησαν αὐτῷ, ἀλλ' ἀκμὴν ἐνέχεται αὐτοῖς. Τὸ καθίσαι κατὰ Θεόν, ἐστι τὸ κατακρῖναί τινα ἑαυτὸν ὅταν ἡδύνηται τῇ καρδίᾳ ἐν τῇ καλλονῇ τοῦ κελλίου ἢ ἐν τῇ σωματικῇ ἀναπαύσει, αὐτοῦ λέγοντος· Οὐαί μοι τῷ ἁμαρτωλῷ, ὅτι εὑρίσκω πράγματα εἰς κατάκριμά μου, καὶ ἀνάξιός εἰμι αὐτῶν, καὶ ἄλλοι ἄξιοι θλίβονται, πελαζόμενοι μὴ εὑρίσκοντες σαρκικὴν ἀνάπαυσιν. Κύριε Ἰησοῦ Χριστέ, συγχώρησόν μοι καὶ περὶ τούτου ἕνεκεν τοῦ ὀνόματός σου τοῦ ἐπικληθέντος εἰς ἡμᾶς.[c] Ὁ Κύριος ἐνισχύσει σε καὶ ἐνδυναμώσει σε[d] τέκνον, ἵνα προκόψῃς καὶ ἔλθῃς εἰς μέτρον τέλειον. Ἀμήν.

544

Ἀδελφὸς ἠρώτησε τὸν ἄλλον Γέροντα λέγων· Πάτερ, εὖχου ὑπὲρ ἐμοῦ διὰ τὸν Κύριον καὶ εἰπέ μοι εἰ καλόν

14 πρὸς : ἐπὶ K ‖ ἑαυτὸν : αὐτὸν PR ‖ 15 μολυσμοῦ SK : λογισμοῦ PRAI V ‖ 17 αὐτὸ : αὐτὸν V ‖ 18 τινα om. PR ‖ 19 καὶ μηκέτι – εἰς αὐτὰ[2] om. SK ‖ 20 ἐν τῇ καρδίᾳ : ἡ καρδία I V ‖ αὐτοῦ + ἐν αὐτοῖς I V ‖ 22 ἀκμὴν : ἔτι R om. V ‖ 25 λέγοντος : λέγοντα I V λέγων PR ‖ 27 μὴ : καὶ μὴ V ‖ εὑρίσκοντες : εὑρίσκονται SK ‖ 29 τούτου : τούτων K ‖ ἕνεκεν – ἐπικληθέντος : διὰ τὸ ὄνομά σου τὸ ἐπικληθὲν V ‖ 30 ἐνισχύσει ... ἐνδυναμώσει : -σαι PR -σοι V ‖ σε[1] om. PR

L. 544 RASKI V

1 λέγων om. I V

servir Dieu d'un cœur pur. Le signe que quelqu'un met son espoir en Dieu c'est qu'il s'est débarrassé[2] de toute souillure[3] du souci de la chair[b] et qu'il ne s'imagine plus avoir quoi que ce soit de ce monde, autrement ce serait en cela qu'il mettrait son espoir et non en Dieu. Le signe de la rémission des péchés, c'est qu'on les haïsse et qu'on ne les commette plus. Mais si l'on y pense encore, si le cœur s'y complaît ou si on les commet, c'est le signe qu'on n'en a pas encore reçu la rémission et qu'on y reste attaché. Se tenir en cellule selon Dieu, c'est se condamner dès que le cœur prend plaisir aux agréments de la cellule ou au bien-être corporel, en disant : « Malheur à moi pécheur, car je bénéficie de conditions qui seront ma condamnation, parce que j'en suis indigne, alors que d'autres qui en sont dignes sont dans l'affliction, s'approchant mais ne trouvant pas de bien-être charnel. Seigneur Jésus-Christ, pardonne-moi encore cela à cause de ton nom qui a été invoqué sur nous[c]. » Que le Seigneur te fortifie et te donne puissance intérieure[d], enfant, afin que tu progresses et que tu atteignes la mesure parfaite[4]. Amen.

544

À UN AUTRE FRÈRE

Un frère interrogea ainsi l'Autre Vieillard : Père, prie pour moi par le Seigneur et dis-moi s'il est bien de

b. Cf. 2 Co 7, 1 c. Cf. Jr 14, 9 d. Cf. Ph 4, 13

2. Remarquer l'image de ce verbe rare signifiant 'se débarasser de la souillure en se secouant'.

3. μολυσμοῦ : nous avons préféré ici la *lectio difficilior* des mss S K et non λογισμοῦ donné par les autres mss, dont le ms A que nous suivons généralement pour ces volumes.

4. Voir L. 137 b, n. 7, 529, 623, etc. Voir aussi *Éphésiens* 4, 13.

ἐστι τὸ ἡμᾶς αἰτεῖν πολλάκις τοὺς Πατέρας εὔχεσθαι ὑπὲρ ἡμῶν, κἂν ἤδη διεβεβαιώσαντο τοῦτο ποιεῖν. Ἦ μήτι δοκοῦμεν αὐτοὺς πειράζειν;

Ἀπόκρισις Ἰωάννου·

Ἄδελφε, πολλάκις ἔγραψά σοι περὶ τῆς εὐχῆς ὅτι ἀπὸ τῆς ἐντολῆς τοῦ Θεοῦ χρεωστοῦμεν εὔχεσθαι ὑπὲρ ἀλλήλων, μάλιστα ὅταν καὶ αἰτώμεθα ὑπὸ ἄλλων τοῦτο ποιῆσαι, ὑπερχρεῶσται εὑρισκόμεθα. Οὐ δυνάμεθα οὖν μὴ ποιῆσαι τὴν δύναμιν ἡμῶν. Περὶ δὲ τοῦ αἰτεῖν εὐχὴν τοὺς Πατέρας ἡμῶν συμφέρει. Φησὶ γάρ· «Εὔχεσθε ὑπὲρ ἀλλήλων[a].» Καὶ πάλιν· «Οὐ χρείαν ἔχουσιν οἱ ὑγιαίνοντες ἰατροῦ, ἀλλ' οἱ κακῶς ἔχοντες[b].» Καὶ οὐ χρὴ ἀμελῆσαι, μνημονεύοντας τῆς ἀναιδείας τῆς χήρας πρὸς τὸν ἄδικον ἄρχοντα[c]. Καὶ εἰ οἶδεν ὁ Πατὴρ ἡμῶν ὁ οὐράνιος ὧν χρείαν ἔχομεν πρὸ τοῦ αἰτῆσαι αὐτόν[d], διὰ τί οὐκ εἶπε· «Μὴ αἰτήσητε, οἶδα γὰρ τί θέλετε πρὸ τοῦ αἰτήσασθαί με;» Ἀλλ' αὐτὸς εἶπεν· «Αἰτεῖτε καὶ λαμβάνετε[e]» καὶ τὰ ἑξῆς, ὥστε οὖν καλόν ἐστι τὸ αἰτεῖν ἵνα λάβωμεν κατὰ τὴν αὐτοῦ ἐπαγγελίαν. Αἰτῶν δὲ τὴν εὐχήν, οὕτως εἰπέ· Ἀββᾶ, κακῶς ἔχω, δέομαί σου, εὖξαι ὑπὲρ ἐμοῦ ὡς οἶδας ὅτι χρῄζω ἐλέους Θεοῦ. Καὶ ὡς θέλει ὁ Θεὸς ποιεῖ μετὰ σοῦ τὸ ἔλεος, αὐτοῦ γὰρ ἐστιν ἡ φιλανθρωπία καὶ αὐτοῦ ἡ δόξα εἰς τοὺς αἰῶνας. Ἀμήν.

545

Ἐρώτησις· Ἐὰν συνεσθίων τις τοῖς ἀδελφοῖς, τάχιον λάβῃ τὴν χρείαν αὐτοῦ, καλόν ἐστιν αἰτῆσαι τὸν ἀββᾶν

9 ἄλλων : ἀλλήλων V ‖ 10 μὴ om. SK ‖ 12-13 εὔχεσθε – πάλιν om. ASK ‖ 17-18 αἰτῆσαι – πρὸ τοῦ om. SK ‖ 19 με : ἡμῶν K ‖ 22 ὡς + χρῄζει K ‖ 24 αὐτοῦ : αὐτῷ K om. R

L. 545 PRASKI V

demander souvent aux Pères de prier pour nous, même s'ils ont déjà assuré qu'ils le faisaient. N'aurions-nous pas ainsi l'air de les mettre à l'épreuve?

Réponse de Jean :

Frère, je t'ai écrit souvent au sujet de la prière [1] qu'en vertu du précepte de Dieu nous devions prier les uns pour les autres; surtout quand d'autres nous demandent de le faire, nous nous trouvons encore plus obligés. Nous ne pouvons donc pas nous abstenir de faire notre possible. Il convient aussi de solliciter la prière de nos Pères. Car il est dit : « Priez les uns pour les autres [a]. » Et aussi : « Ce ne sont pas les bien portants qui ont besoin de médecin, mais les malades [b]. » Et il ne faut pas négliger cela, nous souvenant de l'audace de la veuve devant le juge inique [c]. Si notre Père céleste sait ce dont nous avons besoin avant que nous le lui demandions [d], pourquoi n'a-t-il pas dit : « Ne demandez pas, car je sais ce que vous voulez avant que vous me le demandiez »? Mais lui-même a dit : « Demandez et vous recevrez [e] » etc., si bien qu'il est donc bon de demander afin de recevoir selon sa promesse. Et pour demander la prière, dis ceci : « Abbé, je vais mal, je t'en supplie, prie pour moi comme tu sais que j'ai besoin de la miséricorde de Dieu. » Et Dieu te fera miséricorde comme il le veut, car à lui appartient la bienveillance et à lui la gloire dans les siècles. Amen.

545

Demande : Si étant à table avec les frères, on prend plus vite que les autres le nécessaire, est-il bon de demander à

544. a. Jc 5, 16 b. Lc 5, 31 c. Cf. Lc 18, 1-8 d. Cf. Mt 6, 8 e. Jn 16, 24

1. Peut-être s'agit-il de Dorothée de Gaza, protagoniste des Lettres 252-338, ou du même interlocuteur de la L. 374.

ἵνα ἀναστῇ ἢ μείνῃ μέχρι πάντες ἀναστῶσιν. Ἐὰν δὲ τὸ μέτρον τοῦ ἄρτου συγκαταμερίσῃς πᾶσι τοῖς ἑψητοῖς, ποῖον βέλτιον;

Ἀπόκρισις·

Καθήμενός τις εἰς τὴν τράπεζαν, ἐὰν ἴδῃ ὅτι ἐγένετο αὐτοῦ ἡ χρεία καὶ οὐ δύναται καθίσαι μὴ τρώγων, αἰτήσῃ ἵνα ἀναστῇ. Τὸ δὲ καθίσαι καὶ μὴ φαγεῖν, μεῖζον αὐτοῦ ἐστι. Τὸ δὲ ἐπεκτεῖναι τὸ βουκὶν αὐτοῦ εἰς ὅλα τὰ ἑψητά, τοῦτο καλλιώτερον τῶν δύο ἐστιν.

546

Ἀδελφοὶ βουλόμενοι ἐγκρατεύσασθαι, ἠρώτησαν τὸν ἀββᾶν εἰ ἐπιτρέπει αὐτοῖς προανίστασθαι τῶν ἄλλων ἀδελφῶν ἐκ τῶν τραπεζίων, διὰ τὸ μὴ δύνασθαι προσκαθημένους περιγενέσθαι τῆς κοιλίας. Καὶ τοῦ ἀββᾶ ἐπιτρέψαντος αὐτοῖς ἀναστῆναι, τινὲς διεκρίθησαν καὶ κατελάλουν αὐτῶν, μὴ συνιέντες τὴν ἐκ τούτων ὠφέλειαν. Καὶ ἔπεμψαν ἐρωτῶντες τὸν αὐτὸν Γέροντα περὶ τούτου.

Ἀπόκρισις Ἰωάννου·

Ἐκεῖνοι μὲν ὡς ἐργάται[a] καὶ προσέχοντες ταῖς ἑαυτῶν ψυχαῖς, τοῦτο ποιοῦσι ἀγωνιζόμενοι εἰς ἐγκράτειαν, μήποτε ἐν τῷ καθέζεσθαι λιμβευθῶσιν ἔτι μεταλαβεῖν τῶν παραθεμένων. Τῶν γὰρ τελείων ἐστὶ τὸ μεῖναι ἐν τῇ τραπέζῃ[b] καὶ μὴ ἡττηθῆναι τῇ κοιλίᾳ. Ὑμεῖς δὲ ἀργοί ἐστε, ὅτι οὐ συνήκατε εἰς τοὺς λόγους τῶν Πατέρων τοὺς

8-9 αἰτήσῃ ἵνα : ἵνα αἰτήσῃ ὅπως K ‖ 11 καλλιώτερον : κάλλιον V
L. 546 RASKI V
2 εἰ ἐπιτρέπει om. R ‖ ἄλλων om. I V ‖ ἐκ : ἀπὸ RI V ‖ 6 τούτων : τούτου RI V ‖ 9 προσέχοντες : προσελθόντες K

l'abbé la permission de se lever ou d'attendre que tous se lèvent. On peut aussi mesurer la consommation de sa portion de pain avec tous les mets. Qu'est-ce qui est préférable?

Réponse :

Lorsqu'on est assis à table, si l'on voit qu'on a pris le nécessaire et qu'on ne peut rester sans manger, que l'on demande à se lever. Mais il vaut mieux rester assis sans manger. Et faire durer sa mie de pain avec tous les mets, voilà ce qui est encore mieux que les deux autres comportements.

546

À DES FRÈRES

Des frères, qui voulaient se restreindre dans la nourriture, demandèrent à l'abbé s'il leur permettait de se lever de table avant les autres frères, car s'ils restaient à table, ils ne pouvaient maîtriser leur ventre. L'abbé leur permit de se lever, mais certains se mirent à les juger et à les critiquer, ne voyant pas le profit qui pouvait en résulter. Et ils firent interroger le même Vieillard à ce sujet.

Réponse de Jean :

Ces frères, comme des ouvriers[a] et des gens qui veillent sur leur âme, font cela en luttant pour la tempérance, de crainte qu'en restant à table, ils ne se laissent entraîner par la gourmandise[1] de prendre encore des mets qui sont présentés. Car cela appartient aux parfaits de rester à table[b] sans se laisser vaincre par le ventre. Vous, vous êtes des bons à rien, vous ne prêtez pas attention à ces paroles des

546. a. Cf. 2 Tm 2, 15 b. Cf. He 5, 14

1. λιμβευθῶσιν : forme du grec tardif du verbe λιχνεύω – satisfaire sa gourmandise (voir L. 85, 10-12).

λέγοντας· «Μὴ εἴπῃς· Διὰ τί τοῦτο; εἰς τί τοῦτο; Ἀλλὰ ἑαυτῷ πρόσχες.» Οἵτινες πάλιν παραινοῦσι τὸ μὴ καταλαλῆσαί τινος, πληροφοροῦντες τὸν προφητικὸν λόγον· «Ὅπως ἂν μὴ λαλήσῃ τὸ στόμα μου τὰ ἔργα τῶν ἀνθρώπων[c].» Καὶ ἐνεπέσατε εἰς τὴν ἀπόφασιν τὴν λέγουσαν· «Ὁ κακὸς ἄνθρωπος ἐκ τοῦ κακοῦ θησαυροῦ αὐτοῦ ἐκϐάλλει τὰ κακά[d].» Διὰ τί οὐχὶ μᾶλλον ἐνεθυμήθητε περὶ τῶν ἀδελφῶν ἀγαθὰ εἰς οἰκοδομήν, ὅτι Ἡμεῖς ἀμελοῦμεν, καὶ οἱ ἀδελφοὶ ἡμῶν ἐγκρατεύονται; Καθὼς αὐτοὶ οἱ ἐγειρόμενοι ἀδελφοὶ ὑμῶν τὰ ἀγαθὰ λογίζονται περὶ ὑμῶν λέγοντες· Οὐαὶ ἡμῖν, ὅτι ἀπὸ ἀσθενείας ἐγειρόμεθα, οἱ δὲ ἀδελφοὶ ἡμῶν, κἂν περισσότερον ἡμῶν φάγωσιν, οὐ βλάπτονται, πάντα γὰρ μετὰ διακρίσεως ποιοῦσι. Καὶ ἐν τούτῳ αὐτοὶ μὲν φεύγουσι τὴν ἀπειλὴν τῆς κατακρίσεως, τὴν λέγουσαν· «Μὴ κρίνετε, ἵνα μὴ κριθῆτε[e]», ὑμεῖς δὲ περιπίπτετε αὐτῇ, κρίνοντες τοὺς ἀδελφοὺς ὑμῶν τοὺς ὑπὲρ ὑμᾶς, παραϐαίνοντες τὸν λόγον τοῦ Ἀποστόλου λέγοντος· «Ὁ ἐσθίων τὸν μὴ ἐσθίοντα μὴ ἐξουθενείτω[f].» Μᾶλλον δὲ ὀφείλετε μεταλαμϐάνοντες περισσότερον ἐκείνων λυπεῖσθαι μὲν ὡς ἡττημένοι τῇ κοιλίᾳ, εὐχαριστεῖν δὲ τῷ Θεῷ ἐπὶ τῇ μεταλήψει, καὶ δύναται ὑμᾶς ἐλευθερῶσαι διὰ τῆς εὐχαριστίας τοῦ πολέμου τῆς κοιλίας, καὶ τῆς κατακρίσεως τῆς πρὸς τοὺς ἀδελφούς. Ἐὰν δὲ θέλητε συνιέναι, εἰς διάκρισιν ἔρχονται τὰ πράγματα, διακρῖναι τὸ ἀγαθὸν ἀπὸ τοῦ κακοῦ[g], κατὰ τὸν Ἀπόστολον λέγοντα· «Πάντα δοκιμάζετε, τὸ δὲ καλὸν κατέχετε[h].» Τῆς οὖν δοκιμασίας τοῦ ἀϐϐᾶ τοῦτο τὸ πρᾶγμά ἐστι χωρὶς πάσης ἀντιλογίας.

15 εἴπῃς : εἴποις V ‖ εἰς τί τοῦτο[2] om. RSKI V ‖ 16 ἑαυτῷ : σεαυτῷ V ‖ παραινοῦσι : παραϐαίνουσι SK ‖ τὸ om. V ‖ 17 πληροφοροῦντες : πληροῦντες RI V ‖ 24 ἀδελφοὶ om. R ‖ ὑμῶν om. RI V ‖ 25 ὑμῶν : ἡμῶν R V ‖ 29 ἵνα μὴ : καὶ οὐ μὴ I V ‖ 33 ὀφείλετε + αὐτοὶ RI V ‖ 34 περισσότερον ἐκείνων om. R

Pères : « Ne dis pas : Pourquoi ceci, pourquoi cela ? Veille plutôt sur toi-même[2]. » Ce sont leurs paroles qui nous exhortent encore à ne critiquer personne, en pratiquant ce que dit le Prophète : « Que ma bouche ne parle pas des œuvres des hommes[c]. » Vous êtes tombés sous le coup de cette sentence : « L'homme mauvais tire de mauvaises choses de son mauvais trésor[d]. » Pourquoi n'avez-vous pas plutôt à l'égard de ces frères de bonnes pensées d'édification, en vous disant : Nous, nous sommes négligents, alors que nos frères pratiquent la tempérance ? Tout comme vos frères qui se lèvent ont de bonnes pensées à votre égard et disent : Malheur à nous ! c'est à cause de notre faiblesse que nous nous levons, tandis que nos frères, même s'ils mangent plus que nous, n'en subissent aucun dommage, car ils font tout avec discernement. Et en cela eux échappent à la menace de condamnation qui dit : « Ne jugez pas, afin de n'être pas jugés[e] », tandis que vous, vous tombez sous le coup de cette sentence, en jugeant vos frères qui vous sont supérieurs ; vous transgressez le précepte de l'Apôtre qui dit : « Que celui qui mange ne méprise pas celui qui ne mange pas[f]. » Vous qui prenez plus qu'eux, vous devriez plutôt vous affliger de ce que vous êtes vaincus par le ventre et rendre grâces à Dieu pour ce que vous prenez ; par l'action de grâces, en effet, Dieu peut vous délivrer du combat du ventre et de la condamnation portée contre les frères. Si vous vouliez bien comprendre, les circonstances invitent au discernement, à discerner le bien du mal[g], ainsi que l'Apôtre le dit : « Éprouvez tout, retenez ce qui est bon[h]. » La chose en question étant garantie par le jugement de l'abbé, il n'y a absolument rien à redire.

c. Ps 16, 4 d. Cf. Mt 12, 35 e. Mt 7, 1 f. Rm 14, 3
g. Cf. He 5, 14 h. 1 Th 5, 21

2. Voir L. 483, n. 1 et L. 551.

547

Ἀδελφὸς ἠρώτησε τὸν μέγαν Γέροντα· Δογματικὰ βιβλία ἔχω καὶ ἀναγινώσκων εἰς αὐτά, αἰσθάνομαι ὡς μεταφερόμενον τὸν νοῦν μου ἀπὸ τῶν ἐμπαθῶν λογισμῶν πρὸς τὴν θεωρίαν αὐτῶν. Ἔστι δ' ὅτε ἐπιτιμᾷ μοι ὁ λογισμὸς λέγων· Οὐκ ὀφείλεις τοιαῦτα ἀναγινώσκειν ἄθλιος ὢν καὶ ἀκάθαρτος.»

Ἀπόκρισις Βαρσανουφίου·

Οὐκ ἤθελον ἐν τούτοις διὰ τὸ αὐτὰ ἄνω αἴρειν τὸν νοῦν, ἀλλ' ἐν τοῖς λόγοις τῶν Γερόντων ὅτι ταῦτα ταπεινοῖ κάτω τὸν νοῦν. Ἐγὼ δὲ οὐχ ὡς ἀτιμάζων αὐτὰ εἶπον, ἀλλ' ὡς συμβουλεύων, ἔστι γὰρ καὶ τροφὴ καὶ τρυφή.

548

Ἀδελφός τις ξένος ἀσθενήσας ἦλθεν εἰς τὸ κοινόβιον θεραπευθῆναι καὶ ἐδόθη εἰς κελλίον ἀδελφοῦ, καὶ βαρέως ἤνεγκεν ὁ ἀδελφός. Καὶ μαθὼν ὁ Γέρων ἐδήλωσεν αὐτῷ ταῦτα·

Ἐρεύνησον τὸν λογισμόν σου, ἄδελφε, καὶ μάθε· Εἰ ἦν ὁ ἀδελφός σου ὁ σαρκικός, οὐκ εἶχες αὐτὸν δέξασθαι ἐπάνω τῶν βλεφάρων σου; Ἰδὲ οὖν τὰ σαρκικὰ ἐργάζονται μετὰ σοῦ, ἀπέλαβες γὰρ τὸν πνευματικόν σου ἀδελφόν. Πάντες γὰρ ἕν ἐσμεν ἐν Χριστῷ[a]. Πρόσεχε οὖν ἑαυτῷ, ἄδελφε, ἐν φόβῳ Θεοῦ.

L. 547 PRASKI V
1 γέροντα + λέγων V ‖ 2 ἀναγινώσκων : -γινώσκω R ‖ αὐτὰ + καὶ R ‖ 4 πρὸς : εἰς I V ‖ 10 αὐτὰ : ταῦτα PR ‖ 11 καὶ[1] om. RI V
L. 548 RASKI V
9 ἑαυτῷ : σεαυτῷ RKI V

---

548. a. Ga 3, 28

547

À DIFFÉRENTS FRÈRES

Un frère interrogea le Grand Vieillard : J'ai des livres dogmatiques[1] *et lorsque je les lis, je sens mon esprit entraîné loin des pensées passionnées à la contemplation des vérités qu'ils exposent. Mais il arrive que ma pensée me réprimande en disant : « Tu ne dois pas lire de telles choses, malheureux et impur que tu es ! »*

Réponse de Barsanuphe :

Je ne me complais pas en ces livres qui élèvent l'esprit, mais dans les *Paroles des Vieillards* parce qu'elles humilient l'esprit. Je dis cela non par mépris mais à titre de conseil, car il y a ce qui nourrit et ce qui flatte[2].

548

Un frère étranger tombé malade vint se faire soigner au monastère ; on lui donna la cellule d'un frère, et celui-ci le prit mal.

Le Vieillard, l'ayant appris, lui manda ceci :

Examine ta pensée, frère, et rends-toi compte : s'il s'agissait de ton frère selon la chair, ne l'aurais-tu pas accueilli et traité mieux que la pupille de ton œil. Ce sont donc des pensées charnelles qui te travaillent, puisque tu as écarté ton frère spirituel. Tous, en effet, nous sommes un dans le Christ[a]. Veille donc sur toi-même, frère, dans la crainte de Dieu.

1. Sur les livres qui circulaient au monastère de Séridos, voir L. 49, 228, 326, 327, et sur les dogmes de l'Église voir L. 536-539 ; 600-607 et 694 à 702.

2. Jeu de mot intraduisible entre 'ce qui nourrit' (τροφή) et 'ce qui flatte' (τρυφή).

Καὶ ταῦτα ἀκούσας ὁ ἀδελφὸς πάνυ κατενύγη, καὶ ὠφεληθεὶς ἐδήλωσε τῷ Γέροντι λέγων· Συγχώρησόν μοι κύριε ἀββᾶ, καὶ εὖξαι ὑπὲρ ἐμοῦ, καὶ δέχομαι τὸν ἀδελφόν μου μετὰ χαρᾶς μεγάλης.

549

Ἀδελφὸς γενόμενος τοῦ αὐτοῦ Γέροντος πρὶν αὐτὸν ἡσυχάσαι ἐν τῷ κοινοβίῳ, ἐξενίτευσε. Καὶ ἐπανελθὼν ἐξουθένει τινὰ ἀδελφὸν εὐλαβῆ, ὡς ἰδιώτην ὄντα καὶ εὐτελῆ. Ἔπεμψε δὲ αἰτῶν τὸν Γέροντα ὁδηγῆσαι αὐτὸν ὡς τὸ πρῶτον εἰπών· « Ὁ Θεὸς πάλιν ἤνεγκέ με πρὸς τὴν σὴν ἁγιωσύνην.»

Ἀπόκρισις Βαρσανουφίου·

Λέγει ὁ Ἀπόστολος· « Ἡ βασιλεία τοῦ Θεοῦ οὐκ ἐν λόγῳ[a].» Εἶπεν ὁ ἀββᾶς Μακάριος· Τὸν ὀρθῶς πιστεύοντα καὶ ἐν εὐσεβείᾳ ἐργαζόμενον, Ἰησοῦς οὐ παραδίδωσιν εἰς πάθη καὶ χεῖρας δαιμόνων. Ὁ Κύριος εἶπεν ὅτι « Ἐν ταῖς ἡμέραις Ἠλίου πολλαὶ χῆραι ἦσαν ἐν τῷ Ἰσραήλ, καὶ πρὸς οὐδεμίαν αὐτῶν ἐπέμφθη, εἰ μὴ πρὸς τὴν ἐν Σαρέπτᾳ τῆς Σιδῶνος, καίτοι ἦν Ἕλλην.» Καὶ πάλιν εἶπεν· « Ἐν ταῖς ἡμέραις Ἐλισσαιέ, πολλοὶ λεπροὶ ἦσαν ἐν τῷ Ἰσραήλ, καὶ οὐδεὶς αὐτῶν ἐκαθαρίσθη, εἰ μὴ Νεεμὰν ὁ Σύρος[b].» Καίτοι ἦν ἀλλογενής, ἀλλ' ἐπίστευσεν. Ὥστε ἐνόμισα ὅτι ἐξενίτευσας, ἀφῆκες τὸ δικαίωμα καὶ ἐκέρδησας ταπείνωσιν. Καὶ ὡς βλέπω ἐκ τῶν λογισμῶν σου ὅτι ἐκεῖνος αὐτὸς εἶ, ἢ καὶ χείρων. Εἰ τὰ μωρὰ καὶ ἐξουθενημένα τοῦ κόσμου καὶ οὐδαμινὰ ἐξελέξατο ὁ Θεός[c],

L. 549 RAI V

3 ὡς : εἰς V ‖ 5 πάλιν om. V ‖ πρὸς : εἰς V ‖ 14 ἕλλην : ἕλληνις R V ‖ 18 ἐξενίτευσας + καὶ ὅτι V ‖ ἀφῆκες : ἀφῆκας R V ‖ τὸ δικαίωμα : τὰ -ώματα V ‖ ἐκέρδησας : ἐκέρδανας V ‖ 20 αὐτὸς om. R

Au reçu de ce message, le frère fut touché de componction; et ayant profité de la leçon, il adressa au Vieillard ces mots: « Pardonne-moi, Seigneur abbé, et prie pour moi; j'accueillerai mon frère avec grande joie. »

549

À UN FRÈRE, ANCIEN DISCIPLE DE BARSANUPHE

Un frère, qui avait été disciple du même Vieillard avant que celui-ci ne fût reclus au monastère, était parti à l'étranger. Une fois revenu, il montra du mépris à un frère pieux, le tenant pour ignorant et insignifiant. Il fit demander au Vieillard de le diriger comme par le passé, disant: « De nouveau Dieu m'a amené à ta sainteté. »

Réponse de Barsanuphe:

L'Apôtre dit: «Le royaume des cieux n'est pas en paroles[a].» L'abbé Macaire a dit: «Celui qui a une foi droite et des œuvres pieuses, Jésus ne le livre pas aux passions et aux mains des démons.» Le Seigneur disait: «Il y avait beaucoup de veuves en Israël aux jours d'Élie, pourtant ce n'est à aucune d'elles que fut envoyé Élie, mais bien à une veuve de Sarepta, au pays de Sidon, et qui de plus était païenne.» Et il dit encore: «Aux jours d'Élisée, il y avait beaucoup de lépreux en Israël, pourtant aucun d'eux ne fut guéri, mais bien Naaman le Syrien[b].» Et lui aussi était un étranger, mais il crut. C'est ce qui m'a fait penser qu'étant allé à l'étranger, tu avais perdu la manie de te justifier et acquis l'humilité. Or je vois d'après tes pensées que tu es bien toujours pareil, ou même pire. Si Dieu a choisi dans le monde ce qu'il y a de fou, ce que l'on méprise, ce qui n'est rien du tout[c],

549. a. 1 Co 4, 20 b. Cf. 4 R 5, 1-19; Lc 4, 25-27 c. 1 Co 1, 27-28

δῆλόν ἐστιν ὅτι τὰ ἔνδοξα καὶ ἔχοντα καύχημα παρὰ ἀνθρώποις ἀπεβάλετο. Οὐ τοίνυν τὰ ἀρέσκοντα τοῖς ἀνθρώποις ἀρέσκει τῷ Θεῷ[d]. Ἀλλὰ τὰ ἄτιμα τοῖς ἀνθρώποις διὰ τὸν Θεόν, ἔχει μακαρισμὸν ἐνώπιον τοῦ Θεοῦ, καθὼς λέγει ὅτι «Μακάριοί ἐστε ὅταν ἀφορίσωσιν ὑμᾶς οἱ ἄνθρωποι καὶ μισήσωσι καὶ ἐκβάλωσι τὸ ὄνομα ὑμῶν ὡς πονηρόν, ἕνεκεν τοῦ ὀνόματός μου. Χάρητε καὶ σκιρτήσατε, ὅτι οὕτως ἐποίουν τοῖς προφήταις οἱ Πατέρες αὐτῶν[e].» Συνανεστράφης μεθ' ἡμῶν οὐκ ὀλίγον χρόνον. Ἐρεύνησον τὴν καρδίαν σου, ποῖον λόγον ἢ ποίαν συμβουλίαν ἔσχες παρ' ἡμῶν τὴν ἀποσχίζουσαν ἐκ τῆς ὁδοῦ τοῦ Θεοῦ; Καὶ ἡ σκέπη ἡ γενομένη ἐπὶ σέ, πόθεν σοι ἐγένετο, εἰ μὴ ἐκ τῆς θλίψεως ἧς ἐβάστασας; Ὅτι ἐδίωξέ σε ὁ Γέρων εἰς τὴν σὴν ὠφέλειαν. Εἰπέ μοι, ἄδελφε, τὴν ἀρχὴν τοῦ ἀνθρώπου ὁ Θεὸς ζητεῖ ἢ τὰ ἔσχατα αὐτοῦ τῆς ἐκβάσεως; Σὺ οὖν οἶδας τί ἐκέρδησας εἰς τὸν χρόνον τῆς ξενιτείας σου; Πάλιν οἶδας ὅτι συνοικοῦντί σοι μετ' ἐμοῦ τότε, εἶπον ὅτι Ἐὰν ἀκούῃς μου εἰς ἓν καὶ ἀντιλέγῃς μοι εἰς ἕν, εἰς ὃ ἀκούεις, τὸ θέλημά σού ἐστιν εἰς αὐτό, καὶ οὐκ ἔχω κρῖμα δοῦναι ὑπὲρ σοῦ, ἀλλὰ τὸ αἷμά σου ἐπάνω τῆς κεφαλῆς σου[f] καὶ τὸ νῦν ἡλικίαν ἔχεις δοῦναι περὶ σεαυτοῦ ἀπολογίαν. Ἐὰν ὁ Θεὸς ἤνεγκέ σε, αὐτὸς καὶ κυβερνᾷ σε. Ἐὰν δὲ τῷ θελήματί σου, γέγραπται ὅτι « Ἐξαπέστειλα αὐτοὺς κατὰ τὰ ἐπιτηδεύματα τῶν καρδιῶν αὐτῶν, πορεύσονται ἐν τοῖς ἐπιτηδεύμασιν αὐτῶν[g].» Ὥστε οὖν εὖξαι ὑπὲρ ἐμοῦ καὶ ἀμερίμνει ἀφ' ἡμῶν. Κἀγὼ θέλω ἀμεριμνῆσαι εἰς πάντα ἐν Κυρίῳ[h]. Ἀμήν.

28 ὀνόματός μου : υἱοῦ τοῦ ἀνθρώπου R ‖ 30 συνανεστράφης : συνετράφης I V ‖ 37 ἐκέρδησας : ἐκέρδανας V ‖ 41 σοῦ + ἐστι ἀπολογίαν A ‖ 41-43 ἀλλὰ – σεαυτοῦ om. RI V ‖ ἀπολογίαν : ἢ ἀπολογίαν V ‖ 43. 44 ἐὰν : εἰ V ‖ 44 ὅτι om. V ‖ 45 αὐτοὺς : αὐτοῖς V ‖ 46 πορεύσονται – αὐτῶν om. RI V ‖ 48 ἀμήν om. V

il est clair qu'il a rejeté ce qui a titre de gloire et d'orgueil aux yeux des hommes. Ce n'est pas assurément ce qui plaît aux hommes qui plaît à Dieu[d]. Mais ce qui est méprisé des hommes à cause de Dieu, est béatifié devant Dieu, ainsi qu'il l'a dit : « Heureux serez-vous quand les hommes vous expulseront, qu'ils vous haïront et proscriront votre nom comme infâme, à cause de mon nom. Réjouissez-vous et tressaillez d'allégresse, car c'est de cette manière que leurs Pères traitaient les prophètes[e]. »

Tu as partagé ma vie assez longtemps. Scrute ton cœur : quelle parole, quel conseil reçu de nous a pu t'arracher à la voie de Dieu? Et la protection qui t'a accompagné, d'où venait-elle, sinon de l'affliction que tu supportais? Car c'est pour ton bien que le Vieillard t'a poursuivi. Dis-moi, frère, Dieu s'intéresse-t-il aux premiers débuts de l'homme, ou aux derniers moments de sa fin? Tu sais donc ce que tu as gagné durant ton séjour à l'étranger. Tu sais bien aussi que, quand tu habitais avec moi, je te disais : « Si tu m'écoutes sur un point et me contredis sur un autre, même sur le point où tu m'écoutes, c'est ta volonté que tu accomplis », et je n'ai pas d'accusation à faire à ton propos, mais « ton sang retombe sur ta tête[f] » et à présent tu as l'âge de répondre de toi-même[1]. Si Dieu t'a amené, c'est lui aussi qui te dirige. Mais si c'est ta volonté, il est écrit : « Je les ai abandonnés aux désirs de leurs cœurs et ils marcheront selon leurs propres désirs[g]. » Prie donc pour moi et sois sans souci pour nous. Moi aussi, je veux en toutes choses être sans souci dans le Seigneur[h]. Amen.

d. Cf. Ga 1, 10 e. Cf. Lc 6, 22-23 f. Cf. Mt 27, 25
g. Ps 80, 13 h. Cf. 1 Co 7, 32

1. ὑπὲρ σοῦ – ἀπολογίαν : le ms A ou un de ses modèles a fait entrer le texte manquant ἀλλὰ – σεαυτοῦ par saut du même au même, mais il a ajouté l'abréviation '·/.' qu'il a interprétée ἐστιν suivie du mot ἀπολογίαν (note du Père U. Zanetti).

550

Ἀδελφοὶ ἐξελθόντες ἀπὸ κοινοβίου ἠγόρασαν ἑαυτοῖς κελλία ἐν τοῖς τόποις ἐν οἷς ἦν τὸ κοινόβιον, δίχα γνώμης τοῦ ἀββᾶ αὐτῶν. Καὶ λυπηθεὶς πρὸς αὐτοὺς ὁ ἀββᾶς ὡς παραβάντας τὴν ἀκολουθίαν, ἐβούλετο διῶξαι αὐτοὺς ἐκεῖθεν. Αὐτοὶ δὲ ἀντειπεῖν ἐπεχείρησαν καὶ ἠρωτήθη ὁ αὐτὸς Γέρων περὶ τούτου εἰ καλῶς ἐποίησαν οἱ ἀδελφοί. Καὶ τί χρὴ γενέσθαι;

Ἀπόκρισις Βαρσανουφίου ·

Παντὶ εὑρίσκομεν ὅτι ἡ ἀντιλογία πολλοὺς ἀνθρώπους ἀπώλεσεν, ὡς καὶ τοὺς περὶ Δαθὰν καὶ Ἀβειρών, τοὺς ἀντιστάντας τῷ Μωϋσῇ[a]. Καὶ τοῦτο σημεῖόν ἐστι κακόν, ὅτι εἰ τὸν ἀββᾶν αὐτῶν οὐ διετράπησαν, τίνα ἔχουσι διατραπῆναι; Τὸ δὲ μὴ διατρέπεσθαί τινα, σημεῖόν ἐστιν ἀνταρσίας λογισμοῦ. Καὶ αὕτη ἡ ἀνταρσία τῆς νουθεσίας ἐστὶ τοῦ διαβόλου, ἐξ ἀρχῆς γὰρ ἀντῆρεν ὁ διάβολος καὶ οἱ τὸ αὐτὸ ποιοῦντες τέκνα αὐτοῦ γίνονται[b]. Καὶ ποῖα γίνεται τούτοις; Οἱ τοιοῦτοι ἐξορίᾳ ἐξώρισαν ἑαυτοὺς τῆς ταπεινώσεως, φράξαντες τὰ ὦτα αὐτῶν τοῦ μὴ ἀκοῦσαι τοῦ λέγοντος · « Ἐὰν διώξωσιν ὑμᾶς εἰς τὴν πόλιν ταύτην, φεύγετε εἰς τὴν ἄλλην[c] », καὶ « Τῷ θέλοντι κριθῆναί σοι καὶ τὸν χιτῶνά σου λαβεῖν, ἄφες αὐτῷ καὶ τὸ ἱμάτιον[d]. » Οἱ δὲ τῷ κακῷ ὑπετάγησαν, τὸ δὲ κακὸν οὐδὲν ἀγαθὸν γεννᾷ. Φησὶ γάρ · « Οὐ δύναται σαθρὸν δένδρον καρποὺς καλοὺς ποιεῖν[e]. » Κατεπάτησαν δὲ τὴν ἀκολουθίαν τῶν Πατέρων ἐν τῇ παραβάσει αὐτῶν, οἱ Πατέρες γὰρ λέγουσιν ὅτι « Ἐὰν ἀπέλθῃς οἰκῆσαι εἰς τὸν τόπον, πρότερον

L. 550 RAI V

1 κοινοβίου + τινὸς RI V ‖ 13 τινα : τινι V ‖ 16 αὐτοῦ : τοῦ διαβόλου R ‖ 18 τοῦ om. RI V ‖ 23 σαθρὸν : σαπρὸν V

550

À DES FRÈRES

Des frères, sortis de leur monastère, s'étaient acheté des cellules dans le voisinage du monastère sans la permission de leur abbé. L'abbé fut fâché contre eux du fait qu'ils avaient violé la règle de l'obéissance, et il voulait les chasser de là. Mais eux essayèrent de résister et le même Vieillard fut interrogé à ce sujet : Les frères avaient-ils bien agi? Que fallait-il faire?

Réponse de Barsanuphe :

Partout nous voyons que la contestation a perdu beaucoup d'hommes, par exemple les partisans de Dathan et d'Abiron qui s'opposaient à Moïse[a]. C'est un mauvais signe, car s'ils ne se sont pas laissés détourner de leur projet par leur abbé, qui pourra les en dissuader? Or ne se laisser dissuader par personne est le signe de l'esprit de révolte. Et cette révolte devant une réprimande vient du diable; car dès l'origine le diable s'est révolté et ceux qui l'imitent deviennent ses enfants[b]. Que leur adviendra-t-il? Les gens de cette sorte s'excluent eux-mêmes, par l'exil, de l'humilité, en bouchant leurs oreilles pour ne pas entendre celui qui dit : « S'ils vous poursuivent dans cette ville, fuyez dans une autre[c] », et : « A qui veut te citer en justice et prendre ta tunique, laisse-lui aussi ton manteau[d]. » Ces gens obéissent au mal, et le mal n'engendre rien de bon. Car il est dit : « Un mauvais arbre ne peut produire de bons fruits[e]. » Ils ont foulé aux pieds les règles des Pères dans leur désobéissance, car les Pères disent : « Si tu vas habiter quelque part, informe-toi d'abord

550. a. Cf. Nb 16, 16-35 b. Cf. 1 Jn 3, 10 c. Mt 10, 23 d. Mt 5, 40 e. Mt 7, 18

ἐπερώτησον μήποτέ τις λυπῆται ἐν τῇ σῇ οἰκήσει.» Καὶ εἰ περὶ ἄλλων ἐντέλλονται τοῦτο οἱ Πατέρες, πόσῳ μᾶλλον ἔνθα ἐστὶ λύπη τῷ ἡγουμένῳ τοῦ τοιούτου ἀνθρώπου. Τὸ γοῦν πέρας τοῦ πράγματος τούτου οὕτως ὀφείλει γενέσθαι· Ἵνα αὐτοὶ μὲν ὡς ἁμαρτήσαντες, λάβωσι καὶ ἄλλους καὶ παρακαλέσωσι τὸν ἀββᾶν αὐτῶν συγχωρῆσαι αὐτοῖς καὶ μὴ ἀνταποδοῦναι κακὸν ἀντὶ κακοῦ[f]. Ὁ δὲ συγχωρήσει αὐτοῖς, γέγραπται γὰρ ὅτι « Ὀφείλομεν ἡμεῖς οἱ δυνατοὶ βαστάσαι τὰ ἀσθενήματα τῶν ἀδυνάτων[g].» Καὶ ὁ Κύριος λέγει· « Ἐὰν μὴ ἀφῆτε τοῖς ἀνθρώποις τὰ παραπτώματα αὐτῶν, οὐδὲ ὁ Πατὴρ ὑμῶν ὁ οὐράνιος ἀφήσει ὑμῖν τὰ παραπτώματα ὑμῶν[h]», καὶ πάλιν· « Γίνεσθε τέλειοι ὡς ὁ Πατὴρ ὑμῶν ὁ οὐράνιος τέλειός ἐστι[i].» Καὶ οὕτω δοξάζεται ὁ Θεός, ἐκ τοῦ γενέσθαι τοῦτο εἰς οἰκοδομὴν πολλῶν.

551

Ὁ ἀββᾶς τούτου τοῦ κοινοβίου, ἐν ᾧ ἦσαν οἱ ἅγιοι Γέροντες, διετάξατο τὸ πρᾶγμα γενέσθαι, καί τινες τῶν ἀδελφῶν ἔχοντες θέλημα βαρέως ἤνεγκαν καὶ ἐγόγγυζον. Καὶ τοῦτο μαθὼν ὁ αὐτὸς μέγας Γέρων ἐδήλωσεν αὐτοῖς τὴν ἀπόκρισιν ταύτην·

Ἀδελφοί, εἶπεν ὁ Κύριος· « Τὰ ἐμὰ πρόβατα τῆς φωνῆς μου ἀκούουσι καὶ ἐμοὶ ἀκολουθοῦσι[a]» καὶ τὰ ἑξῆς. Εἴ τις οὖν ἀληθινὸς μαθητής ἐστιν, ἐν πᾶσιν ὑπακούει τῷ ἀββᾷ αὐτοῦ ἕως θανάτου[b]. Καὶ εἰς πάντα ἃ ποιεῖ ὁ ἀββᾶς αὐτοῦ οἰκοδομεῖται, καὶ οὐ τολμᾷ διακρῖναι τὸ λεγόμενον,

27 ἐπερώτησον : ἐρώτησον I V ‖ 35 βαστάσαι : -τάζειν RI V ‖ 37 ὑμῖν om. V

L. 551 RAI V

1 ἅγιοι om. V ‖ 2 διετάξατο – γενέσθαι om. V ‖ 3 ἔχοντες θέλημα om. R ‖ 5 τὴν – ταύτην : R ‖ 7 καὶ[1] – ἀκολουθοῦσι om. R ‖ 8-9 τῷ ἀββᾷ : τοῦ ἀββᾶ RI

si tu ne contristeras personne en t'y établissant[1].» Et si les Pères ont prescrit cela pour d'autres, à combien plus forte raison dans le cas où la tristesse serait pour le supérieur d'un tel l'homme[2]. Voici donc quel doit être le dénouement de cette affaire : Que ces frères, en coupables qu'ils sont, en prennent d'autres pour supplier leur abbé de leur pardonner et de ne pas leur rendre le mal pour le mal[f]. Et que l'abbé leur pardonne, car il est écrit : « Nous les forts, nous devons porter les infirmités des faibles[g].» Et le Seigneur dit : « Si vous ne remettez pas aux hommes leurs fautes, votre Père céleste ne vous remettra pas non plus vos fautes[h] »; et encore : « Soyez parfaits comme votre Père du ciel est parfait[i].» Et ainsi Dieu sera glorifié, du fait que cela procurera l'édification d'un grand nombre.

551

À DES FRÈRES

L'abbé du monastère où étaient les saints Vieillards avait décidé de faire une chose, et certains des frères qui avaient une volonté, le supportaient avec peine et murmuraient. L'ayant appris, le même Grand Vieillard leur adressa la lettre suivante :

Frères, le Seigneur a dit : « Mes brebis écoutent ma voix et me suivent[a].» Si donc quelqu'un est un vrai disciple, il obéit en tout à son abbé jusqu'à la mort[b]. Et tout ce que fait l'abbé l'édifie, et il n'a pas la présomption de juger ce qui est décidé, ni même de dire : Pourquoi

f. Cf. Rm 12, 17   g. Rm 15, 1   h. Mt 6, 15   i. Mt 5, 48
551. a. Jn 10, 27   b. Cf. Ph 2, 8

1. Cf. *Alph. Poemen,* 159.
2. C'est-à-dire l'homme qui n'observe pas cette règle.

οὐδὲ εἰπεῖν· «Διὰ τί τοῦτο; εἰς τί τοῦτο;» Ἐπεὶ οὐκ ἔστι μαθητὴς τοῦ ἀββᾶ αὐτοῦ, ἀλλὰ κριτής. Ταῦτα δὲ πάντα οὐ γίνεται εἰ μὴ ἀπὸ τοῦ κακίστου θελήματος τοῦ ἀνθρώπου. Ἐὰν οὖν ὁ ἀββᾶς τινος εἴπῃ γενέσθαι πρᾶγμα, ἀντιλέξῃ δὲ ὁ μαθητής, φανερόν ἐστιν ὅτι τὸν λόγον ἑαυτοῦ θέλει στῆσαι καὶ καταργῆσαι τὸν λόγον αὐτοῦ. Διακρίνει οὖν ὁ τοιοῦτος τίς ἐστιν ὁ ἀββᾶς ἐκεῖνος, οὗ κατηργήθη ὁ λόγος ἢ οὗ ὁ λόγος ἐγένετο. Εἴ τις οὖν θέλει τὸ ἴδιον θέλημα στῆσαι, υἱός ἐστι τοῦ διαβόλου, καὶ εἴ τις ποιεῖ τὸ θέλημα τοῦ τοιούτου, τὸ θέλημα τοῦ διαβόλου ποιεῖ. Ἐὰν δὲ καὶ ποιήσῃ οὗτος τὸ θέλημα ἑαυτοῦ, οὐδὲ οὕτω λαμβάνει ἀνάπαυσιν. Καὶ τί ἐστι τὰ ἐν τῷ μεταξύ, ἀλλ' ἢ ἀνηκοΐα ἥτις ἐστὶν ἀπώλεια ψυχῆς[c]; Εἴ τις οὖν βλέπει ἑαυτὸν εἰς τὸν ἀββᾶν αὐτοῦ σκανδαλιζόμενον, ὀφείλει ἀναχωρῆσαι ἀπ' αὐτοῦ καὶ μὴ ἀπολέσαι τὴν ψυχὴν αὐτοῦ, καὶ βαστάξαι τὸ κρῖμα ἄλλων οὓς διαστρέφει. Μὴ γινώσκων εἰ καλῶς ἢ κακῶς ἐποίησεν ὁ ἀββᾶς, ἀλλὰ σκανδαλιζόμενος ἀκαίρως διὰ τὸ ἴδιον θέλημα. Εἰ γὰρ καὶ ἐγένετο αὐτοῦ τὸ θέλημα, δικαιότερος τοῦ ἀββᾶ αὐτοῦ οὐδεὶς ἦν, εἰ δὲ καὶ καλλιώτερον τοῦ ἀββᾶ αὐτοῦ οἶδε τὸ συμφέρον, καὶ τί ἔτι μαθητεύεται παρ' αὐτοῦ; Ἀπέλθῃ, καὶ αὐτὸς μαθητεύσῃ ἄλλους. Μὴ πλανᾶσθε ὑπὸ διαβόλου καὶ μένετε ἔχοντες τὸ θέλημα ὑμῶν εἰς βλάβην ὑμῶν. Οὐδέποτε γὰρ γίνεται ὑμῶν θέλημα· Κακία γὰρ κακίαν οὐκ ἀναιρεῖ, ἀλλ' ὅταν ἀφῆτε τὸ θέλημα ὑμῶν τῷ Θεῷ, αὐτὸς ποιεῖ ὡς θέλει. Ἐγὼ ἀδελφοί, ὡς οἶδεν ὁ Θεός, φειδόμενος ὑμῶν[d] ἔγραψα ὑμῖν. Εἴ τις οὖν δέχεται, ἔσται αὐτῷ εἰς σωτηρίαν,

11 οὐδὲ εἰπεῖν om. R ‖ 15 ἑαυτοῦ : αὐτοῦ I V ‖ 16 αὐτοῦ : τοῦ ἀββᾶ RI V ‖ 19 στῆσαι : ποιῆσαι RI V ‖ 21 ἑαυτοῦ : αὐτοῦ I V ‖ 22 ἐν τῷ om. V ‖ 30 καλλιώτερον : κάλλιον V ‖ 31 αὐτοῦ : αὐτῷ R ‖ 32 μαθητεύσῃ : -θητεῦσαι R ‖ μένετε : μείνατε R ‖ 33 τὸ θέλημα : τῷ θελήματι R ‖ εἰς : τὴν R ‖ 34 ὑμῶν om. RI V ‖ 37 ἔσται : ἔστω R

ceci? Pourquoi cela? Car autrement il ne serait plus disciple de son abbé mais son juge[1]. Tout cela ne vient que de la pire volonté de l'homme. Lors donc que l'abbé de quelqu'un dit de faire telle chose, si le disciple contredit, il est évident qu'il veut imposer sa pensée à lui et faire avorter la pensée de l'abbé. Que celui-là discerne bien qui est l'abbé! Est-ce celui dont la pensée n'a pas abouti ou celui dont la pensée s'est réalisée? Si quelqu'un veut imposer sa propre volonté, il est fils du diable, et quiconque fait la volonté de cet homme, fait la volonté du diable. Et même s'il fait sa volonté, il ne peut obtenir ainsi de repos. Qu'y a-t-il entre eux, sinon l'indocilité[2] qui est la perte de l'âme[c]? Si donc quelqu'un se voit scandalisé vis-à-vis de son abbé, il doit le quitter et ne pas perdre son âme, ni porter la responsabilité des autres qu'il détourne. Il a beau ignorer si l'abbé a bien ou mal fait, il est cependant scandalisé à contretemps par la volonté propre. Car même si on faisait sa volonté, personne ne serait plus juste que son abbé; mais s'il sait mieux que son abbé ce qui convient, pourquoi demeure-t-il encore à son école? Qu'il s'en aille et que lui aussi enseigne d'autres. Ne vous laissez donc pas tromper par le diable, et ne demeurez pas attachés à votre volonté pour votre détriment. Jamais, en effet, votre volonté ne se réalise, car un mal ne supprime pas un mal; mais lorsque vous abandonnez votre volonté à Dieu, lui-même fait comme il veut. Frères, Dieu le sait, je vous ai écrit avec ménagement[d]. Si donc quelqu'un reçoit mes paroles, elles seront son salut; mais

c. Cf. Mt 16, 25 d. Cf. 1 Co 7, 28

1. Voir L. 483, n. 1, 546 et 553.
2. Terme rare ἀνηκοΐα – surdité physique et morale (indocilité); l'adj. ἀνήκοος est plus connu; voir L. 614 n. 6.

καὶ εἴ τις οὐ δέχεται, ἐὰν θέλῃ πτύσαι εἰς τὰ γραφέντα, ἐν αὐτῷ ἐστι, καθὼς ἤδη τινὲς εἰς τὴν καρδίαν, τινὲς δὲ καὶ ἐν τῷ στόματι κατελάλησαν ἡμῶν. Συγχωρήσατέ μοι.

552

Ἀπόκρισις τοῦ αὐτοῦ μεγάλου Γέροντος πρός τινα τῶν Πατέρων ἐρωτήσαντα εἰ χρὴ σφοδρῷ ἐπιτιμίῳ παιδεῦσαι τὸν ἴδιον μαθητὴν ἀντιλέγοντι.

Ἄδελφε ἀγαπητέ, γνῶθι τὸν καιρόν, ὅτι πονηρός ἐστιν[a]. Ἐπεὶ καλὴ καὶ θαυμαστή ἐστιν ἡ παιδεία καὶ πολλὰς ἔχει μαρτυρίας. Φησὶ γάρ· « Ὃν ἀγαπᾷ Κύριος παιδεύει[b] », καὶ πάλιν· « Μακάριος ἄνθρωπος ὃν ἂν παιδεύσῃς, Κύριε[c] », καὶ τὰ ἑξῆς. Ὁ ἀδελφὸς ὑπὸ τῆς σκληροκαρδίας πολεμεῖται, ἀλλὰ βάσταξον καὶ συγκοπίασον αὐτῷ καὶ « ἔλεγξον, ἐπιτίμησον, παρακάλεσον[d] » κατὰ τὸν τοῦ Ἀποστόλου λόγον. Καὶ ἐὰν δέξηται ταύτην τὴν παιδείαν, πάλιν ἀνακτᾶται. Ἐξύπνισον αὐτὸν ἀπὸ τοῦ βαθυτάτου ὕπνου τῆς σκληροκαρδίας. Ἐὰν γὰρ παχυνθῇ τὸ τῶν ἀκανθῶν κῴδιον αὐτοῦ, ἐν αὐτῷ πένθος μέγα καὶ ἀφόρητον. Ἐὰν δὲ κοπιάσῃ ἀνασπᾶσαι τὰς ἀκάνθας ἕως εἰσὶ βοτάναι, δύναται διὰ τάχους ἀπαλλαγῆναι τοῦ τοιούτου πάθους. Ἐὰν δὲ σκληρυνθῇ τὸ ἀκάνθινον, κόπῳ καὶ μόχθῳ μετὰ πόνων ἀνασπᾶται[e]. Εἰπὲ οὖν αὐτῷ προσέχειν ἑαυτῷ σπουδαίως.

40 κατελάλησαν : κατουτέλισαν R ‖ ἡμῶν : ἡμᾶς AR

L. 552 RASKI V

3 ἴδιον om. K ‖ 4 ἐστιν om. I V ‖ 7 παιδεύσῃς Κύριε : παιδεύσῃ Κύριος K V ‖ 9 βάσταξον : -τασον V ‖ 10 κατὰ τὸν : καὶ τὰ SK ‖ 11 λόγον : λέξον SK ‖ 14 ἀφόρητον + ποιεῖ R ‖ 16 τοῦ om. SK ‖ 17 τὸ ἀκάνθινον : ἡ ἄκανθα RK ‖ 17-18 μετὰ πόνων om. K

si quelqu'un ne les reçoit pas et veut cracher sur ma lettre, cela est en son pouvoir, ainsi que plusieurs l'ont déjà fait, déblatérant contre nous en leur cœur, certains même des lèvres[3]. Pardonnez-moi.

552

À UN FRÈRE

Réponse du même Grand Vieillard à l'un des Pères qui lui avait demandé s'il fallait corriger par une sévère réprimande son disciple qui lui résistait :

Frère bien-aimé, sache que le temps présent est mauvais[a]. Sinon la correction est bonne et estimable, avec de nombreux témoignages à l'appui. Il est dit en effet : «Le Seigneur corrige celui qu'il aime[b]», et encore : « Bienheureux l'homme que tu corriges, Seigneur[c]», etc. Le frère est en proie à la dureté du cœur, mais supporte et peine avec lui, et «reprends, menace, exhorte[d]», selon la parole de l'Apôtre. S'il accepte cette correction, il est gagné une fois encore. Réveille-le de ce profond sommeil de la dureté du cœur. Car quand sa toison d'épines s'épaissit, il a en lui un deuil immense et insupportable. Mais s'il s'active pour arracher les épines tant qu'elles sont herbes, il peut rapidement se défaire de cette souffrance. Si au contraire les épines se durcissent, elles ne seront arrachées que par un travail pénible et fatigant[e]. Dis-lui donc de veiller sur lui-même avec zèle.

552. a. Cf. Ep 5, 16 b. Pr 3, 12; He 12, 6 c. Cf. Ps 33, 12; Jb 5, 17 d. 2 Tm 4, 2 e. Cf. 2 Co 11, 27

---

3. κατελάλησαν ἡμῶν : nous n'avons pas retenu la leçon ἡμᾶς des mss A R parce qu'ils font suivre ce verbe du gén. dans le reste de la *Correspondance.*

553

Ἀπόκρισις τοῦ αὐτοῦ μεγάλου Γέροντος πρὸς ἀδελφὸν τὴν τεκτονικὴν ἐργαζόμενον ἐν τῷ κοινοβίῳ, καὶ ὑπὸ διαφόρων λογισμῶν πολεμούμενον καὶ ἐνθυμηθέντα, ὅτι Οὐδὲν ὠφελοῦμαι ὧδε, οὐδὲ ἔσχον τινὰ ἐνταῦθα βοήθειαν.

Ἄδελφε, ἡμεῖς ἐσμεν οἱ μὴ θέλοντες εὐλυτῶσαι ἀπὸ κακῶν ἡμερῶν[a] καὶ δεινῶν θλίψεων, δύο γὰρ χαρίσματα δέδωκεν ὁ Θεὸς τοῖς ἀνθρώποις δι' ὧν δύνανται σωθῆναι καὶ λυτρωθῆναι ὅλων τῶν παθῶν τοῦ παλαιοῦ ἀνθρώπου, ταπείνωσιν καὶ ὑπακοήν. Καὶ οὐχ ἁρπάζομεν αὐτὰ[b] οὐδὲ θέλομεν εἰς αὐτὰς πολιτεύεσθαι, οὐδὲ παρελθεῖν δι' αὐτῶν, ἵνα μὴ εὕρωμεν βοήθειαν[c], ῥυσθῆναι ἀπὸ κακῶν καὶ κολληθῆναι δι' αὐτῶν τῷ μεγάλῳ ἰατρῷ Ἰησοῦ, τῷ δυναμένῳ ἡμᾶς θεραπεῦσαι ἀπὸ τῆς φλεγμονῆς αὐτῶν. Τί ἀποτίθης ὅλα τὰ κακὰ ἐν τῷ ταμείῳ σου, καὶ ταράττῃ καὶ ἀδημονεῖς; Παῦσαι τοῦ εἶναι ὀργίλος, θυμώδης τε καὶ φθονερός. Γνῶθι ὅτι οἱ τοιοῦτοι, ἄτιμοι καὶ οὐκ ἔντιμοί εἰσιν. Ἄφες ὅλας τὰς στραγγαλιάς[d], καὶ κάμψον τὸν αὐχένα τῇ ταπεινώσει καὶ τῇ ὑπακοῇ, καὶ εὑρίσκεις ἔλεος. Καὶ ἐὰν μετὰ ταπεινώσεως καὶ ὑπακοῆς ποιήσῃς εἴ τι ἀκούεις, οὐ μόνον τὸ ἔργον ὃ νῦν ποιεῖς κατευοδοῖ ὁ Κύριος εἰς τὰς χεῖράς σου, ἀλλὰ καὶ πάντα τὰ ἔργα σου κατευοδοῖ, ὁδὸν γὰρ τῶν φοβουμένων αὐτὸν φυλάττει καὶ σκεπάζει τὰς πορείας αὐτῶν. Τί δυσχεραίνεις; τί φιλονεικεῖς; Τὸ ἔλεος τοῦ Θεοῦ ἀντιλαμβάνεταί σου, ἐὰν προσκαρτερήσῃς

L. 553 RASKI V

5 μὴ om. K ‖ 7 δύνανται : οὐ δύναται AS ‖ 8 ὅλων : πάντων V ‖ 9 αὐτὰ : αὐτὰς RI V ‖ πολιτεύεσθαι : -τεύσασθαι SK ‖ 11 μὴ om. RI V ‖ ῥυσθῆναι : καὶ ῥυσθῶμεν I V ‖ 12 κολληθῆναι : κολληθῶμεν I V ‖ 14 ὅλα : πάντα V ‖ 17 ὅλας : πάσας V ‖ 19 εἴ : ὅ RI V ‖ 24 ἀντιλαμβάνεταί : συναντιλαμβάν- RI V

553

À UN FRÈRE MENUISIER

Réponse du même Grand Vieillard à un frère travaillant comme menuisier au monastère, qui était assailli de diverses pensées et songeait en lui-même : « Je ne profite aucunement ici, je n'y ai aucun secours » :

Frère, c'est nous qui ne voulons pas nous dégager parfaitement des mauvais jours[a] et des terribles afflictions ; car Dieu a donné aux hommes deux moyens merveilleux par lesquels ils peuvent être sauvés et délivrés de toutes les passions du vieil homme : l'humilité et l'obéissance. Or nous ne les prenons pas[b] et nous refusons de les adopter comme règle de vie, de passer par elles afin d'obtenir[1] du secours[c], pour être arrachés à nos maux et adhérer par elles au grand médecin Jésus[2], qui peut nous guérir de la brûlure des vices. Pourquoi amasser tous les maux dans ton cellier, pourquoi te troubler et t'inquiéter? Cesse d'être coléreux, irascible et jaloux. Sache bien que ceux qui le sont, ne sont ni honorables ni honorés. Laisse tous ces lacets[d], courbe la nuque[3] dans l'humilité et l'obéissance, et tu obtiendras miséricorde. Si tu fais avec humilité et obéissance ce qu'on te dit, le Seigneur mènera à bien par tes mains non seulement l'œuvre que tu fais maintenant, mais encore toutes tes œuvres, car il garde le chemin de ceux qui le craignent et protège leurs allées et venues. Pourquoi te fâcher? Pourquoi te disputer? La miséricorde de Dieu te prendra en charge, si tu persévères dans l'attente

553. a. Cf. Ep 5, 16 b. Cf. Mt 11, 12 c. Cf. He 4, 16 d. Cf. Ps 124, 5

---

1. Remarquer la négation supplémentaire ἵνα μή pour insister sur ce que nous ne faisons pas pour obtenir le secours.
2. Voir L. 532, n. 3, 515.
3. Voir L. 512, n. 1, 513, 535.

τῇ τοῦ Θεοῦ ὑπομονῇ. Ἀπόθανε ταλαίπωρε ἀπὸ παντὸς ἀνθρώπου. Εἰπὲ τῷ λογισμῷ · « Τίς εἰμι ἐγώ ; Γῆ καὶ σποδός[e] », καὶ κύων. Εἰπὲ καθάπαξ · « Πρᾶγμα οὐκ ἔχω ». Τί μαντεύεις ἑαυτῷ ἀπώλειαν καὶ οὐ φοβῇ τὸν Θεόν ; Οὐκ αἰσχύνῃ λέγων · « Οὐκ ἔλαβον ὧδε βοήθειαν ; » Τί τυφλοῖ ὁ Σατανᾶς τὴν καρδίαν σου φέρων σε εἰς ἀχαριστίαν, ὡς ὅτι οὐκ ὠφελῇ ἐν τῷ ἁγίῳ τόπῳ τούτῳ ; Ἀσύνετε ἄνθρωπε, εἰ μὴ ἡ χεὶρ τοῦ Θεοῦ καὶ αἱ ἅγιαι εὐχαὶ τῶν ἐνταῦθα ἁγίων διεφύλαττόν σε, ποῦ εἶχες εἶναι ; Ἀλλ' ἢ εἰς τὸ σκότος τὸ ἐξώτερον[f]. Ποῦ εἶχες ὠφεληθῆναι οὕτως ; Οὐδαμοῦ. Ἀλλ' ὁ διάβολος θέλων ἀπαλλοτριῶσαί σε τῆς τῶν ἁγίων γνησιότητος, σκέπης τε καὶ ὠφελείας, σπείρει εἰς σὲ σπόρον θανάτου εἰς ἀπώλειαν, ἵνα τελείως ἔλθῃς εἰς τὰς χεῖρας αὐτῶν τῶν ἐχθρῶν τῆς ἀληθείας καὶ σπαράξωσι τὴν ἀμνάδα, τὴν ψυχήν, λέγω. Μὴ πρόσχῃς τινὶ ἐξουθενῶν ἢ ἐκμυκτηρίζων, σὲ γὰρ παγιδεύουσιν ἐν τούτοις σὲ ταράσσοντες, σὲ βλάπτουσιν, ἐξόριστόν σε ποιοῦσιν ἀπὸ γαλήνης καὶ εἰρήνης εὐσταθείας τε καὶ συνέσεως καὶ παντὸς ἀγαθοῦ. Ἄφες ταῦτα καὶ ἀκολούθει τοῖς λόγοις μου, καὶ βαστάζω σου τὸ φορτίον[g], καὶ εὑρίσκεις βοήθειαν καὶ ἔλεος καὶ σωτηρίαν τῇ ψυχῇ σου. Κόπῳ σῳζόμεθα, ἄδελφε. Ἀναγκαίως δὲ φύλαξον τοῦ μὴ εἰπεῖν · « Τί τοῦτο ; Διὰ τί τοῦτο ; Διὰ τί οὐκ ἔχω τὰ ἴσα τοῦδε ἢ τῶνδε. » Τὸ μικρὸν ἐργόχειρον ποίει ἐπιμελῶς μετὰ τοῦ φόβου τοῦ Θεοῦ, ὑπὲρ οὗ οὐ μικρὸν ἔχεις τὸν μισθόν. Καὶ μὴ ἀπελπίσῃς ἑαυτοῦ, ἡ χαρὰ γὰρ τοῦ διαβόλου ἐστὶν αὕτη. Εἰς ἣν μὴ δώῃ αὐτῷ ὁ Θεὸς χαρῆναι, ἀλλὰ θρηνῆσαι μᾶλλον ἐπὶ τῇ σωτηρίᾳ σου ἐν Χριστῷ Ἰησοῦ τῷ Κυρίῳ ἡμῶν, ᾧ ἡ δόξα εἰς τοὺς αἰῶνας. Ἀμήν.

28 ἑαυτῷ : σεαυτῷ V ‖ 29 τί om. I V ‖ 30 ὡς om. RI V ‖ 35 οὐδαμοῦ : οὐδαμῶς ASK ‖ 37 ἔλθῃς : εἰσέλθῃς R ‖ 41 ἐξόριστόν : ἐξώρισάν V ‖ 42 ποιοῦσιν : ποιοῦντες RI V ‖ 45 τῇ ψυχῇ : ψυχῆς SK ‖ 46 τοῦ om. V ‖ 48 τοῦδε : τῶνδε RI V ‖ 50 ἑαυτοῦ : σεαυτοῦ RK V ‖ 52 θρηνῆσαι : θρήνησον ASI

e. Gn 18, 27 f. Cf. Mt 8, 12 g. Cf. Ga 6, 5

patiente de Dieu. Malheureux, meurs à tout homme[4]. Dis à ta pensée : « Qui suis-je? Je suis terre et cendre[e], je suis un chien. » Dis-toi une fois pour toutes : Je n'ai pas de souci à me faire. Pourquoi te prédis-tu ta perte et ne crains-tu pas Dieu? N'as-tu pas honte de dire : Je ne reçois ici aucun secours? Pourquoi Satan aveugle-t-il ton cœur en te poussant à l'ingratitude, sous le prétexte que tu n'as aucun profit en ce saint lieu? Homme insensé, si la main de Dieu et les saintes prières des saints qui sont ici ne t'avaient gardé, où serais-tu? Sûrement dans les ténèbres extérieures[f]. Où aurais-tu autant de profit qu'ici? Nulle part. Mais c'est le diable qui, voulant t'arracher à la véritable affection des saints, à leur protection et à leur assistance, sème en toi des germes de mort pour te perdre, afin que tu te livres complètement aux mains de ces ennemis de la vérité, et qu'ils déchirent l'agnelle, je veux dire, ton âme. Garde-toi de mépriser ou de railler qui que ce soit, car c'est par là qu'ils te prennent dans leurs filets en te jetant dans le trouble; ils te causent du mal, ils te font sortir du calme, de la paix de la stabilité, de la sagesse et de tout bien. Laisse cela, suis mes paroles, je porterai ton fardeau[g], et tu trouveras secours, miséricorde et le salut pour ton âme. Frère, c'est par le labeur que nous sommes sauvés. Garde-toi absolument de dire : Pourquoi ceci? Pourquoi cela[5]? Pourquoi n'en ai-je pas autant que tels ou tels? Fais soigneusement avec crainte de Dieu ton petit travail manuel; il ne sera pas petit le salaire que tu en recevras. Ne désespère pas de toi-même, ce serait la joie du diable. Que Dieu ne lui accorde pas de se réjouir ainsi, mais plutôt de se lamenter de ton salut, dans le Christ Jésus notre Seigneur. A lui la gloire dans les siècles. Amen.

4. Voir L. 141, n. 2, 505, 567 (où Jean reprend la citation Col 2, 20 : «Sois mort au monde»).

5. Voir L. 483, n. 1, 544, 551.

554

Ὁ αὐτὸς ἀδελφὸς ἠρώτησε τὸν ἄλλον Γέροντα· Ὁ λογισμὸς λέγει μοι ὅτι Εἰ θέλεις σωθῆναι, ἔξελθε ἀπὸ τοῦ κοινοβίου καὶ ἄσκει σιωπὴν ἣν εἶπον οἱ Πατέρες. Οὐκ ὠφελοῦμαι γὰρ εἰς τὴν τεκτονικὴν ταύτην τέχνην, πολλὴ γὰρ ἐξέρχεταί μοι ἐκ ταύτης ταραχὴ καὶ θλῖψις.

Ἀπόκρισις Ἰωάννου·

Ἄδελφε, καὶ ἤδη σοι ἐδηλώθη ὅτι οὐ συμφέρει σοι ἐξελθεῖν ἀπὸ τοῦ κοινοβίου. Καὶ νῦν λέγω σοι ὅτι ἐὰν ἐξέλθῃς, εἰς πτῶσιν ἐξέρχῃ. Λοιπὸν σὺ οἶδας τί ποιεῖς. Εἰ δὲ μετὰ ἀληθείας σωθῆναι θέλεις, κτῆσαι ταπείνωσιν, ὑπακοήν τε καὶ ὑποταγήν, τοῦτ᾽ ἔστι τὸ κόψαι τὸ ἴδιον θέλημα, καὶ ζῇς ἐν τῷ οὐρανῷ καὶ ἐπὶ τῆς γῆς[a]. Περὶ δὲ ἧς λέγουσιν οἱ Πατέρες σιωπῆς, οὐκ οἶδας τί ἐστιν, οὐδὲ πολλοί. Οὐδὲ γὰρ τὸ σιωπῆσαι στόματί ἐστιν αὕτη ἡ σιωπή. Ἔστι γὰρ ἄνθρωπος λαλῶν μυρίους λόγους χρησίμους, καὶ σιωπὴ αὐτῷ λογίζεται, καὶ ἔστιν ἄλλος λαλῶν ἕνα λόγον ἀργὸν καὶ λογίζεται αὐτῷ εἰς καταπάτησιν τῶν τοῦ Σωτῆρος μαθημάτων. Αὐτὸς γὰρ εἶπεν ὅτι «Μέλλετε λόγον δοῦναι ἐν ἡμέρᾳ κρίσεως ὑπὲρ παντὸς ἀργοῦ λόγου ἐκπορευομένου ἐκ τοῦ στόματος ὑμῶν[b].» Καὶ ἐπειδὴ λέγεις ὅτι Οὐκ ὠφελοῦμαι εἰς τὴν τεκτονικήν, πείσθητί μοι ἀδελφέ, εἰ ὠφελῇ ἢ οὐκ ὠφελῇ οὐκ οἶδας, ἀλλὰ χλευάσματά εἰσι δαιμόνων, καὶ δεικνύουσι τῷ λογισμῷ σου εἴ τι θέλουσι, πρὸς τὸ στῆσαι τὸ θέλημά σου, καὶ παρακοῦσαι τῶν Πατέρων σου. Ὁ γὰρ θέλων ἐπιστῆναι τῇ ἀληθείᾳ, ἐρωτᾷ τοὺς Πατέρας εἰ ὠφελοῦμαι ἢ βλάπτομαι. Καὶ πρὸς ὃ λέγουσι πιστεύει καὶ ποιεῖ ὃ ὠφελεῖ. Πολλοὶ ἔδωκαν μισθάρια ἵνα ὑβρισθῶσι καὶ μάθωσιν

L. 554 RASKI V

9 ἐξέρχῃ : ἔρχῃ RI V ‖ 11 τε om. V ‖ 14 οὐδέ[2] : οὐ I V ‖ ἐστιν : τοῦτ᾽ ἔστιν R ‖ αὕτη ἡ om. R ‖ 19 δοῦναι : δώσειν V ‖ 22 ἢ – ὠφελῇ[2] om. I V ‖ 24 εἴ : ὅ SKI ‖ 28-29 καὶ – ὑπομονήν om. ASKI

554

Le même frère interrogea l'Autre Vieillard : La pensée me dit : « Si tu veux être sauvé, quitte le monastère et exerce-toi au silence dont parlent les Pères[1]*. » En effet je n'ai aucun profit à exercer ce métier de menuisier, car j'en retire beaucoup de trouble et d'affliction.*

Réponse de Jean :

Frère, on t'a déjà fait savoir qu'il ne t'est pas utile de t'en aller du monastère. Je te le répète encore aujourd'hui : si tu t'en vas, c'est pour ta perte. Tu sais donc ce que tu fais. Si tu veux vraiment être sauvé, acquiers l'humilité, l'obéissance et la soumission, c'est-à-dire le retranchement de la volonté propre, et tu vivras « au ciel et sur la terre[a] ». Quant au silence dont parlent les Pères, comme beaucoup, tu ignores en quoi il consiste. Le silence, en effet, ne consiste pas à garder la bouche fermée. Car il arrive qu'un homme dise des milliers de mots utiles et que cela lui soit compté comme silence, tandis qu'un autre, pour avoir dit une seule parole vaine, sera considéré comme ayant foulé aux pieds les enseignements du Sauveur. Lui-même a dit : « Vous devrez rendre compte au jour du jugement de toute parole vaine sortie de votre bouche[b]. » Et lorsque tu dis : Je n'ai aucun profit à exercer ce métier de menuisier, crois-moi, frère, tu ne sais pas si tu en retires ou non du profit, mais les démons se jouent de toi, ils présentent à ta pensée tout ce qu'ils veulent, afin que tu imposes ta volonté et désobéisses à tes Pères. Car celui qui veut être fixé sur la vérité, demande à ses Pères si telle chose lui est profitable ou nuisible. Il croit à ce qu'ils disent et fait ce qui est utile. Beaucoup ont payé des gens pour les insulter,

554. a. Cf. Mt 6, 10 b. Mt 12, 36

1. Cf. N 274, *Sent.*, p. 180, n° 47; voir aussi L. 469, n. 2.

ὑπομονήν. Καὶ σὺ ἄνευ τοῦ κέρματός σου μανθάνεις ὑπομονήν, τοῦ Κυρίου λέγοντος· « Ἐν τῇ ὑπομονῇ ὑμῶν κτήσασθε τὰς ψυχὰς ὑμῶν[c]. » Εὐχαριστῆσαι ὀφείλομεν τῷ θλίβοντι ἡμᾶς, ὅτι δι' αὐτοῦ κτώμεθα ὑπομονήν. Καλῶς κάθῃ. Μὴ πειράσῃ σε ὁ διάβολος. Ὁ Κύριος βοηθήσει σοι. Ἀμήν.

555

Ἀδελφὸς ἠρώτησε τὸν αὐτὸν Γέροντα· Ἐπειδὴ ὁ ἀββᾶς παρέχει ἀπολογίαν ὑπὲρ ἐμοῦ, πῶς ὀφείλω ἐρωτᾶν αὐτὸν περὶ τοῦ ἔργου; Τί κελεύεις ποιήσω τόδε τὸ πρᾶγμα;

Ἀπόκρισις Ἰωάννου·

Ἵνα μὴ ἔχῃς θέλημα ἐν πράγματι, λέγε· Τί κελεύεις ποιήσω; Ὁ γὰρ ἔχων θέλημα καὶ ἐρωτῶν περὶ τοῦ πράγματος, κἂν ἐπιτραπῇ ποιῆσαι αὐτό, αὐτὸς βαστάζει τὸν κίνδυνον, ἰδίῳ γὰρ θελήματι ποιεῖ.

556

Ἐρώτησις· Τί οὖν ὅτε ἔχω μὲν θέλημα, οὐκ ἠρώτησα δὲ εἰδικῶς περὶ τοῦ πράγματος, ἀλλ' αὐτὸς ὁ ἀββᾶς ἀφ' ἑαυτοῦ ἐπέτρεψέ μοι ποιῆσαι αὐτό, μὴ λογίζηταί μοι εἰς θέλημα;

Ἀπόκρισις·

Εἰπὲ αὐτῷ ὅτι Ἔχω θέλημα εἰς αὐτό, τί οὖν κελεύεις; Καὶ ἐὰν εἴπῃ σοι ποιῆσαι αὐτό, θελήματι αὐτοῦ εὑρίσκεται. Ἐὰν δὲ ἄλλο σοι παράσχῃ ἔργον, μετὰ χαρᾶς τοῦτο κατάδεξαι.

33 βοηθήσει : -θήσαι R -θήσοι V

L. 555 RASKI V

1 γέροντα + λέγων I V ‖ 2 παρέχει : πάσχει V ‖ 3 περὶ – ἔργου om. V ‖ 5 ἔχῃς : λέγῃς τὸ RI V

afin d'apprendre la patience. Toi, tu apprends la patience sans monnaie, puisque le Seigneur dit : « Par votre patience vous sauverez vos âmes[c]. » Nous devons remercier celui qui nous afflige, car grâce à lui nous acquérons la patience. Tiens-toi bien. Que le diable ne te tente pas ! Que le Seigneur te vienne en aide ! Amen.

555

À UN FRÈRE

Un frère interrogea le même Vieillard : L'abbé ayant de la complaisance pour moi, comment dois-je l'interroger au sujet du travail ? Dois-je dire : « Veux-tu que je fasse cette chose ? »
Réponse de Jean :

Afin de ne pas mettre de volonté dans une chose, dis : « Que veux-tu que je fasse ? » Car celui qui veut une chose et qui interroge à son sujet, même s'il reçoit l'ordre de la faire, c'est lui qui court les risques, puisqu'il agit par volonté propre.

556

Demande : Dans le cas où je veux une chose et où, sans que j'aie interrogé spécialement à son sujet, l'abbé, de lui-même, me charge de la faire, cela ne me sera-t-il pas compté comme volonté propre ?
Réponse :

Dis-lui : « J'ai un désir de faire cette chose, qu'ordonnes-tu donc ? » S'il te dit de faire la chose, elle se trouvera faite par sa volonté à lui. Mais s'il te donne un autre travail, accepte-le avec joie.

L. 556 RAI V
7 ποιῆσαι : ποιεῖν R

c. Lc 21, 19

557

Ἐρώτησις· Εἰ δὲ ὅτε οὐκ ἔχω θέλημα εἰς αὐτό, ἀλλὰ νομίζων θεραπεύειν τὸν ἀββᾶν εἶπον αὐτῷ περὶ τούτου, εἰδὼς ὅτι ἡδέως αὐτὸ ἔχει γενέσθαι, ἤγουν ἐγὼ ἔτυχον ἐπιτραπεὶς αὐτὸ ποιῆσαι, καὶ οὐκ ἐτελειώθη, καὶ ὑπέμνησα ἵνα τελειωθῇ, μὴ καὶ τοῦτο ἄτοπον;

Ἀπόκρισις·

Κάλλιόν ἐστι τὸ ἀναμεῖναι ἀκοῦσαι παρ' αὐτοῦ. Ἐὰν δὲ βλέπῃς αὐτὸν ἀποροῦντα τίνι ἐπιτρέψαι, καὶ εἴπῃς αὐτῷ θέλων αὐτὸν θεραπεῦσαι οὐκ ἔστιν ἄτοπον. Εἰ δὲ καὶ σὺ ἐπετράπῃς τι ποιῆσαι, καὶ οὐκ ἐτελείωσας αὐτό, ὑπόμνησον ὅτι ἀτελές ἐστι, καὶ ἕως τούτου καὶ οὐχ εὑρίσκῃ ἔχων θέλημα ἐν πράγματι.

558

Ἐρώτησις· Ἐπειδὴ λέγει ἡ Γραφὴ ὅτι « Ἐὰν ἐπαναβῇ σοι ὁ λογισμὸς τοῦ ἐξουσιάζοντος, τόπον σου μὴ ἀφῇς[a] », *τί ἐστι τοῦτο;*

Ἀπόκρισις·

Ἀντὶ τοῦ μὴ συγχωρήσῃς αὐτῷ ἐπαναβῆναί σοι, μήτε λάλει μετ' αὐτοῦ, ἀλλὰ φεῦγε πρὸς τὸν Θεόν. Ἐὰν γὰρ θέλῃς δοῦναι αὐτῷ ἀπόκρισιν, εὑρίσκεις ἀδολεσχίαν, καὶ κωλύει σε ἀπὸ τῆς θερμότητος τῆς εὐχῆς.

559

Ἀδελφὸς ἠρώτησε τὸν αὐτὸν Γέροντα· Ἐὰν ἀκούσω περί τινος ὅτι κακῶς με λέγει, τί ποιήσω;

L. 557 RASKI V
1 ὅτε om. SK ‖ 2 εἶπον : εἴπω I V
L. 558 PRASKI V
1 ὅτι om. PRI V ‖ 5 ἐπαναβῆναί : ἐπιβῆναί I V

557

Demande : Si, sans avoir de volonté pour une chose, j'en parle à l'abbé pour lui rendre service, sachant qu'il lui serait agréable qu'on la fasse, je me trouve donc chargé de la faire, elle n'a pas été achevée, et l'idée me vient de l'achever; n'est-ce pas déplacé?

Réponse :

Il est mieux d'attendre de recevoir un ordre de lui. Mais si tu vois qu'il ne sait à qui s'en remettre et si tu lui en parles en voulant lui rendre service, ce n'est pas déplacé. Si par ailleurs ayant été chargé de faire une chose, tu ne l'as pas achevée, souviens-toi qu'elle est inachevée ; et jusque-là tu ne te trouves pas mettre de volonté dans une chose.

558

Demande : L'Écriture dit : « Si la pensée de celui qui a le pouvoir monte en toi, ne quitte pas ta place[a]*. » Qu'est-ce que cela signifie?*

Réponse :

Au lieu de la laisser monter en toi, ne discute pas avec elle, mais fuis auprès de Dieu. Car si tu veux lui donner la réplique, tu te trouveras entraîné dans un palabre qui empêchera la ferveur de ta prière.

559

À UN AUTRE FRÈRE

Un frère interrogea le même Vieillard : Si j'apprends que quelqu'un dit du mal de moi, que dois-je faire?

L. 559 PRASKI V
2 με : μοι PR

558. a. Qo 10, 4

Ἀπόκρισις Ἰωάννου ·

Εὐθέως ἀνάστα καὶ ποίησον εὐχὴν πρῶτον ὑπὲρ ἐκείνου, καὶ οὕτως ὑπὲρ ἑαυτοῦ λέγων · Κύριε Ἰησοῦ Χριστέ, ἐλέησον τόνδε τὸν ἀδελφόν, κἀμὲ τὸν ἀχρεῖον δοῦλόν σου [a], καὶ σκέπασον ἡμᾶς ἀπὸ τοῦ πονηροῦ [b] εὐχαῖς τῶν ἁγίων σου. Ἀμήν.

560

Ἐρώτησις · Ἐάν τις βάλῃ ἀρχὴν τοῦ καταλαλεῖν τινος καὶ νήψῃ, τί ὀφείλει ποιῆσαι;

Ἀπόκρισις ·

Ἐὰν ἄρξηταί τις καταλαλεῖν, ὀφείλει ταχέως κόψαι καὶ μετενεγκεῖν τὸν λόγον εἰς ἐπωφελῆ ὁμιλίαν καὶ μήτε ἐν αὐτῇ χρονίσαι, ἵνα μὴ πάλιν ἐκ τῆς πολυλογίας ἐκπέσῃ εἰς τὴν καταλαλιάν.

561

Ἐρώτησις · Ἐάν τις μὴ καταλαλῇ τινος, ἡδέως δὲ ἀκούῃ τῆς καταλαλιᾶς, μὴ κατακρίνεται ἐκ τούτου;

Ἀπόκρισις ·

Καὶ τὸ ἀκοῦσαι ἡδέως καταλαλιᾶς, καὶ αὐτὸ καταλαλιά ἐστι καὶ τὴν αὐτὴν ἔχει κατάκρισιν.

562

Ἐρώτησις · Ἡ ἀκηδία πόθεν γίνεται; Καὶ τί δεῖ ποιῆσαι ταύτης ἐφισταμένης;

5 ἑαυτοῦ : σεαυτοῦ PR V ‖ 6 τόνδε om. P ‖ 7-8 ἁγίων σου : σῶν ἁγίων PRI V

L. 560 PRASKI V

4 ἐὰν – καταλαλεῖν om. PR ‖ 5 μετενεγκεῖν : μεταγαγεῖν PRI V ‖ μήτε : μηδὲ I V ‖ 6 ἐκπέσῃ : ἐμπέσῃ PRI V ‖ 7 τὴν om. PRKI V

Réponse de Jean :

Lève-toi aussitôt et fais une prière d'abord pour lui et aussi pour toi en disant : « Seigneur Jésus-Christ, aie pitié de ce frère et de moi-même qui suis ton serviteur inutile[a], et protège-nous du Mauvais[b] par les prières de tes saints. Amen. »

560

Demande : Si quelqu'un commence à médire d'autrui et qu'il s'en aperçoit, que doit-il faire ?

Réponse :

Si quelqu'un commence à médire, il doit couper court au plus vite et faire dévier la conversation sur un sujet profitable, sans d'ailleurs la prolonger, de peur que du bavardage il ne retombe dans la médisance.

561

Demande : Si quelqu'un ne médit pas, mais écoute volontiers la médisance, est-il condamné pour cela ?

Réponse :

Écouter volontiers une médisance, cela même est une médisance et encourt la même condamnation.

562

Demande : D'où vient l'acédie ? Que faut-il faire lorsqu'elle se présente ?

L. 561 PRASKI V
L. 562 PRASKI V

---

559. a. Cf. Lc 17, 10 b. Cf. Mt 6, 13

Ἀπόκρισις ·

Ἔστιν ἀκηδία φυσικὴ ἀπὸ ἀδυναμίας καὶ ἔστιν ἀκηδία ἀπὸ δαίμονος. Ἐὰν δὲ θέλῃς δοκιμάσαι αὐτάς, οὕτω δοκίμασον · Ἡ τοῦ δαίμονος ἐφίσταταί τινι πρὸ τοῦ καιροῦ τοῦ χρήζοντος ἀναπαύσεως. Ὅταν γὰρ βάλῃ τις ἀρχὴν εἰς τὴν ἐργασίαν, πρὸ τοῦ ποιῆσαι τὸ τρίτον ἢ τὸ τέταρτον αὐτῆς, διώκει τὸν ἄνθρωπον ἐᾶσαι τὸ ἔργον καὶ ἀναστῆναι. Οὐκ ὀφείλει οὖν ἀνέχεσθαι, ἀλλὰ ποιῆσαι εὐχὴν καὶ καθίσαι εἰς τὸ ἔργον καὶ ὑπομεῖναι. Βλέπων γὰρ ὁ ἐχθρὸς ὅτι διὰ τοῦτο ποιεῖ εὐχήν, παύεται, οὐδὲ γὰρ θέλει δοῦναι ἀφορμὴν προσευχῆς. Ἡ δὲ φυσικὴ ἀκηδία ἐστὶν ὅτε κοπιᾷ ὁ ἄνθρωπος ὑπὲρ τὴν δύναμιν καὶ ἀναγκάζεται πλέον ἔργον προσθεῖναι. Καὶ ἐκ τούτου κατασκευάζεται ἡ φυσικὴ ἀκηδία ἀπὸ ἀδυναμίας σώματος. Χρὴ οὖν ἐνταῦθα δοκιμάσαι τὴν δύναμιν καὶ ἀναπαῦσαι τὸ σῶμα κατὰ φόβον Θεοῦ.

563

Ἐρώτησις · Τί οὖν ὅτε καὶ αὐτὸς ὁ τόπος ἔνθα ἡ τοῦ δαίμονος ἀκηδία γίνεται, καυματηρὸς πάνυ ἐστὶ καὶ συμπράττει τῇ ἀκηδίᾳ καὶ πλέον βαρεῖ τὸν ἄνθρωπον καὶ οὐ δύναται τοῖς δύο ἀντιστῆναι; Ἆρα οὐκ ὀφείλει ἐν τῇ ὥρᾳ τοῦ πολέμου ἐκεῖθεν ἀποστῆναι;

Ἀπόκρισις ·

Καλὸν μέν ἐστι τὸ ἀγωνίσασθαι μὴ ἀποστῆναι τοῦ τόπου ἐν τῷ καιρῷ τοῦ πολέμου. Εἰ δὲ βλέπει ὅτι ἡττᾶται βαρούμενος ἐκ τοῦ κόπου, ἀποστῇ, καὶ κουφισθεὶς τοῦ ἑνὸς βάρους, ἀγωνίσεται πρὸς αὐτὴν τὴν ἀκηδίαν ἐπικαλούμενος τὸ ὄνομα τοῦ Θεοῦ, καὶ τυγχάνει τῆς παρ' αὐτοῦ

4 ἀκηδία[2] om. PR ‖ 5 δὲ : οὖν PR V om. ASK ‖ 5 δαίμονος + ἀκηδία PR + γὰρ SK ‖ 7 χρήζοντος + τῆς I V ‖ 12 ποιεῖ + τὴν PRI V

L. 563 PRASKI V

4 δύο : δυσὶν V ‖ 9 κόπου ἀποστῇ : τόπου ἀποστήτω PR

Réponse :

Il y a l'acédie physique qui vient de l'épuisement et il y a l'acédie qui vient du démon[1]. Si on veut les reconnaître, voici comment : celle qui vient du démon se présente avant le moment où on a besoin de repos. Ainsi quelqu'un se met-il à un travail, avant qu'il en ait fait le tiers ou le quart, elle accule l'homme à abandonner ce travail et à se lever. Il ne doit donc pas se laisser prendre, mais faire une prière, s'asseoir à son travail et s'y tenir. L'Ennemi, voyant qu'il fait la prière pour cela, cesse de l'importuner, car il ne veut pas donner occasion de prier. L'acédie est physique, lorsque l'homme se fatigue au-delà de ses forces et qu'il se contraint à en faire plus. Il s'ensuit l'acédie physique qui vient de l'épuisement du corps. Il faut donc en ce cas évaluer sa force et donner au corps du repos selon la crainte de Dieu.

563

Demande : Lorsque l'endroit même où se produit l'acédie venant du démon est surchauffé[2], qu'il porte à l'acédie et accable l'homme encore plus, si l'on ne peut résister aux deux, que faire donc ? Ne doit-on pas s'en aller ailleurs au moment du combat ?

Réponse :

Il est mieux de lutter pour ne pas quitter l'endroit au moment du combat. Si l'on se voit vaincu, accablé de fatigue, qu'on s'en aille et, soulagé d'un poids, qu'on combatte l'acédie elle-même en invoquant le nom de Dieu ; on obtiendra alors son secours. Mais se retirer à cause d'elle,

1. Voir L. 500, n. 1.

2. Adj. rare καυματηρὸς – ardent, brûlant et ici au superlatif avec πάνυ – surchauffé.

βοηθείας. Τὸ γὰρ δι' αὐτὴν ἀναχωρεῖν, μὴ ὄντος βάρους ἐκ τοῦ τόπου, πλέον βαρεῖ καὶ αὔξει μᾶλλον ὁ πόλεμος καὶ γίνεταί σοι ψυχῆς βλάβη. Ἐὰν γὰρ κυριεύσῃ τοῦ ἀνθρώπου, πολλῷ κόπῳ ἀπελαύνεται ἐξ αὐτοῦ, κἂν εὐχαὶ ὑπὲρ αὐτοῦ γίνωνται.

564

Ἐρώτησις· Ἐὰν νυσταγμὸς ἐξ αὐτῆς γίνηται καὶ ἐμποδίζῃ τῷ προκειμένῳ ἔργῳ, ἆρα ὀφείλει σταθῆναι ἢ μεῖναι καθήμενος;

Ἀπόκρισις·

Σταθήσεται καὶ μὴ παύσηται δεόμενος τοῦ Θεοῦ, καὶ καταργεῖ αὐτὸν ὁ Κύριος διὰ τῆς προσευχῆς.

565

Ἐρώτησις· Ὅταν ἐπέλθῃ μοι πονηρὸς λογισμός, κινεῖται ἡ καρδία μου μετὰ θυμοῦ πρὸς αὐτόν, ὡς καὶ τῇ φωνῇ κεχρῆσθαι. Συμβαίνει δὲ ὅτε καὶ παρόντων τινῶν τοῦτο ποιῶ, ἆρα κακόν ἐστιν ἢ οὔ;

Ἀπόκρισις·

Οὐκ ἔστι καλὸν οὕτως ποιεῖν, ἵνα μὴ γένηται συνήθεια, καὶ εὑρεθῇ εἰς βλάβην τῶν ἀνθρώπων καὶ σκάνδαλον τοῖς ὁρῶσι. Ἀλλ' ἀταράχως χρὴ ἐπικαλεῖσθαι τὸ ὄνομα τοῦ Θεοῦ καὶ ἀπελαύνεται.

566

Ἀδελφὸς ἐξελθὼν ἐκ τοῦ κοινοβίου καὶ ἀναλύσας ἐδήλωσε τῷ αὐτῷ Γέροντι λέγων· Ἐπειδὴ ἔπταισα χλευασθεὶς ὑπὸ

12 αὐτὴν : αὐτὸν SK
L. 564 PRASKI V
1 καὶ : ἢ P ‖ 5 παύσηται : παύσῃ V
L. 565 PRASKI V

alors que les conditions du lieu ne sont pas accablantes, aggrave le combat, l'augmente, et il s'ensuit du dommage pour l'âme. Car si l'acédie s'empare de l'homme, elle n'en est chassée qu'avec beaucoup de peine, même si des prières sont faites pour lui.

564

Demande : Si l'acédie provoque l'assoupissement[1] *et empêche de poursuivre l'œuvre entreprise, faut-il se lever ou rester assis?*

Réponse :

Qu'on se lève et qu'on ne cesse de prier Dieu, et le Seigneur fera disparaître l'assoupissement grâce à la prière.

565

Demande : Lorsqu'une mauvaise pensée me vient, mon cœur s'en émeut et s'irrite contre elle, au point de parler à haute voix. Il m'arrive même de faire cela en présence d'autrui. Est-ce mal ou non?

Réponse :

Il n'est pas bien d'agir ainsi, cela risque de devenir une habitude, d'offusquer les autres et de scandaliser ceux qui sont présents. Mais il faut, sans se troubler, invoquer le nom de Dieu et la pensée sera chassée.

566

À UN FRÈRE SORTI DU MONASTÈRE

Un frère qui était sorti du monastère et avait tout lâché, s'adressa au même Vieillard en ces termes : Je suis tombé,

4 κακόν : καλόν PRI V || ἐστιν om. V || 6 οὕτως : τοῦτο SK || 8 ἀλλ' – χρὴ : χρὴ δὲ ἀταράχως I V
L. 566 PRASKI V

1. Autre mot peu fréquent νυσταγμός.

τῶν δαιμόνων καὶ τῆς ἐμῆς μητρός, καὶ ἀνεχώρησα ἐκ τῆς σκέπης ὑμῶν τῶν Πατέρων μου, παρακαλῶ ταγῆναί με μετὰ τῶν ἀρχαρίων τῶν μήπω λαβόντων τὸ σχῆμα.

Ἀπόκρισις Ἰωάννου·

Ἕνεκεν τοῦ εἶναί σε εἰς τὸν τελευταῖον τόπον[a], οὐκ ἔστι σοῦ τοῦτο ζητῆσαι, ἀλλὰ τῆς δοκιμασίας ἐστὶ τοῦ Ἀββᾶ σου. Σοῦ δέ ἐστι τὸ ἑτοιμάσαι ἑαυτὸν εἰς ὑπακοήν.

567

Αἴτησίς τινος τῶν ἡσυχαζόντων Πατέρων πρὸς τὸν αὐτὸν Γέροντα· Παρακαλῶ σε Πάτερ, εὖξαι ὑπὲρ ἐμοῦ διὰ τὸν Κύριον, ὅτι πάνυ κινδυνεύω καὶ ἀπὸ τῆς ῥαθυμίας μου καὶ ἀπὸ τῆς ὀχλήσεως τοῦ ἐχθροῦ. Ἐὰν γὰρ μὴ ὁ Θεὸς διὰ τῶν εὐχῶν ὑμῶν παράσχῃ μοι δύναμιν κἀκεῖνον ἐπιστομίσῃ[a], οὐκ οἶδα εἰ ἥξει τὸ σκάφος μού ποτε εἰς λιμένα. Ἀλλ' ὥσπερ ὁ Μωϋσῆς τοσοῦτον λαὸν ἐξῃτήσατο τοῦ μὴ ἀπολέσθαι ἄρδην ἐν τῇ ὀργῇ τοῦ Θεοῦ[b], οὕτω καὶ σὺ ὅσιε Πάτερ, αἴτησαι τὴν ἀθλίαν μου ψυχήν. Ὁ Θεὸς γὰρ ἀγαθός ἐστι καὶ φιλεῖ αἰτεῖσθαι ὑπὸ τῶν ἁγίων σωτηρίαν ψυχῶν, καὶ ὑμῖν πρέπουσα ἡ τοιαύτη αἴτησις. Παρακάλεσον δὲ καὶ τὸν κύριον τὸν ἀββᾶν ἵνα μὴ οὕτως χρονίζῃ ἡμᾶς ἰδεῖν, ὅτι σφόδρα αὐτὸν ἀγαπῶ, ἀλλὰ χρῄζω τοῦ ἐξ αὐτοῦ στηριγμοῦ.

Ἀπόκρισις Ἰωάννου·

Εἰ περὶ ἡμῶν τῶν ἐλαχίστων ἔγραψέ σου ἡ ἀγάπη, ὅτι οὐ θέλομέν τινα ἀπολέσθαι[c], τί λέγεις πρὸς τὸν ὀμόσαντα

3 μητρός : μωρίας SK ‖ ἐκ om. V ‖ 5 με om. PRI V ‖ μήπω : μὴ PRI V ‖ 8 σοῦ : σὸν PRI V ‖ 9 ἐστι om. PR ‖ ἑαυτὸν : σεαυτὸν V

L. 567 RASKI V

5-6 ἐπιστομίσῃ : ἐπιτιμήσῃ I V ‖ 8 τοῦ[1] om. V ‖ 12 δὲ : δὴ SK ‖ 13 χρονίζῃ om. V ‖ ἡμᾶς ἰδεῖν : εἰς ἡμᾶς ἴδῃ V ‖ 17 τί + δὲ V

abusé par les démons et par ma mère; je me suis soustrait à la protection qui me venait de vous, mes Pères. Je t'en supplie, qu'on m'admette parmi les débutants qui n'ont pas encore reçu l'habit[1].

Réponse de Jean :

Pour ce qui est de te trouver à la dernière place[a], ce n'est pas à toi de le demander, mais à ton abbé d'en juger. Toi, tu as seulement à te préparer à l'obéissance.

567

À UN PÈRE RECLUS

Demande d'un des Pères reclus du monastère au même Vieillard : Je t'en supplie, Père, prie pour moi, par le Seigneur, car je suis en grand danger du fait de ma négligence et du harcèlement de l'Ennemi. Car si Dieu, grâce à vos prières, ne me donne des forces et ne le muselle[a], *je ne sais si ma barque atteindra un jour le port. Mais de même que Moïse demanda à Dieu de ne pas détruire complètement un tel peuple dans sa colère*[b], *de même toi aussi, Père saint, intercède pour ma pauvre âme. Car Dieu est bon et il aime être sollicité par ses saints pour le salut des âmes; et c'est à vous que revient une telle prière. Supplie également le seigneur abbé de ne pas tarder ainsi à venir nous voir, car je l'aime beaucoup, mais j'ai besoin aussi de son appui*[2].

Réponse de Jean :

Si ta charité nous a écrit, à nous, les derniers des hommes, que nous ne voulons la perte de personne[c], que diras-tu

566. a. Cf. Lc 14, 9-10
567. a. Za 3, 2 b. Cf. Ex 32, 11-12 c. Cf. 2 P 3, 9

1. Le terme ἀρχάριος appartient au monachisme (voir L. 92, 98, 577 et 613).
2. στηριγμός – stabilité, appui, terme attesté dans le NT (2 P 3, 17) et à partir du IIe s.

εἰς ἑαυτὸν ὅτι «Ζῶ ἐγώ, λέγει Κύριος ὅτι οὐ θέλω τὸν θάνατον τοῦ ἁμαρτωλοῦ, ὡς τὸ ἐπιστρέψαι καὶ ζῆν αὐτόν[d]», περὶ οὗ μαρτυρεῖ λέγων ὁ Ἀπόστολος· «Ὃς θέλει πάντα ἄνθρωπον σωθῆναι καὶ εἰς ἐπίγνωσιν ἀληθείας ἐλθεῖν[e];» Ἄδελφε, μὴ ὀκνήσῃς προσελθεῖν τῷ Ἰησοῦ λέγων· «Ἐπιστάτα, σῶσον, ἀπολλύμεθα[f]», καὶ βλέπεις τί ποιεῖ κατὰ τῶν ἐχθρῶν. Ἐντύγχανε αὐτῷ λέγων· «Κύριε ὁ Θεός μου, ἔνδειξον τὴν παρὰ σοῦ ἐκδίκησιν ἐν αὐτοῖς, ὅτι πρὸς σὲ ἦρα τὴν ψυχήν μου[g].» Περὶ δὲ τοῦ εἰσενεγκεῖν θλίψεις καὶ πειρασμούς, οὐ χρεία τοῦ γράψαι σοι, γινώσκοντι τί λέγει ὁ Ἀπόστολος περὶ τούτου[h] καὶ τί ἔσται τὸ τέλος τῆς ὑπομονῆς. Μὴ ἐκκακήσωμεν ἀγαπητέ μου ἄδελφε, καὶ γὰρ ὁ φροντίζων ἡμῶν Κύριος μέγας ἐστὶ τοῦ προΐστασθαι ἡμῶν. Θαρσοποιῶν γὰρ ἡμᾶς ἔλεγεν· «Ἐγώ εἰμι, μὴ φοβῆσθε[i].» Καὶ πάλιν· «Θαρσεῖτε, ἐγὼ νενίκηκα τὸν κόσμον[j].» Μὴ ἀμελήσωμεν οὖν προσπίπτειν αὐτῷ καὶ παρακαλεῖν αὐτοῦ τὴν ἀγαθότητα, αὐτὸς γὰρ ποιεῖ «ὑπερεκπερισσοῦ ὧν αἰτούμεθα ἢ νοοῦμεν[k].» Μνήσκου ὅτι ὅπου ὁ κόπος, ἐκεῖ καὶ ὁ μισθός, καὶ ὅπου ἡ δοκιμὴ τοῦ πειρασμοῦ, ἐκεῖ ἐστι καὶ ὁ τῆς νίκης στέφανος, καὶ ὅπου ἡ ἀγάπη τοῦ Θεοῦ, ἐκεῖ καὶ τὸ ἀνελθεῖν μετ' αὐτοῦ εἰς τὸν σταυρὸν τοῦ συμπάσχειν καὶ συνδοξασθῆναι αὐτῷ[l], τοῦ συναποθανεῖν καὶ συζῆν αὐτῷ[m]. Ὁ ἀνερχόμενος οὖν εἰς τὸν σταυρὸν ἐκουφίσθη ἀπὸ τῆς γῆς. Ἀπέθανε τῷ κόσμῳ[n]. Τὰ ἄνω λοιπὸν ὀφείλει φρονεῖν, ὅπου ὁ Χριστὸς ἐν δεξιᾷ τοῦ Πατρός[o]. Περὶ δὲ τοῦ ἀββᾶ, εὖξαι ἵνα σκεπάσῃ αὐτὸν ὁ Κύριος, πολλαὶ γάρ εἰσιν

23 σῶσον + ἡμᾶς K V ‖ 26 εἰσενεγκεῖν : ὑπενεγκεῖν R V ‖ 27 τοῦ om. V ‖ 28 ἔσται : ἐστι RI V ‖ 29 μου om. RI V ‖ 31 τοῦ om. V ‖ 36 μνήσκου : μιμνήσκου V ‖ 37 ἐστι om. K ‖ 39; 40 τοῦ[1+2] : τὸ V ‖ 44-46 πολλαὶ – κύριος om. RASK

d. Ez 18, 23 e. 1 Tm 2, 4 f. Lc 8, 24; Mt 8, 25
g. Ps 24, 1 h. Cf. Rm 5, 3-4; 2 Co 4, 17 i. Mt 14, 27

à celui qui s'est juré à lui-même : « Aussi vrai que je vis, dit le Seigneur, je ne veux pas la mort du pécheur, mais qu'il se convertisse et qu'il vive[d] », à lui qui, au témoignage de l'Apôtre, « veut que tout homme soit sauvé et parvienne à la connaissance de la vérité[e] »? Frère, ne tarde pas à accourir auprès de Jésus en disant : « Maître, sauve-nous, nous périssons[f] ! », et tu verras ce qu'il fera contre les ennemis. Tu pourras lui dire : « Seigneur, mon Dieu, montre-moi comment tu les châties, car vers toi j'ai élevé mon âme[g]. » Pour ce qui est d'endurer afflictions et tentations, il n'est pas nécessaire de t'écrire, car tu sais ce que dit l'Apôtre à ce sujet[h] et quelle est la fin de l'endurance. Ne désespérons pas, frère bien-aimé, c'est le Seigneur qui s'occupe de nous et il est assez grand pour nous défendre. Pour nous encourager[1], il dit : « C'est moi, ne craignez pas[i]. » Et encore : « Ayez courage, j'ai vaincu le monde[j]. » Ne nous lassons donc pas de recourir à lui et d'implorer sa bonté, car il fait « beaucoup plus que nous ne demandons ou concevons[k]. » Souviens-toi que là où il y a le labeur, il y a aussi le salaire ; là où il y a l'épreuve de la tentation, il y a aussi la couronne de la victoire ; et là où il y a l'amour de Dieu, il y a aussi à monter avec lui sur la croix pour souffrir et pour être glorifié avec lui[l], pour mourir et pour vivre avec lui[m]. Celui donc qui monte sur la croix est soulevé de terre. Sois mort au monde[n]. Il ne faut plus penser qu'aux choses d'en haut, là où est le Christ, à la droite du Père[o]. Quant à l'abbé, prie le Seigneur de le protéger, car il a beaucoup de tracas, mais nous

j. Jn 16, 33 k. Ep 3, 20 l. Cf. Rm 8, 17 m. Cf. Ga 2, 19-21 ; 2 Tm 2, 11 n. Cf. Col 2, 20 o. Cf. Col 3, 1-2

1. Remarquer le verbe θαρσοποιέω du grec tardif à la place de θαρσύνω – encourager.

αἱ ὀχλήσεις, ἀλλὰ πιστεύομεν ὅτι σκεπάζει καὶ βοηθεῖ αὐτῷ ὁ Κύριος. Εἶπον δὲ αὐτῷ ὅτι τόνῳ ἐχρόνισας, καὶ ἀπελογήσατο, ὡς καὶ σὲ ἐπληροφόρησεν, ὅτι τὰ πράγματα ἠνάγκασεν. Ἕνεκεν δὲ τῆς εὐχῆς, οἶδα ὅτι οὐδέν εἰμι, ἀλλὰ κωλῦσαι τὴν ἀγάπην οὐ δύναμαι. Καὶ αὐτὸς οὖν εὖξαι ὑπὲρ ἐμοῦ διὰ τὸν Κύριον.

568

Δέησις τοῦ ἀββᾶ τοῦ κοινοβίου πρὸς τὸν αὐτὸν Γέροντα· Ἐπειδὴ καιρὸς χαλεπός ἐστιν[a], *εὖξαι Πάτερ, ἵνα ὁ Κύριος αὐτὸν παρενέγκῃ καὶ ἵνα σκεπασθῶμεν οἱ δοῦλοί σου ἀπὸ παντὸς πειρασμοῦ τῶν ἁμαρτιῶν ἡμῶν.*

Ἀπόκρισις·

Ἐὰν ἀγαθοποιήσωμεν, παραφέρει ὁ Θεὸς τὸν χαλεπὸν καιρόν. Ἐὰν δὲ πάλιν προσθήσωμεν κακά, σωρεύομεν ἑαυτοῖς[b] πρὸ καιροῦ τὴν ἀπώλειαν. Ὑμεῖς δὲ ἐὰν μένητε ἐν τῷ ἀγαθῷ, πέμπει ὁ Θεὸς τὸν ἄγγελον αὐτοῦ καὶ σφραγίζει ὑμᾶς[c], ὥστε τὸν ἐρχόμενον βαστάζοντα τὴν ῥομφαίαν παρελθεῖν ὑμᾶς[d] εὐχαῖς τῶν ἁγίων. Ἀμήν.

569

Δέησις τῶν ἐν τῷ κοινοβίῳ ἡσυχαζόντων Πατέρων πρὸς τὸν μέγαν Γέροντα περὶ τοῦ κόσμου· Ἐπειδὴ κινδυνεύει

47 ὅτι – ἠνάγκασεν om. I V ‖ 49 κωλῦσαι : καὶ λῦσαι RI V ‖ 50 διὰ – κύριον om. R

L. 568 RASKI V

3 ἵνα om. R ‖ 7 προσθήσωμεν : προσθῶμεν V ‖ 8 ἑαυτοῖς : ἡμῖν αὐτοῖς V ‖ ἀπώλειαν + ἡμῶν R ‖ μένητε : μείνητε RI V ‖ 10 ἐρχόμενον + καὶ τὸν RI V ‖ 11 τῶν om. R

L. 569 RASKI V

croyons que le Seigneur le protège et l'aide. Je lui ai dit : « Tu as trop tardé. » Il s'est excusé, disant, comme il te l'a assuré, à toi aussi, que les affaires l'y contraignaient. Pour ce qui est de la prière, je sais que je ne suis rien, mais je ne puis contenir la charité. Toi aussi, prie donc pour moi, par le Seigneur.

568
À L'ABBÉ DU MONASTÈRE

Supplique de l'abbé du monastère au même Vieillard : Comme les temps sont durs[a]*, Père, prie afin que le Seigneur les fasse passer et que nous, tes serviteurs, soyons préservés de toute épreuve de nos péchés.*

Réponse :

Si nous faisons le bien, Dieu fait passer les temps difficiles. Mais si nous accumulons encore les péchés, nous aggravons[b] d'avance notre perte. Mais vous, si vous persévérez dans le bien, Dieu enverra son ange vous marquer de son signe[c], afin que celui qui viendra portant le glaive vous épargne[d], grâce aux prières des saints. Amen.

569
AUX PÈRES DU MONASTÈRE

Supplique des Pères reclus du monastère au Grand Vieillard, pour le monde : Comme le monde est en péril[1],

568. a. Cf. 2 Tm 3, 1 b. Cf. Rm 12, 20 c. Cf. Ez 9, 4 d. Cf. Ex 12, 13

1. Cette supplique adressée à Barsanuphe par les pères hésychastes du monastère évoque un fléau : peut-être s'agit-il de la peste qui a sévi en 542-543, et dont l'empereur Justinien lui-même fut atteint. (voir CHITTY, *Varsanuphius*, p. 543 et Salvatore COSENTINO, *Prosopografia dell'Italia bizantina (493-804)*, Lo Scarabeo, Bologna 1996, p. 220). Il est intéressant de constater le lien entre les deux reclus et le monde extérieur.

ὁ κόσμος, παρακαλοῦμεν πάντες, οἱ θεράποντές σου, δεήθητι τῆς τοῦ Θεοῦ ἀγαθότητος, ἵνα ἀνῇ τὴν χεῖρα καὶ ἀποστρέψῃ εἰς τὸν κολεὸν τὴν ῥομφαίαν[a]*. Στῆθι ἀνάμεσον τῶν πεπτωκότων καὶ τῶν ζώντων μετὰ τοῦ ἁγίου σου θυμιάματος, καὶ παῦσον τὸν ὀλοθρευτήν*[b]*. Ἀνέγειρον τὸ ἅγιον θυσιαστήριον ἐν τῇ ἅλῳ τῇ ἁγίᾳ*[c] *τοῦ Ἀρνά, καὶ παύσεται ἡ ὀργὴ τοῦ Θεοῦ*[d]*. Ναὶ δεόμεθά σου, ναὶ παρακαλοῦμεν, οἰκτείρησον τὸν κόσμον ἀπολλύμενον. Μνήσθητι ὅτι μέλη σού ἐσμεν ἅπαντες*[e]*. Δεῖξον καὶ ἐπὶ τοῦ παρόντος τὴν εὐσπλαγχνίαν σου καὶ θαυμάσια τοῦ Θεοῦ*[f]*, ὅτι αὐτοῦ ἐστιν ἡ δόξα εἰς τοὺς αἰῶνας. Ἀμήν.*

Ἀπόκρισις Βαρσανουφίου·

Ἀδελφοί, ἐν πένθει εἰμὶ καὶ ὀδυρμῷ[g] διὰ τὴν ἐπικειμένην ὀργήν. Καὶ γὰρ ἄλλα πράττομεν ἐναντία. Εἶπε γὰρ ὅτι « Εἰ μὴ περισσεύετε ἐν δικαιοσύνῃ πλέον τῶν γραμματέων καὶ Φαρισαίων, οὐ μὴ εἰσέλθητε εἰς τὴν βασιλείαν τῶν οὐρανῶν[h]. » Καὶ ἐπερίσσευσεν ἡ παρανομία ἡμῶν πλέον τῶν ἀλλοεθνῶν. Καὶ εἰσὶ πολλοὶ οἱ παρακαλοῦντες τὴν φιλανθρωπίαν τοῦ Θεοῦ τοῦ παῦσαι τὴν ὀργὴν ἀπὸ τοῦ κόσμου, καὶ οὐδεὶς φιλανθρωπότερος τοῦ Θεοῦ, καὶ θέλει ἐλεῆσαι καὶ ἀντιστήκει τὸ πλῆθος τῶν γινομένων ἐν τῷ κόσμῳ ἁμαρτιῶν. Εἰσὶ δὲ τρεῖς ἄνδρες τέλειοι τῷ Θεῷ οἵτινες ὑπερέβησαν τὸ μέτρον τῆς ἀνθρωπότητος καὶ ἔλαβον τὴν ἐξουσίαν τοῦ λῦσαι καὶ

3 παρακαλοῦμεν + σε I V ‖ οἱ θεράποντες σου om. I V ‖ 6 ἁγίου om. K ‖ 8 ἀρνά : οὐρανοῦ V ‖ 9 ναί[1+2] : καὶ V ‖ 11 ἅπαντες : πάντες RI V ‖ 13 ὅτι – ἐστιν om. K ‖ αὐτοῦ : αὐτῷ V ‖ 16 ἄλλα : ὅλα RI πάντα V ‖ 17 ὅτι om. RI V ‖ εἰ – δικαιοσύνῃ : ἐὰν μὴ περισσεύσῃ ἡ δικαιοσύνη RI V ‖ πλέον : ὑμῶν πλεῖον I V ‖ 21 παρακαλοῦντες : -κολουθοῦντες SK ‖ 23 θέλει : οὐ θέλει I V ‖ καί[2] ἀντιστήκει : ἀντιστήκει γὰρ V ‖ 26 τοῦ om. V

569. a. Cf. 1 Ch 21, 27 b. Cf. Nb 16, 35 c. Cf. 2 R 24, 18-24; 1 Ch 21, 15-26 d. Cf. Jb 14, 13 e. Cf. 2 R 5, 1; Ep 5, 30 f. Cf. Dn 4, 2-3 (*LXX*) g. Cf. 2 M 11, 6 h. Mt 5, 20

nous t'en supplions tous, nous tes serviteurs, implore la bonté de Dieu, afin qu'il détourne son bras et remette le glaive au fourreau[a]. *Tiens-toi debout au milieu de ceux qui sont tombés et qui vivent dans le parfum de ton saint encens, et apaise l'exterminateur*[b]. *Élève le saint autel du sacrifice dans la sainte cour*[c] *d'Arauna*[2], *et la colère de Dieu sera apaisée*[d]. *Oui, nous t'en prions, oui nous t'en supplions, prends en pitié le monde qui va à sa perte. Souviens-toi que nous sommes tous tes membres*[e]. *Montre aujourd'hui encore ta miséricorde et les merveilles de Dieu*[f], *car à lui est la gloire dans les siècles. Amen.*

Réponse de Barsanuphe :

Frères, je suis dans le deuil et la désolation[g] à cause de la colère menaçante. Car nous faisons tout le contraire (de ce que nous devrions faire). Il est écrit en effet : « Si votre justice ne surpasse celle des scribes et des Pharisiens, vous n'entrerez pas dans le royaume des cieux[h]. » Et nos transgressions ont abondé plus que celles des autres peuples. Il en est beaucoup qui implorent la bonté de Dieu afin qu'il détourne du monde sa colère, et certes personne n'est plus ami de l'homme que Dieu ; il veut faire miséricorde, mais la masse des péchés commis dans le monde s'y oppose. Il y a cependant trois hommes parfaits[3] devant Dieu qui ont dépassé la mesure humaine et ont reçu le pouvoir de lier et de délier, de remettre

2. Réminiscence biblique : il s'agit de la colère divine au temps de David et de la construction d'un autel (le futur temple de Jérusalem) dans la cour d'Arauna le Jébuséen. Les deux orthographes Ἀρνά - Ὀρνάν sont attestées dans la Bible (voir *Dictionnaire de la Bible* d'André-Marie GÉRARD, Paris 1989). Le modèle de l'éditeur Schoinas (V) n'a pas compris qu'il s'agissait d'un nom biblique et l'a remplacé par οὐρανοῦ, écrit sous forme abrégée (note du Père U. Zanetti).

3. Barsanuphe nomme à la fin de la lettre ces trois hommes 'parfaits', qui peuvent intercéder auprès de Dieu pour aider le monde extérieur et mettre fin à une catastrophe.

δῆσαι καὶ ἀφῆσαι ἁμαρτίας καὶ κρατῆσαι[i]. Καὶ στήκουσιν ἐν τῇ θραύσει[j] τοῦ μὴ ὑφὲν ἐξολοθρεῦσαι ὅλον τὸν κόσμον, καὶ διὰ τῶν εὐχῶν αὐτῶν μετ' ἐλέους παιδεύει. Καὶ ἐρρέθη αὐτοῖς ὅτι ἐπὶ ὀλίγον χρόνον ἐπιμένει ἡ ὀργή. Σὺν αὐτοῖς οὖν εὔξασθε. Συναντῶσι δὲ αἱ εὐχαὶ τῶν τριῶν τούτων ἐν τῇ εἰσόδῳ τοῦ ἀνωτέρου θυσιαστηρίου τοῦ Πατρὸς τῶν φώτων[k]. Καὶ συγχαίρουσιν ἀλλήλοις καὶ συναγάλλονται ἐν τοῖς ἐπουρανίοις[l]. Ὅταν δὲ προσέχωσιν τὴν γῆν, συμπενθοῦσι καὶ συγκλαίουσι καὶ συνοδύρονται διὰ τὰ κακὰ τὰ γινόμενα καὶ κινοῦντα τὴν ὀργήν. Εἰσὶ δὲ Ἰωάννης ἐν Ῥώμῃ καὶ Ἠλίας ἐν Κορίνθῳ, καὶ ἄλλος ἐν τῇ ἐπαρχίᾳ Ἱεροσολύμων. Καὶ πιστεύω ὅτι ἀνύουσι τὸ μέγα ἔλεος[m], ναὶ ἀνύουσι. Ἀμήν. Ὁ Θεός μου ἐνδυναμώσαι ὑμᾶς τοῦ ἀκοῦσαι καὶ πιστεῦσαι καὶ βαστάξαι ταῦτα, εἰσὶ γὰρ τοῖς μὴ νοοῦσιν ἄπιστα.

570

Ἀδελφὸς ἔπεμψεν αἰτῶν τὸν ἄλλον Γέροντα λέγων· Διὰ τὸν Κύριον ἐὰν δέῃ τινός, εἰπέ μοι ἵνα παράσχω σοι. Ἀπόκρισις Ἰωάννου·

Ἄδελφε, ὁ Θεὸς παράσχῃ σοι μισθὸν ἀγαθὸν ὑπὲρ τῆς προθέσεως. Πλὴν οὐδέποτε χρῄζων πράγματος εἶπόν τινι· Δός μοι. Ἀλλ' ἐὰν οἶδεν ὁ Θεὸς ὅτι χρῄζω καὶ σπείρῃ

27 ἀφῆσαι : ἀφεῖναι V ‖ 27-28 στήκουσιν – μὴ om. SK ‖ 32 ἀνωτέρου : ἀνωτέρω V ἄνω R ‖ 34 προσέχωσιν + εἰς RI V ‖ 39-41 ναὶ – ἄπιστα om. SK ‖ 39 τοῦ om. V ‖ 40 καὶ πιστεῦσαι A om. RI V ‖ 41 ἄπιστα AR : ἄλληπτα I V

L. 570 RASKI V

4 ἄδελφε om. SK ‖ παράσχῃ : παράσχοι R V ‖ ὑπὲρ : περὶ I V ‖ 6 οἶδεν : ἴδῃ R V

i. Cf. Mt 18, 18; Jn 20, 23 j. Cf. Ps 105, 23 k. Cf. Jc 1, 17

les fautes et de les retenir[i]. Ils se tiennent debout sur la brèche[j] pour empêcher que le monde entier ne soit anéanti d'un seul coup, et grâce à leurs prières, Dieu châtiera avec miséricorde. Il leur a été révélé que la colère durerait peu de temps. Priez donc avec eux. Les prières de ces trois se réunissent pour accéder au sublime autel du Père des lumières[k]. Ils se félicitent les uns les autres en une commune exultation dans les cieux[l]. Mais lorsqu'ils considèrent la terre, ils se lamentent, ils pleurent et s'affligent ensemble, à cause du mal qui est commis et qui provoque la colère. Ce sont Jean à Rome, Élie à Corinthe et un autre dans l'éparchie de Jérusalem[4]. Et j'ai confiance qu'ils obtiendront cette grande miséricorde[m], oui, ils l'obtiendront[5]. Amen. Que mon Dieu vous rende capables d'entendre, de croire et de porter ces paroles; car pour ceux qui n'en ont pas l'intelligence, elles sont incroyables.

570

À UN FRÈRE

Un frère fit demander à l'Autre Vieillard: Par le Seigneur, si tu as besoin de quelque chose, dis-le moi, afin que je te l'offre.

Réponse de Jean:

Frère, que Dieu t'offre une bonne récompense pour ta proposition. Mais quand j'ai besoin d'une chose, je ne dis jamais à quelqu'un: Donne-la moi. Si Dieu voit que j'en

l. Cf. Ep 1, 3 m. Ps 50, 3

4. Il s'agit certainement de Barsanuphe lui-même, qui ne se nomme pas par modestie. Élément important sur le plan géographique: 'éparchie de Jérusalem'. Le monastère de Séridos se situe donc dans cette circonscription administrative: voir Introd., vol. III.

5. Le Ps 50, 3 est très souvent cité dans les textes liturgiques: voir *Liturgia orientale,* II, p. 105.

τινὶ καὶ ἐνέγκῃ μοι, δέχομαι. Ἐπεὶ ἐὰν ἐγὼ εἴπω, οὐκ ἔστιν αὕτη χρεία, ἀλλ' ἐπιθυμία.

570 b

Εἶπεν ὁ ἀββᾶς περὶ τοῦ αὐτοῦ Γέροντος ὅτι οὐδέποτε εἶδον μειδιάσαντα τὸν Γέροντα ἢ ταραχθέντα, οὐδὲ ἐκτὸς δακρύων μεταλαμβάνοντα τῆς ἁγίας κοινωνίας μετὰ τοῦ λέγειν· Κύριε, μὴ εἰς κρῖμά μοι γένοιτο τὰ ἅγια ταῦτα. Συνέβη ποτὲ τὸν αὐτὸν Γέροντα εἰπεῖν τίποτε τῷ ἀββᾷ ποιῆσαι. Καὶ ἐλθὼν ἀπεγγύθεν αὐτοῦ ὁ ἀββᾶς ἐπελάθετο. Καὶ ὡς πάλιν κατῆλθε πρὸς αὐτόν, ὅτε ἔμελλεν αὐτὸν ἀπολύειν, εἶπεν αὐτῷ· Ἐὰν ὑπομνησθῇς, ποίησον εἴ τι εἶπόν σοι. Καὶ λυπηθεὶς ὁ ἀββᾶς ἐπὶ τῇ λήθῃ, ᾔτησε συγχώρησιν. Καὶ πάλιν ἐξελθὼν ἐπελάθετο. Καὶ μετὰ ἡμέρας κατῆλθε πρὸς αὐτόν. Καὶ ὁμοίως ὅτε εἶχεν ἀπελθεῖν, ὑπέμνησεν αὐτὸν ὁ Γέρων μετὰ πρᾳότητος περὶ τοῦ πράγματος. Καὶ πάνυ ἐθλίβη ὁ ἀββᾶς. Καὶ λέγει αὐτῷ ὁ Γέρων· «Μὴ θλίβῃς, ἀλλ' ὅταν ὑπομνησθῇς, ποίησον.» Καὶ ὡς πολλάκις τοῦτο συνέβη, ἀνήγγειλεν ὁ ἀββᾶς τῷ μεγάλῳ Γέροντι, αἰτήσας μαθεῖν τί ἐστι τοῦτο.

Καὶ εἶπεν αὐτῷ ὁ Γέρων ὅτι

«Κατὰ συγχώρησιν Θεοῦ τοῦτο ἐγένετο, ἵνα ἴδῃς τὴν ὑπομονὴν καὶ τὴν μακροθυμίαν τοῦ Γέροντος καὶ γένῃ αὐτῷ μιμητής[a].»

Καὶ πολλὴν ἔσχε τὴν ὠφέλειαν.

L. 570 b RASKI V

17 ὅτι om. I V ‖ 20 αὐτῷ : αὐτοῦ RI V ‖ 21 καὶ – ὠφέλειαν om. I V

---

570 b. a. 1 Th 1, 6

---

1. Ce comportement a derrière lui une longue tradition, qui remonte à la fin du IIIe s. avec S. Antoine (*Vie de S. Antoine, PL* 73, 134 BC,

ai besoin et qu'il suggère à quelqu'un de me l'apporter, alors je l'accepte. Sinon, dans le cas où je demanderais, ce ne serait pas besoin, mais convoitise.

570 b
SUR LE VIEILLARD JEAN

L'abbé (Séridos) disait au sujet du même Vieillard (Jean) qu'il ne l'avait jamais vu sourire[1] *ni se troubler, ni recevoir la sainte communion sans pleurer au moment de dire : Seigneur, que ce sacrement ne soit pas ma condamnation*[2]. *Il arriva un jour que le même Vieillard (Jean) donna à l'abbé (Séridos) l'ordre de faire quelque chose. Après s'être éloigné, l'abbé oublia. Lorsqu'il revint le voir, Jean lui dit au moment de prendre congé : Si tu t'en souviens, fais ce que je t'ai dit. L'abbé, attristé de son oubli, demanda pardon. Et sorti, il oublia de nouveau. Quelques jours après, il revint le voir. Et cette fois encore, quand l'abbé allait partir, le Vieillard lui rappela la chose avec douceur. Et l'abbé en fut désolé. Alors le Vieillard lui dit : Ne te désole pas, mais lorsque tu te la rappelleras, fais-la. Comme cela se reproduisit bien des fois, l'abbé s'en ouvrit au Grand Vieillard, lui demandant d'où cela venait.*

Et le Vieillard lui dit :

Cela est arrivé par une permission de Dieu, afin que tu voies l'endurance et la patience du Vieillard et que tu deviennes son imitateur[a].

Et l'abbé en tira beaucoup de profit.

SC 400, p. 168-172), que l'on retrouve au IVe s. avec l'abbé Pambon (*Alph.*, 13), et dans la *Vie de S. Martin de Tours*, écrite par SULPICE SÉVÈRE et traduite par J. FONTAINE, *SC* 133-135, Paris 1967, p. 314-315.

2. Le rite romain, qui a repris cette phrase à la liturgie orientale, la prononce avant la Communion : « Seigneur, ne deviens pas pour moi jugement de condamnation, mais remède et défense de l'âme et du corps », reprenant les citations du NT (1 Co 11, 34 ; 1 Th 5, 23). Voir L. 170, 464.

570 c

Περὶ τοῦ ἀββᾶ Σερίδου πολλὰ ἔχων εἰπεῖν μεγάλα καὶ θαυμαστὰ καὶ πάσης διηγήσεως ἄξια, τὰ πλείω παραλιπὼν διὰ τὴν τοῦ λόγου συντομίαν, ὀλίγων μνησθήσομαι ἱκανῶν παραστῆσαι τοῦ ἀνδρὸς τὴν ἀρετήν. Διέμεινε γὰρ σώφρων ἐκ νεότητος αὐτοῦ, καὶ ἐγκρατὴς σφόδρα εἴπερ τις ἄλλος. Οὕτως καταπονήσας τὸ σῶμα ὡς καὶ δεινῶς πληγῆναι. Εἰ καὶ μετὰ ταῦτα ὁ ἅγιος Γέρων τοῦ Θεοῦ δεηθεὶς ἰάσατο αὐτόν, ἐντειλάμενος αὐτῷ τοῦ λοιποῦ μετὰ διακρίσεως τὸ σῶμα κυβερνᾶν, ἵνα ὑπουργήσῃ τῇ πνευματικῇ λειτουργίᾳ καὶ ἀντισχῇ πρὸς τὴν διοίκησιν τῶν ἀδελφῶν. Ὑπακοὴν δὲ μεγάλην ἐκτήσατο, ὑποτασσόμενος ἐν παντὶ πράγματι τῷ αὐτῷ μεγάλῳ Γέροντι καὶ μέχρι θανάτου. Ἀρνούμενος γὰρ τὰ ἴδια θελήματα, καθὼς ὁ Γέρων αὐτὸς ἐμαρτύρησε περὶ αὐτοῦ ἐν ταῖς προγεγραμμέναις ἀποκρίσεσι, τέλειος γέγονεν ὑπήκοος. Πολλὰ γὰρ ἐξ αὐτοῦ παθὼν καὶ δαρεὶς καὶ πολυτρόπως δοκιμασθείς. Καὶ διὰ σκληρῶν καὶ βαρυτάτων πραγμάτων ὥσπερ χρυσὸς ἐν χωνευτηρίῳ πυρωθείς[a]*, ἐγένετο σκεῦος ἔντιμον, εὔχρηστον τῷ δεσπότῃ. Ἐν οὐδενὶ γὰρ ὅλως ἀντεῖπέ ποτε, οὐδὲ ὡς ἀββᾶν ἑαυτὸν ἐλογίζετο, ἀλλ' ὡς μαθητὴν τοῦ Γέροντος καὶ ὡς χρεωστῶν αὐτῷ τελείαν ὑπακοήν, ὅπερ ἦν δεῖγμα καὶ τῆς ἄκρας αὐτοῦ ταπεινοφροσύνης. Διὰ τοῦτο γνήσιον αὐτὸν τέκνον εἶχεν ὁ Γέρων. Καὶ ἐδεήθη τοῦ Θεοῦ παρασχεῖν αὐτῷ τὸ χάρισμα τῆς διακρίσεως, ἣν κτησάμενος,*

L. 570 c RASKI V

1 ἔχων : ἔχω V ‖ 2 πάσης om. I V ‖ 3 ὀλίγων + δὲ V ‖ 4 γὰρ om. I V ‖ 12 μεγάλῳ om. K ‖ 15 τέλειος – ὑπήκοος om. RASK ‖ 17 βαρυτάτων : πολυτρόπων RI V ‖ 18 πυρωθείς : πεδηθείς K ‖ 23 τέκνον : υἱὸν RI V

570 c

SUR L'ABBÉ SÉRIDOS

Sur l'abbé Séridos, j'ai beaucoup de choses à dire, importantes, admirables et absolument dignes d'être relatées. J'en omettrai la plupart, pour la brièveté du récit, et j'en rappellerai seulement quelques-unes qui suffiront à montrer la vertu de cet homme. Tempérant dès sa jeunesse, il le resta et se montra entre tous d'une extrême sobriété. Il macéra son corps au point même d'en être terriblement meurtri. Cependant, par la suite, le saint Vieillard (Barsanuphe) le guérit en priant Dieu et lui ordonna de traiter dès lors son corps avec discrétion, afin qu'il prête son concours pour la liturgie spirituelle et qu'il ait la résistance nécessaire au gouvernement des frères. Il acquit une grande obéissance et fut soumis en tout au même Grand Vieillard jusqu'à la mort. Reniant en effet ses volontés propres, comme en témoignait le Vieillard lui-même dans les lettres précédentes, il devint un parfait obéissant. Car il eut beaucoup à souffrir de sa part, des coups même et des épreuves de toute sorte. Ainsi purifié par ces traitements rudes et pénibles comme l'or dans la fournaise[a]*, il devint un vase précieux, utile à son maître. Jamais en effet il ne le contredit en quoi que ce soit, et il se considérait lui-même non comme abbé, mais comme disciple du Vieillard et comme son débiteur d'une parfaite obéissance, ce qui était aussi une preuve de sa profonde humilité. C'est pourquoi le Vieillard le regardait comme un véritable fils. Et il avait prié Dieu de lui accorder le charisme du discernement, lequel, une fois obtenu, lui*

570 c. a. Cf. Sg 3, 6

ἐδύνατο τῇ ἄνωθεν χάριτι καὶ ψυχὰς εἰς ζωὴν ὁδηγῆσαι[b], *καὶ τεθλιμμένους θεραπεῦσαι καὶ φάρμακον ἰαματικὸν εἰσενεγκεῖν τὸν ἐκ τοῦ Πνεύματος λόγον, καὶ εἰρήνην μαχομένοις βραβεῦσαι. Πρότερον γὰρ ἑαυτὸν εἰρηνοποιήσας, καὶ τοῖς ἄλλοις ἐγένετο τῆς εἰρήνης πρόξενος, καὶ εἰς αὐτὸν ἐπληροῦτο τὸ «Μακάριοι οἱ εἰρηνοποιοί, ὅτι υἱοὶ Θεοῦ κληθήσονται*[c]*.» Ἦν δὲ μακρόθυμος καὶ ἀτάραχος καὶ προσηνὴς τοῖς προσιοῦσι. Καὶ ὁ λόγος αὐτοῦ ἱλαρὸς ἐν σεμνότητι καὶ «ἅλατι ἠρτυμένος*[d]*.» Καὶ εἶχε, κατὰ τὴν Γραφήν, τὴν φρόνησιν καὶ τὴν ἀκεραιότητα*[e]*. Ἦν δὲ καὶ τοῖς ἀδελφοῖς σφόδρα περιπόθητος, τὰς αὐτῶν ψυχὰς τῷ πνευματικῷ τῆς νουθεσίας λόγῳ κατευφραίνων, καὶ προτρέπων εἰς ἀρετὴν τῷ καλῷ τοῦ βίου καὶ τῆς ἐναρέτου πράξεως ὑποδείγματι. Ἐκεῖνα διδάσκων ἅπερ ἔπραττε καὶ συγκιρνῶν τῷ κατὰ Θεὸν φόβῳ τὴν πρᾳότητα. Καὶ ἐν καιρῷ ἑκάστῳ κεχρημένος «ἐλέγχων, ἐπιτιμῶν, παρακαλῶν*[f]*», κατὰ τὸν τοῦ Ἀποστόλου λόγον. Καθὼς δὲ πρὸς τὴν ἡμετέραν ὠφέλειαν ἡμῖν ἀφηγήσατο, ὅτι ἐν τῇ συμβάσῃ αὐτῷ μεγάλῃ ἀσθενείᾳ, σφοδρῷ καὶ ἀπαύστῳ κατεχόμενος πυρετῷ, οὐ παρεκάλεσε τὸν Θεὸν παρασχεῖν αὐτῷ τὴν ὑγείαν, οὐδὲ κουφίσαι αὐτὸν τῆς ὀδύνης, ἀλλὰ χαρίσασθαι αὐτῷ ὑπομονὴν καὶ εὐχαριστίαν. Συνέβη δέ ποτε ἀδελφῷ εὐλαβεῖ καὶ χρησίμῳ ταραχθέντι κατὰ διαβολικὴν ἐνέργειαν βουληθῆναι ἀναχωρῆσαι. Καὶ ὡς πολλὰ νουθετήσας αὐτὸν οὐκ ἔπεισε μεῖναι, ἔστη εἰς προσευχὴν καὶ ἔβαλε γονυκλισίας. Καὶ ἰδὼν αὐτὸν ὁ ἀδελφὸς ἀνέστη καὶ αὐτός, καὶ τὸ αὐτὸ ἐποίησε. Καὶ στραφεὶς ὁ ἀββᾶς ἐσφράγισεν αὐτοῦ τὴν καρδίαν καὶ λέγει αὐτῷ· Ἄδελφε, τί θέλεις ἄρτι ποιῆσαι; Καὶ ἀπεκρίθη ἐκεῖνος ἐν εἰρηνικῇ καταστάσει· Εἴ τι θέλεις. Καὶ λέγει αὐτῷ· Οὐκοῦν ἔκβα, ἔργασαι. Καὶ ἐξελθὼν κατὰ τὸ σύνηθες, εἰργάσατο καὶ διῆγεν ἐν εἰρήνῃ, ὑποτασσόμενος ἐν φόβῳ Θεοῦ.*

27 τὸν – λόγον om. K ‖ 30 ὅτι + αὐτοὶ RI V ‖ 44 τὸν θεὸν : τῷ θεῷ S ‖ 50 γονυκλισίας : μετανοίας RI μετάνοιαν V

permettrait, avec la grâce d'en haut, de conduire les âmes à la vie[b]*, de soigner les affligés en leur appliquant ce remède salutaire qu'est la parole dictée par l'Esprit, et de procurer la paix aux combattants. De fait, après s'être pacifié il devint source de paix pour les autres, et en lui s'accomplit la parole : « Bienheureux les pacificateurs, car ils seront appelés fils de Dieu*[c]*. » Il était longanime, calme et avenant pour ceux qui l'approchaient. Sa parole était enjouée dans sa gravité et 'assaisonnée de sel*[d]*'. Il avait aussi, comme le demande l'Écriture, la prudence et la simplicité*[e]*. Par ailleurs il était très aimé des frères, mettant la joie en leurs âmes par ses exhortations spirituelles, les entraînant au bien par le bel exemple de sa vie et de sa conduite vertueuse. Il enseignait ce qu'il faisait et unissait la douceur à la crainte selon Dieu. Il profitait de toute occasion pour « reprendre, menacer, exhorter*[f]*», selon le mot de l'Apôtre. Comme il nous le raconta pour notre édification, il fut un jour gravement malade, en proie à une forte fièvre qui ne le lâchait pas; cependant il ne demanda pas à Dieu de le guérir ni d'alléger sa douleur, mais de lui accorder endurance et action de grâces. Il arriva un jour qu'un frère pieux et estimé fut troublé par une suggestion diabolique et voulut partir. Toutes ses exhortations ne parvenant pas à le persuader de rester, l'abbé se leva pour prier et fit des génuflexions. Voyant cela, le frère se leva, lui aussi, et fit de même. S'étant retourné, l'abbé lui fit un signe de croix sur le cœur et lui dit : « Frère, que veux-tu faire maintenant?» Et le frère répondit avec calme : « Tout ce que tu voudras. » « Bon, dit l'abbé, va travailler. » Il s'en alla, comme d'habitude, travailler et il vécut en paix, soumis dans la crainte de Dieu.*

b. Cf. Ap 7, 17 c. Mt 5, 9 d. Col 4, 6 e. Cf. Mt 10, 16
f. Cf. 2 Tm 4, 2

Πάλιν ποτὲ ἀναγκαίως ἔχρῃζεν ὁ αὐτὸς ἀββᾶς τόπου πλησιάζοντος τῷ κοινοβίῳ, εἰς λόγον ἐκκλησίας καὶ ξενοδοχείου. Καὶ παρεκάλεσε τὸν δεσπότην αὐτοῦ παραχωρῆσαι τιμήματος καὶ οὐκ ἠνέσχετο. Καὶ ὀχλούμενος παρὰ τῶν ἀδελφῶν καὶ τῶν παραβαλλόντων κοσμικῶν φιλοχρίστων περὶ τῆς τοῦ τόπου ἀγορασίας καὶ μὴ φέρων τὴν ὄχλησιν καὶ ἀπορῶν τί πρᾶξαι, ἀνήγγειλε τῷ ἄλλῳ Γέροντι. Καὶ εἶπεν αὐτῷ ὁ Γέρων· «Δεῖ τὸν τόπον πάντως ἐλθεῖν, ἀλλ' οὔπω καιρός. Ἐὰν δὲ θλίψῃ σε ὁ λογισμός, εἰπὲ αὐτῷ· Νόμισον ὅτι ἡ στράτα βασιλική ἐστι, μὴ δυνάμεθα αὐτὴν ἀγοράσαι, καὶ οὕτως ἀναπαύῃ.» Ὁσάκις οὖν ὠχλεῖτο ἐκ τούτου τοῦ λογισμοῦ, ἀνετίθει ἑαυτῷ ταῦτα, καὶ ἀνεπαύετο. Μετὰ δέ τινα χρόνον ἐπείσθη ὁ δεσπότης αὐτοῦ παραχωρῆσαι. Ἦν δὲ ἐν αὐτῷ τῷ τόπῳ μοναστήριον μικρόν, καὶ ἀδελφὸς οἰκῶν ἐν αὐτῷ ἐν παροικίᾳ. Καὶ λαβὼν ὁ ἀββᾶς ἰδίᾳ τὸν ἀδελφόν, ἠρώτησεν αὐτὸν εἰ λυπεῖται ἐπὶ τῇ ἀγορασίᾳ, πληροφορήσας αὐτὸν ἐνώπιον τοῦ Θεοῦ, ὅτι ἐὰν λυπῆται, οὐκ ἀγοράζει τὸν τόπον. Κἀκείνου μετὰ χαρᾶς συναινέσαντος, προέβη τὸ πρᾶγμα. Μαθὼν δὲ τοῦτό τις φιλόχριστος, ἀγαπητὸς ὢν κατὰ Θεὸν τοῦ κοινοβίου, οὐ πάνυ ᾠκοδομήθη εἰς τὸν ἀββᾶν, εἰπὼν ἀδιακρίτως αὐτὸν ποιῆσαι, προτιμήσαντα ἑνὸς ἀνθρώπου θεραπείαν τοσούτων ἀδελφῶν δεομένων τῆς ἐκκλησίας καὶ πάνυ θλιβομένων ἐκ τοῦ ταύτην μὴ ἔχειν, καὶ τῶν ἐρχομένων ξένων μὴ δυναμένων τυχεῖν θεραπείας, διὰ τὸ μὴ εὑρίσκειν ποῦ δεξιωθῆναι. Καὶ αἰτήσας συγγνώμην, ἠρώτησεν αὐτὸν ποίῳ σκοπῷ τούτῳ ἐποίησε, ὁμολογήσας αὐτῷ καὶ τὴν ἰδίαν καταλαλιάν. Ὁ δὲ ἀββᾶς μειδιάσας εἶπεν αὐτῷ· Τέκνον, οὐκ ἐζήτουν θλῖψαι τὸν ἀδελφόν, καὶ τὸ πρᾶγμα ἔρριψα εἰς τὸν Θεόν, δοκιμάζων δι' αὐτοῦ τὸ τοῦ Θεοῦ θέλημα. Καὶ πιστεύσας ὅτι ἐὰν θέλῃ ὁ Θεὸς

58-59 ξενοδοχείου : -δοχείων ASK ‖ 63 ἄλλῳ om. R ‖ 66 στράτα + ἡ RI V ‖ 68 ἐκ : ὑπὸ V ‖ ἀνετίθει : ἀντετίθει RI V ‖ 72-73 εἰ – αὐτὸν om. SK ‖ 76 κατὰ θεὸν om. I V ‖ 78 αὐτὸν : αὐτὸ V ‖

Une autre fois, l'abbé Séridos avait absolument besoin d'un terrain voisin du monastère, pour y construire une église et une hôtellerie. Il pria le propriétaire du terrain de le lui céder pour de l'argent, et l'autre refusa. Harcelé, à propos de l'achat de ce terrain, par les frères et par les laïcs qui venaient le voir, il en était agacé et ne savait que faire. Il s'en ouvrit à l'Autre Vieillard, qui lui dit : Il faut absolument que nous ayons ce terrain, mais ce n'est pas encore le moment, Si donc la pensée te tracasse, dis-lui : « Pense que l'emplacement[1] *est réservé à l'empereur et que nous ne pouvons l'acheter», et ainsi elle s'apaisera. Chaque fois donc que cette pensée le tourmentait, il lui répondait cela, et elle se calmait. Quelque temps après, le propriétaire fut résolu à céder le terrain. Mais il y avait en cet endroit un petit ermitage et un frère y vivait en locataire. L'abbé prit ce frère à part et lui demanda s'il s'attristerait de l'achat du terrain, l'assurant devant Dieu que, si cela l'ennuyait, il n'achèterait pas le terrain. Mais le frère ayant acquiescé avec joie, l'affaire avança. Ayant su cela, un pieux laïc, ami du monastère selon Dieu, ne fut pas pleinement édifié de la conduite de l'abbé, affirmant qu'il agissait sans discernement, puisqu'il faisait passer la satisfaction d'un seul homme avant le bien de tant de frères qui avaient besoin d'une église et qui étaient très ennuyés de ne pas en avoir, avant le bien aussi des hôtes qui venaient et qu'on ne pouvait soigner, n'ayant pas où les accueillir. Tout en s'excusant, ce laïc demanda à l'abbé dans quel dessein il avait agi ainsi et lui avoua son propre désaccord. Mais l'abbé lui dit en souriant : « Mon enfant je ne voulais pas affliger le frère, et j'ai remis l'affaire à Dieu, cherchant à connaître par ce frère la volonté de Dieu. J'ai cru fermement que si Dieu voulait que*

1. στράτα : terme rare, qui n'est attesté par aucun dictionnaire de grec ancien, pas même le *Thesaurus Linguae Graecae*. Ce substantif latin (*strata* du verbe *sterno*), transcrit en grec, signifie au IVe s. 'étendue', 'chemin pavé', 'grande route'. On le rencontre chez S. AUGUSTIN, *Sermones* 9, 21 et chez EUTROPE 9, 15 (F. GAFFIOT, *Dict. latin-français*).

ἡμᾶς νῦν λαβεῖν τὸν τόπον, αὐτὸς πληροφορεῖ τὸν ἀδελφὸν μὴ λυπηθῆναι. Ἐὰν δὲ λυπηθῇ, φανεροῦται ὅτι οὔπω θέλει ἡμᾶς λαβεῖν τὸν τόπον. Καὶ ἰδοὺ ὁ Θεὸς ἐπληροφόρησεν αὐτὸν καὶ ἐν χαρᾷ συνήνεσε, καὶ ἐγένετο τὸ πρᾶγμα μετ' εἰρήνης. Καὶ θαυμάσας ἐκεῖνος τοῦ ἀββᾶ τὴν πίστιν, καὶ τὴν εἰς Θεὸν βεβαίαν ἐλπίδα, καὶ τὴν πρὸς τὸν πλησίον ἀγάπην, καὶ τὸ ἀπροσπαθὲς πρὸς τὰ τοῦ κόσμου πράγματα, οὐ γὰρ ἐνίκησεν αὐτὸν τὸ ἀναγκαῖον καὶ κατεπεῖγον τῆς χρείας. Ἔβαλεν αὐτῷ μετάνοιαν, αἰτήσας συγχώρησιν τοῦ ἁμαρτήματος καὶ πάνυ ὠφεληθεὶς καὶ δοξάζων τὸν Θεὸν ἐπὶ τῇ ἀρετῇ τῶν Πατέρων, ἀνεχώρησεν.

571

Ἀδελφός τις φιλόχριστος πολλὴν ἔχων πίστιν εἰς τοὺς ἁγίους Γέροντας, τὸν ἀββᾶν Βαρσανούφιον καὶ ἀββᾶν Ἰωάννην, καὶ παρ' αὐτῶν εἰς ζωὴν ὁδηγηθῆναι βουλόμενος[a], *ἔπεμψεν ἐρωτῶν τὸν ἀββᾶν Ἰωάννην λέγων· Ἐπειδὴ Πάτερ εὔχομαι τοῖς οἰκτιρμοῖς τοῦ Θεοῦ ἀναχωρῆσαι ἐπὶ τὸν μονήρη βίον, καὶ ἀμφιβάλλω, εἰ χρή με ἐντεῦθεν ἤδη πᾶσιν ἀποτάξασθαι καὶ ἀναχωρῆσαι ἢ πρῶτον ποιῆσαι κατάστασιν τοῖς πράγμασιν καὶ οὕτως ἐξελθεῖν, ἵνα εὕρω ἐν τῇ ἀναχωρήσει τὴν ἀμεριμνίαν*[b], *καὶ μάλιστα διὰ τὴν ἐμὴν γραῖαν καὶ τοὺς παῖδας καὶ τὴν πρᾶσιν τῶν χωρίων. Λέγει δέ μοι ὁ λογισμὸς παρασχεῖν*

88-90 αὐτὸς – τόπον om. SK

L. 571 RASKI V

3-4 καὶ παρ' – ἰωάννην om. R ‖ 4 λέγων : ἠρώτησεν λέγων R ‖ 5 ἐπειδὴ – οἰκτιρμοῖς om. SK ‖ τοῦ θεοῦ om. K ‖ 6 ἐπὶ : πρὸς K ‖ 7 πᾶσιν om. RI V ‖ 8 πρῶτον : πρότερον V

nous ayons maintenant l'emplacement, il inspirerait lui-même à ce frère de ne pas s'en attrister. Si au contraire il s'en attristait, ce serait le signe évident que Dieu ne voulait pas encore que nous fassions l'acquisition du terrain. Or voici que Dieu a bien inspiré le frère qui a acquiescé avec joie et la chose s'est faite dans la paix.» L'autre admira la foi de l'abbé et sa ferme espérance en Dieu, son amour du prochain et son indifférence pour les choses du monde; car il ne s'était pas laissé vaincre par la nécessité et l'urgence du besoin. Il se prosterna devant lui, lui demanda le pardon de sa faute et se retira édifié au plus haut point et glorifiant Dieu pour la vertu des Pères.

571

À ÉLIEN, SUCCESSEUR DE SÉRIDOS

Un frère, pieux laïc [1], *qui avait grande confiance dans les saints Vieillards, l'abbé Barsanuphe et l'abbé Jean, et qui désirait être conduit par eux à la vie* [a], *envoya la demande suivante à l'abbé Jean : Père, je souhaite, par la miséricorde de Dieu, me retirer dans la vie monastique, mais j'ai une hésitation : me faut-il dès à présent renoncer à tout et me retirer du monde, ou bien mettre ordre d'abord à mes affaires et partir ensuite* [2], *afin que je me trouve sans soucis dans ma retraite* [b], *surtout au sujet de ma femme, des enfants et de la vente de mes champs. La pensée m'est venue de l'établir auprès de ses cousins et de*

571. a. Cf. Ap 7, 17 b. Cf. 1 Co 7, 32

1. Il s'agit d'Élien qui a décidé de devenir moine et qui avait déjà interrogé les deux Vieillards quand il était pieux laïc (L. 463-482). Les L. 574-598 contiennent les questions d'Élien, devenu abbé, sur la gestion du monastère.

2. Cf. *Alph. Arsène*, 40; voir L. 256.

αὐτὴν ἐγγὺς τῶν ἀνεψιῶν αὐτῆς καὶ δοῦναι αὐτοῖς φανερὰ χωρία τὰ ἀρκοῦντα εἰς ἀποτροφὴν αὐτῆς καὶ τῶν οἰκετῶν. Καὶ οὕτω μεῖναι καὶ φροντίσαι τῆς πράσεως τῶν ἄλλων χωρίων. Εἰπὲ οὖν μοι Πάτερ, τί βέλτιον καὶ τί ὀφείλω πρᾶξαι, ὅτι πάντα ὁ Θεὸς ὑμῖν ἀποκαλύπτει τὰ συμφέροντα.

Ἀπόκρισις Ἰωάννου·

Συγχώρησόν μοι, κύριε ἄδελφε, ὅτι ἄνθρωπός εἰμι ἰδιώτης[c], μὴ καθαρίσας τὴν δεξιὰν ἐκ τῆς ἀριστερᾶς. Ὡς οὖν, κύριε, ἡ Γραφὴ εἶπεν· «Οὐδεὶς ἐπιβαλὼν τὴν χεῖρα ἐπ᾽ ἄροτρον καὶ προσέχων εἰς τὰ ὀπίσω, ὑπάγει εὐθέως[d]» καὶ μνημόνευε τὴν γυναῖκα Λώτ[e]. Καὶ πάλιν ὁ λέων μιᾶς τριχὸς κατέχεται, καὶ ὁ ἀετὸς εἰς τὸ ἄκρον τοῦ ὄνυχος αὐτοῦ. Δὸς οὖν τὴν γραῖαν ἐγγὺς τῶν ἀνεψιῶν αὐτῆς, καὶ ἀεὶ ἔχει τὴν ἀμεριμνίαν. Καὶ ψήφισον τὰ ἀναλώματα αὐτῆς καὶ τῶν παιδίων, καὶ δίδεις αὐτοῖς χωρία. Καὶ ἀεὶ χορηγοῦσιν αὐτῇ τὴν χρείαν ἐκ τῆς προσόδου τῶν χωρίων, ἔχοντες καὶ πρόφασιν τοῦ ἐλπίσαι κληρονομῆσαί τι ἐξ αὐτῶν μετὰ τὴν κοίμησιν τῆς γραίας, ἀνθ᾽ ἧς εὑρίσκει παρ᾽ αὐτῶν ἀναπαύσεως. Ἐρώτησον δὲ τὸν ἅγιον Γέροντα, εἰ χρεία ἐστὶ μεῖναι καὶ πωλῆσαι τὰ λοιπὰ χωρία καὶ ὡς λέγει σοι ποίησον. Καὶ ἀμεριμνεῖς ἐν Κυρίῳ, οὐ γὰρ μακράν ἐστιν ἀφ᾽ ἡμῶν, ἀλλὰ βλέπει εἰ εὔθετός ἐστιν ἡ καρδία ἡμῶν καὶ κατὰ τὴν προαίρεσιν εὐοδοῖ. Λαμβάνων οὖν τὴν ἐντολὴν παρὰ τοῦ Γέροντος, μετὰ θάρσους ἀνεκλύτως πρόσελθε τοῖς λεγομένοις παρ᾽ αὐτοῦ, καὶ κατὰ τὴν πίστιν σου εὐοδοῖ σε ὁ Κύριος ἐν τάχει.

12 αὐτὴν : αὐτῇ V ‖ 15 οὖν om. I V ‖ τί[1] + περιελθεῖν V ‖ 19 ἐκ : ἀπὸ R V ‖ 20 χεῖρα + αὐτοῦ RI V ‖ 21 προσέχων – ὀπίσω : στραφεὶς ὀπίσω R ‖ 22 τὴν γυναῖκα : τῆς γυναικὸς RI V ‖ 25 ἔχει : ἔχε K V ‖ 26 παιδίων : παίδων R V ‖ δίδεις : δίδως RI V ‖ καὶ[3] ἀεὶ : οἱ δὲ ἀεὶ V ‖ 34 ἡμῶν om. V ‖ 34 ... 37 εὐοδοῖ : εὐδοκεῖ I V ‖ 37 κύριος : θεὸς I V

leur donner un fonds de terre suffisant pour sa subsistance et celle de la maisonnée. Il me resterait ensuite à m'occuper de la vente des autres terres. Dis-moi donc quel est le meilleur parti à prendre et ce que je dois faire, car à vous Dieu révèle tout ce qui est utile.

Réponse de Jean :

Excuse-moi, seigneur frère, je suis un homme simple[c], qui ne distingue pas la droite de la gauche. Mais, seigneur, comme l'a dit l'Écriture, « quiconque met la main à la charrue et regarde en arrière, ne part pas comme il faut[d] » et souviens-toi de la femme de Lot[e]. Souviens-toi aussi que le lion est retenu par un seul crin, et l'aigle par l'extrémité de sa griffe. Installe donc ta femme près de ses cousins, et elle sera pour toujours sans souci. Évalue les frais d'entretien pour elle et les enfants, et donne-leur des terres. Eux ne cesseront de lui fournir son nécessaire sur le revenu des terres, ayant une bonne raison d'espérer en hériter quelque chose après sa mort, en retour du bien-être qu'elle aura trouvé auprès d'eux. Demande au saint Vieillard s'il te faut rester pour vendre les autres terres, fais comme il te dira. Et sois sans souci dans le Seigneur, car il n'est pas loin de nous, mais il voit si notre cœur est bien disposé et il nous conduit heureusement selon notre bon propos. Lors donc que tu auras reçu l'ordre du Vieillard, marche avec confiance et sans hésitation à ce qu'il t'aura dit, et selon ta foi le Seigneur te fera vite réussir ton voyage.

c. Cf. 2 Co 11, 6 d. Lc 9, 62 e. Cf. Gn 19, 17.26; Lc 17, 32

572

Ἐρώτησις τοῦ αὐτοῦ πρὸς τὸν μέγαν Γέροντα· Πάτερ ὅσιε, οἶδα ὅτι ὑπερβαίνει με τὸ ἐρωτᾶν τὴν ἁγιωσύνην σου περὶ λογισμῶν. Ἀλλ' ἀκούσας τῆς θείας φωνῆς λεγούσης ὅτι «Οὐ χρείαν ἔχουσιν οἱ ὑγιαίνοντες ἰατροῦ, ἀλλ' οἱ κακῶς ἔχοντες[a]», καὶ βλέπων ἐμαυτὸν συνεχόμενον ἀπὸ πλήθους τῶν κακῶν μου πράξεων καὶ ἐνθυμήσεων, εἰς τὸ πέλαγος τῶν οἰκτιρμῶν σου ἐμαυτὸν ἔρριψα, διὰ τὸν εἰπόντα ὅτι «Ζῶ ἐγώ, λέγει Κύριος ὅτι οὐ θέλω τὸν θάνατον τοῦ ἁμαρτωλοῦ, ὡς τὸ ἐπιστρέψαι καὶ ζῆν αὐτόν[b]», ἵνα διὰ σοῦ ἀκούσω κἀγὼ παρ' αὐτοῦ ὅτι «Τέκνον, ἀφέωνταί σοι αἱ ἁμαρτίαι σου αἱ πολλαί[c].» Οἶδα καὶ πιστεύω ὅτι ἐχαρίσατο ὑμῖν ὁ Θεὸς τὸ γνῶναι διὰ τοῦ ἁγίου αὐτοῦ Πνεύματος πρὸ τοῦ αἰτῆσαι ὑμᾶς τί ἐστιν ὃ θέλω, καὶ περὶ ποίων λογισμῶν αἰτῶ. Ἀλλ' ἐπειδὴ ἤκουσα τοῦ Προφήτου λέγοντος· «Εἰπὲ πρῶτος τὰς ἀνομίας σου, ἵνα δικαιωθῇς[d]», διὰ τοῦτο κἀγὼ ἐν γράμμασι σημειοῦμαι, παρακαλῶν μὴ παριδεῖν μου τὴν ἀθλιότητα, ἀλλὰ προσδέξασθαι ταύτην τὴν δέησιν παρ' ἐμοῦ τοῦ ἁμαρτωλοῦ. Ἐδόθη γὰρ ὑμῖν ἐξουσία παρὰ τοῦ Θεοῦ τοῦ ἐξαγαγεῖν ἐκ σκότους καὶ σκιᾶς θανάτου[e] καὶ ὁδηγῆσαι πρὸς τὸ φῶς τὸ ἀληθινόν[f], ὅτι χρηστός ἐστιν. Τί οὖν κελεύετέ μοι ποιῆσαι, ἀποτάξασθαί με πᾶσιν ὑφὲν ἐντεῦθεν ἤδη καὶ ἐᾶσαι τὰ πράγματα ἀπρονόητα ἢ πρῶτον ποιῆσαι κατάστασιν, εἶθ' οὕτως ἀναχωρῆσαι; Μήποτε εὕρω τὴν τούτων μέριμναν θλίβουσάν με ἐν τῇ ἀναχωρήσει, καὶ ταραχώδεις λογισμοὺς ἐπιχορηγοῦσάν μοι, οἵτινες πνίγουσι τοὺς καλοὺς καὶ πνευματικοὺς καρπούς[g]. Καὶ εἰ προστάσσετε τὸ διατάττεσθαί με πρῶτον, κελεύσατέ μοι

L. 572 RASKI V

1-2 πάτερ ὅσιε om. V ‖ 10 διὰ σοῦ : δι' αὐτοῦ K ‖ ὅτι om. I V ‖ 11 σοι om. V ‖ 14 αἰτῶ : ἐρωτῶ RI V ‖ 15 πρῶτος : πρῶτον V ‖ 16 ἀνομίας : ἁμαρτίας RI V ‖ 18 προσδέξασθαι : δέξασθαι I V ‖

572

Demande du même au Grand Vieillard : Vénérable Père, je sais bien qu'il n'est pas à ma mesure d'interroger ta sainteté au sujet des pensées. Mais ayant entendu la voix divine dire : « Ce ne sont pas les gens bien portants qui ont besoin de médecins mais les malades[a] *», et me voyant oppressé par une foule d'actions et de pensées mauvaises, je me jette dans l'océan de tes miséricordes, à cause de celui qui dit : « Aussi vrai que je vis, dit le Seigneur, je ne veux pas la mort du pécheur, mais qu'il se convertisse et qu'il vive*[b] *», afin que par toi, moi aussi, j'entende dire de sa part : « Enfant, tes péchés nombreux te sont remis*[c]*. » Je sais et j'ai confiance que Dieu vous a gratifiés de connaître par son Saint-Esprit ce que je veux, avant que je vous le demande, et au sujet de quelles pensées j'ai à vous interroger. Mais, comme j'ai entendu le Prophète dire : « Dis, le premier, tes péchés, afin d'être justifié*[d] *», je les confesserai moi aussi par écrit, en te suppliant de ne pas te détourner de ma misère, mais d'agréer volontiers cette supplique du pécheur que je suis. Il vous a en effet été accordé par Dieu le pouvoir d'arracher aux ténèbres et à l'ombre de la mort*[e]*, et de conduire à la lumière véritable*[f]*, car il est propice. Que m'ordonnez-vous de faire : renoncer à tout dès à présent d'un seul coup et laisser les choses non réglées d'avance, ou bien mettre d'abord ordre aux affaires et me retirer seulement ensuite? Je ne voudrais pas que ces soucis viennent me troubler dans ma retraite et me suggérer des pensées inquiétantes qui étoufferaient les bons fruits spirituels*[g]*. Au cas où vous me donneriez l'ordre de régler d'abord mes*

22-23 ἐντεῦθεν – πράγματα om. V ‖ 25 τούτων om. I V ‖ 28 διατάττεσθαί : διατάξασθαί RI V ‖ μοι : με V

572. a. Lc 5, 31 b. Ez 18, 23 c. Lc 7, 47-48 d. Is 43, 26 e. Cf. Ps 106, 14 f. Jn 1, 9 g. Cf. Mt 13, 7

σημᾶναι εἰ χρή τι φροντίσαι τῆς πράσεως τῶν μικρῶν μου χωρίων, καὶ αἰτήσατέ μοι τὴν παρὰ τοῦ Θεοῦ βοήθειαν. Οὐχ ὡς θαρρῶν ἐμαυτῷ ὅτι δύναμαι φυλάξαι τὰ παρ' ἡμῶν κελευόμενα ἐπερωτῶ, ἀλλ' ἔχων τὰς ἐλπίδας εἰς τὰς εὐχὰς ὑμῶν εἰς τὸ κελεῦσαι καὶ βοηθῆσαι. Ἐὰν γὰρ αἰτήσητε τὸν Θεὸν ὑπὲρ ἐμοῦ, ἵνα κατευοδώσῃ μοι ὁ Κύριος τὸ καλὸν καὶ τὸ συμφέρον, καὶ παράσχῃ μοι δύναμιν εἰς τὸ φυλάξαι, οὐκ ἀθετεῖ τὴν αἴτησιν ὑμῶν. Τοῦτο γὰρ καὶ μόνον παραθαρρύνει μου τὴν ἀσθένειαν.

Ἀπόκρισις Βαρσανουφίου·

Τέκνον, ὅτι ὁ καιρὸς πονηρός ἐστι[h], δῆλον, καὶ ὁ δυνάμενος φυγεῖν, σῴζεται κατὰ τὸν Λὼτ ἀπὸ Σοδόμων[i]. «Καὶ γὰρ ὁ κόσμος ἐν τῷ κακῷ κεῖται[j]», κατὰ τὸ γεγραμμένον, καὶ τοὺς ἐν αὐτῷ πάντως κατ' αὐτὸν ἐργάζεται. Πλεκόμενοι γὰρ τοῖς γηΐνοις γήϊνοι γίνονται, οἱ δὲ ἀποτασσόμενοι τούτοις ἐκ τῆς γῆς ἀνῆλθον, οὐκοῦν δῆλον ὅτι καὶ οὐράνιοι γίνονται. Καὶ οὐ συνιῶμεν οἱ ἄθλιοι, ὅτι καὶ μὴ θέλοντες διὰ τὸν Θεὸν ἀναχωρῆσαι ἀπὸ τούτων, ἀναχωρῆσαι ἔχομεν ἐν τῇ ὥρᾳ τοῦ θανάτου ἄκοντες. Τέκνον, ἡ ἐπιτροπὴ τοῦ Θεοῦ ἐστιν ἵνα εὐθὺς κόψῃ ὁ ἄνθρωπος ἀπὸ ὅλων. Τῷ γὰρ προσελθόντι αὐτῷ ἀνθρώπῳ αἰτοῦντι καὶ λέγοντι· « Ἀκολουθήσω σοι ὅπου ἂν ἀπέρχῃ Κύριε, ἐπίτρεψόν μοι δὲ πρῶτον τοῦ διατάξασθαι τοῖς ἐν τῇ οἰκίᾳ μου», εἶπεν· «Οὐδεὶς ἐπιβαλὼν τὴν χεῖρα αὐτοῦ ἐπ' ἄροτρον καὶ στραφεὶς εἰς τὰ ὀπίσω, εὔθετός ἐστιν εἰς τὴν βασιλείαν τῶν οὐρανῶν[k].» Καὶ πάλιν ἄλλῳ εἶπεν· « Ἄφες τοὺς νεκροὺς θάψαι τοὺς ἑαυτῶν νεκρούς[l].» Καὶ πάλιν· « Ὁ φιλῶν πατέρα ἢ μητέρα ὑπὲρ ἐμέ, οὐκ ἔστι μου ἄξιος[m]», καὶ τὰ ἑξῆς. Καὶ πάλιν· «Εἴ τις ἔρχεται πρὸς

32 τὰς ἐλπίδας : ἐλπίδα I V ‖ 35 κύριος + εἰς KR ‖ 41 κακῷ : καιρῷ ASK ‖ 45 συνιῶμεν : συνίεμεν V ‖ 50 ἂν : ἐὰν RI V ‖ 51 τοῦ om. RK V ‖ τοῖς om. I V ‖ τῇ οἰκίᾳ : τῷ οἴκῳ I V ‖ 57-58 καὶ[2] πάλιν – ἑξῆς om. RSKI V

affaires, voulez-vous m'indiquer s'il faut m'occuper de la vente de mes petits champs, et demandez pour moi l'aide de Dieu. Je vous interroge, non parce que j'ai confiance de pouvoir par moi-même observer ce que vous m'aurez commandé, mais parce que j'espère en vos prières pour les ordres et l'aide que vous me donnerez. Car si vous demandez à Dieu pour moi que le Seigneur m'achemine vers ce qui est bon et utile, et qu'il me donne la force de le garder, il ne méprisera pas votre demande. C'est en effet cela et cela seulement qui donne courage à ma faiblesse.

Réponse de Barsanuphe :

Enfant, les temps sont mauvais[h], c'est clair, et celui qui peut fuir, se sauvera comme Lot de Sodome[i]. Le monde en effet gît dans le mal[j], ainsi qu'il est écrit, et ses habitants travaillent absolument contre lui. Car ceux qui sont enlacés dans les choses terrestres deviennent terrestres, mais ceux qui s'en séparent s'élèvent au-dessus de la terre; il est donc clair qu'ils deviennent célestes. Et nous ne comprenons pas, malheureux que nous sommes, que même si nous ne voulons pas nous en séparer à cause de Dieu, nous devrons nous en séparer à l'heure de la mort, contre notre gré. Enfant, la prescription de Dieu est que l'homme rompe sur-le-champ avec toutes choses. Car à l'homme qui venait le trouver en lui demandant : «Je te suivrai, Seigneur, partout où tu iras, mais permets-moi d'abord de mettre ordre à mes affaires dans ma maison», il a dit : «Quiconque met la main à la charrue et regarde en arrière, est impropre au royaume des cieux[k].» Il a dit aussi à un autre : «Laisse les morts enterrer leurs morts[l].» Et encore «Celui qui aime son père ou sa mère plus que moi n'est pas digne de moi[m]», etc. Et encore : «Si quelqu'un vient à moi, et

h. Ep 5, 16 i. Cf. Gn 19, 15-29 j. 1 Jn 5, 19 k. Lc 9, 61-62 l. Lc 9, 60 m. Mt 10, 37

μὲ καὶ οὐ μισεῖ πατέρα καὶ μητέρα[n]», καὶ τὰ ἑξῆς. Τί δὲ ὅτι καὶ τὴν ἑαυτοῦ ψυχὴν εἶπε μισῆσαι; Καὶ πῶς μισεῖ τις τὴν ἑαυτοῦ ψυχήν, ἀλλ' ἢ ἐν τῷ κόψαι τὸ ἴδιον θέλημα τῷ Κυρίῳ ἐν πᾶσι, λέγων · «Οὐχ ὡς ἐγὼ θέλω, ἀλλ' ὡς σύ[o];» Καὶ εἰ ὅλως λέγεις τοῦτο, ἰδοὺ θέλημα αὐτοῦ ἐστιν, ἵνα ἀφήσωμεν ὅλα καὶ ἀκολουθήσωμεν αὐτῷ. Τί οὖν; Οὐκ ἀφοῦμεν; Ἀλλ' ἐπειδὴ διὰ τὴν ἀσθένειαν ἡμῶν οὐκ ἐφθάσαμεν εἰς τοῦτο, κἂν βάλωμεν κάτω τὸν αὐχένα, ἐπιγινώσκοντες ἡμῶν τὴν ἀδυναμίαν καὶ μείνωμεν διατάξασθαι. Μὴ μεγαλοφρονήσωμεν, ὡς καλῶς ποιοῦντες, ἀλλ' ὅτι ἀκμὴν τὰ τῶν ἀρρώστων ποιοῦμεν. Οἱ γὰρ τελείως ἀποτασσόμενοι τῷ κόσμῳ, ἐφάπαξ ἐκτινάσσουσιν ἑαυτούς. Τοίνυν καὶ σὺ τέκνον, ὡς ἀσθενὴς καὶ οὐχ ὑγιὴς τελείως, διάταξαι πρῶτον τὸ μὴ πωλῆσαι μέν, ἀναπαῦσαι δέ σου τὴν γραῖαν, ἀλλ' εὑρίσκεις ἑαυτῷ παγίδα ἐν τοῖς πράγμασι. Διάταξον οὖν αὐτὴν κατὰ τὴν τοῦ ἀδελφοῦ Ἰωάννου ἀπόκρισιν. Καὶ περὶ τῆς πράσεως τῶν χωρίων, φροντίζει σου ὁ Κύριος καὶ οἰκονομήσει σε ῥίψαντα τὴν μέριμναν ἐπ' αὐτόν[p]. Καθ' ἡμέραν δὲ καὶ κατὰ νύκτα μνήσκου τοῦ εἰπεῖν αὐτῷ ὅτι «Δέσποτά μου κατευόδωσόν μοι τὴν ὁδὸν κατὰ τὸ θέλημά σου, πρὸς τὸ καλόν μου καὶ συμφέρον.» Αὐτὸς γὰρ πλειότερον παντὸς ἀνθρώπου οἶδε πῶς ἐξαγάγῃ ἡμᾶς μετὰ ἀνέσεως ἀπὸ τῆς φυλακῆς τοῦ ζόφου, ἀπὸ τῆς συνοχῆς, λέγω τῶν τοῦ κόσμου τούτου τοῦ ματαίου πραγμάτων. Μὴ οὖν ἐκλυθῇ σου ἡ καρδία. Ἐλπίζω γάρ μου εἰς τὸν Θεὸν ὅτι ἐπὶ τῇ στάσει τῶν ποδῶν μου βλέπω σε καρποφορήσαντα τῷ Θεῷ.

61 ἐν πᾶσι om. R ‖ 63 ἀφήσωμεν : ἀφῶμεν V ‖ ὅλα : πάντα R ‖ 64 ἀφοῦμεν : ἀφῶμεν I V ‖ 69 ἐκτινάσσουσιν : ἀποτινάσσουσιν I ἀποτινάσσονται V ‖ 72 ἑαυτῷ : σεαυτῷ K V ‖ 73 αὐτὴν : αὐτῇ RSK ‖ 74 τῶν χωρίων : τοῦ χωρίου RI V ‖ 74 φροντίζει : -τίσει RI V ‖ 75 σου om. I V ‖ οἰκονομήσει : οἰκονομεῖ KI ‖ σε (correxi) : σοι K σου τὸν βίον RI V om. AS ‖ ῥίψαντα : ῥίψαντι K ῥίψαντος I V ‖ 76 μνήσκου : μιμνήσκου V ‖ 77 εἰπεῖν : λέγειν V ‖ 79 πλειότερον : πλεῖον V ‖ παντὸς om. ASK ‖ 80 ἐξαγάγῃ : ἐξάγει I V ‖ 84 καρποφορήσαντα : -φοροῦντα RI V ‖ τῷ θεῷ : τὸν θεὸν ASK

s'il n'a pas de haine pour son père, sa mère[n]», etc. Et pourquoi a-t-il dit d'avoir en haine jusqu'à son âme à soi? Et comment a-t-on de la haine pour son âme à soi, si ce n'est en retranchant sa volonté propre en tout pour le Seigneur, en disant: «Non comme je veux, mais comme toi tu veux[o]»? Or si tu dis absolument cela, voici quelle est sa volonté, c'est que nous abandonnions tout et que nous le suivions. Quoi donc? Nous n'avons pas tout abandonné? Eh bien! puisque, par suite de notre faiblesse, nous n'y sommes pas parvenus, baissons du moins la tête, reconnaissant notre impuissance, et restons à mettre ordre à nos affaires. Ne nous enorgueillissons pas, comme si nous faisions une belle chose, alors que nous n'agissons encore que comme des malades. Car ceux qui renoncent parfaitement au monde, s'en débarrassent une fois pour toutes. Donc, toi aussi, enfant, faible comme tu es et de santé déficiente, prends d'abord les dispositions pour la part à ne pas vendre et pour assurer le bien-être de ta femme; autrement, les soucis matériels te seraient un piège. Règle donc ce qui la concerne, comme te l'a dit dans sa réponse le frère Jean. Pour la vente des champs, le Seigneur a soin de toi et il pourvoira à ta subsistance, si tu rejettes sur lui ton souci[p]. N'oublie pas de lui dire jour et nuit: Mon Maître, achemine-moi sur la voie de ta volonté vers ce qui m'est bon et utile. Car beaucoup mieux que tout homme, il sait comment nous tirer aisément de cette prison de ténèbres, de ces liens, je veux dire des affaires de ce vain monde. Que ton cœur ne se relâche donc pas. J'ai en effet bon espoir, grâce à Dieu, de te voir à la place où se tiennent mes pieds, fructifier pour Dieu.

n. Lc 14, 26 o. Mt 26, 39 p. Cf. Ps 54, 23; 1 P 5, 7

573

Αἴτησις τοῦ αὐτοῦ πρὸς τὸν αὐτὸν Γέροντα· Πάτερ ὅσιε, εὐχαριστῶ τῷ φιλανθρώπῳ Θεῷ ὅτι οὐκ ἀπέστρεψας τοὺς οἰκτιρμούς σου ἀπ' ἐμοῦ[a]. *Τελείωσον οὖν τὸ ἔλεός σου μετὰ τοῦ δούλου σου*[b], *καὶ δεήθητι τοῦ Δεσπότου Θεοῦ περὶ τῆς σωτηρίας τῆς ψυχῆς μου, καὶ ἵνα ῥυσθῶ τῶν παθῶν καὶ τῆς πονηρᾶς λήθης καὶ ἵνα εὕρω ἔλεος διὰ τῶν ἁγίων χειρῶν σου ἔν τε τῷ αἰῶνι τούτῳ καὶ ἐν τῷ μέλλοντι*[c], *καὶ ἵνα ἐν τῇ ὑμετέρᾳ σκέπῃ διάγων ἐξέλθω ἐκ τοῦ σώματος, καὶ ἁπλῶς ἵνα γένωμαί σου δοῦλος εἰς τὸν αἰῶνα, χάριτι καὶ μόνῃ τῆς ἀγαθῆς σου πολιτείας ἀπολαύων.*

Ἀπόκρισις Βαρσανουφίου·

Τέκνον, καλῶς ἔγραψας περὶ τῆς λήθης, εἰ μὴ γὰρ ἐπελάθου τῶν γραφέντων σοι παρ' ἐμοῦ, μαθεῖν εἶχες ἀπ' αὐτῶν, ὅτι ἐπληροφόρησέ με ὁ Δεσπότης ἡμῶν Θεός, ὁ ἐλεήμων καὶ προγνώστης Κύριος, ἔχειν σε υἱὸν γνήσιον πνευματικόν. Μυστήριά σοι ἐθάρρησα ἃ πολλοῖς οὐκ ἐθάρρησα, ὑπόδειγμα υἱοθεσίας. Τίνι γὰρ θαρρεῖ ὁ πατήρ, εἰ μὴ τῷ υἱῷ; Καὶ ταῦτα κατὰ πρόσβασιν κατὰ τὴν αὐτοῦ προκοπήν, ὡς δύναται καὶ βαστάξαι καὶ φυλάξαι. Καὶ ὅλη ἡ δέησίς μου ὑπὲρ σοῦ πρὸς τὸν Θεὸν καὶ ἡ προσευχή μου, ἵνα ἐλευθερώσῃ σε ἀπὸ ὅλων τῶν παθῶν τῆς ἀτιμίας, μεθ' ὧν ψηφίζεται καὶ ἡ λήθη, καὶ ἵνα πέμψῃ σοι Πνεῦμα διδάσκον σε περὶ πάντων[d], καὶ ἵνα μὴ χωρισθῇς ἡμῶν μήτε ἐν τῷ νῦν αἰῶνι, μήτε ἐν τῷ μέλλοντι[e]. Τῷ γὰρ Θεῷ πεφανέρωται πῶς πέπηκταί σου τὸ μνημόσυνον εἰς τὴν ἐμὴν καρδίαν, καὶ πιστεύω ὅτι οὐ γίνεται αὐτοῦ ἐξάλειψις εἰς τὸν αἰῶνα. Πίστευσόν μοι ὅτι ἤδη ἐχαρίσατό μοι ὁ Θεὸς σεσωσμένην τὴν ψυχήν σου εἰς ζωὴν αἰώνιον.

L. 573 RASKI V
2 φιλανθρώπῳ om. RI V ‖ 4 δεσπότου om. SK ‖ 6 καί[2] ἵνα εὕρω ἔλεος om. V ‖ 7 ἔν τε : καὶ ἐν I V ‖ αἰῶνι τούτῳ : νῦν αἰῶνι V ‖ 15 θεός om. V ‖ 22 ὅλων : πάντων V ‖ τῆς ἀτιμίας om. ASK ‖

573

Demande du même au même Vieillard : Vénérable Père, je rends grâces à Dieu, ami des hommes, de ce que tu n'as pas détourné de moi ton cœur compatissant[a]*. Mets donc le comble à ta miséricorde envers ton serviteur*[b]*, et prie le divin Maître pour le salut de mon âme, afin que je sois arraché aux passions et à l'oubli pernicieux et que j'obtienne miséricorde par tes saintes mains, dans le siècle présent et dans le futur*[c]*; afin aussi que je sorte de ce corps, assuré de votre protection; en bref, que je devienne ton serviteur pour l'éternité, jouissant de la grâce unique de ta sainte vie.*

Réponse de Barsanuphe :

Enfant, tu fais bien de parler de l'oubli, car si tu n'avais pas oublié les choses qui t'ont été écrites de ma part, tu saurais par elles que notre Maître Dieu le miséricordieux et prévoyant Seigneur, m'a persuadé de te traiter en vrai fils spirituel. Je t'ai confié des secrets que je n'ai pas confiés à beaucoup, ce qui est une preuve d'adoption filiale. Car à qui se confie le père, si ce n'est à son fils? Et cela progressivement selon sa croissance, dans la mesure de ce qu'il peut porter et garder. Tout ce que je demande à Dieu pour toi dans ma prière, c'est qu'il te délivre de toutes les passions honteuses, parmi lesquelles il faut compter aussi l'oubli; qu'il t'envoie l'Esprit pour t'enseigner sur toutes choses[d], et que tu ne sois séparé de nous ni dans le siècle présent, ni dans le futur[e]. Car Dieu voit clairement comment ton souvenir est fixé en mon cœur, et j'ai confiance qu'il n'en sera jamais effacé. Crois-moi, Dieu m'a gratifié du salut de ton âme pour la vie éternelle. Mais fais attention avec

29 σεσωσμένην om. RI V

573. a. Cf. Ps 65, 20 b. Cf. Ps 118, 124 c. Cf. Mt 12, 32 d. Cf. Jn 14, 26 e. Cf. Mt 12, 32

Ἀλλὰ πρόσχες μετὰ ἀσφαλείας, καὶ μὴ πάλιν ἐπιλάθῃ τοῦ φυλάξαι ἀδιστάκτως ἔχειν τὴν μνήμην τῶν εἰρημένων, καὶ μὴ ἀμελήσῃς. Πολλοὶ γὰρ μετὰ τὸ κερδάναι καὶ σφραγίσαι τὸ χρυσίον, ἠμέλησαν καὶ βεβουλισμένον αὐτὸ ἀπώλεσαν. Ἐὰν γὰρ μὴ φιλοκαλήσῃ ἄνθρωπος καὶ σπείρῃ τὴν γῆν αὐτοῦ πρὸς ὑποδοχὴν τοῦ ὑετοῦ, ὅλοι οἱ ὄμβροι ἐὰν βρέξωσιν, οὐδὲν αὐτὸν ὠφελοῦσιν εἰς καρποφορίαν. Βλέπε μὴ ῥαθυμήσῃς βλέπων ἄλλον βαστάζοντά σου τὸ γομάριον, καὶ σπαταλήσῃς. Οὐ γὰρ εἶπε· « Ὅλα ἰσχύει δέησις δικαίου ἐνεργουμένη », ἀλλὰ « πολλά[f] », τοῦτ' ἔστι πολλὰ ἐκ τῶν προκειμένων. Ποίησον τὴν δύναμίν σου. Πολλοὶ γὰρ ἦσαν μετὰ τοῦ Ἰησοῦ καὶ ἀπηλλοτριώθησαν ἀπ' αὐτοῦ. Καὶ ὁ Ἀπόστολος λέγει· « Εἰ δὲ ὁ ἄπιστος χωρίζεται, χωριζέσθω[g]. » Ἀλλὰ μὴ συγχωρήσῃ ὁ Θεὸς ἵνα ταῦτα εἰς σὲ πληρωθῶσιν, ἀλλ' ἵνα μένῃς υἱὸς γνήσιος ποθεινότατος τῶν κατὰ Χριστόν μου ὠδίνων, πρόβατον τῆς ποίμνης[h] τοῦ Χριστοῦ, σκεῦος ἡγιασμένον[i], κληρονόμος τῆς δόξης[j], καὶ κατὰ τὰς ἐντολὰς τοῦ Χριστοῦ πολιτευσάμενος, τύχῃς τῆς αἰωνίου ζωῆς[k]. Μὴ καταισχύνῃς μου τὸ γῆρας. Θεὸς γὰρ οἶδε πῶς ποιῶ μου τὴν δύναμιν ὑπὲρ τῆς σῆς σωτηρίας, δεόμενος αὐτοῦ, ἵνα εἰς τὸν αἰῶνα τάξῃ σε μετὰ τῶν ἁγίων αὐτοῦ συγκληρονόμον τῶν μελλόντων αὐτοῖς ἀγαθῶν[l], « ὅπου ὀφθαλμὸς οὐκ εἶδε καὶ οὖς οὐκ ἤκουσε καὶ ἐπὶ καρδίαν ἀνθρώπου οὐκ ἀνέβη, ἃ ἡτοίμασεν ὁ Θεὸς αὐτοῖς[m]. » Ἐν οἷς εἴη σου τὸ μέρος καὶ ἡ κληρονομία εἰς τοὺς αἰῶνας τῶν αἰώνων. Ἀμήν. Καὶ εἰπάτωσαν αἱ ἄνω δυνάμεις καὶ οἱ κάτω ἀκμὴν ἐν τῷ σώματι ἅγιοι· Ἀμήν, ἀμήν, ἀμήν. Γένοιτο, γένοιτο, γένοιτο! Καὶ σφραγίσει ὁ Πατήρ, ὁ Υἱὸς καὶ τὸ Πνεῦμα τὸ ἅγιον.

36 αὐτὸν om. I V ‖ 38 ὅλα : πολὺ RI V ‖ 52 ὅπου : ἃ K ‖ 54 αὐτοῖς + τοῖς ἀγαπῶσιν αὐτόν I ‖ 57 ἀμήν[3] γένοιτο[1] om. RKI V ‖ 58 σφραγίσει : -γίσοι V

précaution, n'oublie pas encore une fois de veiller à garder continuellement le souvenir de mes paroles, et ne sois pas négligent. Beaucoup, en effet, après avoir acquis et scellé le trésor, ont perdu, par leur négligence, l'objet de leurs désirs. De fait, si l'homme ne nettoie et n'ensemence sa terre avant qu'elle ne reçoive la pluie, toutes les averses qui pourront l'arroser, ne serviront à rien pour lui faire porter fruit. Veille à ne pas être nonchalant, en voyant qu'un autre porte ton fardeau, et ne te laisse pas aller à la mollesse. Car il n'a pas été dit « La prière soutenue du juste a tous les pouvoirs », mais « a le pouvoir d'obtenir beaucoup de choses[f] », c'est-à-dire beaucoup des choses qui ont été proposées. Fais ton possible. Car beaucoup étaient avec Jésus et se sont détachés de lui. Et l'Apôtre dit : « Si l'infidèle veut se séparer, qu'il se sépare[g]. » Cependant que Dieu ne permette pas que cela se réalise pour toi, mais que tu restes un vrai et très cher fils de mes souffrances dans le Christ, brebis du troupeau[h] du Christ, vase sanctifié[i], héritier de la gloire[j], et que, vivant selon les commandements du Christ, tu obtiennes la vie éternelle[k]. Ne déshonore pas ma vieillesse. Car Dieu sait que je fais tout ce qui est en mon pouvoir pour ton salut, le priant de te mettre pour l'éternité au nombre des saints, comme héritier des biens qui les attendent[l], « ce que l'œil n'a pas vu, ni l'oreille entendu, ni le cœur de l'homme soupçonné, ce que Dieu a préparé pour eux[m]. » Que là soit ta part d'héritage dans les siècles des siècles ! Amen. Que les puissances d'en haut et les saints d'ici-bas encore dans leur corps, disent : Amen, Amen. Amen. Ainsi soit-il ! Ainsi soit-il ! Ainsi soit-il ! Et que cela soit scellé par le Père, le Fils et le Saint-Esprit !

f. Jc 5, 16 g. 1 Co 7, 15 h. Cf. Za 13, 7 i. Cf. 1 Th 4, 4 j. Ep 1, 18 k. Cf. Mc 10, 30 ; Lc 20, 35 l. Cf. Ep 3, 6 ; He 10, 1 m. 1 Co 2, 9

574

Μετά τινα χρόνον μέλλων πρὸς τὸν Θεὸν ἐκδημεῖν, ὁ ἀββᾶς Σέριδος ὁ τοῦ κοινοβίου ἡγούμενος, ἐνεστήσατο κληρονόμους τοὺς πρώτους τῶν ἀδελφῶν, οὐχ ὥστε πάντας ὁμοῦ διοικεῖν, ἐπειδὴ τοῦτο ἀκαταστασίας αἴτιον γίνεται, ἀλλὰ κατὰ τάξιν τὸν πρῶτον καὶ τελευτῶντος αὐτοῦ τὸν δεύτερον καὶ οὕτω τοὺς λοιποὺς καθ' ἑξῆς. Ἔγραψε δὲ τελευταῖον τοῦτον τὸν φιλόχριστον ἀδελφόν, τὸν ἀββᾶν Αἰλιανόν, ὥστε αὐτὸν μετὰ πάντας εἶναι κληρονόμον, ἐὰν γένηται μοναχός. Ἠγνόει δὲ τοῦτο ὁ αὐτὸς ἀδελφός. Ὡς οὖν ἐπὶ ταύτῃ τῇ διατυπώσει μετέστη πρὸς Κύριον ὁ ἀββᾶς, ὁ πρῶτος τῶν ἀδελφῶν ὃν ἡ τάξις ἐκάλει πρὸς τὴν διοίκησιν παρῃτήσατο ταύτην, κατὰ πολλὴν ταπείνωσιν καὶ μετριότητα τρόπων. Καὶ οἱ λοιποὶ δὲ καθ' ἑξῆς τὸ αὐτὸ ἐποίησαν ἐκεῖνον ζηλώσαντες. Ἐν δὲ τῷ μεταξὺ ἐπῆλθε τούτῳ τῷ φιλοχρίστῳ ἀδελφῷ λύπη ἐκ τοῦ διαβόλου περὶ συντελείας τοῦ κόσμου καὶ θλίψεων, ὡς δὴ μελλουσῶν αὐτὸν ἐνταῦθα καταλαβεῖν καὶ τῶν αἰωνίων κολάσεων[a]*. Καὶ ὡς ἠπείγετο ὑπὸ τῶν λογισμῶν κινδυνεύων εἰς ἀπόγνωσιν ἐμπεσεῖν, πέμπει ἐρωτῶν περὶ τούτου τὸν ἀββᾶν Ἰωάννην, καὶ δεόμενος εὔξασθαι ὑπὲρ αὐτοῦ καὶ δηλῶσαι αὐτῷ λόγον παρακλήσεως. Ὁ δὲ ἔπεμψεν αὐτῷ ταύτην τὴν ἀπόκρισιν, περὶ ὑπακοῆς μᾶλλον ἔχουσαν, ἔμελλε γὰρ αὐτῷ ἐπιτρέπειν τὴν τοῦ κοινοβίου διοίκησιν, ὡς μετὰ ταῦτα δῆλον ἐγένετο.*

Ἀπόκρισις Ἰωάννου·

Ἄδελφε ἀγαπητέ, ἡ πίστις ἡ εἰς Θεόν ἐστιν ἵνα ἐάν τις ἐκδώσῃ ἑαυτὸν τῷ Θεῷ, μηκέτι ἔχῃ ἑαυτὸν ἐν ἰδίᾳ ἐξουσίᾳ, ἀλλ' ὑπὸ τὴν ἐκείνου ἐξουσίαν ῥίπτῃ ἑαυτόν, ἕως τῆς ἐσχάτης ἀναπνοῆς. Εἴ τι οὖν ἔρχεται ἐπάνω αὐτοῦ,

L. 574 RASKI V
4 ὁμοῦ : ὁμοίως ASK ‖ 8 πάντας : πάντων I ‖ 17 αὐτὸν om. RI V ‖ 20 ὑπὲρ : περὶ K ‖ 27 ἐκδώσῃ : ἐκδῷ R V ‖ 28 ἐξουσίαν om. V

574

Quelque temps après, sur le point de partir vers Dieu, l'abbé Séridos, supérieur du monastère, désigna pour lui succéder les premiers parmi les frères; non point pour qu'ils gouvernent tous ensemble, ce qui eût été cause de désordre, mais par ordre, le premier d'abord, puis après sa mort le second, et ainsi de suite. Il inscrivit en dernier ce frère encore laïc, l'abbé Élien, afin qu'il lui succédât après tous les autres, s'il devenait moine. Mais le frère, lui, l'ignorait. Quand donc, après en avoir ainsi disposé, l'abbé s'en fut allé chez le Seigneur, le premier des frères que la liste appelait à prendre le gouvernement, le refusa avec beaucoup d'humilité et de modestie. Tous les autres à la suite, l'imitèrent à l'envie. Or entre temps, de la tristesse était survenue à ce frère laïc du fait du diable, à la pensée de la fin du monde et des tribulations qui l'attendaient ici-bas et des châtiments éternels[a]. *Comme il était en proie à ces pensées et risquait de tomber dans le désespoir, il fit interroger à ce sujet l'abbé Jean, le suppliant de prier pour lui et de lui adresser une parole de consolation. Le Vieillard lui envoya la réponse suivante, qui traite surtout d'obéissance, car il allait le charger du gouvernement du monastère comme la suite devait le montrer.*

Réponse de Jean :

Frère bien-aimé, la foi en Dieu consiste, pour celui qui s'est livré à Dieu, à ne plus avoir la libre disposition de soi, mais à s'abandonner à lui jusqu'au dernier souffle[1].

574. a. Cf. Mt 25, 46

1. Voir L. 347, n. 2.

ἐν εὐχαριστίᾳ δέχεται παρὰ τοῦ Θεοῦ, καὶ τοῦτ᾽ ἔστι τὸ « Ἐν παντὶ εὐχαριστεῖν[b]. » Ἐὰν γὰρ ὁ ἄνθρωπος παραιτήσηται τὰ ἐκ τοῦ Θεοῦ ἐρχόμενα, παρακούει τοῦ Θεοῦ, ζητῶν τὸ ἴδιον θέλημα στῆσαι, οὕτως γὰρ καὶ οἱ Ἰουδαῖοι ζητοῦντες τὸ ἴδιον θέλημα στῆσαι οὐκ ἠδυνήθησαν ὑποταγῆναι τῷ νόμῳ τοῦ Θεοῦ[c]. Καὶ γὰρ ἡ πίστις ἐστὶν ἡ ταπείνωσις· « Οὓς γὰρ ἐκάλεσε, τούτους καὶ ἐδικαίωσε καὶ ἐδόξασε[d]. » Λοιπὸν ἀπόρριψον τὴν λύπην, ἥτις κατεργάζεται θάνατον, « ἡ γὰρ κατὰ Θεὸν λύπη σωτηρίαν ἐργάζεται[e]. » Εὖξαι οὖν ὑπὲρ ἐμοῦ καὶ μηδὲν ἀθυμήσῃς. Ἐπεὶ παροργίζεις τὸν Θεὸν κρατῶν τὸ ἴδιον θέλημα. Ὁ Κύριος ἡμῶν Ἰησοῦς Χριστὸς δῴη σοι ποιῆσαι τὸ θέλημα αὐτοῦ καὶ εὑρεῖν ἔλεος ἐνώπιον αὐτοῦ, ᾧ ἐστιν ἡ δόξα καὶ τὸ κράτος εἰς τοὺς αἰῶνας. Ἀμήν.

575

Δεξάμενος τὴν ἀπόκρισιν ταύτην ὁ ἀδελφός, ἠλευθερώθη μὲν παραχρῆμα τῶν θλιβόντων αὐτὸν λογισμῶν. Οὐκ ἐνόει δὲ τὴν δύναμιν τῶν αὐτῷ γραφέντων καὶ ἐθαύμαζεν ὅτι ἄλλα ἠρώτησε καὶ ἄλλα ὁ Γέρων ἀπεκρίνατο. Τότε σαφῶς τὸ πρᾶγμα ἐδήλωσεν αὐτῷ ὁ Γέρων, ἐπιτρέπων αὐτῷ καταδέξασθαι τὴν τοῦ κοινοβίου φροντίδα. Ὁ δὲ ἀδελφὸς ἐθαύμασεν ὅτι τοῦτο περὶ αὐτοῦ ἐλογίσατο, εἰδὼς ἑαυτὸν πρὸς τοῦτο ἀνίκανον. Μὴ τολμῶν δὲ ὅλως ἀντειπεῖν τῇ αὐτοῦ κελεύσει, ἔπεμψε λέγων αὐτῷ ταῦτα· Ἀββᾶ, πλέον οὐ γινώσκω ἐμαυτὸν ἢ οἶδέ με τὸ Πνεῦμα τοῦ Θεοῦ τὸ οἰκοῦν ἐν ὑμῖν[a], καὶ ἔμφοβός εἰμι καὶ ἔντρομος[b] διὰ τὸν τοῦ πράγματος κίνδυνον. Ἐὰν οἶδας ὅτι δύναμαι ἐν τούτῳ

32 ἐρχόμενα : ἐπερχόμενα I V ‖ 33-34 οὕτως – στῆσαι om. SK ‖ 34 οὐκ : καὶ οὐκ K ‖ 40 ἀθυμήσῃς : ῥαθυμήσῃς K ‖ κρατῶν : τοῦτ᾽ ἔστι RSK ‖ 41-42 ὁ κύριος – θέλημα om. SK ‖ 42 αὐτοῦ : τοῦ θεοῦ K ‖ ἐστιν om. RSK ‖ 43 καὶ – κράτος om. RK

L. 575 RASKI V

7 εἰδὼς : ἔχων I V ‖ 10 ἐμαυτὸν om. RI V ‖ ἢ om. RSKI V ‖

Tout ce qui lui advient, il le reçoit donc de Dieu dans l'action de grâces, et c'est cela « Rendre grâces en tout[b]. » Si en effet, l'homme refuse ce qui vient de Dieu, il désobéit à Dieu, cherchant à garder sa volonté propre, car c'est ainsi que les Juifs, en cherchant à garder leur volonté propre, n'ont pu se soumettre à la loi de Dieu[c]. De fait la foi, c'est l'humilité : « Ceux qu'il a appelés, il les a justifiés et glorifiés[d]. » Dès lors, rejette la tristesse qui opère la mort, « car la tristesse selon Dieu opère le salut[e]. » Prie donc pour moi et n'aie aucune crainte. Autrement tu irrites Dieu en gardant ta volonté propre. Que notre Seigneur Jésus-Christ t'accorde de faire sa volonté et d'obtenir miséricorde devant lui, à qui sont la gloire et la puissance dans les siècles. Amen.

575

Au reçu de cette réponse, le frère fut aussitôt délivré des pensées qui le tracassaient. Cependant il ne saisit pas le sens de ce qui lui avait été écrit et s'étonna de ce que le Vieillard eût répondu autre chose que ce qu'il avait demandé. C'est alors que le Vieillard lui découvrit clairement de quoi il s'agissait, lui ordonnant d'accepter la charge du monastère. Le frère était surpris de ce qu'on eût pensé à lui pour cela, se voyant lui-même tout à fait inapte. N'osant pas toutefois s'opposer absolument à l'ordre du Vieillard, il lui fit savoir ceci : « Abbé, je ne me connais pas mieux que l'Esprit de Dieu qui habite en vous ne me connaît[a] ; j'ai peur et je tremble[b], à cause du péril de la situation. Si tu sais que je puis en cela trouver miséri-

11 οἰκοῦν : ἐνοικοῦν RI

b. Cf. 1 Th 5, 18 c. Cf. Rm 10, 3 d. Rm 8, 30 e. Cf. 2 Co 7, 10

575. a. Cf. Rm 8, 11 b. He 12, 21

εὑρεῖν ἔλεος ἔχων τὴν ὑμῶν ἐν Χριστῷ σκέπην, οὐκ ἀντιλέγω, ἐξουσίαν μου γὰρ ἔχετε, καὶ εἰς τὰς χεῖράς εἰμι τοῦ Θεοῦ καὶ ὑμῶν.

Γράφει οὖν αὐτῷ ὁ Γέρων ἀπόκρισιν ἔχουσαν οὕτως·

Κύριε ἄδελφε, μαρτυρεῖ μοι ὁ Θεὸς ὅτι ἐν γνησιότητι ἀγαπῶ τὸν ἀδελφόν μου, καὶ ἡ εὐχή μού ἐστιν ἵνα μὴ βλαβῇ ἡ ψυχή σου ἔν τινι. Πιστεύων τῇ ὑπακοῇ σου καὶ φροντίζων τῆς σωτηρίας σου, συνήργησα τῷ ἀγαθῷ[c]. Τὰ γὰρ κρυπτὰ τοῖς ἀνθρώποις, φανερὰ τῷ Θεῷ. Καὶ σὺ βλέπεις, ἄδελφέ μου, ὅτι πράγματα πολλά εἰσι καὶ ὑπέρογκα, καὶ οὐκ ἀπιστεῖς ὅτι εἴ τι ἔνι εἰς τὸ κοινόδιον, ἕως τοῦ χώματος, τοῦ Θεοῦ ἐστι, καὶ ὁ συνάψας τὰ ἐπίγεια τοῖς ἐπουρανίοις, πάντα ἡγίασε διὰ τῆς παρουσίας αὐτοῦ. Λοιπὸν ἐν σοί ἐστι τὸ συνεργῆσαι καὶ κακοπαθῆσαι, ἵνα κοινωνὸς εὑρεθῇς τῶν ψυχῶν τῶν σῳζομένων. Εἶπε γὰρ ὁ Ἀπόστολος· « Ἀλλήλων τὰ βάρη βαστάζετε, καὶ οὕτως ἀναπληρώσατε τὸν νόμον τοῦ Χριστοῦ[d]. » Καὶ πάλιν εἶπεν ὅτι « Τοῖς ταπεινοῖς συναπαγόμενοι[e]. » Καὶ ὁ Κύριος εἶπεν· « Ὁ ὑμῶν ἀκούων, ἐμοῦ ἀκούει, καὶ ὁ ὑμᾶς ἀθετῶν, ἐμὲ ἀθετεῖ[f]. » Ὅλου τοῦ πράγματος τοῦ Θεοῦ ὄντος, οὐ δύνῃ παραιτήσασθαι. Καὶ γὰρ εἰ ἔνι τίποτε ἀνθρώπινον, οἶδας, εἰς φροντίδα σε βαροῦμεν κατὰ Θεόν, ᾧ οὐκ ἔστι φροντίς, ἀλλὰ σωτηρία ψυχῆς, καθὼς λέγει ἡ Γραφή· « Ὅτι ὁ ἐπιστρέφων ἁμαρτωλὸν ἐκ πλάνης ὁδοῦ αὐτοῦ, σώσει ψυχὴν ἐκ θανάτου καὶ καλύψει πλῆθος ἁμαρτιῶν[g]. » Ἀνδρίζου ἐν Κυρίῳ καὶ πίστευσον τῷ Ἰησοῦ, καὶ αὐτὸς φυλάττει ἡμᾶς ἀπὸ τοῦ πονηροῦ, καθὼς περὶ τῶν Ἀποστόλων αὐτοῦ ᾐτήσατο παρὰ τοῦ Πατρός[h]. Μὴ οὖν διστάζῃς, ἀλλ' ἔκχυσον τὴν καρδίαν σου εἰς τὸν Θεὸν καὶ

16 αὐτῷ om. V ‖ 17 ἄδελφε om. SK ‖ 19 πιστεύων : -τεύω I ‖ 21 κρυπτὰ + παρὰ R V ‖ φανερὰ + παρὰ R V ‖ 25 ἐπουρανίοις : οὐρανίοις RI V ‖ 34 ᾧ : καὶ R ‖ 40 αὐτοῦ ᾐτήσατο om. RASK ‖ 41 διστάζῃς : -τάσῃς R

corde grâce à votre protection dans le Christ, je ne résiste pas; car vous avez plein pouvoir sur moi, et je suis dans les mains de Dieu et dans les vôtres.»

Le Vieillard lui écrivit donc la réponse suivante :

Seigneur frère, Dieu m'en est témoin, j'aime sincèrement mon frère, et mon souhait est que ton âme ne subisse de dommage en quoi que ce soit. Me fiant à ton obéissance et me préoccupant de ton salut, j'ai coopéré au bien[c]. Car ce qui est caché aux yeux des hommes, est visible pour Dieu. Tu le vois, mon frère, il s'agit de charges multiples et démesurées, mais tu n'en doutes pas, tout ce qui est au monastère, y compris le terrain, appartient à Dieu : or celui qui a réuni les choses de la terre à celles du ciel, les a sanctifiées toutes par sa venue. A toi désormais de collaborer et de souffrir avec lui, afin de te trouver associé aux âmes des sauvés. L'Apôtre a dit en effet; «Portez les fardeaux les uns des autres, et ainsi vous accomplirez la loi du Christ[d].» Et encore : «Laissez-vous attirer par ce qui est humble[e].» Et le Seigneur a dit : «Qui vous écoute, m'écoute; qui vous méprise, me méprise[f].» Puisque toute l'affaire est de Dieu, tu ne peux refuser. Et en effet s'il y a quelque chose d'humain, tu sais que nous t'en chargeons comme d'un souci pour Dieu, et qu'alors ce n'est plus un souci, mais le salut de l'âme, comme le dit l'Écriture : «Celui qui ramène un pécheur de la voie où il s'égarait, sauvera son âme de la mort et couvrira une multitude de péchés[g].» Sois courageux dans le Seigneur et aie confiance en Jésus; c'est lui qui nous garde du Mauvais, ainsi qu'il l'a demandé à son Père pour ses Apôtres[h]. Ne doute pas, mais déverse

c. Cf. Rm 8, 28 d. Ga 6, 2 e. Rm 12, 16 f. Lc 10, 16
g. Jc 5, 20 h. Cf. Jn 17, 15

εἰς τὸν Κύριον Ἰησοῦν Χριστὸν καὶ εἰς τὸ Πνεῦμα τῆς ἀληθείας. Καὶ ἐν τούτῳ πιστεύω ὅτι εὑρίσκεις τὸ ἔλεος εἰς τὸ βῆμα τοῦ Θεοῦ. Ἡ χάρις τοῦ Κυρίου ἡμῶν Ἰησοῦ Χριστοῦ καὶ ἡ κοινωνία τοῦ ἁγίου Πνεύματος, γίνεται μεθ' ἡμῶν[i]. Ἀμήν.

575 b

Ταῦτα ἀκούσας ὁ ἀδελφός, ἐδήλωσε τῷ Γέροντι· Ἰδοὺ ὁ δοῦλος ὑμῶν, γένοιτό μοι κατὰ τὸ ῥῆμά σου[a], καὶ τῇ κελεύσει τῶν Πατέρων, ἠξιώθη τοῦ μοναχικοῦ σχήματος. Καὶ ἐγένετο παρὰ πάντων ἀξίωσις τῷ ἐπισκόπῳ καὶ ἐχειροτονήθη πρεσβύτερος καὶ οὕτως προεβλήθη ἡγούμενος τῆς μονῆς. Καὶ τότε ἠξιώθη ἐν πρώτοις εἰσελθεῖν πρὸς αὐτὸν τὸν ἀββᾶν Ἰωάννην. Καὶ ἐδόξατο αὐτὸν ὁ Γέρων ὡς τὸν μακάριον τὸν ἀββᾶν· πολλὴ γὰρ ἦν τοῦ Γέροντος ἡ ταπείνωσις. Καὶ λέγει αὐτῷ· «Εὖξαι ἀββᾶ» κἀκεῖνος ἕστηκεν ἐννεός, μὴ τολμῶν εὔξασθαι ἐπ' αὐτοῦ. Καὶ ὡς ἐδευτέρωσεν, ἵνα μὴ ἀντείπῃ, ηὔξατο.

Καὶ ἐπιτραπεὶς ἐκάθισε, καὶ λέγει αὐτῷ ὁ Γέρων·

Ἄδελφε, πρὸ πολλοῦ χρόνου προεμήνυσεν ὁ ἅγιος Γέρων περὶ σοῦ ὅτι μέλλεις γενέσθαι μοναχὸς καὶ ἡγούμενος τοῦ κοινοβίου. Καὶ ἰδοὺ ὁ λόγος ἔφθασε κατὰ τὴν τοῦ Θεοῦ εὐδοκίαν. Πρόσεχε οὖν σεαυτῷ καὶ στερεωθῇ ἡ καρδία σου ἐν Κυρίῳ τῷ ἐνδυναμοῦντί σε[b]. Ἀμήν.

576

Ὁ αὐτὸς ἠρώτησε τὸν Γέροντα λέγων· Συγχώρησον Πάτερ, τῇ προπετείᾳ μου καὶ περὶ ὧν ἐρωτῆσαι θέλω

45 γίνεται : γένοιτο K

L. 575 b RASKI V

6 εἰσελθεῖν : ἐλθεῖν I V ‖ 7 ἐδόξατο : ἐδέξατο I V ‖ 14 γενέσθαι : ἔσεσθαι V ‖ 15 ὁ λόγος om. RI V ‖ 16 στερεωθῇ : στερεωθήτω I V

L. 576 RASKI V

1 αὐτὸς + οὖν I V ‖ συγχώρησον + μοι RI V ‖ 2 τῇ προπετείᾳ : τῆς προπετείας RI V ‖ μου om. I V

ton cœur en Dieu, dans le Seigneur Jésus-Christ et dans l'Esprit de vérité. Ainsi, j'en suis sûr, tu obtiendras miséricorde au tribunal de Dieu. La grâce de notre Seigneur Jésus-Christ et la communion de l'Esprit-Saint soient avec nous[i]. Amen.

575 b

Après avoir reçu cette réponse, le frère fit savoir au vieillard : « Voici votre serviteur, qu'il me soit fait selon ta parole[a] *», et sur l'ordre des Pères, il reçut l'habit monastique. Puis, à la requête générale, l'évêque l'ordonna prêtre, et il fut ainsi constitué supérieur du monastère. Il jugea bon alors d'aller en tout premier lieu faire visite à l'abbé Jean. Le Vieillard l'honora comme le bienheureux abbé*[1] *– grande était en effet l'humilité du Vieillard – et il lui dit : « Fais la bénédiction, abbé », mais il se tint coi, n'osant faire la bénédiction sur lui. Sur une seconde instance, pour ne pas le contredire, il fit la bénédiction. Et ayant été invité, il s'assit, et le Vieillard lui dit :*

Frère, il y a longtemps que le saint Vieillard[2] m'avait prédit de toi que tu deviendrais moine et supérieur du monastère. Or voici que c'en est fait selon le bon plaisir de Dieu. Veille donc sur toi, et que ton cœur soit affermi dans le Seigneur qui te soutient[b]. Amen.

576

Le même interrogea donc le Vieillard : Père, pardonne-moi ma témérité et réponds aux questions que je veux te

i. Cf. 2 Co 13, 13
575 b. a. Lc 1, 38 b. Cf. Ph 4, 13

---

1. Séridos, l'abbé qui vient de mourir et qui, au moment de son investiture, avait été lui aussi reçu et honoré par Jean et Barsanuphe.
2. Il s'agit de Barsanuphe.

σαφήνισόν μοι· Τίνος χάριν οἱ πρῶτοι τῶν ἀδελφῶν οἱ γραφέντες κληρονόμοι παρῃτήσαντο τὴν τοῦ μοναστηρίου διοίκησιν; Καὶ διὰ τί συνεχωρήσατε αὐτοῖς, γινώσκοντες τὴν αὐτῶν ἀρετήν τε καὶ ὑπακοὴν καὶ ὅτι ἡ τάξις αὐτοὺς ἐκάλει; Ἐμοὶ δὲ τῷ ἀναξίῳ καὶ οὐδὲν ἔχοντι μοναχικῆς καταστάσεως ἔργον, ἐπετρέψατε τὴν τοιαύτην διοίκησιν, τὴν ἐκείνοις μᾶλλον πρέπουσαν.

Ἀπόκρισις Ἰωάννου·

Οἱ ἀδελφοὶ παρῃτήσαντο διὰ τὴν πολλὴν ταπείνωσιν· Ἔχοντες γὰρ τοῦ διοικῆσαι τὴν ἐξουσίαν κατὰ Θεὸν ἐκ τῶν πραγμάτων τῆς διαθήκης, οὐ προσέδραμον τούτῳ, ἀλλ' ἠγάπησαν μᾶλλον τὴν ὑπακοήν. Καὶ προθύμως ἐψηφίσαντό σε, εἰς ἔλεγχον τῶν κληρονομίας καὶ δωρεὰς ἀπαιτούντων, καὶ τὸ κοσμικὸν ἐχόντων τῆς φιλαργυρίας φρόνημα καὶ προτιμώντων τὰ γήϊνα τῆς βασιλείας τῶν οὐρανῶν. Χαίροντες οὖν τῇ αὐτῶν ταπεινώσει συνεχωρήσαμεν αὐτοῖς παραιτήσασθαι. Σοὶ δὲ ἐπετρέψαμεν καταδέξασθαι διὰ τὴν παρὰ τοῦ Θεοῦ κλῆσιν τοῦ πάντα πρὸς τὸ συμφέρον οἰκονομοῦντος ἑκάστῳ, κατὰ τὴν αὐτοῦ πρόγνωσιν. Μὴ οὖν νομίσῃς ὅτι κατὰ παρακοὴν αὐτῶν τοῦτο ἐγένετο. Καὶ γὰρ καὶ Μωϋσῆς ἐπιτραπεὶς παρὰ τοῦ Θεοῦ τὴν τοῦ λαοῦ διοίκησιν, εἶπεν· « Ἰσχνόφωνός εἰμι καὶ βραδύγλωσσος[a] », καὶ συνεχώρησεν αὐτῷ ὁ Θεὸς εἰδὼς ὅτι τοῦτο εἶπεν οὐκ ἀντιλέγων ἀλλὰ κατὰ πολλὴν ταπείνωσιν. Τοῦτο καὶ Ἰερεμίας ὁ Προφήτης ἐποίησε, λέγων· « Δέσποτα Κύριε, ἰδοὺ οὐκ ἐπίσταμαι λαλεῖν, ὅτι νεώτερος ἐγώ εἰμι[b] », καὶ οὐκ ἐλογίσθη αὐτῷ εἰς ἀντιλογίαν. Ἐχρήσατο τούτῳ καὶ ὁ ἑκατόνταρχος εἰπὼν τῷ Σωτῆρι· « Οὐκ ἄξιός εἰμι ἵνα μου ὑπὸ τὴν στέγην εἰσέλθῃς[c] », καὶ ἐθαυμάσθη αὐτοῦ ἡ

5 αὐτοῖς γινώσκοντες om. SK ‖ 7 μοναχικῆς : πνευματικῆς K ‖ 12 τοῦ om. SK ‖ 20 κλῆσιν om. V ‖ 22 ἐγένετο : γέγονε I V ‖ 25 εἰδὼς om. RI V

poser. Pourquoi les premiers des frères inscrits pour recevoir la succession, ont-ils refusé le gouvernement du monastère? Et pourquoi les avez-vous laissés faire, alors que vous connaissiez leur vertu et leur obéissance? Leur rang ne les appelait-il pas? Mais c'est à moi, indigne et complètement étranger à l'état monastique, que vous avez imposé ce gouvernement pour lequel ils étaient bien plus qualifiés.

Réponse de Jean :

Les frères ont refusé à cause de leur grande humilité. En effet, alors que les dispositions testamentaires leur permettaient de gouverner selon Dieu, ils n'y ont montré aucun empressement, mais ils ont préféré l'obéissance. De plein gré, ils t'ont choisi, à la confusion de ceux qui briguent successions et legs, qui ont l'esprit attaché à l'argent comme les mondains et qui font passer les choses terrestres avant le royaume des cieux. Nous nous sommes donc réjouis de leur humilité et leur avons permis de refuser. Mais à toi, nous avons ordonné d'accepter à cause de l'appel de Dieu qui dispose tout au mieux pour chacun, selon sa prescience. Ne t'imagine donc pas que cela est arrivé par suite de leur désobéissance. Car Moïse, lui aussi, à qui Dieu imposait le gouvernement du peuple, disait : «Je bégaie et j'ai la langue embarrassée[a]», et Dieu lui pardonna, sachant qu'il ne disait pas cela pour contester mais dans sa grande humilité. Le prophète Jérémie fit de même, lorsqu'il dit : «Seigneur Maître, je ne sais point parler, car je suis un enfant[b]», et cela ne lui fut pas imputé comme refus. Le centurion en usa de même, quand il dit au Sauveur : «Je ne suis pas digne que tu entres sous mon toit[c]», et sa foi fut admirée, associée à

576. a. Cf. Ex 4, 10 b. Jr 1, 6 c. Mt 8, 8

πίστις συγκεκραμένη τῇ ταπεινώσει. Καὶ μὴ εἴπῃς διὰ τί οὖν ὁ Ἰησοῦς ὁ τοῦ Ναυῆ οὐ παρῃτήσατο τὴν ἡγεμονίαν[d] καὶ οἱ ἀπόστολοι τὸ κήρυγμα[e]; Ἆρα ὡς μὴ ἔχοντες ταπείνωσιν; Καὶ ποία μείζων ταπείνωσις τῆς αὐτῶν εὑρίσκεται; Ἀλλὰ καὶ οἱ παραιτησάμενοι τὴν ὑπακοὴν εἶχον, καὶ οἱ καταδεξάμενοι τὴν ταπείνωσιν, οὐ δύναται γὰρ μία τῆς ἄλλης χωρισθῆναι. Ἀλλὰ τὰ πάντα γίνεται ἵνα τὰ κρίματα τοῦ Θεοῦ τὰ ὑπὲρ ἡμᾶς ὄντα προβῇ, καὶ ἵνα δειχθῶσι τῶν ἁγίων πολυτρόπως αἱ ἀρεταί. Πάντα οὖν πίστευε τὰ παρὰ τοῦ Θεοῦ καλῶς προβαίνειν, καὶ μηδὲν πλέον περιεργάζου. Ὁ Κύριος συνετίσει σε καὶ φωτίσει τοὺς ὀφθαλμοὺς τῆς διανοίας σου, εὐχαῖς ἁγίων. Ἀμήν.

577

Ταῦτα ἀκούσας ἐδόξασε τὸν Θεὸν καὶ εἶπε τῷ Γέροντι· Πάτερ, ἐπειδὴ ἀρχάριός εἰμι καὶ οὐδὲν οἶδα, τί κελεύεις εἴπω τοῖς ἀδελφοῖς;

Ἀπόκρισις·

Εἰπὲ αὐτοῖς ταῦτα· Τοῦ Κυρίου Ἰησοῦ Χριστοῦ φροντίζοντος ὑμῶν, αὐτοῦ εἰπόντος· «Οὐκ ἀφήσω ὑμᾶς ὀρφανούς, ἔρχομαι πρὸς ὑμᾶς[a].» Προσέχετε ἑαυτοῖς μετὰ πάσης ταπεινοφροσύνης καὶ ἀγάπης εἰς Θεόν, καὶ εὐλογεῖ ὑμᾶς καὶ γίνεται ὑμῶν σκέπη καὶ ὁδηγός. Εἰπὲ δὲ αὐτοῖς· Μή τις κρύψῃ λογισμόν, ἐπειδὴ ἡ χαρὰ τῶν πνευμάτων τὸ κρύβειν ἐστὶ τοὺς λογισμούς, ἵνα ἀπολέσωσι τὴν ψυχήν. Κἄν τις αὐτῶν εἴπῃ σοι τὸν λογισμὸν αὐτοῦ, εἰπὲ τῷ σῷ λογισμῷ· Κύριε, εἴ τι σοῦ ἐστιν εἰς σωτηρίαν τῆς ψυχῆς, δός μοι ἵνα λαλήσω αὐτῷ, καὶ ἵνα τὸν λόγον σου λαλήσω

39 τὰ² om. I V ‖ 42. 43 συνετίσει... φωτίσει : -τίσοι ... -τίσοι V
L. 577 RASKI V
11 τὸ κρύβειν : τὸ κρύψαι I V τοῦτο R ‖ τοὺς λογισμούς : λογισμόν I V om. R ‖ 13 σοῦ : σοι RKI V

l'humilité. Ne demanderas-tu pas aussi pourquoi Josué, fils de Navé, ne refusa pas le pouvoir[d], ni les apôtres, la mission de prêcher l'Evangile[e]? Est-ce parce qu'ils n'avaient pas d'humilité? Mais se trouve-t-il plus grande humilité que la leur? En fait, ceux qui ont refusé avaient l'obéissance, et ceux qui ont accepté avaient l'humilité, car l'une ne va pas sans l'autre. Mais tout se fait pour que les jugements de Dieu s'accomplissent sur nous et pour que soient manifestées de multiples façons les vertus des saints. Crois donc que tout ce qui vient de Dieu aura un heureux accomplissement, et ne t'inquiète de rien d'autre. Que le Seigneur t'instruise et éclaire les yeux de ton intelligence, par les prières des saints. Amen.

577

Au reçu de cette réponse, il rendit gloire à Dieu et dit au Vieillard : Père, je suis un débutant et je ne sais rien; que veux-tu que je dise aux frères?

Réponse :

Dis-leur ceci : Le Seigneur Jésus-Christ a soin de vous, puisqu'il a dit : «Je ne vous laisserai pas orphelins, je viendrai à vous[a].» Veillez donc sur vous-mêmes en toute humilité et amour de Dieu, et lui vous bénira, et il sera votre protection et votre guide. Dis-leur aussi : Que personne ne cache une pensée, car c'est la joie des esprits (mauvais) qu'on cache les pensées, ils peuvent ainsi mener l'âme à sa perte. Lorsque quelqu'un te dévoile sa pensée, dis intérieurement : Seigneur, tout ce que tu veux pour le salut de cette âme, confie-le moi, afin que je le lui dise, et qu'ainsi ce soit ta parole et non la mienne. Et

d. Cf. Dt 31, 7-8 e. Cf. Mc 16, 15
577. a. Jn 14, 18

καὶ μὴ τὸν ἴδιον. Καὶ τὸ ἐρχόμενόν σοι εἰπέ, λέγων ἐν ἑαυτῷ ὅτι Οὐκ ἔστι ἐμὸς ὁ λόγος, γέγραπται γάρ· «Εἴ τις λαλεῖ ὡς λόγια Θεοῦ[b].»

578

Ἐρώτησις· Ὅτε εὐλογοῦνται οἱ ἀδελφοὶ παρ' ἐμοῦ, δώσω αὐτοῖς τὴν χεῖρά μου ἢ οὔ; Λέγει δέ μοι ὁ λογισμὸς ἵνα καταφιλῶ τὰς κεφαλὰς αὐτῶν, ἆρα καλόν ἐστιν;

Ἀπόκρισις·

Ὅτε εὐλογοῦνται, δὸς τὴν χεῖρα καὶ εἰπὲ αὐτοῖς ὅτι Βλέπετε ὅτι κατὰ τὴν πίστιν ὑμῶν ποιεῖ ὁ Θεὸς μεθ' ὑμῶν[a], μὴ οὖν κατὰ ἀνθρωπαρέσκειαν. Αὐτὸς γὰρ ὁ Κύριος εἶπεν· «Ὁ δεχόμενος προφήτην εἰς ὄνομα προφήτου, μισθὸν προφήτου λήψεται, καὶ ὁ δεχόμενος δίκαιον εἰς ὄνομα δικαίου, μισθὸν δικαίου λήψεται[b].» Ἐὰν οὖν ᾖ προφήτης καὶ δίκαιος, καὶ μὴ δέξηταί τις αὐτὸν ὡς προφήτην καὶ δίκαιον, μισθὸν οὐκ ἔχει. Ἐὰν δὲ καὶ μὴ ᾖ προφήτης μήτε δίκαιος καὶ δέξηται αὐτὸν ὡς προφήτην καὶ δίκαιον, μισθὸν προφήτου καὶ δικαίου λήψεται. Τὰς δὲ κεφαλὰς αὐτῶν οὐ χρὴ καταφιλεῖν, ὑπόκρισιν γὰρ ἔχει τὸ πρᾶγμα ἀνθρωπαρεσκείας.

579

Ἐρώτησις· Ὁποῖος ὀφείλω εἶναι πρὸς τοὺς ἀδελφούς;

Ἀπόκρισις·

Ἔχε ἑαυτὸν ὑποκάτω πάντων καὶ πάλιν διοικητὴν πάντων, ἀπαιτούμενος τὴν τάξιν ἣν κατεδέξω σπλαγχνίζεσθαι

16 ἑαυτῷ : σεαυτῷ V ‖ 17 λόγια + τοῦ R

L. 578 RASKI V

1 ὅτε : ὅταν R ‖ 7 γὰρ om. K ‖ 9-10 προφήτου[2] – μισθὸν om. K ‖ 13 δέξηται + τις K

L. 579 PRASKI V

dis ce qui te vient à l'esprit, te disant en toi : Ce n'est pas ma parole, car il est écrit : « Si quelqu'un parle, que ce soient comme des oracles de Dieu[b]. »

578

Demande : Quand les frères sont bénis par moi, dois-je leur donner la main ou non? L'idée me vient aussi de leur caresser la tête? Est-ce bien?

Réponse :

Quand tu les bénis, donne la main et dis-leur : Considérez que Dieu agira avec vous selon votre foi[a] et non par conséquent selon la complaisance humaine. Car le Seigneur lui-même a dit : « Qui accueille un prophète en qualité de prophète, recevra une récompense de prophète ; qui reçoit un juste en qualité de juste, recevra une récompense de juste[b]. » Si donc quelqu'un est prophète et juste, mais qu'on ne le reçoive pas comme prophète et juste, on n'a pas de récompense. Si au contraire ce n'est ni un prophète ni un juste, et qu'on le reçoive comme prophète et juste, on recevra la récompense de prophète et de juste. D'autre part il ne faut pas leur caresser la tête, car c'est un geste de complaisance humaine.

579

Demande : Comment dois-je me comporter vis-à-vis des frères?

Réponse :

Tiens-toi au-dessous de tous et comme le serviteur de tous ; la charge que tu as reçue exige de toi que tu sois

3 ἑαυτὸν : σεαυτὸν V

b. 1 P 4, 11
578. a. Cf. Mt 9, 29 b. Mt 10, 41

εἰς πάντας, ὡς εἶπεν ὁ Ἀπόστολος· « Ἀλλήλων τὰ βάρη βαστάζετε[a] », « Νουθετεῖτε τοὺς ἀτάκτους, παραμυθεῖσθε τοὺς ὀλιγοψύχους[b]. » Μή τις κακὸν ἀντὶ κακοῦ ἀποδώσῃ, ἀλλὰ τὸ ἀγαθόν[c]. Ἐὰν δέ τις μὴ ὑποτάσσηται, τοῦτον σημειοῦσθε. Ὁ αὐτὸς Ἀπόστολος συνετίσει σε τὰ λοιπὰ ἐκ τοῦ μικροῦ μου λόγου.

580

Ἐρώτησις· *Ποταπὸς ὀφείλει εἶναι ὁ κανονάρχης καὶ ὁ οἰκονόμος πρὸς τοὺς ἀδελφούς;*

Ἀπόκρισις·

Μακρόθυμος ἵνα δύνηται βαστάξαι τὸν ἀσθενάριον.

581

Ἐρώτησις· Ἐάν τις τῶν ἀδελφῶν ἁμαρτήσῃ, πῶς αὐτὸν ἐλέγξω; Ἰδίᾳ ἢ ἐπὶ τῶν ἀδελφῶν;

Ἀπόκρισις Ἰωάννου·

Ἐὰν ᾖ τὸ πρᾶγμα σκληρόν, ἐπὶ τῶν ἀδελφῶν, προειπεῖν δὲ αὐτῷ χρὴ ὅτι Ἐὰν μὴ διορθώσῃ, καὶ ἐπὶ τῶν ἀδελφῶν ἔχω εἰπεῖν, ὅτι οὕτως ἐνετείλατο ὁ Κύριος ὅτι « Ἔλεγξον αὐτὸν μεταξὺ σοῦ καὶ αὐτοῦ. Καὶ ἐὰν ἐπιστρέψῃ, ἐκέρδησας τὸν ἀδελφόν σου. Ἐὰν δὲ μή, λαβὲ μεθ' ἑαυτοῦ ἕνα ἢ δύο[a] », καὶ τὰ ἑξῆς. Ἐὰν δὲ μικρὸν ᾖ τὸ ἁμάρτημα, ἰδίᾳ ἔλεγξον αὐτὸν καὶ πρὸς αὐτὸν τὴν ἐπιτιμίαν.

7 ἀποδώσῃ : ἀποδῶ V ‖ 8 ἀγαθόν : τὰ ἀγαθά PR ‖ 9 συνετίσει : -τίσοι V

L. 580 PRASKI V

1 ποταπὸς : ὁποῖος V ‖ κανονάρχης : κανονάρχος PRI V ‖ 4 βαστάξαι : -τάσαι PR -τάζειν V

L. 581 PRASKI V

1 ἁμαρτήσῃ : ἁμάρτῃ V ‖ 6 ὅτι² om. V ‖ 7 αὐτοῦ + μόνου SKI V ‖ 8 μεθ' ἑαυτοῦ : μετὰ σεαυτοῦ PR V ‖ ἕνα : ἔτι ἕνα I V ‖ 9 ἐὰν : εἰ PR ‖ ᾖ : ἐστι PR

miséricordieux[1] envers tous, comme le dit l'Apôtre : «Portez les fardeaux les uns des autres[a]», «Reprenez les indisciplinés, encouragez les pusillanimes[b].» «Que personne ne rende le mal pour le mal, mais le bien[c].» Si quelqu'un manque de soumission, faites-lui des remontrances. Que le même Apôtre t'enseigne le reste à partir de ces quelques mots de moi.

580

Demande : Comment doivent se comporter le réglementaire[2] et l'économe envers les frères?
Réponse :

Qu'ils soient longanimes afin de pouvoir supporter le faible.

581

Demande : Si l'un des frères commet une faute, comment dois-je le reprendre? En privé, ou devant les frères?
Réponse de Jean :

Si la faute est grave, reprends-le devant les frères; mais il faut auparavant l'avertir : «Si tu ne te corriges pas, je devrai le dire devant les frères», car le Seigneur l'a ainsi ordonné : «Reprends-le entre toi et lui seul. S'il t'écoute, tu auras gagné ton frère. S'il ne t'écoute pas, prends encore avec toi une ou deux personnes[a]», etc. Si la faute est légère, reprends-le et punis-le en privé.

579. a. Ga 6, 2 b. 1 Th 5, 14 c. Cf. Rm 12, 17
581. a. Mt 18, 15-16

1. Voir L. 386, n. 2.
2. κανονάρχης – le réglementaire, préposé à la discipline communautaire. Voir vol. II, tome I, p. 40, n. 3-4.

582

Ἐρώτησις· Ἐὰν ὑπομείνῃ τις ἐν τῷ κοινοβίῳ, ποίῳ τρόπῳ σῴζεται; Καὶ τί πλέον ἔχει ὁ οἰκῶν ἐν τόπῳ ἔνθα εἰσὶν οἱ ἅγιοι Πατέρες;

Ἀπόκρισις·

Ἐὰν ἀποθάνῃ τις ἐν τῇ μόνῃ μετὰ ταπεινοφροσύνης καὶ ὑπακοῆς, οὗτος διὰ τοῦ Χριστοῦ σῴζεται. Ὁ γὰρ Κύριος Ἰησοῦς λόγον δίδει ὑπὲρ αὐτοῦ. Ἐὰν δὲ ἔχῃ θέλημα καὶ ἔστιν ὅτε σχηματίζεται ὑπακοὴν καὶ ταπείνωσιν, τοῦτο κρῖμα τοῦ Θεοῦ ἐστι. Τὸν δὲ διὰ τὴν ἀνάπαυσιν τοῦ σώματος καὶ οὐ δι' ὠφέλειαν ψυχῆς κατὰ τὸ ἴδιον θέλημα διάγοντα, τὸν τοιοῦτον χρὴ ἅπαξ ἅπαξ παρακαλεῖν διὰ «τὸν θέλοντα πάντας ἀνθρώπους σωθῆναι καὶ εἰς ἐπίγνωσιν ἀληθείας ἐλθεῖν[a].» Ἐὰν δὲ ἐμμένῃ εἰς τὸ ἴδιον θέλημα, βαστάξατε αὐτὸν ἕως οὗ ἐντραπῇ ἢ ἐξ ἰδίου θελήματος ἀπορρίψῃ ἑαυτόν. Ἐὰν δὲ γεννᾷ βλάβην τοῖς ἀδελφοῖς, διαμάρτυραι αὐτῷ ὅτι Ἐὰν ἐμμείνῃς τῇ πράξει ταύτῃ, ὧδε μετὰ τῶν ἀδελφῶν οὐ δύνασαι μεῖναι. Καὶ γὰρ φύσει οὐ δύναται ἄνθρωπος βαστάξαι ἀνάπαυσιν ἑνὸς καὶ βλάψαι πολλούς. Ὁ δὲ μένων ἐν πίστει ἀγαθῇ καὶ κατὰ Θεὸν ἐν τῇ μόνῃ, λαμβάνει σκέπην παρὰ τοῦ Θεοῦ καὶ οἰκοδομεῖται. Καὶ ὁ κοιμηθεὶς ταύτην ἔχων τὴν πρᾶξιν, εὑρίσκει ἀνάπαυσιν. Τὸ δὲ πλέον ἔχειν τὸν οἰκοῦντα τὸν τόπον ἐν ᾧ εἰσι οἱ Πατέρες ἅγιοι, τοῦτ' ἔστι τὸ ἔχειν πίστιν ἐν τῇ ἀγαθῇ πράξει καὶ πιστεύειν τῇ δυνάμει τῶν Πατέρων ὅτι «πολλὰ ἰσχύει δέησις δικαίου ἐνεργουμένη[b]», ὅπερ οὐ πανταχοῦ εὑρίσκει τις. Εἶπε γὰρ ὁ Κύριος περὶ τῶν Ἀποστόλων· «Ὅτε ἤμην μετ' αὐτῶν, ἐγὼ αὐτοὺς ἐφύλαττον, νῦν δὲ πρὸς σὲ ἔρχομαι, φύλαξον αὐτοὺς ἐν

L. 582 RASKI V

5 ἐν τῇ μόνῃ om. RI V ‖ 5-6 μετὰ – ὑπακοῆς : ἐν ταπεινώσει καὶ ὑπακοῇ RI V ‖ 7 δίδει : δίδωσιν RK V ‖ 14 βαστάξατε : -τάσατε V -ταζε R ‖ 15 ἀπορρίψῃ : ἀπορρήξει I V ‖ 16 ἐμμείνῃς : ἐμμένῃς I V ‖

582

Demande : Celui qui persévère dans le monastère, de quelle manière sera-t-il sauvé ? Et quel est le privilège de celui qui habite en ce lieu où sont les saints Pères ?

Réponse :

Celui qui meurt au monastère dans l'humilité et l'obéissance, celui-là sera sauvé par le Christ. Car le Seigneur Jésus a donné sa parole pour lui. Mais si quelqu'un garde sa volonté et qu'il lui arrive de feindre l'obéissance et l'humilité, cela est objet du jugement de Dieu. Et celui qui se conduit selon sa volonté propre pour le bien-être du corps et non pour le profit de l'âme, il faut sans cesse le reprendre à cause de celui « qui veut que tous les hommes soient sauvés et parviennent à la connaissance de la vérité[a]. » S'il persiste dans sa volonté propre, supportez-le jusqu'à ce qu'il change ou qu'il s'en aille de lui-même. Mais s'il cause du dommage aux frères, avertis-le : « Si tu persévères dans cette conduite, tu ne pourras rester ici avec les frères. » Et en effet on ne peut vraiment pas supporter le bien-être d'un seul au préjudice d'un grand nombre. Celui qui, au contraire, demeure au monastère dans la foi bonne et selon Dieu, reçoit protection de Dieu et édification. Et celui qui meurt ayant cette conduite, trouvera le repos. Le privilège de celui qui habite dans le lieu où sont les saints Pères, c'est d'avoir foi en la bonne conduite et de croire à la puissance des Pères, car « la prière soutenue du juste peut obtenir beaucoup de choses[b] », ce qu'on ne trouve pas partout. Le Seigneur dit, en effet, de ses Apôtres : « Lorsque j'étais avec eux, je les gardais ; mais maintenant que je vais

17 μεῖναι : εἶναι V || 18 βαστάξαι : -τάσαι V || 22 οἰκοῦντα : ἐνοικοῦντα I V || 28 ἐφύλαττον : ἐτήρουν R

582. a. 1 Tm 2, 4 b. Jc 5, 16

τῷ ὀνόματί σου[c]», ὅτι σοῦ ἐστιν ἡ δόξα εἰς τοὺς αἰῶνας. Ἀμήν.

583

Ὁ αὐτὸς ᾔτησε τὸν αὐτὸν Γέροντα λέγων· Κέλευσον δηλῶσαι τοῖς ἀδελφοῖς περὶ ὑπομονῆς καὶ ὑπακοῆς, ὅτι τὸν λόγον σου δέχονται.

Καὶ ἐδήλωσεν ὁ Γέρων τοῖς ἀδελφοῖς ταῦτα·

Ἀδελφοί, οὐκ ἐληλύθατε εἰς ἀνάπαυσιν ἀλλ' εἰς θλῖψιν, ὅτι οὕτως ἐνετείλατο ὁ Κύριος τοῖς Ἀποστόλοις ὅτι «Θλῖψιν ἐπὶ τῆς γῆς καὶ λύπην ἔχετε, ὁ δὲ κόσμος χαρήσεται[a].» Ἐὰν ἀκολουθῆτε τῷ Κυρίῳ Ἰησοῦ, καὶ αὐτὸς μεθ' ὑμῶν ἐστιν. Ἐὰν ἀποβάλητε αὐτόν, καὶ αὐτὸς ἀποβαλεῖ ὑμᾶς. Ὁ θέλων οὖν εὑρεῖν εὐλογίαν παρὰ τοῦ Θεοῦ, ἀκούει αὐτοῦ ὅ τι αὐτὸς εἶπεν· «Ὁ φυλάσσων τὸν λόγον μου, οὐ μὴ ἀποθάνῃ εἰς τὸν αἰῶνα[b].» Ὁ ζητῶν οὖν ζωὴν αἰώνιον, ζητεῖ φυλάξαι αὐτοῦ τὸν λόγον ἕως ἐκχύσεως αἵματος ἐν τῷ κόψαι τὸ ἴδιον θέλημα. Οὐδεὶς γὰρ ζητῶν ἴδιον θέλημα τὸ ἀπαρέσκον Θεῷ, μέρος ἔχει μετὰ τοῦ Χριστοῦ. Προσέχετε οὖν ἑαυτοῖς ἐν φόβῳ Θεοῦ, καὶ σκεπάζει ὑμᾶς ὁ Κύριος εὐχαῖς ἁγίων. Ἀμήν.

584

Ἐρώτησις· Εἰπέ μοι Πάτερ, πῶς ὀφείλω ἀπαντᾶν τοῖς εἰσερχομένοις, εἴτε κοσμικοῖς, εἴτε Πατράσιν, εἴτε ἀδελφοῖς;

L. 583 RASKI V
1 ᾔτησε : ἐρώτησε K ‖ 7 καὶ λύπην om. K ‖ ἔχετε : ἕξετε KR ‖ ὁ – χαρήσεται om. I V ‖ 14 ζητῶν + τὸ V
L. 584 RASKI V

à toi, garde-les en ton nom[c] », car à toi appartient la gloire dans les siècles. Amen.

583

Le même demanda au même Vieillard : Veux-tu adresser quelques mots aux frères sur la patience et l'obéissance, car ils accueilleront bien ta parole?

Et le Vieillard manda ceci aux frères :

Frères, vous n'êtes pas venus ici pour le bien-être mais pour l'affliction ; car c'est ce que le Seigneur a prédit à ses Apôtres « Vous aurez sur la terre de l'affliction et de la tristesse, tandis que le monde se réjouira[a]. » Si vous marchez à la suite du Seigneur Jésus, lui-même sera avec vous. Si vous le rejetez, lui aussi vous rejettera. Celui qui veut trouver une bénédiction de Dieu, qu'il écoute ce que dit le Seigneur : « Celui qui garde ma parole ne mourra jamais[b]. » Celui qui cherche la vie éternelle, cherchera par conséquent à garder sa parole jusqu'à l'effusion de sang par le retranchement de la volonté propre. Car quiconque cherche la volonté propre abhorrée de Dieu, n'aura pas de part avec le Christ. Veillez donc sur vous-mêmes dans la crainte de Dieu, et le Seigneur vous protégera par les prières des saints. Amen.

584

Demande : Dis-moi, Père, comment je dois aller à la rencontre des visiteurs, séculiers, Pères ou frères?

---

c. Cf. Jn 17, 11-13

583. a. Jn 16, 33 b. Jn 8, 51

Ἀπόκρισις ·

Ἐν σοφίᾳ περιπατῶν πάντας δέχου ἀπροσκόπως, κατὰ τὸν Ἀπόστολον · « Ὅς ἤρεσκε καὶ Ἰουδαίοις καὶ Ἕλλησι, καὶ τῇ Ἐκκλησίᾳ τοῦ Θεοῦ[a]. » Διὰ δὲ τὴν ἀγάπην τοῦ Χριστοῦ ὑπομιμνήσκω τὸν Κύριόν μου ὅτι ὁ καιρὸς ἔκλινεν εἰς τὴν ἀνάπαυσιν τοῦ σώματος καὶ εἰς τὴν πλησμονὴν τῆς κοιλίας, τὰ γεννῶντα πάντα τὰ πάθη. Ἵνα φυλάξῃς ἑαυτὸν ἀπὸ τῶν ἐρχομένων διὰ ταύτην τὴν πρόφασιν, εἴτε κοσμικῶν εἴτε ἀδελφῶν εἴτε Πατέρων. Καὶ ἐὰν γένηται ἔρχεσθαι αὐτούς, μήτε λιπάνῃς μήτε ἀποβάλῃς. Ἐὰν δὲ ᾖ ἄνθρωπος εἰς αὐτὸ τοῦτο σχολάζων, κόψον. Καὶ οὐκ ἀγνοεῖς ἅπαξ τὴν διαγωγὴν τοῦ ἀββᾶ πῶς διῆγε μετὰ τῶν ἐρχομένων. Συμφέρει σοι ἀκοῦσαι σκνιφὸς μὴ ὢν τοιοῦτος ἢ γὰρ ἀκοῦσαι τρυφητής. Λοιπὸν ἐν σεμνότητι δέχου[b], ποιῶν σχήματα περὶ ἑαυτοῦ, ἵνα εὑρεθῇς παρὰ μικρόν. Εἰ δέ τις βιάσεταί σε, λέγε αὐτῷ ὅτι Ἐντολὴν ἔχω παρὰ τῶν Πατέρων καὶ τοῦ Ἀποστόλου, ὅτι ὁ Ἀπόστολος λέγει · « Μὴ μεθύσκετε οἴνῳ, ἐν ᾧ ἐστιν ἀσωτία[c]. » Οἱ Πατέρες λέγουσι · « Παρακαλοῦμεν πάντα ἄνθρωπον θέλοντα δοῦναι μετάνοιαν τῷ Θεῷ, ἵνα φυλάξῃ ἑαυτὸν ἀπὸ πολυοινίας, ἥτις γεννᾷ πάντα τὰ πάθη. » Φύλαξον οὖν σεαυτὸν ἐκ τῶν λεγόντων · Ἐὰν μὴ πίῃς, οὐ πίνω, ἐὰν μὴ φάγῃς, οὐ τρώγω. Καὶ μετὰ πάσης ταπεινοφροσύνης παρακάλεσον αὐτούς, λέγων ὅτι ὁ Ἀπόστολος εἶπεν · « Ὁ ἐσθίων μὴ ἐξουθενείτω τὸν μὴ ἐσθίοντα, Κυρίῳ γὰρ οὐκ ἐσθίει καὶ δοξάζει τὸν Θεόν. Καὶ ὁ μὴ ἐσθίων μὴ κρινέτω τὸν ἐσθίοντα, Κυρίῳ γὰρ

6 ἀπόστολον + εἰπόντα I V ‖ 8 ὅτι + καὶ SK ‖ 11 ἑαυτὸν : σεαυτὸν R V ‖ 16-17 σκνιφὸς – τρυφητής : σκνιφὸν μὴ ὄντα τρυφητὸν ἢ τρυφηλόν R ‖ 18 ἑαυτοῦ : σεαυτοῦ V ‖ 19 σε om. I V ‖ 19-20 ὅτι – πατέρων om. I V ‖ 20 καὶ τοῦ ἀποστόλου om. RSKI V ‖ ὅτι om. I V ‖ 23 θέλοντα + σωθῆναι καὶ I V ‖ ἵνα φυλάξῃ : φυλάξαι I V ‖ 25 ἐκ : ἀπὸ V ‖ 26 πίνω + καὶ V ‖ 27 αὐτούς : αὐτόν V ‖ 29 καὶ δοξάζει τὸν θεόν[1] om. I V ‖ 30-31 καὶ ὁ μὴ – θεόν[2] om. RSK

Réponse :

Marche avec sagesse, reçois-les tous de manière à ne pas les scandaliser, comme dit l'Apôtre, lui qui plaisait « aux Juifs, aux Grecs, et à l'Église de Dieu[a]. » Pour l'amour du Christ, je me souviens de mon Seigneur, car l'occasion est bonne de se laisser aller à satisfaire le corps et à se remplir le ventre, ce qui engendre toutes les passions. Garde-toi donc des visiteurs qui viennent dans ce but, qu'ils soient séculiers, frères ou Pères. S'il arrive qu'il en vient, garde-toi de les gaver comme de les repousser. Mais si quelqu'un vient fréquemment dans ce dessein, tu dois couper court. Tu n'ignores pas une fois pour toutes la conduite de l'abbé[1] chaque fois qu'il avait affaire aux visiteurs. Il t'arrivera de passer pour avare sans l'être, ou qu'on t'accuse d'être voluptueux. Reçois donc avec réserve[b], t'arrangeant en ce qui te concerne pour rester un peu en deçà de la satiété. Si quelqu'un te presse, dis-lui : J'ai commandement des Pères et de l'Apôtre. L'Apôtre dit : « Ne vous enivrez pas de vin : c'est une source de débauche[c]. » Les Pères disent : « Nous exhortons tout homme qui veut se convertir à Dieu, à se garder de l'excès de vin, qui engendre toutes les passions[2]. » Méfie-toi de ceux qui disent : « Si tu ne bois pas, je ne bois pas ; et si tu ne manges pas, je ne mange pas non plus. » En toute humilité rappelle-leur que l'Apôtre a dit : « Que celui qui mange ne méprise pas celui qui ne mange pas ; car c'est pour le Seigneur qu'il ne mange pas et il en rend gloire à Dieu. Et que celui qui ne mange pas ne juge pas celui qui mange, car c'est pour le Seigneur

584. a. 1 Co 10, 32 b. 1 Tm 2, 2 c. Ep 5, 18

1. Séridos.
2. Cf. *Abbé Isaïe, Recueil* 16, 116, p. 137.

ἐσθίει καὶ δοξάζει τὸν Θεόν[d].» Ὥστε ἀμφότεροι τίμιοί εἰσι παρὰ τῷ Θεῷ, διότι κατὰ δόξαν Θεοῦ ποιοῦσι τὰ ἀμφότερα μέρη. Λοιπὸν ἅπαξ διὰ τὴν ἀγάπην τοῦ Θεοῦ, ἕκαστος ποιήσει τὴν χρείαν αὐτοῦ, ὅτι Ἀσθενής εἰμι καὶ οὐ δύναμαι, καὶ ποιεῖτε μετ' ἐμοῦ τὴν ἀγάπην, καὶ γὰρ ὁ Ἀπόστολος οὕτως εἶπεν · « Ἡ βασιλεία τῶν οὐρανῶν οὐκ ἔστι βρῶσις καὶ πόσις, ἀλλὰ ἀγάπη καὶ καθαρὰ καρδία[e] », καὶ τὰ ἑξῆς. Λοιπὸν ἔχε φρόνησιν πρὸς τοὺς ἐρχομένους, ἵνα πρὸς ἕκαστον ἔχῃς σύνεσιν καὶ σοφίαν μαθεῖν, διὰ τί καὶ πῶς ἦλθε, ἢ διὰ τὸν Θεὸν ἢ διὰ βρώματα. Καὶ λοιπὸν ὅσον δύνῃ, μὴ δώσῃς ἑαυτὸν εἰς λόγον σαρκικῆς διδαχῆς εἰς τοὺς παραβάλλοντας, ἐὰν μή τις ἔχῃ χρείαν τῶν λόγων τοῦ Θεοῦ. Δίδει γάρ σοι ὁ Θεὸς σύνεσιν, ἀλλὰ τὴν συντυχίαν ποιεῖσθαι ἀπὸ *Βίου Πατέρων*, ἀπὸ Εὐαγγελίου, ἀπὸ Ἀποστόλου, ἀπὸ τῶν Προφητῶν. Καὶ μὴ ἐνδώσῃς αὐτοῖς φθέγξασθαι κοσμικὸν πρᾶγμα, ἐπεὶ καὶ τὸ βρῶμα καὶ ὅλα σαρκικὰ γίνονται. Ταῦτα δὲ ἃ εἶπον, οὐκ ἔστι σαρκικῆς διδαχῆς, ὅσα γὰρ διὰ κοσμικὰ πράγματα λαλεῖται, ταῦτα σβέσον μὴ λαλῆσαι, διδαχὴ γὰρ σαρκική ἐστι. Καὶ εἰπὲ αὐτῷ · Ἀββᾶ, εἶπεν ὁ Κύριος · « Ἀπόδοτε τὰ Καίσαρος Καίσαρι, καὶ τὰ τοῦ Θεοῦ τῷ Θεῷ[f].» Εἰ δὲ διὰ τὸν Θεὸν ἦλθες, τὰ τοῦ Θεοῦ δυνάμεθα συμβουλεῦσαι. Ὁ κόσμος τὸ ἴδιον ἀγαπᾷ[g], οὐ συμφωνεῖ οὖν ὁ κόσμος τῇ συμφωνίᾳ τοῦ Θεοῦ. Εἰ δὲ μήγε κολαζόμεθα παρὰ τὸ θέλημα τοῦ Θεοῦ συμβουλεύοντες. Ὁ Ἀπόστολος γὰρ εἶπε · « Τὸ φρόνημα τῆς σαρκὸς ἔχθρα εἰς Θεόν, τῷ γὰρ βουλήματι τοῦ Θεοῦ οὐχ ὑποτάσσεται οὐδὲ γὰρ δύναται[h].»

32 κατὰ : καὶ SK ‖ 40 ἢ$^{1+2}$: εἴτε R ‖ 41 ἑαυτὸν : σεαυτὸν RK V ‖ 42 λόγον : λόγους RI V ‖ 43 θεοῦ + ἀκοῦσαι I V ‖ δίδει : δίδωσι RK V ‖ 45 ἀποστόλου : ἀποστόλων V ‖ 46 ἐνδώσῃς : ἐνδῷς V ‖ 47 ὅλα : πάντα V ‖ 49 σβέσον om. V ‖ 50 αὐτῷ om. K ‖ 54 οὖν : δὲ I V ‖ 56 τὸ + γὰρ AS ‖ 57 βουλήματι : θελήματι I V

qu'il mange et il en rend gloire à Dieu[d].» Ils sont donc l'un et l'autre honorables aux yeux de Dieu, parce qu'ils agissent chacun en particulier pour la gloire de Dieu. Bref, une fois pour toutes pour l'amour de Dieu, chacun fera ce qui lui est utile. «Je suis faible et sans forces (dira-t-on), montrez-moi votre charité, car l'Apôtre a dit : 'Le royaume des cieux n'est pas nourriture et boisson, mais il est charité, cœur pur[e]', etc.» Montre-toi donc perspicace à l'égard des visiteurs, sois assez clairvoyant et sage pour te rendre compte en chaque cas dans quels desseins et dispositions on vient, si c'est pour Dieu ou pour la nourriture. D'autre part, dans la mesure du possible, ne te livre pas à des entretiens sur des sujets profanes avec ceux qui viennent, à moins que quelqu'un n'ait besoin d'entendre la parole de Dieu. Car Dieu te donnera l'intelligence, mais pour t'entretenir de la *Vie des Pères*, de l'Évangile, de l'Apôtre et des Prophètes. Et ne leur donne pas occasion de causer d'affaires mondaines, car alors viendront aussi la mangeaille et toutes les préoccupations charnelles. Tout ce dont j'ai parlé n'est pas sujet charnel, mais tout ce qui se dit des affaires mondaines, interromps cela pour qu'on n'en parle pas, car c'est sujet charnel. Dis au visiteur : Abbé, le Seigneur a dit : «Rendez à César ce qui est à César, et à Dieu ce qui est à Dieu[f].» Si tu es venu pour Dieu, nous pouvons nous entretenir des choses de Dieu. Le monde aime ce qui lui est propre[g], mais le monde ne s'accorde pas avec l'harmonie de Dieu. Autrement, nous serons punis de nous être entretenus à l'encontre de la volonté de Dieu. L'Apôtre a dit en effet : «La préoccupation de la chair est hostile à Dieu, car elle n'est pas soumise à la volonté de Dieu et elle ne le peut même pas[h].»

d. Rm 14, 3-6 e. Cf. Rm 14, 17; 1 Tm 1, 5 f. Mt 22, 21
g. Cf. Jn 15, 19 h. Cf. Rm 8, 7

585

Ἐρώτησις· Εἰπέ μοι Πάτερ, πῶς γίνεται ἡ σαρκικὴ ἐρώτησις καὶ πῶς ἡ πρὸς αὐτὸν κατὰ Θεὸν ἀπόκρισις;

Ἀπόκρισις·

Ἰδοὺ ἤρχοντό τινες πρὸς ἡμᾶς ἐρωτῶντες διὰ στρατείαν. Καὶ ἀπεκρινόμεθα αὐτοῖς ὅτι τὸ πρᾶγμα ἀδικίαν ἔχει, οὐ συνεργεῖ οὖν ὁ Θεὸς εἰς ἀδικίαν. Ἐάν σέ τις ἐρωτήσῃ περὶ τῶν σαρκικῶν, δὸς αὐτῷ ἀπόκρισιν τὸ ἀληθὲς καὶ μὴ τὸ χαλεπόν, τοῦτ' ἔστι τὸ κατὰ Θεόν, καὶ μὴ τὸ σαρκικόν.

586

Ἐρώτησις· Δέσποτα, δέομαι τῶν οἰκτιρμῶν σου, αἴτησον μετὰ τοῦ ἁγίου Γέροντος ἵνα λυτρωθῶ τῆς ὑψηλοφροσύνης καὶ ἐν ταπεινῇ καρδίᾳ καὶ φόβῳ Θεοῦ δίδωμι τὴν ἀπόκρισιν ἑκάστῳ, ὥσπερ ᾐτήσατο καὶ περὶ τοῦ ἐν ἁγίοις Πατρὸς ἡμῶν, τοῦ μακαρίου τοῦ ἀββᾶ.

Ἀπόκρισις Ἰωάννου·

Εὐλογητὸς Κύριος! Γένοιτό σοι κατὰ τὸ θέλημά σου! Καὶ ὁ φιλάνθρωπος Θεὸς ὁ πάντα πλουσίως δωρούμενος[a] χαρίσεταί σοι ταῖς εὐχαῖς τοῦ ἁγίου Γέροντος ἐν τῷ Πνεύματι τῷ ἁγίῳ τοῦ λαλεῖν ἐν τῷ φόβῳ αὐτοῦ, καὶ μετὰ πάσης ταπεινοφροσύνης καὶ ἀναξιότητος, διδόναι τὴν ἀπόκρισιν ἑκάστῳ καθὼς ἐστι χρεία. Ὅπου οὖν φθάνεις, αἴτησον ἐν τῇ διανοίᾳ σου τὸν ἅγιον Γέροντα ὅτι Ἀββᾶ τί λαλήσω; Καὶ μὴ μεριμνήσῃς τί εἴπῃς, κατὰ τὴν ἐντολὴν

L. 585 PRASKI V
2 πρὸς αὐτὸν om. PR ‖ ἀπόκρισις om. PR ‖ 6 σέ : δέ V
L. 586 RASKI V
3 δίδωμι : λαλῶ I V ‖ 5 ἡμῶν – ἀββᾶ om. V ‖ 7 κύριος : ὁ θεὸς I V ‖ 8 φιλάνθρωπος om. I V ‖ 9 χαρίσεταί : χαρίσαιτό R V ‖ 10 τοῦ om. V ‖ 12 φθάνεις : φθάσῃς I V ‖ 13 αἴτησον : αἴτησαι I V

585

Demande : Dis-moi, Père, comment se fait l'interrogation sur une question matérielle et comment on y répond selon Dieu ?

Réponse :

Suppose qu'on vienne nous interroger pour une expédition militaire. Nous leur répondons que la chose comporte de l'injustice, et que Dieu ne coopère pas à l'injustice. Si on t'interroge sur des questions matérielles, donne pour réponse la vraie solution et non la solution compliquée, je veux dire celle qui est selon Dieu, non celle qui est selon la chair.

586

Demande : Maître, j'en appelle à tes miséricordes, demande avec le saint Vieillard que je sois délivré de l'orgueil et que je donne réponse à chacun avec humilité de cœur et crainte de Dieu, comme il l'avait demandé aussi pour notre saint Père, le bienheureux abbé[1].

Réponse de Jean :

Béni soit le Seigneur ! Qu'il te soit fait selon ta volonté ! Et que le Dieu qui aime les hommes et qui donne tout avec largesse[a] te gratifie par les prières du saint Vieillard de parler par l'Esprit Saint dans sa crainte, et, en toute humilité et sentiment d'indignité, de donner à chacun la réponse dont il a besoin. Où que tu ailles, demande en esprit au saint Vieillard : « Abbé, que dois-je dire ? » Et ne t'inquiète plus de ce que tu diras, selon le comman-

586. a. 1 Tm 6, 17

1. Barsanuphe avait exprimé la même prière pour l'abbé Séridos (voir L. 570 c, l. 23-24 : καὶ ἐδεήθη τοῦ Θεοῦ παρασχεῖν αὐτῷ τὸ χάρισμα τῆς διακρίσεως).

τοῦ Κυρίου λέγοντος· «Μὴ μεριμνήσητε τί λαλήσετε, ὅτι οὐχ ὑμεῖς ἐστε οἱ λαλοῦντες, ἀλλὰ τὸ Πνεῦμα τοῦ Πατρὸς ὑμῶν τοῦ ἐν τοῖς οὐρανοῖς τὸ λαλοῦν ἐν ὑμῖν[b].»

587

Ἐρώτησις· Πῶς ὀφείλομεν κεχρῆσθαι τῇ φιλοξενίᾳ καὶ τῇ τῶν πτωχῶν ἐντολῇ; Καὶ εἰ χρὴ πάντας τοὺς ἐρχομένους ἀφαρεὶ δέχεσθαι; Καὶ ἐπειδὴ ὀχλοῦσιν ἡμῖν διὰ ἱμάτια, ἐὰν ὅλως περισσεύσωμεν, εἰ χρὴ διδόναι; Καὶ τίνι;

Ἀπόκρισις·

Τῇ φιλοξενίᾳ καὶ τῇ ἐντολῇ κατὰ δύναμιν, συμμετροῦντες τῷ πράγματι τῆς ὑπομονῆς. Κἂν εὕρητε πλεῖον εἰς τὰς χεῖρας, καὶ οὕτως χρήσασθε τῇ συμμετρίᾳ, ἵνα μή τις συνήθεια κατάσχῃ καὶ ἔρχεται ἀπορία καὶ τὸ αὐτὸ ἀπαιτεῖ. Ἀκριβάζοντες διὰ τί ὁ ἐρχόμενος ἔρχεται· Ἐὰν γὰρ ᾖ κλέπτης, καθὼς εἶπον οἱ Πατέρες, δότε εὐλογίαν καὶ ἀπολύσατε. Καὶ ἐπειδή εἰσί τινες ὧδε ἐρχόμενοι ἐπιβαρῆσαι, μὴ δώσῃς αὐτοῖς παρρησίαν, καὶ γὰρ διὰ σκνιφείαν ἔρχονται βαρῆσαι, μὴ χρείαν ἔχοντες. Ἱμάτιον δὲ μηδενὶ δώσητε ὡς ἔτυχεν, ἐὰν μὴ πάνυ ᾖ ἄνθρωπος φοβούμενος τὸν Θεὸν καὶ αἰσχύνηται αἰτῆσαι. Ἐρευνῶντες οὖν τὴν ἀλήθειαν, εἰ ὄντως ἀκτήμων ἢ καὶ χρήζων ἐστὶ διὰ τὸν Θεὸν καὶ οὐ δι' ἀσωτίαν, συμπαθήσατε αὐτῷ.

L. 587 RASKI V

2 *καὶ εἰ* : κἂν εἰ V ‖ 4 *καὶ τίνι* om. SK ‖ 6 δύναμιν + δότε K ‖ 10 γὰρ : δὲ K ‖ ᾖ : ἥκῃ R ‖ 11 καθὼς – πατέρες om. K ‖ καθὼς εἶπον : ὡς εἶπαν I V ‖ 13 δώσῃς : δῷς V ‖ 14 δώσητε : δότε V ‖ 15 ᾖ + ὁ RI V ‖ 17 ὄντως : ὅλως RI V ‖ χρήζων : χρήζει R ‖ ἐστὶ om. R V

b. Mt 10, 19-20

dement du Seigneur : « Ne vous inquiétez pas de ce que vous direz : car ce n'est pas vous qui parlez, mais c'est l'Esprit de votre Père céleste qui parle en vous[b]. »

587

Demande : Comment devons-nous pratiquer l'hospitalité et la charité[1] *envers les pauvres? Faut-il recevoir sur-le-champ ceux qui arrivent? Et quand ils nous importunent pour obtenir des vêtements, faut-il en donner, si nous en avons trop? Et à qui?*

Réponse :

Pratiquez l'hospitalité et la charité selon vos possibilités, dans la mesure où vous pouvez le supporter. Si vous avez davantage dans les mains, tenez-vous-en cependant à une sage mesure de telle sorte que vous ne soyez liés par aucune habitude et qu'on ne vous en demande autant en cas de pénurie. Examinez soigneusement pour quel motif chacun vient à vous. Si c'est un voleur, conformément à ce que disent les Pères, donnez-lui une petite offrande et congédiez-le. Quand ce sont des gens qui viennent ici vous exploiter, ne les laisse pas faire, car ils viennent vous importuner par avarice, sans avoir besoin de rien. Ne donnez[2] jamais de vêtement au premier venu, à moins que ce ne soit un homme rempli de la crainte de Dieu et qu'il ait honte de demander. Examinez donc ce qu'il est en réalité, s'il est vraiment sans ressources, et si son indigence vient de Dieu et non de ses dérèglements, puis compatissez à ses besoins.

1. Le mot ἐντολή, qui signifie précepte, a évolué dans le sens de 'précepte d'aimer les pauvres' pour devenir synonyme de charité envers les pauvres. Voir L. 620 (δοῦναι ἐντολήν).

2. Voir L. 345, n. 1.

588

Ἐρώτησις· Διὰ τί οὐ χρὴ δέχεσθαι τοὺς περιάκτας εἰς τὸ κοινόβιον;

Ἀπόκρισις·

Ἐπειδὴ εἰσερχόμενοι θλίβουσι. Διὰ τοῦτο χρὴ εὐλογίαν διδόναι καὶ ἀπολύειν.

589

Ἐρώτησις· Τί οὖν ὅτι φιλονεικοῦσιν εἰσελθεῖν; Δεξόμεθα αὐτοὺς ἢ οὔ;

Ἀπόκρισις·

Τὸν μὴ ὀφείλοντα δεχθῆναι, κἂν πάνυ φιλονεικῇ, μὴ δέξῃ ὡς εἶπον οἱ Γέροντες. Ἀλλ' ἐὰν ᾖ χρεία τοῦ δοῦναι αὐτῷ μικρὸν περισσόν, δὸς καὶ ἀπόλυσον. Τοῦτο γὰρ συμφέρει.

590

Ἐρώτησις· Ἐὰν ἀγνοῶμέν τινα παντελῶς, καὶ οὐκ οἴδαμεν ὁποῖός ἐστι, δεξόμεθα αὐτὸν ἢ οὔ;

Ἀπόκρισις·

Τὸν ἀγνοούμενον δέξαι τὸ πρῶτον ἅπαξ, καὶ μανθάνεις πῶς ἐστιν ὁ ἄνθρωπος. Μὴ ἀφαρεὶ δὲ ἀφήσῃς τινὰ δίχα δοκιμῆς οἰκειωθῆναι, ἵνα μὴ γένηται ἐξ αὐτοῦ πειρασμὸς καὶ θλίβητε, μὴ δυνάμενοι βαστάξαι.

L. 588 RASKI V

L. 589 RASKI V

2 ἢ οὔ om. K

L. 590 RASKI V

5 ἀφήσῃς : ἀφῇς I V ‖ 5-6 δίχα δοκιμῆς om. V ‖ 6 οἰκειωθῆναι : κοιμηθῆναι RI V ‖ 7 βαστάξαι : -τάσαι V

588

Demande : Pourquoi ne faut-il pas recevoir les moines vagabonds[1] *au monastère ?*
Réponse :

Parce qu'une fois introduits, ils créent des ennuis. C'est pourquoi il faut leur donner une petite offrande et les congédier.

589

Demande : Que faire, s'ils insistent pour entrer ? Les recevra-t-on, ou non ?
Réponse :

Comme l'ont dit les Vieillards, qu'on ne reçoive pas celui qui ne doit pas être reçu, même s'il insiste pour entrer à tout prix. Au besoin, donne-lui un petit supplément, et congédie-le. Car c'est très bien comme cela.

590

Demande : Si quelqu'un nous est totalement inconnu et que nous ne sachions pas ce qu'il est, le recevrons-nous ou non ?
Réponse :

Reçois une première fois l'inconnu et rends-toi compte de ce qu'est l'homme. Mais n'admets personne à demeure d'emblée sans essai préalable, afin que cela ne devienne pas une épreuve et que vous n'en soyez affligés, ne pouvant le supporter.

1. περιάκτας : ce sont des moines qui errent d'un monastère à l'autre, où ils restent quelques jours. Ils sont appelés également κυκλευταί, ἀκάθιστοι, ἀκατάστατοι, c'est-à-dire sans demeure stable. Les Pères conseillaient de renvoyer ces moines, qui ne portaient aucun fruit : Abbé Isaie, saint Nil, CASSIEN, *Conlationes* XVIII 4, 2 ; 7 (SCHOINAS, *Lettres de Barsanuphe.* Volos 1960, p. 279, n. 1). Voir aussi *Règle de Saint Benoît*, I, 6-11.

591

Ἐρώτησις· Τίς ποτε μοναχὸς πρεσβύτερος παραβάλλων τῷ κοινοβίῳ βλάπτει τοὺς ἀδελφούς, καὶ λαλῶν καὶ ποιῶν σκάνδαλα, θέλει δὲ καὶ οἰκῆσαι πλησίον ὡς ἀπὸ δύο μιλίων ὅθεν γίνεται ἡ πάροδος τῶν ἀδελφῶν. Τί οὖν κελεύεις; Παραχωρήσω αὐτῷ εἰσέρχεσθαι εἰς τὸ κοινόβιον καὶ οἰκῆσαι πλησίον ἐν τῷ εἰρημένῳ τόπῳ ἢ οὔ;

Ἀπόκρισις·

Κώλυσον αὐτὸν εἰσελθεῖν εἰς τὸ κοινόβιον λέγων αὐτῷ· Κύριε ἀββᾶ, ἐσκανδάλισας τοὺς ἀδελφούς, καὶ οὐ χρεία σε ἐλθεῖν ὧδε, ἵνα μὴ πάλιν ἀφήσῃς σκάνδαλον εἰς αὐτούς. Καὶ μὴ νομίσῃς ὅτι διὰ μῖσος σὲ ἀποβάλλομεν, « Ὁ γὰρ μισῶν τὸν ἀδελφὸν αὐτοῦ ἀνθρωποκτόνος ἐστίν[a] », ἀλλὰ διὰ τὸ σκάνδαλον. Ἀλλ' οὐδὲ πλησίον δύνασαι οἰκῆσαι διὰ τὴν βλάβην τῶν ἀδελφῶν. Ταῦτα εἰπὲ αὐτῷ δι' ἑαυτοῦ παραχρῆμα, ἵνα μὴ καταισχύνῃς αὐτὸν δι' ἄλλου, κληρικὸς γάρ ἐστιν.

592

Ἐρώτησις· Ἄλλος τις παραβαλὼν τῷ κοινοβίῳ ἐποίησε πρᾶγμα δολερὸν καὶ ἄτοπον· Ἔλαβε γὰρ πράγματα ἐξ ὀνόματος τοῦ μακαρίου τοῦ ἀββᾶ δίχα αὐτοῦ. Καὶ τοῦτο μαθὼν ὁ ἀββᾶς παρήγγειλε μὴ εἰσελθεῖν αὐτὸν εἰς τὸ κοινόβιον. Καὶ ἀκούσας τοῦτο εἰσῆλθε διὰ τῆς πλαγίας εἰς τὴν αὐλήν. Καὶ ἰδὼν αὐτὸν ὁ θυρωρὸς ἀπήγγειλε τῷ ἀββᾷ, καὶ εἶπεν αὐτῷ· Ἔκβαλε αὐτὸν ἔξω. Καὶ ἐξέβαλεν αὐτὸν καὶ τελείως ἔκοψεν αὐτὸν ἔνθεν. Πάλιν οὖν ἐὰν ἔλθῃ, συγχωρήσω αὐτὸν εἰσελθεῖν ἢ οὔ;

L. 591 RASKI V

1 μοναχὸς : ἄλλος R ‖ 3 θέλει δὲ : καὶ θέλει I καὶ βούλεται V ‖ 4 οὖν om. SK ‖ 5 παραχωρήσω : συγχωρήσω RI συγχωρήσωμεν V ‖ αὐτῷ om. V ‖ 9 σε om. RI V ‖ 10 ἀφήσῃς : ἀφῇς V ‖ 14 δι' ἑαυτοῦ : διὰ σαυτοῦ V

591

Demande : Un moine prêtre qui vient parfois au monastère nuit aux frères, les scandalisant par ses paroles et ses actes, et il voudrait habiter dans le voisinage à environ deux milles du chemin où passent les frères. Qu'en dis-tu ? Lui permettrai-je ou non de pénétrer dans le monastère et d'habiter dans le voisinage au lieu indiqué ?

Réponse :

Interdis-lui de pénétrer dans le monastère en lui disant : « Seigneur abbé, tu as scandalisé les frères, tu n'as pas besoin d'entrer ici pour les scandaliser encore. Ne va pas penser que c'est par haine que nous t'écartons, « car celui qui hait son frère est homicide[a] », mais c'est à cause du scandale. Et tu ne peux pas non plus habiter dans le voisinage, en raison du dommage qu'en auraient les frères. » Dis-lui cela, toi-même et au plus tôt ; le lui dire par intermédiaire serait lui faire honte car il est clerc.

592

Demande : Un autre, venu au monastère, a fait une chose déloyale et inadmissible : il a pris des objets au nom du bienheureux abbé (Séridos), sans que celui-ci fût au courant. Lorsque l'abbé le sut, il lui signifia de ne plus revenir dans le monastère. Mais lui, ayant reçu cette injonction, entra dans la cour par le côté. Le portier l'aperçut et prévint l'abbé qui lui dit : « Mets-le dehors. » Il l'a mis dehors et lui a fait quitter les lieux pour de bon. S'il revient, le laisserai-je entrer ou non ?

L. 592 RASKI V

5 τοῦτο : ταῦτα R ‖ 7 ἔκβαλε : ἔκβαλον R ‖ 8 οὖν om. RI V ‖ 9 συγχωρήσω : χωρήσωμεν V ‖ αὐτὸν : αὐτῷ V

591. a. 1 Jn 3, 15

Ἀπόκρισις ·

Οὐ χρείαν ἔχεις τοῦ δέξασθαι αὐτόν, οὐκ ὠφελεῖ γάρ σε. Ἀλλ' ἐὰν ἔλθῃ, δήλωσον αὐτῷ δι' ἄλλου ὅτι Οὐ δύνασαι εἰσελθεῖν ὧδε, οὐκ ἔχει γὰρ τὸ πρᾶγμα ὠφέλειαν ψυχῆς.

593

Ἐρώτησις · Ἄλλος ἀδελφὸς οἰκήσας ποτὲ ἐν τῷ κοινοβίῳ καὶ μὴ ὠφελῶν τοὺς ἀδελφοὺς ἐξῆλθε. Καὶ μετὰ χρόνον ἠβουλήθη ἀναλῦσαι, καὶ οὐκ ἐδέξατο αὐτὸν ὁ ἀββᾶς, εἰπὼν ὅτι κἂν ἐγὼ θέλω, οὐ δύναμαι βλάψαι τὴν συνείδησιν τῶν ἀδελφῶν. Θλίβονται γὰρ ἐὰν δέξωμαί σε, καὶ οὐκ ἔστι τοῦτο δυνατόν. Ἐπειδὴ οὖν καὶ νῦν ἦλθε δεχθῆναι θέλων, τί κελεύεις εἴπω αὐτῷ;

Ἀπόκρισις ·

Εἰπὲ αὐτῷ ὅτι Ἅπαξ καὶ δὶς ἐλάλησας περὶ τούτου τῷ ἀββᾷ, καὶ εἶπέ σοι ὅτι οὐ δυνατόν. Λοιπὸν μὴ προσδοκήσῃς μήτε νῦν μήτε μετὰ καιρὸν οἰκῆσαι ὧδε. Καὶ ἀπόλυσον αὐτόν. Ἐὰν δὲ παραβάλῃ ἅπαξ καὶ ἅπαξ, δέξαι αὐτὸν μετὰ πτωχείας ὡς ἀδελφόν. Ἐὰν δὲ συνεχῶς, εἰπὲ αὐτῷ · Οὐ καταγινώσκει σου τὸ συνειδός;

594

Ἐρώτησις · Ἐάν τις ἐνέγκῃ ἡμῖν πρᾶγμα ἐπ' ἐλπίδι τοῦ λαβεῖν πλέον, τί ποιήσω; Λάβω ἢ οὔ; Συμβαίνει δὲ ὅτε καὶ χρείαν ἔχω τοῦ πράγματος.

11 τοῦ om. V ‖ 12 ἐὰν : ὅταν I V ‖ 13 τὸ πρᾶγμα om. RI V
L. 593 RASKI V
6 καὶ νῦν om. RI V

Réponse :

Tu n'as pas besoin de le recevoir, cela ne t'est pas utile. Mais s'il revient, signifie-lui par un autre qu'il ne peut pénétrer ici, car cela ne serait d'aucun profit spirituel.

593

Demande : Un autre frère qui a habité jadis au monastère, et qui n'édifiait pas les frères, est parti. Au bout d'un certain temps, il a voulu rentrer, et l'abbé (Séridos) ne l'a pas accepté, lui disant : Quand bien même je le voudrais, je ne puis blesser la conscience des frères : car ils seront troublés si je t'accepte ; ce n'est pas possible. Or voici qu'il revient encore maintenant pour se faire accepter ; que veux-tu que je lui dise ?

Réponse :

Dis-lui : « Tu en as parlé à l'abbé (Séridos) une première et une deuxième fois, et il t'a dit que ce n'était pas possible. N'espère donc plus habiter ici, ni actuellement ni dans l'avenir. » Puis congédie-le. S'il passe une fois ou l'autre, reçois-le avec simplicité comme un frère. S'il vient fréquemment, dis-lui : « Ta conscience ne te fait-elle pas des reproches ? »

594

Demande : Si quelqu'un nous apporte un objet, avec l'espoir de recevoir davantage, que ferai-je ? Le prendrai-je ou non ? Il arrive d'ailleurs que ce soit un objet dont j'ai besoin.

L. 594 RASKI V
2 τοῦ om. V ‖ 3 ὅτε : ὅτι RI V

Ἀπόκρισις·

Ἐὰν οὐ χρείαν ἔχῃς, μὴ λάβῃς. Ἐὰν δὲ χρείαν ἔχῃς, εἰπὲ αὐτῷ ὅτι Ἐὰν λάβω, τὴν τιμὴν δίδωμι. Καὶ σπούδασον δοῦναι αὐτῷ τὰ ἴσα.

595

Ἐρώτησις· Ἐπειδή ἐστιν ὅτε παραβάλλουσιν ἡμῖν γυναῖκες κατὰ πίστιν καὶ μητέρες δὲ τῶν παρ' ἡμῖν ἀδελφῶν, καὶ δεχόμεθα αὐτὰς εἰς τὸ κελλίον τὸ ἔξωθεν. Καὶ ἔχει θυρίδας εἰς τὴν μονήν, ὀφείλω διὰ τῆς θυρίδος συντυγχάνειν αὐταῖς ἢ οὔ; Καὶ ἐπειδὴ ἡ γραῖά μου οὐκ ἠθέλησε εἶναι παρὰ τοῖς ἀνεψιοῖς αὐτῆς καὶ πάντα τὰ αὐτῆς ἐδωρήσατό μοι. Κελεύεις ἵνα ὅτε ἅπαξ ἅπαξ ἔρχεται, λαλῶ αὐτῇ καὶ χορηγῶ αὐτῇ τὴν χρείαν αὐτῆς; Ἢ πῶς ποιήσω; Πῶς χρὴ γενέσθαι;

Ἀπόκρισις Ἰωάννου·

Ἐὰν γένηται πρόφασις τοῦ γυναῖκας παραβαλεῖν ὑμῖν διὰ τὸν Θεόν, οὐ διὰ θεωρίαν τοῦ τόπου οὐδὲ διὰ θέλημα, ἀλλ' εἰδικῶς διὰ τὸ ἀκοῦσαι λόγον Θεοῦ ἢ προσενεγκεῖν τι τῷ τόπῳ, καὶ χρεία ἐστὶ συντυχεῖν αὐταῖς, σύντυχε καὶ βίασαι τοῦ φυλάξαι τοὺς ὀφθαλμούς σου ὅτι « Ὁ ἐπιβλέπων γυναικὶ εἰς τὸ ἐπιθυμῆσαι, ἤδη ἐμοίχευσεν αὐτὴν ἐν τῇ καρδίᾳ αὐτοῦ[a] », καὶ πᾶν πρᾶγμα διὰ τὸν Θεὸν γινόμενον ὁ Θεὸς σκεπάζει. Μὴ ἐν ἀνθρωπαρεσκείᾳ, μὴ ὡς ζητῶν ἔπαινον, ἀλλ' ἐκ καθαρᾶς καρδίας[b] ἔκτεινον τὸν λογισμὸν πρὸς τὸν Θεόν. Κἄν ἐστι μήτηρ ἀδελφοῦ καὶ ἔλθῃ διά τινα ἀνάγκην, λάλησον μετ' αὐτῆς κατὰ τὴν ἐντολὴν ἣν ἔχεις. Ἐπεὶ χωρὶς ἀνάγκης, οὐ χρεία ἐστίν.

L. 595 RASKI V

2 ἡμῖν : ἡμετέρων K ‖ 4 ὀφείλω : ὀφείλει SK ‖ τῆς θυρίδος : τῶν θυρίδων V ‖ 6 εἶναι : μεῖναι I V ‖ αὐτῆς : αὐτοῖς V ‖ 7 ἅπαξ^2 om. V ‖ 8 αὐτῇ^2 om. V ‖ 11 ὑμῖν : ἡμῖν I V ‖ 12 οὐδὲ – θέλημα om. R ‖

Réponse :

Si tu n'en as pas besoin, ne le prends pas. Mais si tu en as besoin, dis à celui qui l'offre : « Si je le prends, je t'en donne le prix », et hâte-toi de lui donner l'équivalent de sa valeur.

595

Demande : Il arrive parfois que viennent chez nous des femmes pieuses et des mères de nos frères, et nous les recevons dans la cellule extérieure. Cette cellule a des fenêtres ouvrant sur le monastère, dois-je m'entretenir avec elles par la fenêtre ou non ? D'autre part, ma femme n'a pas voulu rester auprès de ses cousins et elle m'a remis tous ses biens. Me permets-tu de lui parler quand elle viendra de temps en temps et de subvenir à ses besoins ? Sinon comment faire ? Comment cela doit-il se passer ?

Réponse de Jean :

Si, à l'occasion, des femmes viennent vous trouver pour Dieu, non pour voir l'endroit ni par volonté mauvaise, mais simplement pour entendre la parole de Dieu ou apporter ici quelque chose, et qu'il y ait nécessité de s'entretenir avec elles, converse avec elles et fais-toi violence pour garder tes yeux, car « quiconque regarde une femme avec convoitise a déjà, dans son cœur, commis l'adultère avec elle[a] », et Dieu protégera tout ce qui est fait pour Dieu. Sans complaisance humaine et sans désir de louange, d'un cœur pur[b], dirige ta pensée vers Dieu. Si c'est la mère d'un frère qui est venue pour quelque nécessité, parle avec elle selon l'ordre que tu as reçu. S'il n'y a pas de nécessité,

15-16 ἐπιϐλέπων : ἐμϐλέπων RI V ‖ 16 εἰς : πρὸς RKI V ‖ ἐπιθυμῆσαι + αὐτῆς V ‖ 17 πᾶν + τὸ S ‖ 22 ἐπεὶ : ἐπειδὴ R V

595. a. Mt 5, 28 b. Cf. 1 Tm 1, 5

Δύναται γὰρ ὁ υἱὸς αὐτῆς πληροφορῆσαι αὐτήν, ὑμῶν ὑπουργούντων τὰ τῆς χρείας, οὐκ ἐν ἀσωτίᾳ ἀλλὰ τὰ ἐπάναγκες. Τῇ δὲ γραίᾳ σου τὸν χρόνον τῆς ζωῆς αὐτῆς ὀφειλέτης εἶ ἅπαξ ἅπαξ λαλῆσαι καὶ ποιεῖν τὰς χρείας αὐτῆς, εἴτε εἰς τὴν πόλιν θέλει εἶναι, εἴτε εἰς ταύτην τὴν κώμην. Τοὺς δὲ παῖδας μὴ συγχωρήσῃς ποιεῖν τὰ θελήματα αὐτῶν, ἕως οὗ εὐοδώσῃς αὐτοὺς εἰς βίον. Διοίκει δὲ αὐτοὺς ἐν φόβῳ Θεοῦ. Τρέφων αὐτοὺς καὶ ἐνδύων μετὰ ἀκριβείας διὰ τὴν ἀσωτίαν καὶ καταφρόνησιν, καὶ τὸ μὴ ζητεῖν τι περισσόν. Ἀλλὰ δοκιμάζων τὰ τῆς χρείας, καὶ ἐλέγχων αὐτούς, καὶ λέγων αὐτοῖς · Θέτε παρ' ἑαυτοῖς ὅτι οὐκ ἐστε δοῦλοι ἀλλ' ἐλεύθεροι[c]. Πόσην ἀμεριμνίαν ἔχετε καὶ ἀνάπαυσιν πλείονα τῶν ἐχόντων οὐσίας; Κἂν ἀποθάνῃ ἡ γραῖα, ἐλευθέρωσον αὐτοὺς καὶ δὸς αὐτοῖς τὴν ἀποτροφὴν αὐτῶν μετὰ συμμετρίας, εἴτε ἐνταῦθα ἐν τῇ κώμῃ, εἴτε ὅπου θέλεις · Οὐκ ἔστι γὰρ τοῦτο ὑπὸ νόμον. Ἀπειλῶν αὐτοῖς ἀλλοτριώσουσι καὶ τῶν σῶν ἐναριθμήσουσι.

596

Ἐρώτησις · Ἐὰν φαίνηταί μοι ὅτι χρεία παρασαλεῦσαί τινα τῶν δεδομένων μοι παρ' ὑμῶν παραγγελιῶν, ποιήσω ἢ οὔ; Εἰ δὲ οὐ χρὴ καὶ ἡττηθῶ ὡς ἄνθρωπος, τί ποιήσω; Ἀπόκρισις ·

Ἐὰν ἀπαιτῇ τὸ πρᾶγμα ἐν ἀληθείᾳ τὸ παρασαλεῦσαι, μὴ κωλύσῃς, ἐὰν δὲ μὴ καὶ ἡττηθῇς ὡς ἄνθρωπος, καὶ βλέπῃς ἐν τῷ πράγματι μικρὸν ὅτι χρεία ἦν, καὶ ὁ λογισμὸς οὐ δύναται συγκόψαι τὸ πᾶν, συγκατάβηθι τῷ

26 λαλῆσαι : λαλεῖν V ‖ 29 αὐτοὺς[2] om. R ‖ 32 τὰ τῆς : τὰς V ‖ 33 θέτε – ἑαυτοῖς om. ASK ‖ 37 αὐτῶν om. SK ‖ μετὰ + τῆς K

L. 596 RASKI V

2 παρ' : ἐξ R ‖ ὑμῶν : ἐμοὶ SK ‖ 8 συγκόψαι : κόψαι RI V

c'est inutile. Car son fils peut lui garantir que, lorsque vous rendez les services nécessaires, ce n'est pas par relâchement mais vraiment par nécessité. Quant à ta femme, tant qu'elle vivra, tu dois lui parler de temps en temps et pourvoir à ses besoins, qu'elle veuille se fixer en ville ou dans ce bourg. Pour les enfants, ne les laisse pas faire leurs volontés, tant que tu ne les auras pas mis sur la bonne route pour la vie. Élève-les dans la crainte de Dieu. Donne-leur exactement ce qui convient comme nourriture et vêtement pour éviter la prodigalité et le mépris, et pour qu'ils ne recherchent pas de superflu. Évalue leurs besoins, confonds-les, et dis-leur : « Considérez, à part vous, que vous n'êtes pas esclaves mais libres[c]. N'êtes-vous pas exempts de soucis et bien plus tranquilles que ceux qui possèdent des richesses? » Et si leur mère vient à mourir, assure-leur la liberté, et subviens à leur entretien avec mesure, soit là-bas dans le, bourg, soit où tu voudras; car pour cela il n'y a pas de règle. Si tu les menaces, ils te deviendront étrangers et ils seront comptés parmi les tiens.

596

Demande : S'il me semble qu'il faille bouleverser certaines des instructions qui m'ont été données par vous, dois-je ou non le faire? Si je ne le dois pas et que j'y sois entraîné par la faiblesse humaine, que faire?

Réponse :

Si les circonstances exigent réellement un bouleversement, ne t'en prive pas; si au contraire tu es entraîné par la faiblesse humaine, tout en voyant qu'il y a effectivement une certaine nécessité, et que ta pensée ne peut

c. Cf. Ga 4, 7

λογισμῷ, καὶ αἴτησαι παρὰ τοῦ Θεοῦ συγχώρησιν καὶ παραφέρει. Οὐ μόνον δὲ ἐν τούτῳ, ἀλλὰ καὶ ἐν παντὶ πράγματι, χρὴ βαστάζειν τὴν μέμψιν. Ἐὰν γὰρ ποιήσῃς, φησίν, οὐρανὸν καινὸν καὶ γῆν καινήν[a], οὐ δύνασαι ἀμεριμνῆσαι.

597

Ἐρώτησις· Ἐὰν συνείδω ἐναλλάξαι τι τῆς ὡρισμένης ἐκ τοῦ μακαρίου τοῦ ἀββᾶ διατυπώσεως, ἢ καὶ διορθώσασθαί τι ἐν τῇ μονῇ, κελεύεις ποιήσω ἢ οὔ;

Ἀπόκρισις·

Εἴ τι φαίνεταί σοι ὅτι χρεία ἐναλλάξαι ἐν φόβῳ Θεοῦ, μὴ διακριθῇς. Καὶ ὅσα χρῄζει διορθώσεως διορθωθῇ, μὴ ἐν πλατυσμῷ, ἀλλ' ὡς ἀπαιτεῖ ἡ χρεία, καὶ αὐτὸ μικρὸν ἐν στενώσει, ὡς ἐν παροικίᾳ[a]· Τὰ γὰρ τοῦ αἰῶνος τούτου σκηνή ἐστι[b]. Ὅτε βλέπεις τὸν λογισμὸν ζητοῦντα ποιῆσαί τι πρᾶγμα, εἰπὲ αὐτῷ· Διὰ τί θέλεις ποιῆσαι; Καὶ εἰ μέν ἐστι τὸ πρᾶγμα χρείας οὔσης ἀναγκαίας, γενέσθω. Ἐὰν δὲ οὐκ ἔστιν ἀνάγκη, εἰπὲ τῷ λογισμῷ· Τί ὠφελεῖ σε ἐκ τούτου; Ἐὰν δὲ ᾖ σαρκικὸς λογισμός, καταφρόνησον αὐτοῦ. Ἐὰν δὲ πάνυ ὀχλήσῃ σοι, μὴ ἀποκριθῇς αὐτῷ, ἀλλὰ πρόσφυγε τῷ Θεῷ.

598

Ἐρώτησις· Δέσποτα, ἐπειδὴ προεμήνυσας ἡμῖν περὶ τῆς ὑμῶν τελευτῆς καί εἰμι ἐν φόβῳ καὶ λύπῃ, μὴ διὰ

10 μόνον : μόνῳ V ‖ 12 καινὸν om. ASK

L. 597 RASKI V

1 συνείδω ἐναλλάξαι : συνείδωμεν ἀλλάξαι SK ‖ τι om. V ‖ 6 διορθωθῇ : διόρθωσαι R ‖ μὴ : τῷ μὴ SK ‖ 12 ἐὰν : εἰ V

L. 598 RASKI V

venir à bout de tout, condescends à ta pensée, demande pardon à Dieu et il passera outre. Cependant, non seulement en cette conjecture, mais dans tous les cas, il faut tenir ferme le blâme de soi. Car quand bien même tu ferais, comme il est dit, un ciel nouveau et une terre nouvelle[a], tu ne peux être sans souci[1].

597

Demande : Si j'envisage de changer quelque chose aux dispositions prises par le bienheureux abbé (Séridos), ou de réformer quelque chose dans le monastère, me permets-tu de le faire, ou non?

Réponse :

Si, dans la crainte de Dieu, le changement te semble indispensable, n'hésite pas. Que tout ce qui a besoin d'être réformé le soit, mais sans exagération, dans la mesure seulement où c'est nécessaire; et même un peu strictement, comme dans une demeure étrangère[a]; car les choses de ce monde sont une tente[b]. Quand tu vois ta pensée chercher à faire quelque chose, dis-lui : «Pourquoi veux-tu faire ceci?» Si c'est de nécessité absolue, fais-le. Sinon, dis à la pensée : «Quel profit à cela?» Si c'est une pensée charnelle, méprise-la. Si elle te tourmente avec insistance, ne lui réponds rien, mais recours à Dieu.

598

Demande : Maître, comme tu nous as annoncé d'avance votre mort[2], je suis dans la crainte et la tristesse; Dieu

596. a. Ap 21, 1
597. a. Cf. 1 P 1, 17 b. He 11, 9

1. Cf. *Alph. Poemen,* 48.
2. Voir L. 599 b, où Jean prédit sa propre mort, qui devrait survenir huit jours après le décès de Séridos.

τὴν ἀναξιότητά μου ἐγκαταλειφθῶμεν παρὰ τοῦ Θεοῦ; Δός μοι λόγον, παρακαλῶ, ὅτι ὥσπερ βοηθούμεθα ἐν τῇ ζωῇ ὑμῶν, οὕτω μέλλομεν βοηθεῖσθαι καὶ μετὰ τὴν ὑμῶν πρὸς τὸν Θεὸν ἀναχώρησιν, καὶ ἵνα συνεργῇ ἡμῖν[a] *ὁ Θεὸς ἐν πᾶσι κατὰ τὸ αὐτοῦ ἔλεος.*

Ἀπόκρισις·

Ὁ Θεὸς ἅπαξ εἶπεν· « Οὐ μή σε ἀνῶ, οὐδ' οὐ μή σε ἐγκαταλείπω[b] », καὶ πιστεύομεν εἰς τὸν Θεόν, ὅτι καὶ περισσὸν οὗ ἤμεθα μεθ' ὑμῶν ποιεῖ. Κἂν οὖν εἴπῃς, κἂν μὴ εἴπῃς, πλέον οὗ ζητεῖς αὐτὸς συνεργεῖ μεθ' ὑμῶν, καθὼς εἶπεν ὁ Ἀπόστολος ὅτι « Προσεύξασθαι καθ' ὃ δεῖ οὐκ οἴδαμεν[c]. » Ὁ Κύριος Ἰησοῦς Χριστὸς ὁ κατελθὼν διὰ τὴν σωτηρίαν ἡμῶν ἐκ τοῦ πατρικοῦ θρόνου, αὐτὸς καὶ σώσει καὶ ἀποκαταστήσει καὶ φυλάξει ἐκ τοῦ πονηροῦ, ἡμῶν συνεργούντων, εὐχαῖς ἁγίων. Ἀμήν.

599

Τινὲς ἐν τῷ κοινοβίῳ Γέροντες ἠρώτησαν τὸν αὐτὸν Γέροντα· Παρακαλοῦμεν ἵνα εἴπῃς ἡμῖν Δέσποτα, διὰ τί μεθ' ὃ ἐπηγγείλασθε ἡμῖν ὅτι δυσωπεῖτε τὸν Δεσπότην Θεὸν ἀφεῖναι μεθ' ὑμᾶς τὸν μακάριον τὸν ἀββᾶν, πάλιν ἔλαβε αὐτὸν πρὸ ὑμῶν, ὁ ἀεὶ ποιῶν τὸ θέλημα τῶν φοβουμένων αὐτόν[a]*; Καὶ τοῦτο δὲ Πάτερ δίδαξον ἡμᾶς, διὰ τί ἔστιν ὅτε κρύπτει ὁ Θεὸς πρᾶγμα ἀπὸ τῶν ἁγίων, ὡς ἐπὶ τοῦ Προφήτου Ἐλισσαίου*[b]*; Καὶ τίνος χάριν ἀνῆλθε τὰ ἀνθράκια εἰς τὸν ἀββᾶν, ὅτε ἔμελλε τελευτᾶν;*

6 ἡμῖν : ὑμῖν V ‖ 11 ἤμεθα : ἦμεν R V ‖ ποιεῖ om. RASK ‖ 13 ὅτι + τί V ‖ 14 οἴδαμεν + ὅτι SK ‖ κύριος + ἡμῶν RI V ‖ 16 σώσει – φυλάξει : σώσοι καὶ -καταστήσοι καὶ φυλάξοι V ‖ 17 ἡμῶν : ὑμῶν I V

L. 599 RASKI V

ne nous abandonnera-t-il pas à cause de mon indignité? Donne-moi, je te prie, l'assurance que le soutien reçu durant votre vie, nous le recevrons encore après votre départ auprès de Dieu, afin que Dieu coopère avec nous[a] *en tout selon sa miséricorde.*

Réponse :

Dieu a dit une fois pour toutes : «Je ne te délaisserai ni ne t'abandonnerai[b]», et nous avons confiance en Dieu, qu'il le fera plus encore que quand nous étions parmi vous. Quoi que tu dises ou ne dises pas, il coopère avec vous plus que tu ne le demandes, ainsi que l'a dit l'Apôtre : «Nous ne savons ce qu'il faut demander[c].» Notre Seigneur Jésus-Christ qui, pour notre salut est descendu du trône de son Père, lui-même sauvera, restaurera et gardera du Mauvais, avec notre coopération, par les prières des saints. Amen.

599

À DES VIEILLARDS DU MONASTÈRE

Certains Vieillards du monastère demandèrent au même Vieillard : Maître, nous te prions de nous dire pourquoi, après nous avoir annoncé que vous suppliez le divin Maître de laisser après vous le bienheureux abbé (Séridos), il l'a pris avant vous, lui qui fait toujours la volonté de ceux qui le craignent[a]*? Dis-nous encore, Père, comment il se fait que Dieu cache des choses à ses saints, comme il est arrivé au prophète Élisée*[b]*. Et dans quel dessein a-t-il envoyé à l'abbé les ulcères, quand il allait mourir?*

1 ἐν – κοινοβίῳ : τοῦ κοινοβίου V ‖ 5 αὐτὸν om. V ‖ ὁ om. SK ‖ 7 πρᾶγμα : πράγματα I V ‖ 9 ὅτε : ὅτι V

---

598. a. Cf. Mc 16, 20 b. Jos 1, 5 c. Rm 8, 26
599. a. Cf. Ps 144, 19 b. Cf. 4 R 4, 27

Ἀπόκρισις Ἰωάννου·

Καθὼς εἶπε τῷ ἀββᾷ Ἀντωνίῳ ὅτι «Ταῦτα κρίματά ἐστι Θεοῦ καὶ οὐ δύνῃ αὐτὰ μαθεῖν.» Τοῦτ' ἔστιν. Περὶ δὲ τῶν ἀνθρακίων καὶ τῆς ἀλλοιώσεως, ἅπαξ ὑπὲρ τὸ μέτρον ἔλαβεν ὁ ἀββᾶς δόξαν ὑπὸ τῶν ἀνθρώπων καὶ τοῦ Θεοῦ, ἵνα οὖν μὴ θεοποιῶσιν αὐτὸν οἱ ἄνθρωποι. Καὶ γὰρ ἐν ἀληθείᾳ κατηξιώθη Πνεύματος ἁγίου καὶ τελειότητος, ἔσβεσεν ὁ Θεὸς διὰ τῆς προφάσεως ταύτης τὴν δόξαν τῶν ἀνθρώπων, ἵνα τελείως ὑπερπερισσεύσῃ ἡ δόξα τοῦ Θεοῦ[c]. Οὐδὲ γὰρ ἔτι ἠδύνατο, τοιούτου μέτρου ὤν, φροντίζειν τὰ γήϊνα, καὶ εἰς μέσον ἀνθρώπων, οὐκ ἠδύνατο εὐλυτῶσαι. Διὰ τοῦτο ἔλαβεν αὐτὸν ὁ Θεός. Περὶ γὰρ ἡμῶν προσεδοκήσαμεν ὅτι γίνεται καθὼς ἐλογιζόμεθα καὶ ἐγένετο κατὰ τὸ θέλημα τοῦ Θεοῦ τοῦ ὑπερέχοντος τῇ προνοίᾳ τῆς σωτηρίας. Λοιπὸν οὐκ ἔστιν ἀνθρώπου τὸ ἐκζητεῖν τὰ ἀκατάληπτα, ἀλλὰ πᾶσαν ἔννοιαν καὶ πᾶν ἔργον ἀγαθὸν ἐπιρρίπτειν[d] τῷ ἐξουσίαν ἔχοντι, ἵνα κατὰ τὸ θέλημα αὐτοῦ γένηται. Ὁ Κύριος Ἰησοῦς Χριστὸς πληροφορήσαι ὑμᾶς, ἀπορρίψαι ἀφ' ὑμῶν πᾶσαν διψυχίαν καὶ κακίαν πονηρίας. Ἐρρῶσθαι ὑμᾶς εὔχομαι ἐν Κυρίῳ. Ἀμήν. Εὔξασθε ὑπὲρ ἐμοῦ, ἵνα κἀγὼ εὕρω ἔλεος καὶ σωθῶ ἀπὸ τῆς ψευδογνωσίας καὶ τῆς ἀφροσύνης, ἐν Χριστῷ Ἰησοῦ τῷ Κυρίῳ, ᾧ ἡ δόξα εἰς τοὺς αἰῶνας. Ἀμήν.

599 b

Ὤικησε δὲ ὁ αὐτὸς ἀββᾶς Ἰωάννης ἐν τῷ πρώτῳ κελλίῳ τοῦ μεγάλου Γέροντος τῷ κτισθέντι αὐτῷ ἔξω τῆς μονῆς,

12 ἐστι : εἰσι RI V ‖ καὶ οὐ – ἔστιν om. K ‖ 13 ὑπὲρ om. SK ‖ 14 ὑπὸ : ἀπὸ R ‖ 16 κατηξιώθη : ἦν μέτοχος I V ‖ 19 γὰρ om. K ‖ 21 διὰ : καὶ διὰ KI V ‖ 27 ὑμᾶς + καὶ K V ‖ 28 ἀφ' om. RI V

L. 599 b RASKI V

1 ἀββᾶς om. R

Réponse de Jean :

Ainsi qu'il a été dit à l'abbé Antoine : « Ce sont des jugements de Dieu, et tu ne peux les connaître[1]. » C'est ainsi. Pourquoi les ulcères et le changement? Une fois l'abbé fut comblé de gloire outre mesure par les hommes et par Dieu, il ne fallait pas que les hommes en fassent un Dieu. Et en effet il avait vraiment été jugé digne de l'Esprit Saint et de la perfection; Dieu, par ce prétexte, éteignit la gloire humaine, afin que surabonde à l'infini la gloire de Dieu[c]. Parvenu à une si grande perfection, il ne pouvait plus se soucier des biens terrestres, et, au milieu des hommes, il ne pouvait jouir de la pleine liberté. C'est pourquoi Dieu l'a pris. Quant à nous, nous attendions qu'il en soit selon nos vues, et tout s'est réalisé selon la volonté de Dieu qui excelle à prévoir notre salut. Il n'appartient donc pas à l'homme de scruter l'incompréhensible, mais de rejeter toute bonne pensée et toute bonne œuvre sur celui[d] qui a le pouvoir de faire que tout se réalise selon sa volonté. Que le Seigneur Jésus-Christ vous donne cette assurance, vous enlève tout doute et toute malice. Portez-vous bien, je le souhaite dans le Seigneur. Amen. Priez pour moi afin que moi aussi j'obtienne miséricorde, que j'échappe à la fausse science et à la folie, dans le Christ Jésus notre Seigneur, à lui la gloire dans les siècles. Amen.

599 b[2]

SUR LA MORT DE L'ABBÉ JEAN

Le même abbé Jean habitait dans la première cellule du Grand Vieillard qui avait été construite pour celui-ci hors

c. Cf. Jn 5, 41 – 44 d. Cf. 1 P 5, 7

1. Cf. *Alph. Antoine,* 2.
2. Dans l'édition de Schoinas, cette lettre correspond à la réponse de la L. 224.

ἔτη δέκα καὶ ὀκτὼ ἡσυχάζων ἕως τῆς ἑαυτοῦ τελευτῆς, προμηνύσας αὐτὴν οὕτως λέγων ὅτι Εἰς τὰ ἕβδομα τοῦ ἀββᾶ Σερίδου τότε τελευτῶ. Καὶ ἡμῶν δεομένων αὐτοῦ μὴ ἀφῆσαι ἡμᾶς ὀρφανούς, ἔλεγεν ὅτι Εἰ ἔμεινεν ὁ ἀββᾶς Σέριδος, εἶχον μεῖναι ἄλλα πέντε ἔτη, ἐπειδὴ δὲ ἔκρυψέ μοι ὁ Θεὸς καὶ ἔλαβεν αὐτόν, οὐκέτι μένω. Τότε ὁ ἀββᾶς Αἰλιανός, ὡς νεωστὶ κουρευθεὶς καὶ τῇ προβολῇ αὐτοῦ γενόμενος ἡγούμενος τοῦ κοινοβίου, παρηνώχλει τῷ ἀββᾷ Βαρσανουφίῳ διὰ πολλῶν δεήσεων καὶ δακρύων, χαρίσασθαι ἡμῖν αὐτόν, ὡς αὐτοῦ τοῦ ἀββᾶ Βαρσανουφίου μηκέτι παρέχοντος ἀπόκρισιν. Τοῦτο οὖν γνοὺς τῷ πνεύματι ὁ ἀββᾶς Ἰωάννης, πάλιν τῇ ἄλλῃ ἡμέρᾳ ὅτε κατήλθομεν παρακαλέσαι αὐτόν, προλαβὼν εἶπε τῷ ἀββᾷ Αἰλιανῷ · Τί τῷ Γέροντι παρενοχλεῖς δι' ἐμέ; Μὴ κακοπαθῇς, οὐ γὰρ μένω. Τότε ἡμῶν πλησθέντων κλαυθμοῦ, καὶ αὐτῷ προσπεσόντων, ἀντελάβετο ὁ ἀββᾶς Αἰλιανὸς καὶ εἶπε · Κἂν δύο ἑβδομάδας χάρισαί μοι, ἵνα ἐρωτήσω σε περὶ τοῦ μοναστηρίου καὶ τῆς διοικήσεως αὐτοῦ. Ὁ δὲ Γέρων, σπλαγχνισθεὶς καὶ κινηθεὶς ἐκ τοῦ ἐνοικοῦντος αὐτῷ ἁγίου Πνεύματος, εἶπε · Καὶ ἰδοὺ ἔχεις με τὰς δύο ἑβδομάδας. Ἔμεινε δὲ ὁ ἀββᾶς Αἰλιανὸς ἐρωτῶν αὐτὸν περὶ ἑκάστου πράγματος τῆς διοικήσεως τοῦ κοινοβίου, καὶ τῶν δύο ἑβδομάδων πληρωθεισῶν, ἐνετείλατο ἡμῖν μὴ φανερῶσαι τὴν κοίμησιν αὐτοῦ, ἄχρι τῆς ἡμέρας. Καὶ καλέσας πάντας τοὺς ἀδελφοὺς καὶ τοὺς εὑρεθέντας ἐν τῷ κοινοβίῳ, ἠσπάσατο ἕκαστον καὶ εὐλόγησεν αὐτούς. Καὶ ἀπολύσας πάντας, παρέδωκεν ἐν εἰρήνῃ τὸ πνεῦμα αὐτοῦ τῷ Θεῷ.

3 ἑαυτοῦ : αὐτοῦ RI V ‖ 5 τότε om. V ‖ 6 ὅτι om. V ‖ 13 παρέχοντος + αὐτοῖς R ‖ 17 κλαυθμοῦ : καπνοῦ AS ‖ 28 εὐλόγησεν : ἀπέλυσεν I V

du monastère, et il y vécut dix-huit ans dans la retraite, jusqu'à sa mort qu'il avait prédite en ces termes : Je mourrai moins de huit jours après l'abbé Séridos. Et comme nous le suppliions de ne pas nous laisser orphelins, il dit : Si l'abbé Séridos était resté, je serais encore resté cinq ans; mais puisque Dieu l'a pris à mon insu, je ne reste plus. Alors l'abbé Élien, nouvellement tonsuré, et devenu supérieur du monastère sur sa proposition, importuna l'abbé Barsanuphe avec force prières et larmes, afin qu'il nous accordât Jean, d'autant que lui, l'abbé Barsanuphe, n'envoyait plus de lettres. Ayant donc su cela en esprit, l'abbé Jean, le lendemain, lorsque nous vînmes le supplier, prit le premier la parole pour dire à l'abbé Élien : Pourquoi importunes-tu le Vieillard à mon sujet? Ne te donne pas de mal, car je ne reste pas. Alors comme nous étions tombés tout en larmes à ses pieds, l'abbé Élien prit le parti de dire : « Accorde-moi au moins deux semaines, afin que je t'interroge sur le monastère et son gouvernement. » Et le Vieillard, ému de pitié et poussé par l'Esprit Saint qui habitait en lui, dit : Eh bien! tu m'auras pendant ces deux semaines. L'abbé Élien ne cessa de l'interroger au sujet de chaque détail du gouvernement du monastère[3]*, et les deux semaines écoulées, il nous demanda de ne pas révéler sa mort jusqu'à ce que le jour fût arrivé; ayant fait venir tous les frères et tous ceux qui se trouvaient dans le monastère, il embrassa chacun et les bénit. Il renvoya tout le monde; après quoi il rendit en paix son esprit à Dieu.*

3. Voir L. 571-598 et avant sa nomination les L. 463-482.

600

Ἀδελφὸς ἠρώτησε τὸν ἅγιον Γέροντα, τὸν ἀββᾶν Βαρσανούφιον λέγων· Οὐκ οἶδα Πάτερ πῶς ἐνέπεσα εἰς τὰ βιβλία Ὠριγένους καὶ Διδύμου, καὶ εἰς τὰ Γνωστικὰ Εὐαγρίου καὶ εἰς τὰ τῶν μαθητῶν αὐτοῦ. Καὶ λέγουσιν ὅτι οὐκ ἐδημιουργήθησαν αἱ τῶν ἀνθρώπων ψυχαὶ μετὰ τῶν σωμάτων, ἀλλὰ προϋπῆρχον αὐτῶν, νόες γυμνοὶ οὖσαι, τοῦτ' ἔστιν ἀσώματοι. Ὁμοίως καὶ οἱ ἄγγελοι νόες γυμνοὶ ἦσαν καὶ οἱ δαίμονες νόες γυμνοί. Καὶ οἱ μὲν ἄνθρωποι παραβάντες κατεδικάσθησαν εἰς τὸ σῶμα τοῦτο, οἱ δὲ ἄγγελοι τηρήσαντες ἑαυτοὺς ἄγγελοι γεγόνασιν. Οἱ δὲ δαίμονες ἀπὸ πολλῆς κακίας τοιοῦτοι γεγόνασιν[a]. Καὶ ὅσα ἄλλα λέγουσι τοιαῦτα, καὶ πάλιν ὅτι δεῖ τὴν μέλλουσαν κόλασιν τέλος λαβεῖν καὶ ἔχουσιν οἱ ἄνθρωποι καὶ οἱ ἄγγελοι καὶ οἱ δαίμονες ἐπανελθεῖν ὡς ὑπῆρχον νόες γυμνοί, ὃ λέγουσιν ἀποκατάστασιν.

Ἐπεὶ οὖν θλίβεται ἡ ψυχή μου ἐμπεσοῦσα εἰς διψυχίαν, εἰ ἀληθῆ ταῦτά εἰσιν ἢ οὔ. Δέομαί σου Δέσποτα, δεῖξόν

L. 600 MRI V
1-2 τὸν[2] – λέγων om. R ‖ 2 ἐνέπεσα : ἐνέπεσον V ‖ 7 νόες γυμνοί om. R ‖ 10-11 οἱ δὲ δαίμονες – γεγόνασιν om. V ‖ 17-18 δεῖξόν μοι : δίδαξόν με I V γράψον μοι R

---

600. a. Cf. Ap 9, 1-2; 12, 9

---

1. Trois manuscrits seulement et l'édition de Schoinas (V) contiennent les lettres 600-607, qui font allusion aux dogmes hérétiques de l'époque. Il s'agissait d'un sujet tabou. Les mss M et I font précéder la L. 600 du titre suivant : Διδασκαλία τοῦ ἁγίου Βαρσανουφίου ἐπὶ Αὐρελιανοῦ ἐπισκόπου Γάζης περὶ τῶν Ὠριγένους Εὐαγρίου καὶ Διδύμου φρονημάτων. Migne reprend dans sa *Patrologie* (*PG* 86 A, 892 A – 901 B) le texte fragmentaire du ms M qui contient les lettres 600-604 (en partie). Déjà les lettres 536-539 et la L. 547 parlaient d'hérésies.

2. Sur l'Origénisme en Palestine, voir Lorenzo Perrone, *La Chiesa di*

600 [1]

À UN FRÈRE SUR L'ORIGÉNISME

Un frère interrogea le saint Vieillard, l'abbé Barsanuphe : Je ne sais comment, Père, je suis tombé sur les livres d'Origène et de Didyme, sur les Gnostica *d'Évagre et sur les écrits de ses disciples* [2]. *Or ils prétendent que les âmes des hommes n'ont pas été créées en même temps que les corps, mais qu'elles préexistaient, à l'état d'esprits purs, c'est-à-dire incorporels. De même, les anges étaient également des esprits purs, et les démons des esprits purs* [3]. *Les hommes déchus ont été condamnés à vivre dans ce corps, tandis que les anges qui ont gardé leur intégrité sont devenus anges. Les démons, eux, sont devenus ce qu'ils sont par leur grande perversité* [a]. *Et ils disent beaucoup d'autres choses de ce genre, en particulier qu'il faut que le châtiment futur ait une fin, pour que les hommes, les anges et les démons puissent retrouver leur état premier d'esprits purs, c'est ce qu'ils appellent l'apocatastase.*

Mon âme est donc en peine, car elle est tombée dans le doute si cela est vrai ou faux. Aussi je t'en prie, maître,

Palestina e le controversie cristologiche dal 431 al 553, Brescia 1980, en particulier les p. 296-306, qui sont consacrées à la *Correspondance* des moines de Gaza.

Dans d'autres lettres on parle de questions dogmatiques :
- canons de l'Église : L. 170 (sur les saints mystères);
- Trinité 'sainte et consubstantielle' : L. 169 et L. 600, l. 102;
- L. 370 : il faut accepter comme un commandement ce que déclarent les canons dogmatiques;
- Foi de Nicée (les 318 Pères) : L. 58, 701;
- Reliques des saints Martyrs : L. 433 et DOROTHÉE DE GAZA, § 174-179.
- Jean Chrysostome : L. 464.
- L. 694 à 702, 733-735, 775 et 792, où l'on traite de l'attitude des moines et des évêques envers les hérétiques.

3. νόες : à partir du NT et dans le grec tardif le mot νοῦς prend les désinences de la 3e déclinaison (voir *Dictionnaire* Bailly).

μοι τὴν ἀλήθειαν, ἵνα οὕτω κρατήσω καὶ μὴ ἀπόλωμαι. Καὶ γὰρ οὐδὲν τούτων εἴρηται ἐν τῇ θείᾳ Γραφῇ. Ὥσπερ καὶ αὐτὸς Ὠριγένης διαβεβαιοῦται ἐν τῷ αὐτοῦ ἐξηγητικῷ τῆς πρὸς Τίτον ἐπιστολῆς, μὴ εἶναι τῶν Ἀποστόλων μηδὲ τῆς Ἐκκλησίας παράδοσιν, τὸ πρεσβυτέραν εἶναι τὴν ψυχὴν τῆς τοῦ σώματος κατασκευῆς, ὡς αἱρετικὸν χαρακτηρίζων τὸν ταῦτα λέγοντα.

Ἀλλὰ καὶ Εὐάγριος μαρτυρεῖ ἐν τοῖς Γνωστικοῖς αὐτοῦ Κεφαλαίοις, ὅτι περὶ τούτων οὐδεὶς ἐμήνυσεν, οὐδὲ αὐτὸ τὸ Πνεῦμα ἐξηγήσατο. Ἔχει γὰρ ἐν τῷ ἑξηκοστῷ τετάρτῳ κεφαλαίῳ τῆς δευτέρας ἑκατοντάδος τῶν αὐτοῦ Γνωστικῶν· «Περὶ μὲν τῶν προτέρων ὁ μηνύσων οὐδείς, περὶ δὲ τῶν δευτέρων ὁ ἐν Χωρὴβ ἐξηγήσατο.» Καὶ πάλιν ἐν τῷ ἑξηκοστῷ ἐνάτῳ κεφαλαίῳ τῆς αὐτῆς ἑκατοντάδος οὕτως φησὶν ὅτι «Τὸ Πνεῦμα τὸ ἅγιον οὐ τὴν πρώτην τῶν λογικῶν διαίρεσιν, οὐδὲ τὴν πρώτην οὐσίαν τῶν σωμάτων ἐξηγήσατο.» Περὶ δὲ τοῦ μὴ εἶναι ἀποκατάστασιν, μηδὲ τέλος κολάσεως, αὐτὸς ὁ Κύριος ἐφανέρωσεν ἐν τῷ Εὐαγγελίῳ, εἰπών· «Ἀπελεύσονται εἰς κόλασιν αἰώνιον[b]*», καὶ πάλιν· «Ὁ σκώληξ αὐτῶν οὐ τελευτᾷ, καὶ τὸ πῦρ οὐ σβέννυται*[c]*.» Πόθεν οὖν Δέσποτα, μηδὲ τῶν Ἀποστόλων παραδεδωκότων, μηδὲ τοῦ ἁγίου Πνεύματος ἐξηγησαμένου, καθὼς αὐτοὶ ἐμαρτύρησαν καὶ τῶν Εὐαγγελίων ἐναντίως ἐχόντων, ταῦτα ἐξέθεντο; Ποίησον οὖν ἔλεος, εὐσπλαγχνίας Πάτερ, μετὰ τῆς ἀσθενείας μου, καὶ φανέρωσόν μοι τί εἰσι τὰ δόγματα ταῦτα.*

Ἀπόκρισις Βαρσανουφίου·

Ἄδελφε, οὐαὶ καὶ ἀλαλαὶ τῷ γένει ἡμῶν! Τί ἀφήκαμεν καὶ τί ἐρευνῶμεν; Εἰς ποῖα ἀμελοῦμεν καὶ εἰς ποῖα

29 μὲν : δὲ V ‖ 46 εἰς[1] ποῖα ἀμελοῦμεν om. I V

b. Mt 25, 46 c. Mc 9, 48

4. Horeb : nom du massif du Sinaï, où le Seigneur se manifesta pour stipuler l'Alliance avec son peuple et lui dicter sa Loi (voir *Exode* et

*montre-moi la vérité, pour que je m'y attache et que j'évite ainsi la perdition. Car rien de tout cela n'est écrit dans la divine Écriture. Origène lui-même n'affirme-t-il pas, dans son exposition de l'*Épître à Tite, *qu'il n'y a pas de tradition des Apôtres ni de l'Église disant que l'âme est antérieure à la création du corps, comme s'il qualifiait d'hérétique celui qui le dit?*

De son côté, Évagre témoigne, dans ses Chapitres Gnostiques, *que personne n'a fait de révélation à ce sujet. et que l'Esprit lui-même ne l'a pas exposé. Voici ce qu'il dit en effet dans le soixante-quatrième chapitre de la deuxième centurie de ses* Gnostica : *« Sur les premiers, personne n'a rien révélé, mais sur les seconds, celui qui a été sur l'Horeb a fait un exposé*[4]*.» Et encore dans le soixante-neuvième chapitre de cette même deuxième centurie il affirme que « l'Esprit Saint ne nous a pas exposé la distinction première des êtres raisonnables, ni l'essence première des corps*[5]*.» Qu'il n'y ait pas d'apocatastase et que le châtiment soit sans fin, le Seigneur lui-même l'a déclaré dans l'Évangile, lorsqu'il a dit: « Ils s'en iront au châtiment éternel*[b]*», et encore: « Leur ver ne meurt, ni leur feu ne s'éteint*[c]*.» Comment donc, maître, peuvent-ils exposer ces doctrines qui n'ont pas été transmises par les Apôtres, ni exposées par l'Esprit Saint, ainsi qu'eux-mêmes en témoignent et qui sont même contraires aux Évangiles? Aie donc pitié de ma faiblesse, Père de miséricorde, et montre-moi clairement ce que sont ces doctrines.*

Réponse de Barsanuphe:

Frère, malheur et catastrophe à notre race! Qu'avons-nous abandonné et que recherchons-nous? Que négligeons-

Deutéronome). C'est là aussi qu'il y eut 'l'entretien' du prophète Élie avec Dieu après 40 jours de marche dans le désert (3 *Règnes* 19, 8). – Voir Dictionnaire de la Bible et ÉVAGRE, *Gnostica*, *PO* 28, p. 87.

5. Voir *Patrologie Orientale* 28, p. 89.

σπουδάζομεν; Εἰς ποῖα ἀμβλυνόμεθα; Τὰς εὐθείας ὁδοὺς ἀφήκαμεν καὶ εἰς τὰς σκολιὰς θέλομεν βαδίσαι, ἵνα πληρωθῇ εἰς ἡμᾶς ὁ γραφικὸς λόγος, τὸ «Οὐαὶ τοῖς καταλιποῦσι τὰς εὐθείας ὁδοὺς τοῦ πορευθῆναι εἰς ὁδοὺς σκολιάς[d].» Μετὰ ἀληθείας, ἄδελφε, ἀφῆκά μου τὸ πένθος καὶ πενθῶ σε ποῦ ἐνέπεσας, καὶ τὸν κλαυθμὸν τὸν περὶ τῶν ἁμαρτιῶν μου καὶ κλαίω σε ὡς ἴδιον τέκνον. Οὐρανοὶ φρίττουσι τί πολυπραγμονοῦσιν ἄνθρωποι. Ἡ γῆ σείεται, πῶς ἐξιχνιάσαι θέλουσι τὰ ἀκατάληπτα. Ταῦτα Ἑλλήνων εἰσὶ δόγματα, ταῦτα ματαιολογίαι εἰσὶν ἀνθρώπων, οἰομένων τι εἶναι[e]. Ταῦτα τὰ ῥήματά εἰσιν ἀργῶν ἀνθρώπων, ταῦτα ἐγέννησεν ἡ πλάνη. Φησὶ γάρ· «Φάσκοντες εἶναι σοφοί, ἐμωράνθησαν[f].» Καὶ εἰ θέλεις μαθεῖν, πρόσχες· Λέγει ὁ Κύριος ἡμῶν Ἰησοῦς Χριστὸς τὸ φῶς ἡμῶν, ὁ βασιλεὺς ἡμῶν· «Ἀπὸ τῶν καρπῶν αὐτῶν ἐπιγνώσεσθε αὐτούς[g].» Ποίους οὖν καρποὺς ἔχουσι; Φυσίωσιν, ἐξουδένωσιν, χαύνωσιν, ἀμέλειαν, πρόσκομμα, ἀλλοτρίωσιν νόμου, μᾶλλον δὲ τοῦ νομοθέτου Θεοῦ[h], οἰκητήριον δαιμόνων καὶ τοῦ ἀρχηγοῦ αὐτῶν διαβόλου[i]. Ταῦτα οὐκ ἄγουσιν εἰς φῶς τοὺς αὐτοῖς πιστεύοντας, ἀλλ᾽ εἰς τὸ σκότος. Ταῦτα εἰς φόβον Θεοῦ οὐ προτρέπουσιν, ἀλλ᾽ εἰς σκληροκαρδίαν. Ταῦτα εἰς προκοπὴν κατὰ Θεὸν οὐκ ἄγουσιν, ἀλλ᾽ εἰς προκοπὴν μᾶλλον τὴν κατὰ διάβολον. Ταῦτα ἀπὸ τοῦ βορβόρου οὐκ ἀνασπῶσιν, ἀλλ᾽ εἰς βόρβορον καταποντίζουσι. Ταῦτά εἰσι τὰ ζιζάνια ἃ ἔσπειρεν ὁ ἐχθρὸς ἐν τῷ ἀγρῷ τοῦ οἰκοδεσπότου[j]. Αὗταί εἰσιν αἱ ἄκανθαι αἱ ἀναφυεῖσαι ἐν τῇ γῇ τῇ κατηραμένῃ ὑπὸ τοῦ Δεσπότου Θεοῦ. Ὅλα

48 εἰς[1] om. I V ‖ 51 ἀφῆκά : ἀφῆκέ V ‖ 52 τὸν[2] περὶ om. V ‖ 65 ἀρχηγοῦ : ἄρχοντος I V ‖ 65-68 σκληροκαρδίαν – εἰς om. I V ‖ 71-73 ταῦτα – θεοῦ om. R ‖ 73 ὅλα : πάντα V

d. Cf. Si 2, 16 e. Cf. Ac 5, 36 f. Rm 1, 22 g. Mt 7, 16 h. Cf. Ps 83, 7 i. Cf. Mt 9, 34; Ap. 18, 2 j. Cf. Mt 13, 25

nous et vers quoi nous empressons-nous? Contre quoi avons-nous émoussé notre vigueur[6]? Nous avons quitté les voies droites et voulons cheminer par les tortueuses, afin que s'accomplisse à notre sujet le mot de l'Écriture : «Malheur à ceux qui laissent les voies droites pour marcher dans les voies tortueuses[d]» En vérité, frère, j'ai mis de côté mon propre deuil et je porte le deuil pour toi, en voyant où tu es tombé. J'ai écarté les pleurs sur mes péchés et je te pleure, comme mon propre enfant. Les cieux frissonnent en constatant de quoi se mêlent les hommes[7]. La terre tremble en voyant comment ils veulent suivre la piste de l'insaisissable. Ce sont spéculations de Grecs; ce sont sornettes d'hommes qui se croient quelque chose[e]. Ce sont propos de gens désœuvrés, ce sont rejetons de l'illusion. Car il est dit : «Se flattant d'être sages, ils sont devenus fous[f]». Et si tu veux t'en rendre compte, sois attentif. Notre Seigneur Jésus-Christ, notre lumière et notre roi dit : «C'est à leurs fruits que vous les reconnaîtrez[g].» Quels fruits portent-ils? L'enflure, le mépris, la vanité, la négligence, le scandale, l'hostilité à la loi, ou plutôt au divin législateur[h], repaire de démons et de leur chef, le diable[i]. Ces doctrines ne conduisent pas à la lumière ceux qui y croient, mais aux ténèbres. Elles ne les disposent pas à la crainte de Dieu, mais à la dureté de cœur. Elles ne les conduisent pas au progrès selon Dieu, mais plutôt au progrès selon le diable. Elles ne les retirent pas du bourbier, mais les y enfoncent. Elles sont l'ivraie que l'Ennemi a semée dans le champ du maître[j]. Elles sont les épines qui ont repoussé sur la terre maudite par le Seigneur Dieu. Elles ne sont que mensonge, ténèbres, illusion, hostilité à Dieu. Fuis-les,

6. Voir L. 498, n. 2.

7. Voir L. 463 pour ce terme plutôt rare. Toute la lettre est riche en références bibliques, dont nous signalons les principales. Remarquer le choix des verbes.

ψεῦδος, ὅλα σκότος, ὅλα πλάνη, ὅλα ἀλλοτρίωσις Θεοῦ. Φεῦγε αὐτά, ἄδελφε, μὴ βεβαιωθῇ ὁ λόγος αὐτῶν ἐν τῇ καρδίᾳ σου. Ξηραίνουσι δάκρυα, τυφλοῦσι τὴν καρδίαν καὶ ἁπαξαπλῶς ἀπολλύουσι τοὺς προσέχοντας αὐτοῖς ἀνθρώπους. Μὴ στῇς ἐν αὐτοῖς, μὴ μελετήσῃς αὐτά, πικρίας γέμουσι καὶ τελεσφοροῦσι καρπὸν εἰς θάνατον. Περὶ δὲ τῆς γνώσεως τῶν μελλόντων μὴ πλανηθῇς. Ὃ ἂν σπείρῃς ἐνταῦθα, ἐκεῖ θερίζεις[k]. Οὐκ ἔνι μετὰ τὴν ἄφιξιν τῶν ὧδε προκόψαι τινά. Οὐ κοπιᾷ ὁ Θεὸς συγκτίσαι ἀνθρώπῳ κατὰ τὴν αὐτοῦ ψυχήν. Περὶ δὲ τῶν οὐρανίων ταγμάτων ἐπιστομίζει ἡ θεία Γραφὴ πάντα ἄνθρωπον οὕτως λέγουσα ὅτι « Εἶπε καὶ ἐγενήθησαν, ἐνετείλατο καὶ ἐκτίσθησαν. Ἔστησεν αὐτὰ εἰς τὸν αἰῶνα καὶ εἰς τὸν αἰῶνα τοῦ αἰῶνος[l]. » Καὶ ἃ ἔστησεν ὁ Θεὸς οὐκ ἀλλοιοῦνται. Οὐ γάρ ἐστι ἐν αὐτῷ ἀλλοίωσις[m], κατὰ τὴν Γραφήν. Ποῦ γὰρ εὗρες ὅτι σπουδῇ τοῦδε τοῦ ἀγγέλου ἤγαγεν αὐτὸν εἰς προκοπήν; Ἄδελφε, ὧδε ἐργασις, ἐκεῖ μισθός, ὧδε ἄθλησις, ἐκεῖ στέφανοι. Ἄδελφε, εἰ σωθῆναι θέλεις, μὴ βάλῃς ἑαυτὸν εἰς ταῦτα. Ἐπεὶ μαρτύρομαί σοι ἐνώπιον τοῦ Θεοῦ ὅτι εἰς βόθυνον ἐνέπεσας τοῦ διαβόλου καὶ εἰς τὸν ἔσχατον θάνατον. Λοιπὸν ἀπόστα τούτων καὶ ἰχνηλάτησον τοὺς Πατέρας. Κτῆσαι ἑαυτῷ τὴν ταπείνωσιν καὶ τὴν ὑπακοήν, τὸν κλαυθμόν, τὴν ἄσκησιν, τὴν ἀκτημοσύνην, τὸ ἀψήφιστον καὶ ὅσα τοιαῦτά εἰσι, καὶ εὑρίσκεις εἰς τὰ *Ῥήματα* αὐτῶν καὶ εἰς τοὺς *Βίους*. Ποίησον δὲ « καρποὺς ἀξίους τῆς μετανοίας[n] » καὶ μὴ πρόσχῃς ἐμοὶ τῷ λέγοντι καὶ μὴ ποιοῦντι, ἀλλ' εὖξαι ἵνα κἀγὼ ἔλθω ποτὲ εἰς ἐπίγνωσιν τῆς ἀληθείας, εἰς δόξαν τῆς ἁγίας ὁμοουσίου καὶ ζωοποιοῦ Τριάδος, νῦν καὶ εἰς τοὺς αἰῶνας. Ἀμήν.

74 ἀλλοτρίωσις : ἀλλότρια M ‖ 78 ἀνθρώπους om. R ‖ 80 ὃ : ἃ I V ‖ ἂν om. RI V ‖ σπείρῃς : σπείρεις R ‖ 83 κατὰ : καὶ I V ‖ 84 ἄνθρωπον om. V ‖ οὕτως om. I V ‖ 85 ὅτι om. RI ‖ 87 οὐκ om. V ‖ 88 ἐν : παρ' I V om. R ‖ 90 ἄδελφε om. R ‖ 92 ἑαυτὸν : σεαυτὸν V ‖ 95 ἑαυτῷ : σεαυτῷ V ‖ 98 εἰς^2 om. RI V ‖ 102 ὁμοουσίου – ζωοποιοῦ om. RI V

frère, que leur boniment ne s'enracine pas dans ton cœur. Elles sèchent les larmes, aveuglent le cœur, perdent purement et simplement les hommes qui s'y attachent. Ne t'y arrête pas, ne les ressasse pas, elles sont pleines d'amertume et donnent finalement un fruit de mort. Ne te laisse pas non plus égarer à propos de la science des choses futures. Ce que tu sèmes ici-bas, tu le moissonneras là-haut[k]. Lorsque nous aurons quitté cette terre, il n'y aura plus de progrès possible. Dieu n'a pas de peine à créer en même temps l'homme et son âme. A propos des armées célestes, la divine Écriture contraint tout homme au silence en parlant ainsi : « Il a dit et elles sont nées, il a commandé et elles ont été créées. Il les a établies pour toujours et à jamais[l]. » Et ce que Dieu a établi ne change pas. D'après l'Écriture, en effet, il n'y a pas en lui de changement[m]. Où trouves-tu que le zèle de cet ange l'a fait progresser[8] ? Frère, ici-bas le travail, là-haut le salaire ; ici la lutte, là les couronnes. Frère, si tu veux être sauvé, ne te jette pas là-dedans. Sans quoi je te certifie devant Dieu que tu es tombé dans le gouffre[9] du diable et dans la pire des morts. Désormais écarte-toi de ces choses et marche sur les traces des Pères. Procure-toi l'humilité, l'obéissance, les pleurs, l'ascèse, la pauvreté, le détachement de soi et autres dispositions semblables ; tout cela, tu le trouveras dans les *Paroles des Pères* et dans leurs *Vies.* Fais « de dignes fruits de pénitence[n] », et ne tiens pas compte de moi qui dis et ne fais pas, mais prie pour que, moi aussi, j'arrive à la connaissance de la vérité, à la gloire de la sainte Trinité, consubstantielle et vivifiante, maintenant et à jamais. Amen.

k. Cf. Ga 6, 8 l. Ps 148, 5-6 m. Ml 3, 6 ; Jc 1, 17
n. Lc 3, 8

8. Cf. Origène, *Comm. in Lc* XIII, 5-6, éd. Città Nuova, p. 105-106 ; *in Io* 13, XXXIII, éd. UTET, Turin 1968, p. 506.

9. βόθυνος : terme rare pour βόθρος – gouffre.

601

Ὁ αὐτὸς ἀδελφὸς ἠρώτησε ταῦτα τὸν ἄλλον Γέροντα, τὸν ἀββᾶν Ἰωάννην.

Ἀπόκρισις Ἰωάννου·

« Αὕτη ἡ σοφία ἄνωθεν οὐκ ἔστιν, ἀλλὰ ψυχική, δαιμονιώδης[a]. » Αὕτη ἡ διδαχὴ τοῦ διαβόλου ἐστίν, αὕτη ἀπάγει τοὺς προσέχοντας αὐτῇ εἰς κόλασιν αἰώνιον[b]. Ὁ ἐνδελεχῶν αὐτῇ, αἱρετικὸς γίνεται, ὁ πιστεύων αὐτῇ, οὗτος ἐξετράπη τῆς ἀληθείας, ὁ συντιθέμενος αὐτῇ, ἀλλότριός ἐστι τῆς ὁδοῦ τοῦ Θεοῦ[c]. Οἱ ἐργάται τοῦ Χριστοῦ οὐκ ἔχουσιν οὕτως, οἱ δὲ μαθηταὶ τοῦ Χριστοῦ[d] οὐκ ἐδίδαξαν ταῦτα. Οἱ δεχόμενοι τὸν λόγον τῆς ἀληθείας, ταῦτα οὐ δέχονται. Διὰ τάχους ἀπόστα ἀπ' αὐτῶν, ἄδελφε. Μὴ καύσῃς τὴν καρδίαν σου τῷ πυρὶ τοῦ διαβόλου. Μὴ ἀντὶ σίτου σπείρῃς ἐν τῇ γῇ σου ἀκάνθας, μὴ ἀντὶ ζωῆς λάβῃς θάνατον[e], καὶ τί πολλὰ λέγω, μὴ ἀντὶ Χριστοῦ τὸν διάβολον. Μὴ χρονίσῃς ἐν αὐτοῖς καὶ σῴζῃ ὡς ὁ Λὼτ ἀπὸ Σοδόμων[f], εὐχαῖς ἁγίων. Ἀμήν.

602

Ὁ αὐτὸς ἀδελφὸς ἠρώτησε τὸν αὐτὸν Γέροντα· Οὐκ ὀφείλομεν οὖν ἀναγινώσκειν καὶ τὰ τοῦ Εὐαγρίου;

Ἀπόκρισις Ἰωάννου·

Τὰ μὲν δόγματα τὰ τοιαῦτα, μὴ δέχου, ἀναγίνωσκε δὲ αὐτοῦ, εἰ θέλεις, τὰ πρὸς ὠφέλειαν ψυχῆς, κατὰ τὴν παραβολὴν τὴν ἐν τῷ Εὐαγγελίῳ περὶ τῆς σαγήνης, ὡς γέγραπται ὅτι « Τὰ μὲν καλὰ εἰς ἀγγεῖα ἔβαλον, τὰ δὲ σαπρὰ ἔξω ἔρριψαν[a]. » Οὕτω καὶ σὺ ποίησον.

L. 601 MRI V

1 ταῦτα om. V ‖ 7 οὗτος om. V ‖ 9-10 οὐκ – χριστοῦ om. I V ‖ 13 σου om. V ‖ 14 ἀκάνθας + καὶ V ‖ 15 ἀντὶ + τοῦ I V

L. 602 MRI V

5 τὰ[2] om. R ‖ τὴν[1] om. R ‖ 5-6 παραβολὴν : post εὐαγγελίῳ transp. R ‖ 6 περὶ om. R ‖ 7 ἔβαλον : ἔβαλαν V

601

Le même frère adressa la même demande à l'Autre Vieillard, l'abbé Jean.

Réponse de Jean :

« Cette sagesse-là ne vient pas d'en haut, mais elle est psychique et démoniaque[a]. » Cette doctrine-là vient du diable, elle conduit ses adeptes au châtiment éternel[b]. Celui qui n'en démord pas[1] devient hérétique ; celui qui y croit se détourne de la vérité ; celui qui y adhère est étranger à la voie de Dieu[c]. Tels ne sont pas les ouvriers du Christ[d], et les disciples du Christ n'ont pas enseigné ces choses. Ceux qui accueillent la parole de vérité, n'accueillent pas celles-ci. Frère, hâte toi de t'en écarter. Ne brûle pas ton cœur au feu du diable. Au lieu de froment ne sème pas dans ta terre des épines et au lieu de la vie n'accepte pas la mort[e], et pourquoi parler tant, au lieu du Christ n'accueille pas le diable. Ne t'y attarde pas, et tu seras sauvé comme Lot de Sodome[f], par les prières des saints. Amen.

602

Le même frère demanda au même Vieillard : Nous ne devons donc pas lire même les œuvres d'Évagre ?

Réponse de Jean :

N'accueille pas de pareilles doctrines, mais lis de lui, si tu veux, ce qui est utile à l'âme, selon la parabole évangélique du filet, où il est dit : « Ils ont recueilli les bons dans des paniers et rejeté les mauvais[a]. » Toi aussi, fais de même.

601. a. Jc 3, 15 b. Cf. Mt 25, 46 c. Cf. Mt 22, 16 d. Cf. 2 Tm 2, 15 e. Cf. Gn 3, 18 ; He 6, 8 f. Cf. Gn 19, 15-29
602. a. Mt 13, 48

1. Ce terme apparaît à partir de la *Septante*.

603

Ὁ αὐτὸς ἀδελφός, ὁ ταῦτα ἐρωτήσας, διεκρίνετο ἐν ἑαυτῷ ἐνθυμούμενος καὶ λέγων· Καὶ πῶς τινες τῶν νῦν Πατέρων δέχονται αὐτά, καὶ ἔχομεν αὐτοὺς ὅτι καλοὶ μοναχοί εἰσι καὶ προσέχοντες ἑαυτοῖς; Καὶ μετὰ ἡμέρας συνέβη τὸν αὐτὸν ἀδελφὸν αἰτῆσαι τὸν μέγαν Γέροντα εὔξασθαι ὑπὲρ αὐτοῦ. Καὶ τότε ἐδήλωσεν αὐτῷ ὁ Γέρων ἀφ' ἑαυτοῦ περὶ τῆς ἐνθυμήσεως τῆς καρδίας αὐτοῦ, ὥστε θαυμάσαι καὶ ἐκπλαγῆναι τὸν ἀδελφόν·

Ἐπειδὴ εἶπας καὶ ἐνεθυμήθης ὅτι Διὰ τί τινες τῶν Πατέρων δέχονται τὰ Γνωστικὰ Εὐαγρίου, τινὲς ἀδελφοί, ὡς γνωστικοί, δέχονται αὐτὰ καὶ οὐκ ἐδεήθησαν τοῦ Θεοῦ εἰ ἀληθῆ εἰσι. Καὶ ἀφῆκεν αὐτοὺς ὁ Θεὸς περὶ τούτου ἐν τῇ ἰδίᾳ αὐτῶν γνώσει[a]. Ἀλλ' ὅμως οὔτε ἐμόν ἐστιν οὔτε σὸν ταῦτα ζητεῖν, ἀλλ' ὁ καιρὸς ἡμῶν ἐστιν ἐρευνᾶν τὰ πάθη ἡμῶν, τοῦ κλαῦσαι καὶ πενθῆσαι.

604

Ἐρώτησις τοῦ αὐτοῦ καὶ ἑτέρων ἀδελφῶν πρὸς τὸν αὐτὸν μέγαν Γέροντα· Οὐκ ὀκνοῦσι Πάτερ, οἱ ταῦτα φρονοῦντες περὶ τῆς προϋπάρξεως, λέγειν περὶ τοῦ ἁγίου Γρηγορίου τοῦ Ναζιανζῶν, ὅτι καὶ αὐτὸς ἐκτίθεται περὶ τῆς προϋπάρξεως ἐν τοῖς αὐτοῦ συγγράμμασιν τοῖς αὐτῷ ῥηθεῖσιν, ἔν τε τοῖς τοῦ Κυρίου γενεθλίοις, καὶ ἐν τῇ τοῦ Πάσχα ἡμέρᾳ, ἑρμηνεύοντές τινα ῥητὰ κατὰ τὴν αὐτῶν καρδίαν, καὶ παρατρέχοντες τὰ ἐκεῖ σαφῶς εἰρημένα περὶ τῆς πρώτης τοῦ ἀνθρώπου δημιουργίας, τῆς τε αὐτοῦ

L. 603 MRI V
1 ἀδελφὸς – ἐρωτήσας om. R ‖ 8 ἀδελφόν + ἔχει δὲ ἡ ἀπόκρισις οὕτως I V ‖ 10 ἀδελφοί om. R ‖ 13 αὐτῶν om. I V

L. 604 M (usque ad lineam 105 ad verbum κυρίου) RI V

603

Le même frère, après avoir ainsi interrogé, demeurait perplexe, pensant en lui-même et disant : Pourquoi certains des Pères actuels reçoivent-ils ces doctrines, eux que nous regardons comme de bons moines qui veillent sur eux-mêmes ? Quelques jours après, il se trouva que le frère demanda au Grand Vieillard de prier pour lui. Le Vieillard lui manifesta alors, spontanément, ce qu'il pensait en son cœur, à la surprise et à la stupéfaction du frère :

Puisque tu as dit et pensé : « Pourquoi certains des Pères reçoivent-ils les *Gnostica* d'Évagre ? » Eh bien, oui, certains frères, s'estimant gnostiques, les reçoivent, sans avoir demandé à Dieu s'ils sont vrais. Aussi Dieu les a-t-il abandonnés sur ce point à leur propre connaissance[a]. Mais quoi qu'il en soit, ce n'est ni à toi ni à moi de nous livrer à ces recherches ; pour nous, le temps est à l'examen de nos passions, aux pleurs et à la componction.

604

Demande du même et d'autres frères au même Grand Vieillard : Père, ceux qui ont ces opinions sur la préexistence n'hésitent pas à dire que saint Grégoire de Nazianze a, lui aussi, disserté sur la préexistence, dans les discours qu'il a prononcés pour la fête de la Naissance du Seigneur, et le jour de Pâques. Ils interprètent certaines expressions qui sont conformes à leur sentiment, et passent ce qu'il a dit là clairement de la première création de l'homme, de

1 ἐρώτησις – γέροντα om. R || 3 περὶ[1] – προϋπάρξεως om. M || 3-4 περὶ[2] – τοῦ[2] om. R || 4 ναζιανζῶν : θεολόγου I V || 5-6 τοῖς[1] – ῥηθεῖσιν om. I V ||

603. a. Cf. Rm 1, 28

ψυχῆς καὶ τοῦ σώματος, κατὰ τὴν τῆς Ἐκκλησίας παράδοσιν. Λέγει γὰρ οὕτως· «Τοῦτο δὲ βουληθεὶς ὁ τεχνίτης ἐπιδείξασθαι, Λόγος, καὶ ζῷον ἓν ἐξ ἀμφοτέρων ἀοράτου τε λέγω καὶ ὁρατῆς φύσεως δημιουργεῖ, τὸν ἄνθρωπον. Καὶ παρὰ μὲν τῆς ὕλης λαβὼν τὸ σῶμα ἤδη προϋποστάσης, παρ' ἑαυτοῦ δὲ ζωὴν ἐνθείς, ὃ δὴ νοερὰν ψυχὴν καὶ εἰκόνα Θεοῦ οἶδεν ὁ λόγος.»

Καὶ ἐν τοῖς ἐφεξῆς δὲ πολλά τις εὑρήσει σαφῶς καὶ ἀναμφιβόλως αὐτῷ εἰρημένα περὶ τοῦ ἀνθρώπου, τοῦ ἐκ τῆς προϋπαρχούσης ὕλης καὶ τῆς ὑπὸ Θεοῦ δοθείσης ψυχῆς κατασκευασθέντος, ἐν οἷς καὶ πολλὰ ἐγκωμιάζει τὴν τοῦ ἀνθρώπου φύσιν καὶ ἄξιον Θεοῦ δῶρον καλεῖ τὸ σωθῆναι τὸ σῶμα καὶ τὴν ψυχήν. Οὐχ ὡς αὐτοί φασι καταδίκης χάριν τὴν ψυχὴν ἐνδεθῆναι τῷ σώματι ὑπὲρ τῶν αὐτῇ προημαρτημένων τιμωρουμένην. Καὶ ἐν ἄλλοις δὲ αὐτοῦ διαφόροις συγγράμμασιν, ὁ σκοπὸς αὐτοῦ φανεροῦται τούτου παντελῶς καθαρεύων τοῦ δόγματος. Καὶ περὶ τοῦ ἁγίου Γρηγορίου, τοῦ ἀδελφοῦ τοῦ ἁγίου Βασιλείου, ἐπιχαίρουσιν, ὅτι τὸ αὐτὸ εἶπε καὶ λέγει ἐκεῖνος προΰπαρξιν, παρερμηνεύοντες καὶ αὐτοῦ ῥητά τινα, αὐτὸς δὲ σαφῶς ἐν τῷ τριακοστῷ κεφαλαίῳ περὶ τῆς τῶν ἀνθρώπων διαπλάσεως τῆς αὐτοῦ πραγματείας, μάχεται ἰσχυρῶς τούτῳ τῷ τῆς προϋπάρξεως δόγματι καὶ ἀνατρέπει αὐτό, καθὼς καὶ ὁ μακάριος Δαβὶδ καὶ οἱ περὶ τὸν ἅγιον Ἰωάννην καὶ Ἀθανάσιον καὶ οἱ λοιποὶ πάντες τῆς Ἐκκλησίας φωστῆρες καὶ διδάσκαλοι. Περὶ δὲ τῆς ἀποκαταστάσεως, σαφῶς λέγει ὁ αὐτὸς ἅγιος Γρηγόριος ὁ Νύσσης, ἀλλ' οὐ περὶ ταύτης ἧς αὐτοὶ λέγουσιν ὅτι «Παυομένης τῆς κολάσεως μέλλει ὁ ἄνθρωπος ἀποκαθίστασθαι εἰς ὅπερ ἦν ἐξ ἀρχῆς, εἰς καθαροὺς νόας», ἀλλ' οὐ, τοῦτο

11 δὲ : δὴ V ‖ 15 ζωὴν : πνοὴν I V ‖ 17 ἐφεξῆς : ἑξῆς R ‖ 19 δοθείσης + αὐτῷ R ‖ 23 ἐνδεθῆναι : ἐνδυθῆναι V ‖ 27 ἁγίου : μεγάλου I V ‖ 31 διαπλάσεως om. M ‖ 36 ἅγιος : μέγας R ‖ 39 ἀλλ' οὐ : ἀλλὰ I V

son âme et de son corps, en conformité avec la tradition de l'Église. Car voici ce qu'il dit : « Voulant manifester cela, l'artisan, le Verbe, crée aussi un être vivant participant des deux natures, je veux dire de la visible et de l'invisible, l'homme. Ayant tiré le corps de la matière préexistante, il y mit un souffle tiré de lui-même, ce que la raison connaît sous le nom d'âme intelligente et d'image de Dieu[1]*.»*

Et dans ce qui suit, on peut trouver beaucoup de textes clairs et sans équivoque sur l'homme composé de la matière préexistante et de l'âme donnée par Dieu ; le saint y décerne beaucoup d'honneur à la nature de l'homme et appelle don digne de Dieu le salut du corps et de l'âme. Il ne dit pas comme eux que c'est sous le coup d'une condamnation que l'âme a été liée au corps, en châtiment de ses fautes antérieures. Par ailleurs, dans divers autres ouvrages, il a pour dessein évident de garder parfaitement pure cette doctrine. Eux se flattent aussi de ce que saint Grégoire, le frère de saint Basile, dise la même chose, car il parle également de préexistence, mais ils sollicitent quelques-unes de ses expressions, alors que lui-même clairement, au chapitre trentième de son traité De la création de l'homme, *combat avec force cette doctrine de la préexistence et la détruit*[2]*, tout comme le bienheureux David et les disciples des saints Jean et Athanase et tous les autres flambeaux et docteurs de l'Église. Au sujet de l'apocatastase, le même saint Grégoire de Nysse en parle clairement, mais non de celle dont eux déclarent : « Le châtiment cessant, l'homme reviendra à son état d'origine, celui d'esprit pur » ; non, il dit simplement que le châ-*

1. Grégoire de Nazianze, *PG* 36, 632 B, qui se réfère à la citation Gn 1, 27 ; 2, 7.
2. Grégoire de Nysse, *PG* 44, 229 B.

λέγει ὅτι παύεται ἡ κόλασις καὶ τέλος λαμβάνει. Εἰπὲ οὖν Πάτερ, διὰ τί τοιοῦτος ἄνθρωπος οὐκ ὀρθῶς λέγει, καθὼς ἐνδέχεται ἄνδρα ἅγιον καὶ ἀξιωθέντα λαλεῖν ἐκ Πνεύματος ἁγίου; Καὶ γὰρ καὶ περὶ τοῦ παραδείσου διαφωνοῦσί τινες τῶν Πατέρων καὶ διδασκάλων, μὴ λέγοντες αὐτὸν αἰσθητὸν ἀλλὰ νοητόν. Καὶ ἐν ἄλλοις κεφαλαίοις τῆς Γραφῆς, ἔστιν εὑρεῖν τινων διαφωνίαν. Σαφήνισον οὖν ἡμῖν τοῦτο Δέσποτα, παρακαλοῦμεν, ἵνα παρ' ὑμῶν φωτισθέντες, δοξάσωμεν τὸν Θεὸν καὶ μὴ διακρινώμεθα εἰς τοὺς ἁγίους ἡμῶν Πατέρας.

Ἀπόκρισις Βαρσανουφίου·

« Εὐλογητὸς ὁ Θεὸς καὶ Πατὴρ τοῦ Κυρίου ἡμῶν Ἰησοῦ Χριστοῦ, ὁ εὐλογήσας ἡμᾶς ἐν πάσῃ εὐλογίᾳ πνευματικῇ ἐν τοῖς ἐπουρανίοις ἐν Χριστῷ[a]. » Ἀμήν. Ἀδελφοὶ εὔκαιρον εἰπεῖν μετὰ τοῦ Ἀποστόλου· « Γέγονα ἄφρων, ὑμεῖς με ἠναγκάσατε[b]. » Καὶ γὰρ ἀναγκάζομαι δι' ὑμᾶς τὰ ὑπέρμετρά μου ἐρευνᾶν καὶ λαλεῖν τὰ μὴ ὠφελοῦντα πάνυ τὴν ψυχήν, εἰ μὴ καὶ βλάπτοντα. Ἀφήκαμεν Παῦλον τὸν Ἀπόστολον λέγοντα· « Πᾶσα ὀργὴ καὶ θυμὸς καὶ βλασφημία ἀρθήτω ἀφ' ὑμῶν σὺν πάσῃ κακίᾳ[c] », ἐγὼ δὲ λέγω σὺν τῇ γαστριμαργίᾳ καὶ πορνείᾳ καὶ φιλαργυρίᾳ καὶ τοῖς λοιποῖς πάθεσι, περὶ ὧν ὀφείλομεν πενθεῖν νύκτα καὶ ἡμέραν, καὶ κλαίειν ἀδιαλείπτως, ἵνα διὰ τοῦ πλήθους τῶν δακρύων ὁ ῥύπος τούτων ὅλος ἐκπλυθῇ, καὶ δυνηθῶμεν γενέσθαι ἐκ ῥυπαρῶν καθαροί, ἐξ ἁμαρτωλῶν δίκαιοι, ἐκ νεκρῶν ζῶντες. Ἀδολεσχῶμεν δὲ εἰς ἕνα λόγον οὗ μέλλομεν δοῦναι ἀπολογίαν[d]. Φησὶ γὰρ ὅτι « Σὺ ἀποδώσεις ἑκάστῳ κατὰ τὰ ἔργα αὐτοῦ[e]. » Καὶ πάλιν ὅτι « Δεῖ ἡμᾶς

40 παύεται : παύσεται V ‖ 53 ἀμήν om. R ‖ 58 τὸν ἀπόστολον om. R ‖ 62 τοῦ πλήθους : τὸ πλῆθος I V om. R

604. a. Ep 1, 3 b. 2 Co 12, 11 c. Ep 4, 31 d. Cf. Mt 12, 36 e. Ps 61, 13

timent cessera et prendra fin[3]*. Dis-nous donc, Père, pourquoi un tel homme a pu parler de façon erronée, comment est-ce admissible de la part d'un homme saint, qui a mérité de parler sous l'inspiration de l'Esprit Saint? Et de fait, au sujet du paradis, certains Pères et docteurs ne sont pas d'accord, prétendant qu'il n'est pas matériel mais spirituel. Et sur d'autres textes de l'Écriture, il est possible de constater leur désaccord. Maître, nous t'en prions, donne-nous des lumières là-dessus, afin qu'éclairés par vous, nous rendions gloire à Dieu et que nous ne doutions pas de nos saints Pères.*

Réponse de Barsanuphe :

« Béni soit Dieu, Père de notre Seigneur Jésus-Christ, qui nous a bénis dans le Christ de toute bénédiction spirituelle dans les cieux[a]. » Amen. Frères, c'est le moment de dire avec l'Apôtre : « Je suis devenu insensé ; c'est vous qui m'y avez contraint[b]. » Car je suis forcé par vous de scruter des choses qui me dépassent et de dire ce qui ne profite pas du tout à l'âme, si même cela ne lui fait pas tort. Nous avons abandonné l'apôtre Paul qui disait : « Que toute colère, toute animosité, tout blasphème soient bannis de vous, ainsi que toute malice[c] », et moi j'ajoute : toute gourmandise, toute fornication, toute avarice et les autres passions, pour lesquelles nous devons porter le deuil nuit et jour, et pleurer sans répit, afin que l'abondance des larmes lave toute leur souillure et que, d'impurs que nous sommes, nous puissions devenir purs ; de pécheurs, justes ; de cadavres, vivants. Ne perdons jamais de vue que pour une seule parole nous aurons à rendre compte[d]. Car il est écrit : « Tu rendras à chacun selon ses œuvres[e]. » Et encore : « Il

3. GRÉGOIRE DE NYSSE, *PG* 46, 108 B.

φανερωθῆναι ἐπὶ τοῦ βήματος τοῦ Χριστοῦ, ἵνα κομίσηται ἕκαστος τὰ διὰ τοῦ σώματος πρὸς ἃ ἔπραξεν, εἴτε ἀγαθόν, εἴτε κακόν[f].» Περὶ τούτων ὀφείλομεν σπουδάσαι, περὶ ὧν καὶ οἱ Πατέρες ἡμῶν, οἱ περὶ τὸν ἀββᾶν Ποιμένα καὶ τοὺς καθ' ἑξῆς ἐσπούδασαν. Αὕτη ἡ σπουδὴ ἔχει τὸ ἀψήφιστον, τὸ μὴ μετρεῖν ἑαυτόν, τὸ ἔχειν ἑαυτὸν γῆν καὶ σποδόν[g]. Ἐκείνη δὲ ἡ σπουδὴ ἔχει τὸ ἔχειν ἑαυτὸν γνωστικόν, τὸ φέρειν εἰς φυσίωσιν, τὸ ψηφίζειν ἑαυτὸν καὶ μετρεῖν ἐν παντὶ πράγματι, τὸ ἀποστῆναι τῆς ταπεινοφροσύνης. Συγχωρήσατέ μοι, μὴ ἀργοί ἐστε καὶ διὰ τοῦτο ἔρχεσθε εἰς ταῦτα; Εἰ οὕτως ἔχει, κατέλθετε εἰς τὴν ἀγορὰν ἕως οὗ ἔλθῃ ὁ οἰκοδεσπότης καὶ λάβῃ ὑμᾶς εἰς τὸν ἀμπελῶνα αὐτοῦ[h]. Εἰ ἦν σκόλοψ περὶ τῆς ἀπαντήσεως ἐκείνης τῆς φοβερᾶς ἐν τῇ καρδίᾳ ὑμῶν[i], οὐκ εἴχετε μνησθῆναι τούτων. Ἐπελάθετο ὁ προφήτης «φαγεῖν τὸν ἄρτον αὐτοῦ[j]», καὶ εἰ μὴ ἐσπαταλῶμεν καὶ ἠδιαφοροῦμεν, οὐκ ἂν ἀπὸ τούτων ἐνεπίπτομεν εἰς ταῦτα. Οὐκ ἀπαιτεῖ ἡμᾶς ὁ Θεὸς ταῦτα, ἀλλ' ἁγιασμόν, κάθαρσιν, σιωπὴν καὶ ταπείνωσιν. Ἀλλ' ἐπειδὴ ἐᾶσαι ὑμᾶς ἐν λογισμοῖς οὐκ ἐβουλόμην, καὶ τὸ δεηθῆναι τοῦ Θεοῦ πληροφορῆσαί με περὶ τούτου ἐθλιβόμην, συνεχόμενος ἐξ ἀμφοτέρων, ἐξελεξάμην μᾶλλον ἐμαυτῷ τὴν θλῖψιν ἵνα ὑμᾶς τῆς θλίψεως ἀναπαύσω, μνημονεύων τοῦ λέγοντος· «Ἀλλήλων τὰ βάρη βαστάζετε[k].» Καὶ ἀκούσατε τὴν κατὰ Θεὸν πληροφορίαν, τὴν πρὸ τριῶν ἡμερῶν τοῦ γράψαι ὑμᾶς τὴν ἐρώτησιν γενομένην μοι. Πάντες οἱ Πατέρες, οἱ τῷ Θεῷ εὐαρεστήσαντες, ἅγιοι καὶ δίκαιοι καὶ δοῦλοι τοῦ Θεοῦ γνήσιοι, εὐξάσθωσαν ὑπὲρ ἐμοῦ. Μὴ νομίσητε δέ,

81 τῆς φοβερᾶς om. M ‖ 83-84 εἰ – ἠδιαφοροῦμεν : ἡμεῖς σπαταλῶμεν καὶ ἀδιαφοροροῦμεν I V ‖ 84 οὐκ ἂν : καὶ RI V ‖ ἐνεπίπτομεν : ἐμπίπτομεν I V ‖ 87 ἐβουλόμην : ἠβουλόμην R V ‖ 90 τοῦ λέγοντος om. M

f. 2 Co 5, 10 g. Cf. Gn 18, 27 h. Cf. Mt 20, 1-7 i. Cf. 2 Co 12, 7 j. Cf. Ps 101, 5 k. Ga 6, 2

nous faudra tous paraître au tribunal du Christ afin que chacun retrouve ce qu'il aura fait pendant qu'il était dans son corps, soit en bien, soit en mal[f]. » Voilà à quoi nous devons mettre notre zèle, ce à quoi se sont appliqués aussi nos Pères, ceux qui étaient avec l'abbé Poemen[4] et ceux qui sont venus ensuite. Ce zèle-là implique le détachement de soi, l'habitude de ne pas se mesurer et de se tenir pour poussière et cendre[g]. L'autre zèle au contraire comporte le fait de se considérer comme un gnostique, il pousse à la suffisance, à l'estime de soi, à se mesurer en toute chose, à s'écarter de l'humilité. Pardonnez-moi, êtes-vous donc en chômage pour que vous en veniez là? Si oui, descendez donc sur la place en attendant que le maître de la maison vienne vous prendre dans sa vigne[h]. Si vous aviez la hantise[5] de cette rencontre-là, terrible dans le cœur[i], vous ne pourriez penser à tout cela. Le prophète oubliait « de manger son pain[j] », et si nous n'avions pas une vie déréglée et n'étions pas indifférents, nous ne tomberions pas dans ces égarements. Ce n'est pas cela que Dieu demande, mais la sanctification, la purification, le silence et l'humilité. Mais comme je ne voulais pas vous abandonner à vos pensées, et que d'autre part il me répugnait de demander à Dieu de m'inspirer sur ce point, contraint par ce dilemme, j'ai choisi de préférence ce qui me tourmentait, moi, pour faire cesser vos ennuis à vous, me souvenant de celui qui dit : « Portez les fardeaux les uns des autres[k]. » Écoutez donc la divine inspiration qui m'est venue trois jours avant que vous ne m'écriviez votre demande. Que tous les Pères, agréables à Dieu, saints, justes et vrais serviteurs de Dieu prient pour moi ! Ne pensez pas que, même en étant saints,

4. Cf. *Alph. Poemen*, 36; 73.

5. σκόλοψ : ce terme, qui chez Homère signifiait palissade, a évolué pour exprimer dans le NT les tribulations et la hantise.

ὅτι κἂν ἅγιοι ἦσαν, ὅλα τὰ βάρη τοῦ Θεοῦ γνησίως ἠδυνήθησαν καταλαβεῖν. Ὁ γὰρ Ἀπόστολος λέγει ὅτι « Ἐκ μέρους γινώσκομεν, καὶ ἐκ μέρους προφητεύομεν[l]. » Καὶ πάλιν « Ὧι μὲν δίδοται διὰ τοῦ Πνεύματος τὰ καὶ τάδε, καὶ οὐχ ὅλα ἐκεῖνα ἐν ἑνὶ ἀνθρώπῳ, ἀλλὰ τὸ μὲν οὕτως, τόδε οὕτως, πάντα δὲ ἐνεργεῖ τὸ ἓν καὶ τὸ αὐτὸ Πνεῦμα[m]. » Γινώσκων γὰρ ὁ Ἀπόστολος τὰ τοῦ Θεοῦ ὅτι ἀκατάληπτά ἐστιν, ἔκραζε λέγων· « Ὢ βάθος πλούτου καὶ σοφίας καὶ γνώσεως Θεοῦ! Ὡς ἀνεξερεύνητα τὰ κρίματα αὐτοῦ καὶ ἀνεξιχνίαστοι αἱ ὁδοὶ αὐτοῦ! Τίς γὰρ ἔγνω νοῦν Κυρίου; Ἢ τίς σύμβουλος αὐτοῦ ἐγένετο[n]; » καὶ τὰ ἑξῆς. Ἐπιτηδεύσαντες οὖν τὸ εἶναι διδάσκαλοι καθ' ἑαυτούς, ἢ ὑπὸ τῶν ἀνθρώπων ἀναγκασθέντες εἰς τοῦτο ἐλθεῖν, προέκοψαν πάνυ καὶ ὑπὲρ τοὺς διδασκάλους αὐτῶν, καὶ καινὰ δόγματα πληροφορηθέντες συνέθηκαν, ἅμα δὲ καὶ ἔμειναν ἔχοντες τὰς παραδόσεις τῶν διδασκάλων αὐτῶν. Οὕτω γοῦν καὶ ἐνταῦθά εἰσί τινες παραλαβόντες ἀπὸ διδασκάλων αὐτῶν μαθήματα μὴ ὀρθῶς ἔχοντα. Καὶ μετὰ ταῦτα προκόψαντες καὶ πνευματικοὶ διδάσκαλοι γενόμενοι, οὐκ ἐδεήθησαν τοῦ Θεοῦ περὶ τῶν διδασκάλων αὐτῶν, εἰ διὰ τοῦ Πνεύματος τοῦ ἁγίου ἐλαλήθησαν τὰ ὑπ' αὐτῶν εἰρημένα, ἀλλ' ἔχοντες αὐτοὺς σοφοὺς καὶ γνωστικούς, οὐ διέκριναν τοὺς λόγους αὐτῶν. Καὶ λοιπὸν συνεμίγησαν αἱ διδασκαλίαι τῶν διδασκάλων αὐτῶν ἐν ταῖς αὐτῶν διδασκαλίαις, καὶ ἐλάλουν ποτὲ μὲν ἀπὸ τῆς διδασκαλίας ἧς ἔμαθον παρ' αὐτῶν, ποτὲ δὲ ἀπὸ τῆς εὐφυΐας τοῦ ἰδίου νοός. Καὶ οὕτω λοιπὸν ὀνόματι αὐτῶν ἐγράφησαν οἱ λόγοι. Παραλαβόντες γὰρ παρ' ἄλλων καὶ προκόψαντες περισσότερον καὶ βελτιωθέντες ἐλάλησαν διὰ Πνεύματος ἁγίου, ἤτοι ἐπληροφορήθησαν ὑπ' αὐτοῦ καὶ ἐλάλησαν ἐκ τῶν μαθημάτων τῶν διδασκάλων τῶν πρὸ αὐτῶν, μὴ

99 τάδε : τὰ RI V ‖ 100 τὸ μὲν; τόδε : τὰ μὲν; τάδε V ‖ 101 καὶ – πνεῦμα om. R ‖ 107 τὸ om. I V ‖ 111-113 οὕτω – αὐτῶν om. V ‖ 112 γοῦν om. I ‖ 124 περισσότερον om. I V ‖ 125 ἤτοι : εἴ τι I V

ils aient pu comprendre réellement toutes les profondeurs de Dieu. Car l'Apôtre dit : « C'est partiellement que nous connaissons, et partiellement que nous prophétisons[l]. » Et encore : « A l'un, il a été donné par l'Esprit ceci ou cela, tout n'appartient pas à un seul homme, mais tantôt ceci, tantôt cela, et c'est toujours le seul et même Esprit qui opère tout cela[m]. » L'Apôtre en effet, sachant que les mystères de Dieu sont insaisissables, s'est écrié : « Ô abîme de la richesse, de la sagesse et de la science de Dieu ! Que ses jugements sont insondables et ses voies impénétrables ! Qui jamais a connu la pensée du Seigneur ? Qui jamais s'est fait son conseiller[n] ? », etc. Se mettant d'eux-mêmes à enseigner, ou contraints par les hommes à en venir là, ils ont beaucoup progressé et dépassé leurs maîtres, et sous l'effet de l'inspiration ils ont élaboré de nouvelles thèses, mais en même temps ils ont gardé les traditions de leurs maîtres. Et c'est ainsi qu'il y en eut quelques-uns à hériter de leurs maîtres des enseignements qui n'étaient pas orthodoxes. Après cela, ayant progressé et étant devenus maîtres spirituels, ils n'ont pas demandé à Dieu au sujet de leurs maîtres, si leurs paroles avaient été dictées par l'Esprit Saint, mais les tenant pour sages et gnostiques, ils n'ont pas fait la critique de leurs affirmations. Et finalement les enseignements de leurs maîtres se sont mêlés à leurs enseignements à eux, et ils ont parlé tantôt selon les enseignements qu'ils avaient reçus, tantôt d'après leurs propres qualités d'esprit. C'est donc à eux que les discours sont attribués nommément. Car après avoir développé et perfectionné énormément ce qu'ils avaient reçu d'autrui, ils ont parlé réellement sous l'inspiration de l'Esprit Saint et ils ont parlé aussi suivant les enseignements des maîtres

l. 1 Co 13, 9 m. 1 Co 12, 4-11 n. Rm 11, 33-34

διακρίνοντες τοὺς λόγους, εἰ ὀφείλουσι πληροφορηθῆναι ὑπὸ τοῦ Θεοῦ διὰ δεήσεως καὶ ἐντεύξεως εἰ ἀληθῆ εἰσι. Καὶ συνεμίγησαν αἱ διδασκαλίαι. Καὶ ἐπειδὴ παρ᾽ αὐτῶν ἐλαλήθησαν, ἐγράφησαν τῷ ὀνόματι αὐτῶν. Ὅταν οὖν ἀκούσῃς τινὸς αὐτῶν ὅτι παρὰ Πνεύματος ἁγίου ἤκουσεν ἅπερ λαλεῖ, τοῦτο πληροφορία ἐστὶ καὶ ὀφείλομεν πιστεῦσαι. Ὅταν δὲ λέγῃ περὶ ἐκείνων τῶν λόγων, οὐχ εὑρίσκεις αὐτὸν λέγοντα τοῦτο, οὐ γὰρ ἀπὸ πληροφορίας, ἀλλ᾽ ἀπὸ μαθημάτων καὶ παραδόσεως τῶν πρὸ αὐτοῦ διδασκάλων ἐστί. Καὶ προσέχων τῇ γνώσει αὐτῶν καὶ τῇ σοφίᾳ, οὐκ ἐπύθετο τοῦ Θεοῦ περὶ τούτων, εἰ ἀληθῆ ἐστιν. Ἰδοὺ ἠκούσατέ μου ὅλην τὴν ἀφροσύνην[o]. Ἡσυχάσατε λοιπὸν καὶ σχολάσατε τῷ Θεῷ[p], καὶ παυσάμενοι τῆς ἀργολογίας, προσέχετε τοῖς πάθεσιν ὑμῶν περὶ ὧν ἀπαιτηθήσεσθε λόγον ἐν τῇ ἡμέρᾳ τῆς κρίσεως. Περὶ γὰρ τούτων οὐκ ἀπαιτεῖσθε διὰ τί οὐκ οἴδατε ταῦτα ἢ ἐμάθετε ταῦτα. Κλαύσατε λοιπὸν καὶ πενθήσατε. Ἐξιχνιάσατε τὰ ἴχνη τῶν Πατέρων ἡμῶν, Ποιμένος καὶ τῶν καθ᾽ ἑξῆς, καὶ « τρέχετε ἵνα καταλάβητε[q] » ἐν Χριστῷ Ἰησοῦ τῷ Κυρίῳ ἡμῶν, ᾧ ἡ δόξα εἰς τοὺς αἰῶνας. Ἀμήν.

605

Ἐρώτησις τοῦ αὐτοῦ πρὸς τὸν αὐτόν· Ὄντως Πάτερ, ὁδηγοί ἐστε τυφλῶν καὶ φῶς ἐν Χριστῷ τῶν ἐσκοτισμένων[a], *καὶ δι᾽ ὑμῶν ἡ ἀλήθεια ἡμῖν ἐφανερώθη. Καὶ γὰρ εὑρίσκομεν καὶ εἰς Βιβλία Γερόντων, ὅτι ἦν τις μέγας Γέρων καὶ κατὰ ἰδιωτείαν ἔλεγεν ὅτι οὐκ ἔστι φύσει ὁ*

133 ὅταν δὲ – λέγῃ : ὅτε δὲ λέγει I V ‖ 135 καὶ παραδόσεως om. I V ‖ πρὸ αὐτοῦ : πρώτων I V ‖ 137 τοῦ θεοῦ : τῷ θεῷ I τὸν θεὸν V ‖ ἐστιν : εἰσι I V ‖ 142 οἴδατε : ᾔδετε R

L. 605 RI V

3 ἡμῖν om. R ‖ 5 φύσει om. I V

qui les avaient précédés, sans discerner les discours ni demander s'ils devaient être assurés par Dieu dans une prière et une supplique que leurs affirmations étaient vraies. Et ainsi les enseignements sont entremêlés. Mais étant exposés par eux, ils ont été mis sous leur nom. Chaque fois donc que tu entends au sujet de l'un d'eux qu'il a reçu de l'Esprit Saint ce qu'il exprime, il y a là inspiration et nous devons y croire. Quand au contraire il parle de ces propositions qu'il a reçues, tu vois bien que ce n'est pas lui qui les énonce, car cela ne vient pas de l'inspiration mais des enseignements et de la tradition des maîtres qui l'ont précédé. En considération de leur science et de leur prudence, il ne s'est pas enquis auprès de Dieu de la vérité de leurs thèses. Voilà, vous avez entendu toute ma folie[o]. Restez tranquilles désormais et vaquez à Dieu[p]; ayant planté là les boniments, occupez-vous de vos passions dont on vous demandera compte au jour du jugement. Pour ces vanités on ne vous demandera pas pourquoi vous ne les savez pas ou pourquoi vous ne les avez pas apprises. Pleurez maintenant et livrez-vous au deuil. Marchez sur les traces de nos Pères, de Poemen et ses disciples, «courez afin de remporter le prix[q]» dans le Christ Jésus notre Seigneur, à qui est la gloire dans les siècles. Amen.

605

Demande du même au même : Vraiment, Père, vous êtes les guides des aveugles et la lumière dans le Christ de ceux qui sont dans les ténèbres[a], et par vous la vérité nous a été révélée. Nous avons trouvé en effet dans les Livres des Vieillards qu'il y avait un grand Vieillard qui, dans sa simplicité, disait que le pain que nous recevons n'est pas

o. Cf. 2 Co 11 *passim* p. Cf. Ps 45, 11 q. 1 Co 9, 24
605. a. Ep 5, 8; Rm 2, 19

ἄρτος ὃν μεταλαμβάνομεν σῶμα Χριστοῦ ἀλλ' ἀντίτυπον. Καὶ εἰ μὴ πρῶτον ἐδεήθη τοῦ Θεοῦ ὑπὲρ τούτου, οὐκ ἐπέγνω τὴν ἀλήθειαν. Καὶ ἄλλος δέ, μέγας καὶ αὐτὸς Γέρων, ἐνόμιζε τὸν Χριστὸν εἶναι τὸν Μελχισεδέκ, καὶ ὅτε τοῦ Θεοῦ ἐδεήθη, τότε ὁ Θεὸς αὐτὸν ἀπεκάλυψε. Ἀλλὰ συγχώρησόν μοι Πάτερ διὰ τὸν Κύριον, τολμῶ γὰρ ἐρωτᾶν τὰ ὑπὲρ ἐμέ, ἀλλ' ἐπειδὴ ὁ Θεὸς ἡμῶν διὰ τῆς ὑμῶν ἁγιωσύνης ἐφώτισεν ἡμᾶς εἰς τὴν ἀπλανῆ ὁδὸν τῆς ἀληθείας, παρακαλῶ περὶ τούτου τελείως ἡμῖν φανερωθῆναι, ἵνα καθαριεύσῃ ὁ νοῦς ἐκ τῆς περὶ τούτων ζητήσεως καὶ ἡ ἀσθενὴς ἡμῶν καρδία. Τίνος χάριν ἀφῆκεν ὁ Θεὸς τοὺς τοιούτους ἄνδρας πλανηθῆναι; Κἂν γὰρ αὐτοὶ οὐκ ᾔτησαν, διὰ τί οὐκ ἐδόθη αὐτοῖς ἐν χάριτι τοῦτο εἰς ἀναίρεσιν τῆς βλάβης τῶν μετὰ ταῦτα ἀναγινώσκειν μελλόντων; Εἰ γὰρ καὶ αὐτοὶ περὶ τὴν ὀρθὴν πίστιν καὶ τὴν ἀρετὴν οὐκ ἐνεποδίσθησαν, ἀλλ' οὖν οἱ κατ' ἐμὲ χαῦνοι καὶ ῥᾴθυμοι τὸ ἀξιόπιστον αὐτῶν εἰς πίστιν προσδεξάμενοι, εὐχερῶς ἐντεῦθεν καταβλάπτονται, μὴ εἰδότες ἅπερ εἴπατε, ὅτι οὐ πάντα τὰ μυστήρια τοῦ Θεοῦ ἠδυνήθησαν οἱ ἅγιοι καταλαβεῖν, καὶ ὅτι τοῦ Θεοῦ οὐκ ἐδεήθησαν περὶ πληροφορίας, εἰ ἀληθῆ ταῦτά ἐστιν. Σαφήνισον οὖν μοι καὶ τοῦτο Πάτερ εὔσπλαγχνε, συγκαταβαίνων καὶ τῇ ἀσθενείᾳ μου.

Ἀπόκρισις Βαρσανουφίου·

Τέκνον, οὐκ ἀφῆκεν ὁ Θεὸς τοὺς τοιούτους ἄνδρας πλανηθῆναι. Ὁ γὰρ ἀφείς τινα πλανηθῆναι, ἐκεῖνός ἐστιν ὁ ἐρωτώμενος περὶ τῆς ὁδοῦ καὶ μὴ λέγων αὐτῷ τὴν ἀλήθειαν. Οὐκ ἠρώτησαν οὖν τὸν Θεὸν περὶ τούτου, ἵνα λάβωσι παρ' αὐτοῦ τὴν ἀλήθειαν. Εἰ δὲ λέγεις ὅτι Διὰ τί ὁ Θεὸς χάριτι οὐκ ἐκώλυσεν αὐτοὺς διὰ τὴν ὠφέλειαν

10 αὐτὸν : αὐτῷ V ‖ 17 ᾔτησαν : ᾐτήσαντο R ‖ 19 ἀναγινώσκειν μελλόντων : ἀναγινωσκόντων V ‖ 24 τοῦ θεοῦ om. V ‖ οἱ ἅγιοι om. R ‖ 27 καὶ[2] om. R V ‖ 31 ἐκεῖνός om. I V

réellement le corps du Christ mais son antitype. Et tant qu'il n'eut pas prié Dieu à ce sujet, il ne reconnut pas la vérité[1]. *Un autre, qui était lui aussi un grand Vieillard, pensait que le Christ était Melchisédech; mais lorsqu'il eut prié Dieu, Dieu alors le lui révéla*[2]. *Pardonne-moi, Père, au nom du Seigneur, si j'ose demander ce qui me dépasse, mais puisque, par l'intermédiaire de votre sainteté, Dieu nous a éclairés sur le chemin assuré de la vérité, je t'en prie, procure-nous la pleine lumière sur ce point, afin que notre esprit et notre cœur infirmes soient purifiés de toute inquiétude à ce sujet. Pourquoi Dieu laisse-t-il errer de tels hommes? Car même s'ils ne l'ont pas demandé eux-mêmes, pourquoi cela ne leur a-t-il pas été accordé par grâce, pour éviter le dommage de ceux qui devaient les lire par la suite? Car si eux-mêmes avec leur foi droite et leur vertu n'en ont pas été préservés, les mollasses et écervelés de mon espèce, qui reçoivent comme vérités de foi ce qui leur en paraît digne, en retirent facilement du dommage, du fait qu'ils ne savent pas bien ce que vous avez dit, que les saints n'ont pu comprendre tous les mystères de Dieu et qu'ils ont omis de demander à l'inspiration divine si ces choses étaient vraies. Éclaircis-moi donc aussi cela, Père miséricordieux, et condescends à ma faiblesse.*

Réponse de Barsanuphe :

Enfant, Dieu n'a pas laissé ces hommes s'égarer. Car laisser quelqu'un s'égarer, c'est ne pas dire la vérité à qui demande le chemin. Or eux n'ont pas interrogé Dieu à ce sujet afin d'en recevoir la vérité. Si tu objectes : « Pourquoi Dieu ne les a-t-il pas préservés par grâce,

1. Cf. *Alph. Daniel*, 7.
2. Cf. *Alph. Daniel*, 8.

τῶν μετ' αὐτοὺς ἀναγινωσκόντων αὐτά, δύνασαι τοῦτο εἰπεῖν καὶ περὶ παντὸς ἁμαρτωλοῦ, ὅτι εἰδὼς ὁ Θεὸς ὅτι ἐὰν ἁμαρτήσῃ τύπος γίνεται πολλοῖς. Διὰ τί χάριτι οὐκ ἐκώλυσεν αὐτόν, ἵνα μὴ δι' αὐτοῦ βλάβωσι πολλοί; Καὶ εὑρίσκεται ἀναγκαστικὴ ἡ ζωὴ τοῖς ἀνθρώποις. Καὶ τί οὖν κωλύει τὸν Θεὸν τούτῳ τῷ τρόπῳ σῶσαι πάντα ἄνθρωπον; Τί γὰρ καὶ εἰς τὴν Γραφὴν οὐκ ἔστι ῥήματα τοῖς ἀμαθέσι καὶ μὴ γινώσκουσι τὸ πνευματικὸν τῆς Γραφῆς πρόσκομμα; Ὀφείλομεν οὖν εἰπεῖν· Διὰ τί τὸ πνευματικὸν τῆς Γραφῆς φανερῶς οὐκ εἶπεν ὁ Θεός, ἵνα μὴ βλάβωσιν ἄνθρωποι; Ἀλλ' ἀφῆκε τοῖς κατὰ καιρὸν ἁγίοις πόνον τοῦ ἑρμηνεῦσαι τὰ ζητούμενα; Διὰ τοῦτο « διδάσκαλοι καὶ ἐξηγηταί[b] », καθὼς λέγει ὁ Ἀπόστολος. Μὴ οὖν πλανηθῇς περὶ ὧν ἠρώτησας ἀνδρῶν. Εἰ γὰρ ᾔτησαν τὸν Θεόν, εἶχον λαβεῖν, φησὶ γάρ· « Πᾶς ὁ αἰτῶν λαμβάνει, καὶ ὁ ζητῶν εὑρίσκει[c]. » Καθὼς δὲ διὰ τῶν προφητῶν καὶ ἀποστόλων ἐφανέρωσε τὴν ὁδὸν τῆς ζωῆς ὁ Θεός[d], οὕτως ἕκαστος ἐλάλησε μερικῶς. Καὶ δι' ἑνὸς μόνου οὐκ ἐλαλήθη, ἀλλ' εἴ τι ἀφῆκεν οὗτος, ἐλάλησεν ἐκεῖνος θελήματι Θεοῦ. Οὕτως ἐποίησεν ὁ Θεὸς καὶ εἰς τοὺς μετ' αὐτοὺς ἁγίους. Καὶ εἴ τι λέγουσιν οἱ πρῶτοι ἔχον ἀμφίβολον, ἀλληγοροῦσιν οἱ ἔσχατοι, ἵνα πάντοτε δοξάζηται ὁ Θεὸς διὰ τῶν ἁγίων αὐτοῦ. Αὐτὸς γάρ ἐστιν ὁ Θεὸς τῶν πρώτων καὶ τῶν ἐσχάτων. Αὐτῷ ἡ δόξα εἰς τοὺς αἰῶνας. Ἀμήν.

38 ἁμαρτήσῃ : ἁμάρτῃ V ‖ 44 ὀφείλομεν – εἰπεῖν : om R

pour le bien de ceux qui les liraient ensuite? », tu peux en dire autant pour tout pécheur, Dieu sait en effet que celui qui pèche est un exemple pour beaucoup. Pourquoi donc ne le préserve-t-il pas par grâce, afin d'éviter le dommage qu'il causera à beaucoup? Et la vie ne serait pas libre pour les hommes. Qu'est-ce qui empêche donc Dieu de sauver ainsi tous les hommes? Quoi donc en effet? N'y a-t-il pas dans l'Écriture des mots qui sont des pièges pour les lecteurs incultes ignorant le sens spirituel de l'Écriture? Ne devons-nous donc pas dire : Pourquoi Dieu n'a-t-il pas clairement révélé le sens spirituel de l'Écriture pour éviter le dommage aux hommes? Mais il a laissé aux saints de chaque époque la charge d'élucider les problèmes. C'est pour cela qu'il y a des « docteurs et exégètes[b] », comme dit l'Apôtre. Ne t'égare donc pas au sujet des hommes sur lesquels tu as interrogé. Car s'ils avaient demandé à Dieu des lumières, ils les auraient reçues, puisqu'il est écrit : « Quiconque demande reçoit, et qui cherche trouve[c]. » Dieu a révélé le chemin de la vie[d] par les prophètes et les apôtres de telle façon que chacun en a parlé partiellement. Il n'a pas été exposé par un seul, mais ce que celui-ci n'avait pas dit, celui-là le dit par la volonté de Dieu. Dieu a fait de même pour les saints venus après eux. Ce que les premiers avaient dit d'équivoque, les derniers l'ont énoncé autrement, afin que Dieu ne cesse d'être glorifié par ses saints. Car il est le Dieu des premiers et des derniers. A lui la gloire dans les siècles. Amen.

b. Cf. 1 Co 12, 28 c. Cf. Mt 7, 8 d. Cf. Mt 22, 16

606

Ἐρώτησις τοῦ αὐτοῦ πρὸς τὸν αὐτόν· Συγχώρησόν μοι κύριε Πάτερ φιλάνθρωπε, διὰ τὸν Κύριον, ὅτι πάνυ θλίβομαι, ἀνέγνων γὰρ εἰς βιβλίον δογματικὸν καὶ βλέπω τὴν καρδίαν μου τεταραγμένην. Καὶ δηλῶσαι ὑμῖν περὶ τούτου φοβοῦμαι καὶ σιωπῆσαι οὐ δύναμαι ἀπὸ τῶν λογισμῶν. Τί οὖν κελεύεις ποιήσω ἅγιε Πάτερ;

Ἀπόκρισις·

Ἐπειδὴ ὁ διάβολος θέλει σε ἐμβαλεῖν εἰς ἀδολεσχίαν ἀνωφελῆ, εἰπὲ ὃ θέλεις, ὁ δὲ Θεὸς χώραν μὴ παράσχῃ αὐτῷ.

607

Ἐρώτησις τοῦ αὐτοῦ πρὸς τὸν αὐτόν· Περὶ τῆς ἀναστάσεως τῶν σωμάτων τῶν ἁγίων, εἰπέ μοι εἰ ἐν τούτῳ τῷ σώματι ἐγείρονται[a] ἐν ᾧ ἐσμεν ἄρτι ἔχοντι ὀστέα καὶ νεῦρα, ἀλλ' ἢ ἀέριον καὶ στρογγύλον. Καὶ γὰρ τὸ τοῦ Κυρίου τοιοῦτον ἔσεσθαι λέγουσιν ἐν τῇ μελλούσῃ ἀναστάσει, ἀρνούμενοι ἀναστῆναι αὐτὸν ἐκ νεκρῶν ἐν τῷ ἡμετέρῳ σώματι, ὅπερ ἐκ τῆς ἁγίας Θεοτόκου καὶ ἀειπαρθένου Μαρίας διὰ τὴν ἡμετέραν σωτηρίαν ἔλαβε. Καὶ ὅτι φασὶ τοῦτο εἶναι, ὃ λέγει ὁ Ἀπόστολος· «Ὃς μετασχηματίσει τὸ σῶμα τῆς ταπεινώσεως ἡμῶν εἰς τὸ γενέσθαι αὐτὸ σύμμορφον τῷ σώματι τῆς δόξης αὐτοῦ[b].» Καὶ πάλιν λέγουσιν, ὁ Ἀπόστολος εἶπεν ὅτι «Σὰρξ καὶ αἷμα βασιλείαν Θεοῦ κληρονομῆσαι οὐ δύνανται[c]», τοῦτο λέγοντες ὅτι οὐκ ἐνδέχεται τὸ σῶμα τοῦτο διαιωνίσαι, ἀπὸ τροφῆς γὰρ συνίσταται, καὶ ἐν τῷ μέλλοντι αἰῶνι φαγεῖν καὶ πιεῖν οὐκ ἔστι. Καὶ πάλιν λέγουσιν ὅτι περὶ

L. 606 RI V
2 ὅτι om. R
L. 607 RI V

606

Demande du même au même : Pardonne-moi, maître et Père charitable, par le Seigneur, car je suis très angoissé, ayant lu un livre dogmatique et voyant mon cœur troublé. J'ai peur de vous en parler et en même temps je ne puis me taire à cause de mes pensées. Que m'ordonnes-tu donc de faire, Père saint ?

Réponse :

Puisque le diable veut te lancer dans des préoccupations inutiles, dis ce que tu as envie de dire, et que Dieu ne lui laisse pas de place !

607

Demande du même au même : Au sujet de la résurrection des corps des saints, dis-moi s'ils ressusciteront dans ce corps[a] *où nous sommes actuellement, avec des os et des nerfs, ou bien dans un corps aérien et arrondi. Car certains prétendent que tel sera aussi le corps du Seigneur à la résurrection future, et ils nient qu'il soit ressuscité des morts dans notre corps, celui-là même qu'il a reçu, pour notre salut, de Marie, la sainte Mère de Dieu toujours vierge. Ce serait, disent-ils, ce qu'affirme l'Apôtre, lorsqu'il parle de celui « qui transformera notre corps de misère en un corps semblable à son corps de gloire*[b]*. » Et, poursuivent-ils, l'Apôtre dit aussi : « La chair et le sang ne peuvent hériter du royaume de Dieu*[c] *» ; ils en concluent que ce corps ne recevra pas l'immortalité, car il se soutient au moyen de la nourriture ; or dans le siècle futur il ne sera plus possible ni de manger ni de boire. Ils disent*

5 μελλούσῃ om. R || 8 μαρίας – σωτηρίαν om. R || ἔλαβε : ἀνέλαβε R || 16 πιεῖν : ποιεῖν I V

607. a. Cf. 1 Co 15, 35 b. Ph 3, 21 c. 1 Co 15, 50

τοῦ Κυρίου ἡμῶν Ἰησοῦ Χριστοῦ λέγει ὁ Ἀπόστολος· «Ὅταν ὑποταγῇ αὐτῷ τὰ πάντα, τότε καὶ αὐτὸς ὁ υἱὸς ὑποταγήσεται τῷ ὑποτάξαντι αὐτῷ τὰ πάντα, ἵνα ᾖ ὁ Θεὸς τὰ πάντα ἐν πᾶσι[d].» Καὶ πάλιν προφέροντες τὸ εἰρημένον τῷ Ἐκκλησιαστῇ· «Ἤδη γέγονεν ἐν τοῖς αἰῶσι τοῖς γενομένοις ἔμπροσθεν ἡμῶν[e]», κατασκευάζουσιν ἐντεῦθεν τὴν προΰπαρξιν. Καὶ τὸ εἰρημένον δὲ ἐν τῷ Εὐαγγελίῳ ὅτι «Οὐ μὴ ἐξέλθῃς ἐκεῖθεν ἕως οὗ ἀποδῷς τὸν ἔσχατον κοδράντην[f]» διαβεβαιοῦνται ἡμῖν τέλος εἶναι τῆς κολάσεως.

Σαφήνισον οὖν μοι ταῦτα διὰ τὸν Κύριον, Δέσποτα, ἵνα μὴ πλανήσῃ με ὁ ἐχθρὸς καὶ ἐμπέσω ἐξ ἀγνοίας εἰς τὰς παγίδας αὐτοῦ τὰς πονηράς, ὅτι πανταχόθεν ἐκ τῆς ἀφροσύνης μου σαλεύομαι[g], ἐπειδὴ οὐκ ἐκράτησα τοὺς ἁγίους σου λόγους καὶ ἀπέστην ἐξ ἀρχῆς τῆς τῶν πραγμάτων τούτων ζητήσεως, ὅτι μέγαν ἔχουσι κίνδυνον τῆς ψυχῆς. Καὶ εὖξαι ὑπὲρ ἐμοῦ Πάτερ ἀγαθέ, ἵνα τοῦ λοιποῦ ἀνανήψω καὶ μεριμνήσω περὶ τοῦ κλαυθμοῦ τῶν ἁμαρτιῶν μου. Καὶ συγχώρησόν μοι ὅτι ἐτόλμησα ταῦτα ἐρωτῆσαι, ἀλλ' ὡς εἰδότες τὰ πάντα ἐπιτρέψατέ μοι εἰπεῖν.

Ἀπόκρισις Βαρσανουφίου·

Ἄδελφε, προέγραψά σοι, ὅτι ἄκαιρον ἀδολεσχίαν ἔσπειρεν ἐν σοὶ ὁ διάβολος. Ὁ καιρός σου γάρ ἐστι κλαῦσαι καὶ πενθῆσαι τὰς ἁμαρτίας σου[h]. Ἀλλ' ὅμως ἵνα μὴ ἀφῶ σε τοῖς λογισμοῖς, εἰ μαθεῖν θέλεις περὶ τῆς ἀναστάσεως, εἰ πιστεύεις τοῖς προφήταις, ἔδειξεν ἡμῖν ὁ Θεὸς τὴν ἀνάστασιν πῶς ἔσται, διὰ Ἰεζεκιὴλ τοῦ προφήτου, πῶς συνήχθη ὀστοῦν πρὸς ὀστοῦν, καὶ ἁρμονία πρὸς ἁρμονίαν, καὶ φλέβες καὶ δέρμα καὶ νεῦρα[i], καὶ οὕτως ἀνέστησαν. Καὶ ὁ Ἀπόστολος εἰδὼς ὅτι ἐγειρόμεθα τοῖς σώμασιν,

27-36 ἵνα – εἰπεῖν om. R

encore : L'Apôtre dit de notre Seigneur Jésus- Christ : « Quand toutes choses lui auront été soumises, alors le Fils à son tour se soumettra à celui qui lui a soumis toutes choses, afin que Dieu soit tout en tous[d]*.» Ils allèguent aussi ce qui est dit dans l'*Ecclésiaste : *« Il a déjà existé dans les âges qui nous ont précédés*[e]*», et ils en concluent à la préexistence. Et ce mot de l'Évangile « Tu ne sortiras pas de là que tu n'aies rendu le dernier sou*[f]*» nous garantit qu'il y aura un terme au châtiment.*

Débrouille-moi donc tout cela, maître, au nom du Seigneur, pour empêcher que l'Ennemi ne m'égare et que je ne tombe par ignorance dans ses méchants pièges. Car je suis secoué de tous côtés[g] *à cause de ma sottise, pour ne m'en être pas tenu à tes saintes paroles, en m'interdisant dès le début la recherche de ces choses qui comportent un grand péril pour l'âme. Prie aussi pour moi, bon Père, pour qu'enfin je me ressaisisse et m'occupe à pleurer mes péchés. Et pardonne-moi d'avoir eu l'audace de te demander cela : mais, sachant tout, vous m'avez permis de le dire.*

Réponse de Barsanuphe :

Frère, je t'ai déjà écrit que c'est le diable qui a semé en toi cette préoccupation inopportune. Ce qui est de saison pour toi, c'est de pleurer et de porter le deuil de tes péchés[h]. Cependant pour ne pas t'abandonner à tes pensées, si tu veux être renseigné sur la résurrection, si tu crois aux prophètes, Dieu nous a montré par le prophète Ézéchiel comment se fera la résurrection : de la façon dont se sont assemblés os à os, jointure à jointure, avec les veines, la peau et les nerfs[i], ainsi ont-ils ressuscité. Et l'Apôtre, sachant que nous ressusciterons dans

d. 1 Co 15, 28 e. Qo 1, 10 f. Mt 5, 26 g. Cf. 2 Co 11, 31
h. Cf. Jc 4, 9 i. Ez 37, 7 – 8

ἐδίδαξε λέγων· «Δεῖ γὰρ τὸ φθαρτὸν τοῦτο ἐνδύσασθαι ἀφθαρσίαν, καὶ τὸ θνητὸν τοῦτο ἐνδύσασθαι ἀθανασίαν[j].» Μὴ πλανηθῇς, σὺν τοῖς ὀστέοις καὶ νεύροις καὶ θριξὶ τὰ σώματα ἐγείρονται, καὶ οὕτως ἔσονται εἰς τὸν αἰῶνα, ἀλλ' ὅμως φωτεινότερα καὶ ἐνδοξότερα κατὰ τὴν φωνὴν τοῦ Κυρίου λέγοντος· «Τότε οἱ δίκαιοι ἐκλάμψουσιν ὡς ὁ ἥλιος ἐν τῇ βασιλείᾳ τῶν οὐρανῶν[k].» Τὴν δόξαν προστίθησιν τοῖς σώμασιν, οἷόν τι λέγω, ὡς ἄνθρωπος εἰσερχόμενος εἰς τὸν βασιλέα παγανὸς καὶ ποιεῖ αὐτὸν στρατηλάτην, καὶ ἐξέρχεται δεδοξασμένος. Οὐχὶ ὁ αὐτός ἐστι; Μὴ τὸ σῶμα ἠλλάγη; Ἢ ὡς ἄνθρωπος διάκονος ἄφνω χειροτονηθεὶς ἐπίσκοπος, καὶ εὑρίσκεται παραχρῆμα δεδοξασμένος. Οὕτως καὶ ὧδε. Καὶ τί γάρ; Ὥς εἰσιν ἄρτι ἄνθρωποι ἐν τῷ σώματι, οὐ γίνονται θεοφόροι; Καὶ πῶς εἶδε Μωϋσῆς τὸν Κύριον; πρὸ αὐτοῦ δὲ Ἀβραὰμ καὶ Ἰακὼβ καὶ Στέφανος ἐν ταῖς Πράξεσι καὶ οἱ λοιποί[l]; Μὴ ἀσώματοι ἦσαν; Οὕτως ἔσται καὶ ἐν τῇ ἀναστάσει[m], ταῦτα μὲν τὰ σώματα, ἄφθαρτα δὲ καὶ ἀθάνατα καὶ ἐνδοξότερα. Διὰ τοῦτο λέγει ὁ Ἀπόστολος περὶ τοῦ ἀνθρωπείου σώματος· «Σπείρεται ἐν ἀτιμίᾳ, ἐγείρεται ἐν δόξῃ, σπείρεται σῶμα ψυχικόν, ἐγείρεται σῶμα πνευματικόν[n].» Ταῦτα λέγει, ὅτι πολλοὶ τῶν ἁγίων οὔκ εἰσι

52 ἐκλάμψουσιν : λάμψουσιν R ‖ 54 ὡς : ὁ R V ‖ 55 εἰσερχόμενος : εἰσέρχεται V ‖ 64 ἄφθαρτα δὲ : καὶ ἄφαρτα R ‖ 66 ἀνθρωπείου : ἀνθρωπίνου V

j. 1 Co 15, 53 k. Mt 13, 43 l. Cf. Gn 18, 1 – 16; 28, 10-22; Ex 3, 1-6; 33, 18-23; Ac 7, 55-56 m. Cf. 1 Co 15, 42 n. 1 Co 15, 43

1. παγανός : mot attesté à partir du IIIe s. ap. J.C. Dans le *Thesaurus Linguae Graecae* il est indiqué : *apud Suidam tantum reperi* παγανός *quod mere latinum est. Nam pagani Latinis dicuntur qui in pagis habitant. Suidas ipse exp.* ἀστράτευτοι. Schoinas écrit en note : ἤτοι ἀστράτευτος, μὴ ὢν στρατιώτης, ἰδιώτης, κοινολαΐτης.

ces corps, a enseigné : « Il faut en effet que ce corps corruptible revête l'incorruptibilité, et le mortel, l'immortalité[j]. » Ne t'égare pas, les corps ressusciteront avec des os, des nerfs, et des cheveux, et demeureront ainsi à jamais, plus lumineux cependant et plus glorieux, selon cette parole du Seigneur : « Alors les justes brilleront comme le soleil dans le royaume des cieux[k]. » Il accordera la gloire aux corps : ainsi qu'il en arrive, par exemple, à un simple villageois[1] entré au service de l'empereur qui le fait général[2], il en est couvert de gloire. N'est-ce pas cependant le même homme? Son corps a-t-il changé? Ou comme il en advient d'un diacre, consacré d'un seul coup évêque; il s'en trouve sur-le-champ glorifié. De même ici. Comment cela? Lorsqu'ils sont actuellement dans leur corps, les hommes ne sont-ils pas porteurs de Dieu? Comment Moïse a-t-il vu le Seigneur, et même avant lui, Abraham et Jacob, Étienne dans les *Actes*, et d'autres encore[l]? Étaient-ils sans corps? Ainsi en sera-t-il à la résurrection[m], ce seront les mêmes corps, mais incorruptibles, immortels et glorieux. C'est pourquoi l'Apôtre dit du corps humain : « On sème dans l'ignominie, on ressuscite dans la gloire; on sème un corps psychique, il ressuscite un corps spirituel[n]. » Il dit cela, parce que

2. στρατηλάτης : ce mot d'origine poétique, a remplacé dans le grec tardif le terme courant στρατηγός. (voir L. 131, 7). A l'époque byzantine il désigne une fonction administrative importante, le *magister militum*, qui commandait une garnison locale dans une province de l'empire. Mais parfois il y a superposition des termes σταρτηλάτης et δούξ. Sur cette question et les pouvoirs de ces deux fonctionnaires voir Salvatore COSENTINO, *Prosopografia dell'Italia Bizantina (493-804)*, éd. Lo Scarabeo, Bologna 1996, p. 60-64 et en particulier la note 272, p. 61; Charles DIEHL, *Études sur l'administration byzantine dans l'exarchat de Ravenne*, Paris 1888; J. MASPERO, *L'organisation militaire de l'Égypte byzantine*, Paris 1912, 2e éd. Hildesheim New York 1974, p. 80-88; A. GUILLOU, *La civilisation byzantine*, Paris 1974, p. 241-242.

φανεροὶ τοῖς ἀνθρώποις, ἀλλὰ καὶ μᾶλλον ἄτιμοι ἐν ὀφθαλμοῖς αὐτῶν. Καὶ ὅταν λάβωσιν ἐκεῖ τὴν δόξαν ὡς χειροτονίαν, φανεροῦνται πᾶσιν ὅτι πνευματικοί εἰσι. Διὰ τοῦτο λέγει· «Σπείρεται σῶμα ψυχικόν» παρὰ ἀνθρώποις, «Ἐγείρεται σῶμα πνευματικόν», ἔνδοξον, καὶ θαυμάζουσι πάντες. Τοῦτο δὲ λέγει ὁ Ἀπόστολος «ὃς μετασχηματίσει τὸ σῶμα τῆς ταπεινώσεως ἡμῶν εἰς τὸ εἶναι αὐτὸ σύμμορφον τῷ σώματι τῆς δόξης αὐτοῦ», ἐπειδὴ φωτοειδῆ ποιεῖ αὐτὰ κατὰ τὸ σῶμα αὐτοῦ, ὡς εἶπεν ὁ Ἀπόστολος Ἰωάννης ὅτι «Ὅταν φανερωθῇ, τότε ὅμοιοι αὐτῷ ἐσόμεθα[o].» Ὅτι φῶς ἐστιν ὁ Υἱὸς τοῦ Θεοῦ καὶ αὐτοὶ υἱοὶ Θεοῦ εἰσι κατὰ τὸν Ἀπόστολον, καὶ υἱοὶ φωτός[p]. Κατὰ τοῦτο λέγει ὅτι μετασχηματίσει. Περὶ δὲ τοῦ λέγειν «Ὅταν ὑποταγῇ αὐτῷ τὰ πάντα, τότε καὶ αὐτὸς ὁ Υἱὸς ὑποταγήσεται τῷ ὑποτάξαντι αὐτῷ τὰ πάντα[q]», πρῶτον μάθε τίνι ἔγραψε ταῦτα· Κορινθίοις, καὶ ἀκμὴν ὁ ἑλληνισμὸς ἦν. Καὶ ἔθος ἦν παρά τισι τῶν Ἑλλήνων οὕτως, ὅτε ἤρχετο ὁ υἱὸς τοῦ βασιλέως αὐτῶν εἰς ἡλικίαν, ἠγείρετο καὶ ἐφόνευε τὸν ἴδιον πατέρα. Καὶ ἵνα μή, δεχόμενοι τὸ κήρυγμα τῆς πίστεως τοῦ Ἀποστόλου, ἔχωσι καὶ κατὰ τὸ ἔθος αὐτῶν καὶ περὶ τοῦ Υἱοῦ τοῦ Θεοῦ τὸ αὐτὸ ὑπολαβεῖν, ἐξώρισε τὴν κοινωνίαν ταύτην ἀπ' αὐτῶν, λέγων αὐτοῖς· «Ὅταν ὑποταγῇ αὐτῷ τὰ πάντα, τότε καὶ αὐτὸς ὑποταγήσεται τῷ ὑποτάξαντι αὐτῷ τὰ πάντα». Ἀλλ' «ὅταν οἱ ἐχθροὶ αὐτοῦ δεδεμένοι ὑπὸ τοὺς πόδας αὐτοῦ ἔρχωνται[r]», τὸν διάβολον λέγει, καὶ τὰς δυνάμεις αὐτοῦ καὶ τοὺς ἐξακολουθοῦντας τοῖς αὐτῶν θελήμασι. Διὰ τοῦτο ἄρα ἔλεγεν ὁ Ἀπόστολος· «Οὔπω θεωροῦμεν τὰ πάντα ὑποτεταγμένα αὐτῷ[s].» Ἕως πότε; Ἕως ἂν ἥξουσιν οἱ ἄγγελοι τοῦ Θεοῦ καὶ Πατρὸς τοῦ εἰπόντος αὐτῷ· «Κάθου

80 τὸν ἀπόστολον : τὴν γραφήν R ‖ 89 καὶ[1] om. V ‖ 97 ἂν om. V

---

o. 1 Jn 3, 2 p. Ep 5, 8; 1 Th 5, 5 q. 1 Co 15, 28
r. 1 Co 15, 28 s. He 2, 8

beaucoup de saints ne sont pas illustres parmi les hommes, mais bien plutôt vils à leurs yeux. Et lorsqu'ils recevront là-haut la gloire comme une consécration, il apparaîtra à tous qu'ils sont spirituels. C'est pourquoi il dit : « On sème un corps psychique, parmi les hommes, il ressuscite un corps spirituel », glorieux, et tous seront dans l'admiration. Et si l'Apôtre parle de celui « qui transformera notre corps de misère en un corps semblable à son corps de gloire », c'est parce qu'il les rendra resplendissants comme son propre corps ainsi que le dit l'Apôtre Jean : « Lorsqu'il se manifestera, alors nous lui serons semblables[o]. » Car le Fils de Dieu est lumière et les 'fils de Dieu' eux-mêmes sont, d'après l'Apôtre, 'fils de lumière[p]'. C'est en ce sens qu'il dit qu''il transformera'. Au sujet de la parole « Quand toutes choses lui auront été soumises, alors le Fils à son tour se soumettra à celui qui lui a soumis toutes choses[q] », remarque d'abord à qui l'Apôtre a écrit cela : aux Corinthiens, et c'était encore le paganisme. Or chez certains païens, il y avait une coutume qui voulait que, au moment où le fils du roi devenait majeur, il s'émancipât et tuât son propre père. Aussi pour empêcher qu'en recevant la prédication de la foi de l'Apôtre, ils ne soient conduits par leur coutume à penser que le Fils de Dieu avait fait la même chose, il exclut de leur esprit cette assimilation, en leur disant : « Quand toutes choses lui auront été soumises, alors à son tour il se soumettra à celui qui lui a soumis toutes choses. » Mais en disant : « Quand ses ennemis seront amenés liés à ses pieds[r] », il désigne le diable, ses puissances et ceux qui sont à leurs ordres. Pour cette raison, l'Apôtre a dit aussi : « Nous ne voyons pas encore que toutes choses lui soient soumises[s]. » Jusques à quand? Jusqu'à ce que viennent les anges de Dieu et que le Père lui dise : « Assieds-toi à ma droite

ἐκ δεξιῶν μου ἕως ἂν θῶ τοὺς ἐχθρούς σου ὑποπόδιον τῶν ποδῶν σου[t].» Τούτους τοὺς ἐχθροὺς εἰς τὴν κρίσιν ἄγει τοῦ Υἱοῦ τοῦ Θεοῦ· « Ὁ γὰρ Πατήρ φησιν, οὐδένα κρίνει, ἀλλ' ὅλην τὴν κρίσιν δέδωκε τῷ Υἱῷ[u].» Καὶ ἵνα μάθῃς πῶς παραδίδωσι τὴν βασιλείαν τῷ Θεῷ καὶ Πατρί, ἄκουσον· Ὁ Υἱὸς τοῦ Θεοῦ σαρκωθεὶς ἦλθε καλέσαι καὶ ἁγιάσαι διὰ τοῦ ἁγίου αὐτοῦ αἵματος «ἔθνος ἅγιον, λαὸν περιούσιον, ζηλωτὴν καλῶν ἔργων, βασίλειον ἱεράτευμα[v].» Καὶ νόησον· Μεθ' ὃ ὑποτάσσονται αὐτῷ οἱ ἐχθροὶ αὐτοῦ καὶ κρινεῖ αὐτούς, καὶ αὐτὸς ὡς τύπος ὑποταγῆς, παραδίδωσι τὴν βασιλείαν ἣν περιεποιήσατο, τὸν λαὸν τὸν ἅγιον, τῷ Θεῷ καὶ Πατρί, λέγων· « Ἰδοὺ ἐγὼ καὶ τὰ παιδία ἅ ἔδωκάς μοι[w].» Καὶ ἵνα μάθῃς τὴν ἰσότητα, ὁ Πατὴρ τὴν κρίσιν δέδωκε τῷ Υἱῷ πᾶσαν, καὶ ὁ Υἱὸς οὓς ἐκάλεσε δέδωκε τῷ Πατρί. Καὶ οὕτως ὁ λόγος πληροῦται τὸ « Ὅταν ὑποταγῇ αὐτῷ τὰ πάντα, τότε καὶ αὐτὸς ὁ Υἱὸς ὑποταγήσεται τῷ ὑποτάξαντι αὐτῷ τὰ πάντα[x].»

Περὶ δὲ τῶν αἰώνων ὧν λέγει ὅτι εἶπεν ὁ Ἐκκλησιαστής, γίνωσκε ὅτι πᾶς χρόνος ἀνθρώπου αἰὼν αὐτοῦ ἐστι, διὰ τοῦτο οὐκ εἶπεν ὅτι ἤδη γέγονεν ἐν τοῖς αἰῶσι τοῖς πρὸ τοῦ κόσμου τούτου, ἀλλ' ἐν τοῖς αἰῶσι τοῦ κόσμου τούτου τοῖς ἔμπροσθεν ἡμῶν. Καὶ εἰ θέλεις μαθεῖν ὅτι οἱ ἀμαθεῖς καὶ ἀστήρικτοι διαστρέφουσι τὰς Γραφὰς καὶ ἀλληγοροῦσι κατὰ τὴν διδασκαλίαν τοῦ διαβόλου, ὁ Ἀπόστολος εἶπε· «Τὰ βρώματα τῇ κοιλίᾳ καὶ ἡ κοιλία τοῖς βρώμασιν, ὁ

109 βασιλείαν + τῶν οὐρανῶν R ‖ 114 τὸ om. R ‖ 114-115 καὶ αὐτὸς – πάντα : καὶ τὰ ἑξῆς R ‖ 116 ὅτι εἶπεν om. R

t. Ps 109, 1 u. Cf. Jn 5, 22 v. Cf. 1 P 2, 9; Tt 2, 14
w. Is 8, 18; He 2, 13 x. 1 Co 15, 28

3. ἰσότητα : terme théologique qui indique l'égalité des trois personnes divines formant la Trinité. Ce concept a été affirmé au cours

jusqu'à ce que je fasse de tes ennemis l'escabeau de tes pieds[t].» Ce sont ces ennemis qu'il conduit au jugement du Fils de Dieu. «Car le Père, dit-il, ne juge personne, mais il a remis tout jugement au Fils[u].» Et pour que tu saches comment il remet le royaume à Dieu le Père, écoute : le Fils de Dieu incarné est venu appeler et sanctifier par son sang sacré «une nation sainte, un peuple élu, zélé pour les bonnes œuvres, un sacerdoce royal[v]». Comprends bien : Après que ses ennemis lui auront été soumis et qu'il les aura jugés, à son tour, en exemple de soumission, il remettra le royaume qu'il s'est acquis, le peuple saint, à Dieu le Père, en disant : «Me voici, moi et les petits enfants que tu m'as donnés[w].» Et apprends l'égalité[3] : Le Père a donné tout le jugement au Fils, et le Fils a donné au Père ceux qu'il a appelés. Ainsi se réalise la parole : «Quand toutes choses lui auront été soumises, alors le Fils, à son tour, se soumettra à celui qui lui a soumis toutes choses[x].»

Pour ce qui est des âges dont il est parlé dans le passage de l'*Ecclésiaste*, sache que toute vie d'homme constitue son âge ; c'est pourquoi il est dit, non pas que cela est déjà arrivé dans les âges qui ont précédé ce monde, mais dans les âges de ce monde qui nous ont précédés. Et si tu veux te rendre compte que les ignorants et les esprits superficiels torturent les Écritures et en altèrent le sens sous l'inspiration du diable, l'Apôtre dit : «Les aliments sont pour le ventre, et le ventre pour

du concile de Constantinople en été 382 sous le Pape Damase, qui a rédigé un *Tomus* (*Histoire des Conciles d'après les documents originaux*, vol. II, 1re partie, p. 53-55). C'est aussi un *leitmotiv* répété continuellement par les Pères (*Dizionario teologico interdisciplinare*, tome III, p. 484, col. A et p. 487 col. A).

δὲ Θεὸς καὶ ταύτην καὶ ταῦτα καταργήσει[y].» Περὶ γαστριμαργίας καὶ ἀδιαφορίας καὶ ἀσωτίας λέγει, ὥστε οὖν κατήργησε τὰ βρώματα καὶ τὴν κοιλίαν ἀπὸ τῶν ἁγίων. Εἰδὼς οὖν ὁ Ἀπόστολος ὁ τοῦτο εἰπών, πῶς εἶπεν ὅτι διὰ τὰ πάθη λέγει, καὶ ὅτι κατήργησεν ὁ Κύριος ἀπ' αὐτοῦ καὶ τῶν κατ' αὐτόν, ἤρξατο λέγειν· «Οὔτε ἐὰν φάγωμεν κατακρινόμεθα, οὔτε ἐὰν μὴ φάγωμεν δικαιούμεθα[z].» Ἡ δύναμις δὲ τοῦ ῥητοῦ οὕτως ἔχει. Περὶ δὲ τοῦ μέλλοντος οὕτως εἶπεν ὁ Θεὸς ὅτι ἴσοι ἔσονται οἱ ἄνθρωποι τοῖς ἀγγέλοις[a], μὴ τρώγοντες, μὴ πίνοντες, μηδὲ ἐπιθυμοῦντες, καὶ ἀδυνατεῖ αὐτῷ οὐδέν[b]. Ἔδειξε γὰρ αὐτῷ διὰ τοῦ Μωϋσέως ὅτι ἐποίησε τεσσαράκοντα ἡμέρας καὶ τεσσαράκοντα νύκτας[c]. Καὶ ὁ ποιήσας τοῦτο δύναται ποιῆσαι καὶ ὅλα τὰ ἔτη τοῦ αἰῶνος τὸ οὕτως εἶναι τὸν ἄνθρωπον. Εἰ δὲ ληρεῖ τις καὶ λέγει ὅτι ὕστερον ἔφαγε, καὶ περὶ τοῦ Σωτῆρος οὕτως ὑπόδειγμα ἐκ μέρους τῶν μελλόντων ἔδειξε, καθὼς καὶ περὶ τῆς ἀναστάσεως, ὅτι ἀνέστησε νεκρούς, καὶ διὰ τῶν ἀποστόλων, δεικνύων ἡμῖν ὅτι ἔσται ἀνάστασις. Καὶ εἰ μετὰ ταῦτα ἀπέθανον, οὐκ ὀφείλομεν ἀπιστῆσαι τῇ ἀναστάσει. Ἀλλ' ὅμως λέγει· «Οὐκ ἐπ' ἄρτῳ μόνῳ ζήσεται ἄνθρωπος, ἀλλ' ἐπὶ παντὶ ῥήματι ἐκπορευομένῳ διὰ στόματος Θεοῦ[d].» Τί ἔχεις εἰπεῖν πρὸς τοῦτο εἰ μὴ διαστρέψαι αὐτὸ ὡς καὶ τὰς λοιπὰς Γραφάς;

Περὶ δὲ τοῦ «Σὰρξ καὶ αἷμα βασιλείαν Θεοῦ οὐ κληρονομήσουσιν, οὐδὲ ἡ φθορὰ τὴν ἀφθαρσίαν[e]», σάρκα καὶ αἷμα λέγει τὴν ἀκαθαρσίαν καὶ πορνείαν καὶ τὰ θελήματα. Καὶ θέλεις μαθεῖν ὅτι ἐν σώματι ἄνθρωποι ὄντες γίνονται πνευματικοί; Ἄκουσον τοῦ Κυρίου λέγοντος τῷ

125 λέγει : λέγων V ‖ 127 ἁγίων : ἀγγείων I V ‖ 131 ῥητοῦ : ῥήματος I V ‖ 133 μή[2] : μηδὲ R ‖ 138 τὸ om. R V ‖ 145 στόματος : πνεύματος I V

y. 1 Co 6, 13 z. Cf. 1 Co 8, 8 a. Cf. Lc 20, 36 b. Cf. Gn 18, 14 c. Cf. Ex 24, 18 d. Mt 4, 4 e. 1 Co 15, 50

les aliments, mais Dieu détruira celui-ci comme ceux-là[y].» Il parle de la gourmandise, du dérèglement et de la débauche, de telle sorte que Dieu a détruit l'aliment et le ventre chez les saints. L'Apôtre qui disait cela, savait donc ce qu'il disait, car il parlait à cause des passions, mais le Seigneur les ayant détruites chez lui et chez ceux qui lui ressemblent, il a commencé par dire : «Nous ne serons pas condamnés pour avoir mangé, et nous ne serons pas non plus justifiés pour n'avoir pas mangé[z].» Tel est le sens de cette parole. Mais pour la vie future, Dieu a dit que les hommes seront semblables aux anges[a], ne mangeant ni ne buvant, ni ne désirant, et rien ne lui est impossible[b]. Il en a donné, en effet, la preuve en la personne de Moïse qui a passé ainsi quarante jours et quarante nuits[c]. Celui qui a fait cela peut donc faire qu'il en soit de même pour l'homme pour toutes les années de l'éternité. S'il en est un qui ergote et prétend qu'il a mangé dans la suite, comme d'ailleurs le Sauveur, on peut répondre qu'il a donné ainsi un signe inadéquat de l'état futur, comme il l'a fait aussi pour la résurrection : en effet il a ressuscité des morts, même par les apôtres, pour nous montrer qu'il y aura une résurrection. Or ce n'est pas parce qu'ensuite ils sont morts que nous devons douter de la résurrection. Mais cependant il dit : «L'homme ne vivra pas seulement de pain, mais de toute parole sortie de la bouche de Dieu[d].» Que peux-tu objecter à cette parole sans la torturer ainsi que tout le reste des Écritures?

Quant à la parole «la chair et le sang ne peuvent hériter du royaume de Dieu, ni la corruption hériter de l'incorruption[e]», chair et sang désignent l'impureté, la luxure et les volontés. Veux-tu être convaincu que c'est tout en étant dans leur corps que les hommes deviennent spirituels? Écoute le Seigneur dire à

Νικοδήμῳ · «Δεῖ ὑμᾶς γεννηθῆναι ἄνωθεν», ὕστερον εἶπεν · «Ἐξ ὕδατος καὶ πνεύματος[f].» Καὶ γεννώμενοι ἐκ πνεύματος, πνευματικοί εἰσιν. Καὶ πάλιν λέγει · «Οὐκ ἐξ αἱμάτων, οὐδὲ ἐκ θελήματος σαρκός, οὐδὲ ἐκ θελήματος ἀνδρός, ἀλλ' ἐκ Θεοῦ ἐγεννήθησαν[g]», καὶ «Ὁ Θεὸς πνεῦμά ἐστιν[h].» Ὡς οὖν εἰσιν ἐν πνεύματι, ἐγένοντο πνευματικοί, γεννηθέντες ὑπὸ τοῦ Θεοῦ, κἀκεῖ ἀδυνατεῖ ποιῆσαι αὐτοὺς πνευματικούς;

Τὸ δὲ «Οὐ μὴ ἐξέλθῃ ἐκεῖθεν ἕως οὗ ἀποδῷ τὸν ἔσχατον κοδράντην[i]» Καὶ πόθεν ἀποδίδωσι; Σημαίνων τὴν κόλασιν αὐτῶν τὴν αἰώνιον, τοῦτο εἶπεν · Οὐ μὴ ἐξέλθῃ. Ἐὰν βληθῇ πτωχὸς χρεώστης εἰς φυλακήν, καὶ παραγγελθῇ ὑπὸ τοῦ ἄρχοντος μὴ ἐξελθεῖν ἕως οὗ ἀποδῷ τὸ ὀφειλόμενον χρέος, κρῖναι ἔστι πάντως · Ἐξέρχεται; Οὐκ ἔστιν οὕτως. Μὴ πλανηθῇς ὡς ἄφρων. Οὐδεὶς ἐκεῖ προκόπτει, ἀλλ' εἴ τι ἔχει τις, ἔνθεν ἔχει, εἴτε καλόν, εἴτε σαπρόν, ἢ τερπνόν.

Ἄφες λοιπὸν τὰς μωρολογίας αὐτὰς καὶ μὴ ἐξακολουθήσῃς τοῖς δαίμοσι καὶ τῇ αὐτῶν διδασκαλίᾳ, ἅπαξ γὰρ λαμβάνουσι καὶ ἅπαξ καταφέρουσι κάτω. Ταπεινώθητι οὖν ἐνώπιον τοῦ Θεοῦ, κλαίων τὰς ἁμαρτίας σου καὶ πενθῶν τὰ πάθη σου. Μνήσθητι τῆς Γραφῆς λεγούσης · «Καὶ νῦν Ἰσραήλ[j]», καὶ πάλιν «Καὶ νῦν ἠρξάμην[k].» Πρόσχες ἑαυτῷ. Λοιπὸν ὁ Θεὸς συγχωρήσει σοι ποῦ κλίνει τῷ ἐξερευνᾶν ἡ καρδία σου.

153 ὕστερον + δὲ V ‖ 154 ἐξ : δι' V ‖ καὶ γεννώμενοι : γεννώμενοι δὲ V ‖ 155 οὐκ : οἳ οὐκ V ‖ 158 ὡς – πνεύματι : εἰ οὖν ὧδε ἔτι ὄντες V ‖ 159 θεοῦ + πῶς V ‖ ἀδυνατεῖ + ὁ θεὸς V ‖ 162 καὶ : ἐπεὶ V ‖ 163 οὐ – ἐξέλθῃ om. V ‖ 165 μὴ om. I V ‖ 168 ἢ τερπνόν om. R ‖ 171 λαμβάνουσι : ἀναλαμβάνουσι V ‖ 175 συγχωρήσει : -ήσαι R -ήσοι V ‖ σοι + ἴδε V

Nicodème : « Il faut que vous naissiez de nouveau », puis : « de l'eau et de l'Esprit[f]. » Nés de l'Esprit, ils sont spirituels. Et il dit encore : « Ils ne sont pas nés du sang, ni d'un vouloir charnel, ni d'un vouloir d'homme, mais de Dieu[g] » et « Dieu est Esprit[h]. » Si donc ils sont déjà dans l'Esprit, devenus spirituels, nés de Dieu, Dieu ne pourra-t-il pas aussi les rendre spirituels dans l'au-delà ?

Il y a enfin la parole : « Tu ne sortiras pas de là que tu n'aies rendu le dernier sou[i]. » Et comment pourrait-il le rendre ? Cela signifie donc que son châtiment est éternel, lorsqu'il dit : « Tu ne sortiras pas. » Si on jette en prison un débiteur insolvable, et que le magistrat lui annonce qu'il n'en sortira pas tant qu'il n'aura pas rendu le montant de la dette, est-il possible d'être tout à fait sûr qu'il sortira ? Ce n'est pas le cas. Ne t'égare pas comme un insensé. Là-bas personne ne fait de gain ; mais tout ce qu'on a, on l'a d'ici-bas, soit bon, soit mauvais, ou agréable.

Laisse donc là enfin ces balivernes et ne sois pas à la remorque des démons et de leur enseignement ; car d'un coup ils vous saisissent, et d'un coup ils vous précipitent en bas. Humilie-toi donc devant Dieu, pleurant tes péchés et portant le deuil pour tes passions. Souviens-toi de ce que dit l'Écriture : « Et maintenant Israël[j] » ou encore : « Maintenant je commence[k]. » Fais attention à toi. Désormais Dieu te pardonnera où penche ton cœur dans ta recherche.

f. Jn 3, 3 – 5 g. Jn 1, 13 h. Jn 4, 24 i. Mt 5, 26
j. Dt 10, 12 k. Ps 76, 11

608

Ἄλλος ἀδελφὸς ἠρώτησε τὸν αὐτὸν μέγαν Γέροντα λέγων· Εἰπέ μοι Πάτερ, ἰδοὺ βλέπω τινὰ ποιοῦντα πρᾶγμα, καὶ διηγοῦμαι αὐτό τινι, καὶ λέγω ὅτι οὐ κατακρίνω αὐτόν, ἀλλὰ μόνον λαλοῦμεν. Ἆρα οὐκ ἔστι καταλαλιὰ ἐν τῷ λογισμῷ;

Ἀπόκρισις Βαρσανουφίου·

Ἐὰν ἔχῃ κίνησιν ἐμπαθῆ καταλαλιά ἐστιν. Ἐὰν δὲ ἐλεύθερός ἐστιν ἀπὸ πάθους, οὐκ ἔστι καταλαλιά, ἀλλ' ἵνα μὴ αὐξηθῇ τὸ κακὸν λέγει.

609

Ἐρώτησις· Τί ἐστι τὸ «Μετὰ στρεβλοῦ διαστρέψεις[a];»

Ἀπόκρισις·

Εἶπεν ὁ Κύριος· «Ἐάν τις σὲ ῥαπίσῃ εἰς τὴν δεξιὰν σιαγόνα, στρέψον αὐτῷ καὶ τὴν ἄλλην[b].» Οὕτω δεῖ διαστρέφειν μετὰ στρεβλοῦ.

610

Ἐρώτησις· Τί ἐστι «Γίνεσθε φρόνιμοι ὡς οἱ ὄφεις καὶ ἀκέραιοι ὡς αἱ περιστεραί[a];»

Ἀπόκρισις·

Ὁ γὰρ τὸ τοῦ ὄφεως φρόνιμον περὶ τὸ κακὸν τῷ τῆς περιστερᾶς ἀκεραίῳ περὶ τὸ καλὸν ἀναμίξας, οὔτε τὸ φρόνιμον ἐάσει κακοῦργον γενέσθαι, οὔτε τὸ ἁπλοῦν ἀνόητον.

L. 608 RI V
8 ἐστιν : ᾗ V
L. 609 RI V
L. 610 RI V

608

À UN AUTRE FRÈRE

Un autre frère interrogea le même Grand Vieillard en ces termes : Dis-moi, Père, je viens de voir quelqu'un faire une chose, je la raconte à un autre, et je me dis : Je ne le juge pas, nous en parlons seulement. N'y a-t-il pas médisance dans la pensée?

Réponse de Barsanuphe :

S'il y a mouvement de passion, c'est de la médisance. Mais si on est libre de passion, ce n'est pas de la médisance, on parle seulement pour que le mal ne soit pas amplifié.

609

Demande : Que veut dire la parole : « Avec le fourbe, tu te tourneras de l'autre côté[a] *» ?*

Réponse :

Le Seigneur a dit : « Si quelqu'un te frappe sur la joue droite, présente-lui aussi l'autre[b]. » C'est ainsi qu'il faut se tourner de l'autre côté avec le fourbe[1].

610

Demande : Que veut dire la parole : « Soyez prudents comme les serpents et simples comme les colombes[a] *» ?*

Réponse :

Celui qui entremêle la prudence du serpent à l'endroit du mal, avec la simplicité de la colombe à l'endroit du bien, ne laissera pas la prudence tourner en ruse ni la simplicité en sottise.

609. a. Ps 17, 27 b. Mt 5, 39
610. a. Mt 10, 16

1. στρεβλὸς – fourbe : terme peu courant. Remarquer le jeu de mot (intraduisible) de Barsanuphe entre στρεβλὸς et στρέφω.

611

Ἐρώτησις· Τίνες οἱ ἁμαρτίαν καὶ τὸ κακὸν κατὰ προαίρεσιν ἔχοντες καὶ τίνες οἱ παρὰ προαίρεσιν;

Ἀπόκρισις·

Οἱ κατὰ προαίρεσιν ἔχοντες τὸ κακὸν οὗτοί εἰσιν οἱ τὸ ἑαυτῶν θέλημα ἐπιδιδόντες τῇ κακίᾳ, καὶ συνηδόμενοι καὶ συμφιλιάζοντες· Οὗτοι εἰρήνην ἔχουσι μετὰ τοῦ Σατανᾶ καὶ οὐ ποιοῦσι πόλεμον μετ' αὐτοῦ ἐν τοῖς λογισμοῖς.

Οἱ δὲ παρὰ προαίρεσιν ἔχοντες τὸ κακόν, οὗτοί εἰσιν οἱ τὴν ἐναντίαν δύναμιν ἔχοντες ἀντιστρατευομένην ἐν τοῖς μέλεσιν αὐτῶν κατὰ τὸν Ἀπόστολον[a]. Καὶ ἔστιν ἡ ὁμιχλώδης δύναμις καὶ τὸ κάλυμμα[b], ἀλλ' ἐν τοῖς λογισμοῖς οὔτε συμφωνοῦσιν, οὔτε συνήδονται, οὔτε ὑπακούουσιν, ἀλλ' ἀντιλέγουσιν, ἀντιπράττουσιν, ἀντιφθέγγονται, ἀντιπίπτουσιν, ὀργίζονται ἑαυτοῖς. Οὗτοι πολύ εἰσι καλλίονες καὶ τιμιώτεροι παρὰ τῷ Θεῷ παρ' ἐκείνους τοὺς ἰδίᾳ προαιρέσει τὸ θέλημα αὐτῶν ἐπιδιδόντας τῇ κακίᾳ καὶ συνηδομένους.

612

Ἐρώτησις· Τί ἐστιν ὃ εἶπεν ὁ Κύριος τῇ Σαμαρείτιδι· «Πέντε γὰρ ἄνδρας ἔσχες καὶ νῦν ὃν ἔχεις οὐκ ἔστι σου ἀνήρ[a];»

Ἀπόκρισις·

Σαφές ἐστι τὸ ῥῆμα. Νόμος γάρ ἐστι παλαιός, τὰς γυναῖκας ὅσαι δὴ τῷ θανάτῳ τοὺς συνεύνους ἀποβάλλουσιν ἄτεκνοι καταλιμπανόμεναι, ἄχρι τῶν πέντε συνέρχεσθαι

L. 611 RI V
L. 612 RI V

---

611. a. Rm 7, 23 b. Cf. Ex 34, 33; 2 Co 3, 13-16; 2 P 2, 17
612. a. Jn 4, 18

611

Demande : Quels sont ceux qui font le péché et le mal intentionnellement, et ceux qui les font contre leur intention ?

Réponse :

Ceux qui font le mal intentionnellement sont ceux qui livrent leur volonté au mal, s'y complaisent et jouent avec lui : ceux-là sont en paix avec Satan et ne font pas la guerre avec lui dans leurs pensées.

Ceux qui font le mal contre leur intention, sont ceux qui, selon le mot de l'Apôtre, ont une puissance contraire qui oppose de la résistance dans leurs membres[a]. C'est la puissance ténébreuse et le voile[b], mais dans leurs pensées ils ne consentent pas, ils ne prennent pas plaisir, ils ne se soumettent pas, au contraire ils contredisent, ils s'opposent, ils répliquent, ils contre-attaquent, ils se mettent en colère contre eux-mêmes. Ceux-ci sont bien plus glorieux et précieux devant Dieu que ceux qui de leur propre mouvement livrent leur volonté au mal et s'y complaisent.

612

Demande : Que signifie la parole du Seigneur à la Samaritaine : « Tu as eu en effet cinq maris, et celui que tu as présentement n'est pas ton mari[a] » ?

Réponse :

Cette parole est claire. En effet, d'après une loi ancienne, toutes les femmes séparées de leur mari[1] par la mort et demeurées sans enfants, pouvaient se remarier cinq fois,

1. συνεύνους : qui vient de συνεύδω – dormir avec, est un terme poétique, devenu synonyme de 'compagnon', 'époux' dans le grec tardif. Le verbe ἀποβάλλω signifie 'perdre' dans le sens figuré.

ἀνδράσι, μετὰ δὲ τὸν πέμπτον, εἴτε τέκοιεν εἴτε καὶ μή, παύεσθαι. Εἰ δέ τις μετὰ τοὺς πέντε καὶ εἰς ἕκτον συνέλθη, μὴ ἄνδρα αὐτὸν εἶναι, ἀλλὰ μοιχόν, ὡς παρὰ τὸν νόμον συνερχόμενον. Ὃ δὴ καὶ ἐπὶ ταύτῃ συνέβη τῇ γυναικί. Εἰ δὲ καὶ μυστικώτερόν τις ἐθέλει τοῦτο εἰπεῖν, τοὺς πέντε νομίμους ἄνδρας τὰς φυσικὰς αἰσθήσεις εἴποι, τὴν ὅρασιν, τὴν ὄσφρησιν, τὴν ἀκοήν, τὴν γεῦσιν, τὴν ἀφήν, δι' ὧν ἡμῖν πᾶν τὸ παρατυχὸν γινώσκεται τί ἐστι, τὸν δὲ ἕκτον καὶ παράνομον, τὴν ἀπιστίαν ᾗ ἐκεκράτητο ἡ γυνὴ ἐξ ἀγνοίας καὶ παρὰ φύσιν. Ἔφη οὖν αὐτῇ ὁ Χριστὸς ὅτι « Ἀληθῶς εἶπας, πέντε γὰρ ἄνδρας ἔσχες », ὡσανεὶ « Τὰς πέντε σου αἰσθήσεις ὡς ἄνδρας ἔσχες ὑποτασσούσας σε καὶ περιαγούσας κατὰ τὸ αὐτῶν θέλημα », οἷον ὅτι « Ἀρκούντως ἐνεπλήσθης τῶν ἐπιθυμιῶν αἵτινες διὰ τῶν φυσικῶν πέντε αἰσθήσεων ἐπεισέρχονται, ἃς καὶ ἤδη ἀπεβάλου διὰ τὴν ἐκ τοῦ γήρους τοῦ σώματος νέκρωσιν, ὃν δὲ νῦν ἔχεις, ἤγουν τὴν ἀπιστίαν, οὐκ ἔστι σου ἀνήρ », τοῦτ' ἔστιν οὐ φυσικῶς σου κυριεύει, ἀλλ' ἐπεισάκτως.

613

Παραίνεσις τοῦ ἁγίου καὶ μεγάλου Γέροντος Βαρσανουφίου πρὸς ἀρχάριον ἀσθενοῦντα καὶ μὴ φέροντα τὴν θλῖψιν τῆς ἀσθενείας ·

Ἄδελφε, οὐκ ἐκαυχῶντο οἱ ἐργάται ἀπαιτοῦντες παρὰ τοῦ οἰκοδεσπότου τὸν μισθόν, εἰ μὴ εἰς τοῦτο, λέγοντες ὅτι « Ἡμεῖς τὸν καύσωνα τῆς ἡμέρας ἐβαστάσαμεν καὶ

L. 613 RI V

mais après le cinquième mari, qu'elles aient eu ou non des enfants, elles devaient s'en tenir là. Si donc il en était une qui, après le cinquième, en prenait un sixième, celui-ci n'était pas son mari mais un adultère, l'union étant illégitime. C'est ce qui était arrivé à cette femme. Mais si l'on voulait en donner une interprétation plus profonde, on pourrait dire que les cinq maris légitimes sont les cinq sens naturels, la vue, l'odorat, l'ouïe, le goût et le toucher, par lesquels nous connaissons la nature de tout ce qui se présente à nous; et le sixième, illégitime, c'est l'incrédulité à laquelle la femme était assujettie par suite de l'ignorance et contre-nature. Le Christ lui dit donc : « Tu as dit vrai, tu as eu en effet cinq maris », comme s'il lui disait : Tu as eu tes cinq sens qui t'ont dominée comme des maris, te faisant marcher à leur gré, c'est-à-dire : Tu as suffisamment assouvi les désirs qui viennent par les cinq sens naturels; ceux-là, tu les as déjà perdus par suite de la décrépitude du corps vieilli, mais celui que tu as présentement, à savoir l'incrédulité, n'est pas ton mari, c'est-à-dire qu'il ne te domine pas selon la nature mais comme un étranger.

613

À UN NOVICE MALADE

Exhortation du saint et Grand Vieillard Barsanuphe à un novice malade qui ne supportait pas l'affliction de la maladie :

Frère, quand ils ont réclamé au maître leur salaire, les ouvriers ne se sont vantés que d'une chose, ils ont dit : « Nous avons porté la chaleur ardente[1] du jour et son

1. καύσωνα – chaleur ardente, brûlure : remarquer ce terme rare, attesté à partir de la *Septante* et du NT.

τὸ βάρος[a].» Ὑπομείνωμεν οὖν τέκνον εὐχαρίστως τὴν θλῖψιν, ἵνα ἔλθῃ ἐφ' ἡμᾶς τὸ ἔλεος τοῦ Θεοῦ πλουσίως, καὶ μὴ ἐκκακήσωμεν[b] καὶ εἰς αἰχμαλωσίαν ἐμπέσωμεν τῆς ἀκηδίας, ἐκ ταύτης γὰρ γίνεται ἡ ἀρχὴ τῆς ἀπωλείας. Μιμνήσκου υἱέ, ὅτι « Ὁ ὑπομείνας εἰς τέλος, οὗτος σωθήσεται[c].» Τέκνον, ἔστι καὶ ἀσθένεια πρὸς πειρασμὸν καὶ ὁ πειρασμὸς πρὸς δοκιμήν· « Ἀνὴρ γὰρ ἀπείραστος ἀδόκιμος », τὸ δὲ πειρασθὲν ἐν κινδύνοις δόκιμον, ὡς καὶ χρυσὸς ἐν πυρί[d]. Ἡ γὰρ δοκιμὴ φέρει τινὰ εἰς ἐλπίδα, ἡ δὲ ἐλπὶς οὐ καταισχύνει[e]. Μὴ οὖν χαυνωθῇς μηδὲ παραλύσῃ ὁ ἐχθρὸς τὴν πρόθεσίν σου τὴν κατὰ Θεὸν καὶ μὴ παρασαλεύσῃ σου τὴν εἰς τὴν ἁγίαν Τριάδα πίστιν. Τί γὰρ ἔπαθες, εἰπέ μοι, ἵνα οὕτω χαυνωθῇς; Μνημόνευε τί λέγει ὁ Ἀπόστολος· « Οὔπω μέχρις αἵματος ἀντικατέστητε πρὸς τὴν ἁμαρτίαν ἀνταγωνιζόμενοι καὶ ἐκλέλυσθε τῆς παρακλήσεως, ἥτις ὑμῖν ὡς υἱοῖς διαλέγεται· Υἱὲ μὴ ὀλιγώρει παιδείας Κυρίου, μηδὲ ἐκλύου ὑπ' αὐτοῦ ἐλεγχόμενος, ὃν γὰρ ἀγαπᾷ Κύριος παιδεύει, μαστιγοῖ δὲ πάντα υἱὸν ὃν παραδέχεται. Εἰ παιδείαν ὑπομένετε, ὡς υἱοῖς ὑμῖν προσφέρεται ὁ Θεός. Τίς γάρ ἐστιν υἱὸς ὃν οὐ παιδεύει πατήρ; Εἰ δὲ χωρίς ἐστε παιδείας, ἧς μέτοχοι γεγόνασι πάντες, ἄρα νόθοι ἐστὲ καὶ οὐχὶ υἱοί[f].» Ἐὰν μετ' εὐχαριστίας φέρῃς τὴν θλῖψιν, ἐγένου υἱός. Ἐὰν δὲ χαυνωθῇς, ἐγένου νόθος. Δέομαί σου τέκνον, ὁ Γέρων τοῦ νεωτέρου, ὁ παλαιωθεὶς ἐν τῷ σχήματι, κἂν μηδὲν ἐχρησίμευσα, τοῦ νεωστὶ κουρευθέντος. Καὶ μὴ εἴη εἰς

16 χαυνωθῇς μηδὲ om. I V ‖ 28 υἱοί + ἐστε R

---

613. a. Cf. Mt 20, 12 b. Cf. Ga 6, 9; Tt 3, 5-6 c. Mt 10, 22 d. Cf. Sg 3, 6 e. Cf. Rm 5, 4-5 f. He 12, 4-8

poids[a].» Mon enfant, supportons donc avec reconnaissance l'affliction, afin que la miséricorde de Dieu surabonde à notre égard, que nous ne perdions pas courage[b] et que nous ne tombions pas dans la captivité de l'acédie, car c'est de celle-ci que vient le début de la perdition[2]. Souviens-toi, fils, que «celui qui tiendra bon jusqu'au bout, celui-là sera sauvé[c].» Enfant, la maladie aussi est pour notre épreuve, et l'épreuve pour nous rendre sûrs, «car l'homme qui n'a pas été éprouvé n'est pas sûr[3]», tandis que ce qui a subi l'épreuve des périls, est sûr, comme l'or passé au feu[d]. L'épreuve nous porte en effet à l'espérance, et l'espérance n'est pas confondue[e]. Ne perds donc pas ton entrain, que l'Ennemi n'affaiblisse pas ta résolution qui est selon Dieu et qu'il n'ébranle pas ta foi en la sainte Trinité. Qu'as-tu souffert en effet, dis-moi, pour être ainsi avachi? Souviens-toi de ce que dit l'Apôtre : «Vous n'avez pas encore résisté jusqu'au sang dans la lutte contre le péché et vous oubliez cette exhortation qui vous est adressée comme à des fils : Mon fils, ne faiblis pas sous la correction du Seigneur, ne te décourage pas quand il te reprend, car le Seigneur corrige celui qu'il aime et il fustige tout fils qu'il reconnaît pour sien. Si vous supportez la correction, Dieu vous traitera en fils. Quel est, en effet, le fils que son père ne corrige pas? Si vous manquez de cette correction qui est le partage de tous, c'est que vous êtes des bâtards et non des fils[f].

Si tu supportes l'affliction avec action de grâces, tu es fils. Si tu te montres lâche, te voilà bâtard. Je t'en prie, enfant, moi le Vieillard, toi le novice; moi, vieilli sous le froc, même si je n'en ai pas profité, toi tout récemment tonsuré. Que ce ne soit pas en vain, Seigneur Jésus-

2. Cf. *Alph. Poemen*, 149.
3. Cf. Resch, *Agrapha*, n° 90, p. 130-132.

κενόν, Κύριε Ἰησοῦ Χριστέ, μηδὲ εἰς μάτην[g]! Νῆψον, ἐξυπνίσθητι ἀπὸ τῆς μέθης τοῦ βαρυτάτου ὕπνου, διεγέρθητι μετὰ τοῦ Πέτρου καὶ τῶν λοιπῶν ἀποστόλων κράζων τῷ Σωτῆρι τῶν ἁπάντων Χριστῷ λαμπρᾷ τῇ φωνῇ· « Ἐπιστάτα, σῶσον, ἀπολλύμεθα[h]. » Καὶ πάντως ἔλθῃ καὶ πρὸς σέ, καὶ ἐπιτιμᾷ τοῖς ἀνέμοις καὶ τῇ θαλάσσῃ, καὶ παύει τὸν κλύδωνα ἀπὸ τοῦ πλοίου σου, τὸν χειμῶνα λέγω ἀπὸ τῆς σῆς ψυχῆς. Καὶ ἀνασπᾷ σε ἐκ τοῦ αἱμοβόρου λέοντος, καὶ τὴν περιστεράν σου ἐκ τῆς κοιλίας τοῦ δράκοντος[i], καὶ τὸν σπόρον σου ἀπὸ τῆς χαλάζης καὶ τὴν ἐλαίαν σου ἀπὸ σκωλήκων καὶ ἀπὸ πάχνης ὅλα σου τὰ δένδρα, ἵνα δῶσι τοὺς καρποὺς κατὰ καιρὸν αὐτῶν[j]. Καὶ ὁ σπόρος τῆς γῆς σου δώσει καρπὸν ὥριμον κατὰ τὸν ἀποστολικὸν λόγον· « Ἀνὰ ἑκατόν, καὶ ἀνὰ ἑξήκοντα, καὶ ἀνὰ τριάκοντα[k]. » Πρόσχες, ἄδελφε, τί ὑπέμεινας διὰ τὸ ὄνομα τοῦ Θεοῦ. Ὁ Ἀπόστολος ἠρίθμησεν ὅτι « Οὐδὲν ἡμᾶς χωρίσει ἀπὸ τῆς ἀγάπης τοῦ Χριστοῦ, λέγων οὕτως· θλῖψις ἢ στενοχωρία, ἢ λιμός, ἢ διωγμός, ἢ γυμνότης, ἢ κίνδυνος, ἢ μάχαιρα[l]. » Καὶ μικρὰ ἀσθένεια παρασαλεύει ἡμῶν τὸν νοῦν ἀπὸ τοῦ Θεοῦ; Μὴ γένοιτο! Ἀλλὰ στερεώθητι τέκνον, καὶ βλέπεις τὴν παρὰ τοῦ Θεοῦ βοήθειαν[m]. Πρῶτος γὰρ πειρασμός ἐστιν οὗτος, ἐὰν νικήσῃς αὐτὸν σὺν Θεῷ, οὐκέτι σου κατακυριεύει, ἐὰν δὲ νικήσῃ σε ἐν τούτῳ, εἰς λατρείαν σε φέρει. Τὸ λοιπὸν στῆθι καὶ ὑπόμεινον. Ἔχεις γὰρ ἰδεῖν, ἐὰν σταθῇς, τί ἔσται τὸ ἔλεος τοῦ Κυρίου. Πληροφορηθήτω δὲ ἡ ἀγάπη σου ὅτι οὐ παύομαι νύκτα καὶ ἡμέραν δεόμενος τοῦ Θεοῦ[n], ἵνα σώσῃ σε καὶ φυλάξῃ πάντας ἡμᾶς ἀπὸ τοῦ πονηροῦ. Καὶ σπουδή μοί ἐστιν, ἵνα κληρονομήσητε μετὰ τῶν ἁγίων ὡς τέκνα

37 ἔλθῃ : ἔρχεται V ‖ 44 δῶσι : δώσουσι R ‖ 46 ἀποστολικὸν : ἀπόστολον R τοῦ κυρίου V ‖ λόγον om. R ‖ 49 χριστοῦ : θεοῦ R ‖ 51 κίνδυνος : κίνδυνοι V ‖ 52 ἀλλὰ om. R ‖ 55 αὐτὸν om. R ‖ 56 εἰς om. RI ‖ 58 πληροφορηθήτω : πληροφορηθείη R

Christ, ni en pure perte[g]! Sois vigilant, réveille-toi de l'ivresse de ton profond sommeil; lève-toi avec Pierre et les autres apôtres et crie d'une voix sonore au Christ Sauveur de tous : «Maître, sauve-nous, nous périssons[h]!» Il viendra certainement aussi à toi, il commandera aux vents et à la mer, et apaisera les vagues autour de ta barque, je veux dire la tempête de ton âme. Il t'arrachera au lion sanguinaire, il arrachera ta colombe[4] au ventre du dragon[i], il préservera de l'ivraie ta semence, des vers ton huile, et de la gelée tous tes arbres afin qu'ils donnent du fruit en leur temps[j]. Et la semence de ta terre donnera du fruit mûr selon la parole de l'Apôtre, «à cent, à soixante, à trente pour un[k].» Observe, frère, ce que tu endures pour le nom de Dieu. L'Apôtre a tout énuméré affirmant que «rien ne nous séparera de la charité du Christ : ni la tribulation, ni la détresse, ni la faim, ni la persécution, ni la nudité, ni les périls, ni le glaive[l].» Et une petite maladie secouerait notre esprit loin de Dieu? A Dieu ne plaise! Mais sois ferme, mon enfant, et tu verras le secours qui nous vient de Dieu[m]. Car c'est une première tentation si tu la domines avec Dieu, elle n'aura plus de pouvoir sur toi, mais si c'est elle qui te domine cette fois-ci, elle te réduira en servitude. Désormais, tiens bon et endure. Si tu tiens, tu pourras voir quelle sera la miséricorde du Seigneur. Que ta charité en soit persuadée, nuit et jour je ne cesse de demander à Dieu[n] de te sauver et de nous garder tous du Mauvais. Et je mets tout mon zèle à ce que vous obteniez en héritage avec les saints, comme étant leurs enfants, «ce

g. Cf. Is 49, 4 h. Lc 8, 24 i. Cf. Jon 2, 2 j. Cf. Mt 21, 41 k. Mc 4, 8 l. Rm 8, 35 m. Cf. Ps 120, 2 n. Cf. Ep 1, 16; 1 Th 3, 10

4. Belle métaphore de Barsanuphe : la colombe désigne Jonas, parce qu'en hébreu la colombe se traduit par ce nom.

αὐτῶν, « ἃ ὀφθαλμὸς οὐκ εἶδε, καὶ οὖς ἤκουσε, καὶ ἐπὶ καρδίαν ἀνθρώπου οὐκ ἀνέβη, ἃ ἡτοίμασεν ὁ Θεὸς τοῖς ἀγαπῶσιν αὐτόν[o]. » Ζήλωσον ταῦτα, καὶ μακάριος ἔσῃ ἐν Χριστῷ Ἀμήν.

614

Ἀδελφὸς ἔσφαλε, καὶ ἀκούσας παρὰ τοῦ ἀββᾶ ὅτι Πολλοστὸν μόνον εἰπέ · Συγχώρησον, σκληρυνθεὶς οὐκ εἶπε. Καὶ ποιήσας ὁ ἀββᾶς εὐχὴν μετὰ τριῶν γονυκλισιῶν, μόλις ἔπεισεν αὐτὸν εἰπεῖν · Συγχώρησον. Ἀπερχομένου δὲ τοῦ ἀδελφοῦ εἰς τὸ ἴδιον κελλίον, εἶπεν αὐτῷ ὁ ἀββᾶς · Ἄδελφε, ἐρεύνησον τὴν καρδίαν σου εἰς τὸ κελλίον σου κατὰ σεαυτόν, καὶ εὑρίσκεις πόθεν σοι συνέβη ἡ σκληρότης τῆς καρδίας σου. Ὡς δὲ τοῦτο ἐποίησεν ὁ ἀδελφὸς ἦλθε προσπίπτων καὶ ἐξομολογούμενος τῷ ἀββᾷ, καὶ παρεκάλεσεν ἵνα ἀναγγείλῃ τῷ μεγάλῳ Γέροντι Βαρσανουφίῳ τὸ πρᾶγμα καὶ αἰτήσῃ αὐτὸν ποιῆσαι εὐχὴν περὶ αὐτοῦ.

Ὁ δὲ ἅγιος ἐδήλωσε ταῦτα ·

Ἄδελφε, πρόσεχε σεαυτῷ. Σὺ ἐζήτησας τοῦ σπαρῆναί σου τὸ χωρίον παρ' ἐμοῦ, οὐδείς σε ἠνάγκασε. Βλέπε μὴ ἐάσῃς σπαρῆναι ἐν τῷ σίτῳ σου ὑπὸ τοῦ διαβόλου ζιζάνια[a], τὴν βρῶσιν λέγω τοῦ πυρός. Ἐγώ σοι λέγω, σὺ ἠρώτησάς με περὶ τῶν σῶν λογισμῶν. Οἱ Πατέρες λέγουσιν ὅτι Ἐὰν ἐρωτᾷ τις, ἕως θανάτου ὀφείλει φυλάξαι, καὶ εἴ τις οὐ φυλάττει, εἰς ἀπώλειαν ἔσται. Κακοὺς καὶ δεινοὺς ἔχεις ἐμφωλεύοντας ἐν τῇ καρδίᾳ σου λογισμούς. Τί λογίζῃ

L. 614 RI V

5 ἴδιον om. R ‖ 6 εἰς τὸ κελλίον : ἐν τῷ κέλλίῳ I ‖ 7 εὑρίσκεις : εὑρήσῃς R ‖ σοι om. R ‖ 8 σου om. R ‖ 10 βαρσανουφίῳ om. R ‖ 12 ἅγιος : μέγας R ‖ 13 τοῦ om. R V ‖ 17 ὅτι om. I V

o. 1 Co 2, 9
614. a. Cf. Mt 13, 25-27

que l'œil n'a pas vu, ni l'oreille entendu, ni le cœur de l'homme soupçonné, ce que Dieu a préparé pour ceux qui l'aiment[o].» Recherche cela et tu seras bienheureux dans le Christ. Amen.

614

À UN FRÈRE DÉSOBÉISSANT

Un frère a commis une faute, et ayant entendu le mot de l'abbé: «Dis simplement une fois: Pardon!», dans son endurcissement, il ne l'a pas dit. L'abbé, ayant fait une prière avec trois génuflexions, le persuada, non sans peine, de dire Pardon! Alors que le frère retournait dans sa cellule, l'abbé lui dit: «Frère, scrute ton cœur dans ta cellule, à part toi, et tu découvriras d'où t'est venue la dureté de ton cœur.» Lorsqu'il l'eut fait, le frère vint se jeter aux pieds de l'abbé et confesser sa faute; l'abbé l'engagea à s'ouvrir de cette affaire au Grand Vieillard Barsanuphe et à lui demander de faire une prière pour lui. Le saint lui adressa la réponse suivante:

Frère, veille sur toi. Tu as voulu que ton champ soit ensemencé par moi; personne ne t'a forcé. Veille à ne pas laisser le diable semer de l'ivraie dans ton blé[a], je veux dire ce qui est l'aliment du feu. Je te le dis, tu m'as interrogé sur tes pensées. Or les Pères disent: «Si quelqu'un interroge, il doit, jusqu'à la mort, garder (ce qui lui a été répondu); s'il ne le garde pas, cela sera pour sa perte.» Tu as des pensées mauvaises et perverses qui se tapissent dans ton cœur[1]. Pourquoi retourner

1. Thème de l'obéissance à travers des exemples de désobéissance. Dans cette lettre et les deux suivantes nombreux mots composés et recherchés (ex. ἐμφωλεύοντας – s'aplatissant; χαλκομέτωπον – visage d'airain; σιδηροτράχηλος – au cou d'acier; σκληροτράχηλος – au cou raide, etc.).

θανατηφόρους λογισμούς, ἃ οὐκ ἔστιν, ἀλλ' ὁ διάβολός ἐστιν ὁ ποιῶν σοι τὸ φῶς σκότος καὶ τὸ σκότος φῶς, καὶ τὰ πικρὰ γλυκέα σοι δεικνύων καὶ τὰ γλυκέα πικρά[b]. Τὴν ζωὴν βλέπιεις θάνατον καὶ τὸν θάνατον ζωήν. Περιέρχεται γὰρ ὠρυόμενος ὁ ἐχθρὸς θέλων σε καταπιεῖν ζῶντα[c], καὶ οὐ συνιεῖς ὅτι εἰ μὴ ἡ χεὶρ τοῦ Θεοῦ καὶ ἡ εὐχὴ τῶν ἁγίων ἐσκέπασέ σε, εἰς ἀπώλειαν καὶ πλάνην αὐτοῦ εἶχες ἐμπεσεῖν. Καὶ ἀποβάλλεις τὰ θεῖα λόγια, τὰ λαλούμενά σοι ὑπὸ τοῦ ἀββᾶ σου εἰς ὠφέλειαν καὶ σωτηρίαν τῆς ψυχῆς σου, ἵνα μηδέποτε ἔλθῃς εἰς ἐπίγνωσιν ζωῆς. Καὶ οἵους κόπους ποιεῖ ὑπὲρ σοῦ ὡς ὑπὲρ τῆς ἰδίας αὐτοῦ ψυχῆς, παρακαλῶν τοὺς ἁγίους τὸ αὐτὸ ὑπερεύξασθαί σου, ὅπως ἐξειλήσῃς ἐκ τῶν παγίδων τοῦ διαβόλου καὶ τοῦ θανάτου καὶ σωθῇς εἰς τὴν τοῦ Κυρίου νοσσιάν. Καὶ οὕτω μὲν κοπιᾷ ὑπὲρ σοῦ. Σὺ δὲ οὐκ ὀφείλεις φυλάξαι τοὺς λόγους αὐτοῦ ὡς κόρην ὀφθαλμοῦ[d] καὶ ἔχειν αὐτὸν ὑπὲρ τὴν ψυχήν σου; Ἀλλὰ χυδαῖος ἐγένου χορτασθεὶς ἀπὸ τῆς συνουσίας αὐτοῦ τῆς πάντοτε ἧς οὐκ ὤφειλες ἔχειν κόρον, ἀλλ' εὔξασθαί σε ἔδει τοῦ καταξιωθῆναι αὐτῆς. Καὶ ἵνα μὴ εἴη σοι εἰς κρῖμα τὸ εἶναι σὺν αὐτῷ πάντοτε, καὶ ποιεῖν τὸ ἐντελλόμενον παρ' αὐτοῦ μετὰ σπουδῆς καὶ μεγάλου φόβου καὶ τρόμου, ἵνα ἔλθῃ ἐπὶ σὲ δι' αὐτοῦ εὐλογία παρὰ τοῦ Θεοῦ καὶ λυτρωθῇς ἐκ τῆς πλάνης τοῦ ἐχθροῦ. Μὴ πληρωθῇ καὶ περὶ σοῦ ὅτι « Ἔφαγεν Ἰακὼβ καὶ ἐνεπλήσθη καὶ ἀπελάκτισεν ὁ ἠγαπημένος[e]. » Καὶ μὴ πληρωθῇ εἰς σέ· « Οὐαί σοι Χωραζίν, οὐαί σοι Βηθσαϊδά, ὅτι εἰ ἐν Τύρῳ καὶ Σιδῶνι ἐγένοντο αἱ δυνάμεις αἱ γινόμεναι ἐν ὑμῖν, πάλαι ἂν ἐν σάκκῳ καὶ σποδῷ

21 ἃ : ἐν οἷς R ‖ 34 νοσσιάν : βασιλείαν R ‖ 35 μὲν om. R ‖ σὺ δὲ : καὶ R ‖ 39 τοῦ om. I V ‖ 44 ἐχθροῦ : διαβόλου R ‖ 48 γινόμεναι om. R ‖ ὑμῖν : σοί I V

b. Cf. Is 5, 20; Lc 11, 35 c. Cf. 1 P 5, 8 d. Cf. Dt 32, 10
e. Dt 32, 15

des pensées mortelles, sans consistance, alors que c'est le diable qui rend pour toi la lumière ténèbres et les ténèbres lumière, qui te fait paraître doux ce qui est amer et amer ce qui est doux[b]. La vie te semble mort, et la mort vie. Car l'Ennemi rugissant rôde autour de toi pour te dévorer vivant[c]; et tu ne comprends pas que, si la main de Dieu et la prière des saints ne t'avaient protégé, tu serais tombé dans sa perdition et son égarement. Tu rejettes les paroles divines qui te sont adressées par ton abbé pour le bien et le salut de ton âme, ne voulant jamais revenir à la connaissance de la vie. Quelles peines ne se donne-t-il pas pour toi, comme pour sa propre âme, demandant aux saints de prier pareillement pour toi, afin que tu t'arraches aux filets du diable et de la mort et que tu te sauves dans le nid du Seigneur[2]! Il peine ainsi pour toi! Ne dois-tu donc pas garder ses paroles comme la prunelle de l'œil[d] et l'estimer plus que ton âme? Mais tu es saturé et tu en as assez de sa présence continuelle dont tu ne devrais pas être dégoûté; il te fallait au contraire prier pour en être jugé digne. Et pour que cette vie continuelle avec lui ne tourne pas à ta condamnation, il te fallait faire tout ce qui est commandé par lui avec empressement, avec grande crainte et tremblement[3], afin que te vienne par lui la bénédiction de Dieu et que tu sois délivré des illusions de l'Ennemi. Que ne s'accomplisse pas à ton sujet ce qui est écrit : « Jacob a mangé et il a été repu, et il a regimbé, le bienaimé[e]. » Que ne se réalise pas non plus pour toi la malédiction : « Malheur à toi Chorazim! Malheur à toi, Bethsaïde! Car si les miracles accomplis parmi vous l'avaient été à Tyr et à Sidon, il y a longtemps que sous le sac

2. νοσσιάν – nid : terme peu courant changé par le scribe de R en βασιλείαν (voir Lc 13, 34).

3. Voir L. 241, n. 4.

μετενόησαν[f].» Καὶ μὴ ἀκούσῃς καὶ σύ· «Ἐμίσησας παιδείαν, καὶ ἐξέβαλες τοὺς λόγους μου εἰς τὰ ὀπίσω[g].» Τί πολλάκις πειράζεις σεαυτόν, ἀφ' ἑαυτοῦ κινῶν λόγους πρός τινας καὶ οὐ βαστάζεις εἴ τι λέγουσιν; Ἀλλ' ἀπὸ φθόνου καὶ βασκανίας τυφλοῦταί σου ἡ καρδία, καὶ φέρεις σεαυτῷ ταραχήν. Καὶ πολλάκις προσέκοψας καὶ ἔκλασάς σου τὴν ὄψιν, καὶ οὐκ αἰσχύνεται τὸ χαλκομέτωπόν σου, καὶ οὐ κάμπτεταί σου ὁ σιδηροτράχηλος, καθὼς καὶ παρὰ τοῦ ἀδελφοῦ Ἰωάννου ἐρρέθη σοι. Τίς δὲ ἐχρήσατο τούτοις καὶ ἐσώθη; Κάϊν ἀπ' ἀρχῆς ἐχρήσατο, καὶ ἐδέξατο τὴν κατάραν ἐκ χειρὸς Κυρίου[h]. Καὶ μετ' αὐτὸν οἱ γίγαντες, καὶ ἐπνίγησαν εἰς τὸ ὕδωρ τοῦ κατακλυσμοῦ[i]. Ὁ Χὰμ καὶ Ἡσαῦ, καὶ ἀπεβλήθησαν ἐκ τῶν ἁγίων εὐλογιῶν[j]. Ὁ Φαραὼ ἐσκληρύνθη καὶ κατέπιεν αὐτὸν τὸ ὕδωρ τῆς ἐρυθρᾶς θαλάσσης εἰς καταποντισμὸν καὶ τοὺς μετ' αὐτοῦ[k]. Οἱ περὶ τὸν Δαθὰν ἀντέστησαν τῷ Μωϋσῇ, καὶ κατέπιεν αὐτοὺς ἡ γῆ, καὶ τοὺς οἴκους αὐτῶν[l]. Καὶ εἰ τοὺς τῷ ἱερεῖ ἀνθεστηκότας καταπίνει ἡ γῆ, ὡς ἡ Γραφὴ λέγει, πῶς σὺ ἐτόλμησας ἀντιστῆναι τῷ λέγοντί σοι εἰπεῖν «Συγχώρησον» καὶ οὐκ ἔλεγες; Καὶ ἀπηλλοτρίωσας ἑαυτὸν τῆς τοῦ Θεοῦ ταπεινώσεως καὶ τῶν λογίων τῶν Πατέρων, λεγόντων· «Ἐν παντὶ πράγματι χρῄζομεν τῆς ταπεινώσεως, ἕτοιμοι ὄντες ἐν παντὶ ἔργῳ καὶ λόγῳ λέγειν· Συγχώρησον.» Καὶ ἤκουσας ποσάκις καὶ οὐκ εἶπας; Ἀλλὰ καὶ ὃ εἶπας ἔσχατον, οὐκ ἦν ἀλήθεια, βεβιασμένον γάρ, καὶ οὐ μετὰ μετανοίας καὶ κατανύξεως εἶπας. Ἕως πότε σκληροτράχηλος εἶ καὶ ἀπερίτμητος τῇ καρδίᾳ[m]; Βλέπε

51 ἀφ' ἑαυτοῦ : ἀπὸ σαυτοῦ V ‖ 58 ἀρχῆς + μέχρι τέλους R ‖ 60 εἰς τὸ ὕδωρ : ἐν τῷ ὕδατι R ‖ 62 κατέπιεν : ἐδέξατο R ‖ 65-66 τοὺς – ἀνθεστηκότας : τὸν ἱερέα -στηκότα I V ‖ 66 ὡς – λέγει : κατὰ τὴν γραφὴν I V ‖ 68 ἑαυτὸν : σεαυτὸν R V ‖ 71 ἕτοιμοι – λέγειν : τὸ εἰπεῖν ἐν παντὶ πράγματι καὶ λόγῳ I V

et la cendre, elles auraient fait pénitence[f].» Et que tu n'entendes pas, toi : «Tu as pris en haine la correction, et tu as rejeté mes paroles derrière toi[g]»! Pourquoi te tenter si souvent toi-même, en provoquant délibérément les autres en paroles et en ne voulant pas supporter ce qu'ils disent? Mais ton cœur est aveuglé par l'envie et la jalousie et tu t'apportes à toi-même du trouble. Tu as fréquemment péché, tu as perdu la face, et ton visage d'airain ne rougit pas de honte, et ton cou d'acier ne fléchit pas, malgré ce qui a été dit aussi par le frère Jean. Qui donc s'est comporté de la sorte et a été sauvé? Dès l'origine, Caïn s'est ainsi conduit, et il a reçu le châtiment de la main du Seigneur[h]. Après lui les géants, et ils ont été suffoqués dans les eaux du déluge[i]. Cham et Esaü, eux aussi, et ils ont été privés des saintes bénédictions[j]. Pharaon s'est endurci, et l'eau de la mer Rouge l'a englouti sous ses flots avec sa suite[k]. Les partisans de Dathan se sont révoltés contre Moïse, et la terre les a engloutis, eux et leurs familles[l]. Si la terre a englouti ceux qui s'opposaient au grand-prêtre, ainsi que le rapporte l'Écriture, comment toi as-tu osé t'opposer à celui qui te demandait de dire : Pardon!, et refuser de le dire? Tu t'es rendu étranger à l'humilité de Dieu et aux *Paroles des Pères* qui disent : «En toute circonstance nous avons besoin de l'humilité, prêts à dire Pardon! pour chaque action ou parole[4].» Combien de fois as-tu entendu cette invitation sans mot dire? De plus, le Pardon! que tu as dit finalement, n'était pas sincère, car tu l'as dit à contrecœur, sans regret ni componction. Jusques à quand garderas-tu le cou raide et le cœur incirconcis[m]? Rends-

f. Mt 11, 21 g. Ps 49, 17 h. Cf. Gn 4 i. Cf. Gn 6; 7 j. Cf. Gn 9; 27 k. Cf. Ex 14, 16-28 l. Cf. Nb 16 m. Cf. Ac 7, 51

4. Cf. Abbé Isaïe, *Recueil 3*, 1; p. 49.

ὅτι οὐδεὶς σκληρός ἐστι. Τί οὖν δίδως χεῖρα καὶ δύναμιν τῷ διαβόλῳ πρὸς ἀπώλειαν τῆς ψυχῆς σου; Λοιπὸν νῆψον, ἄδελφέ μου, γρηγόρησον, ἐξυπνίσθητι ἀπὸ τοῦ βαθυτάτου ὕπνου καὶ τῆς κατεχούσης σε μέθης ἄνευ οἴνου. Ποῦ ἡ ταπείνωσις; Ποῦ ἡ ὑπακοή; Ποῦ τὸ κόψαι τὸ θέλημα ἐν πᾶσιν; Ἐὰν γὰρ εἰς ἓν κόπτῃς σου τὸ θέλημα καὶ εἰς ἓν οὐ κόπτῃς, φανερόν ἐστιν ὅτι καὶ εἰς ὃ ἔκοψας, πάλιν ἄλλο θέλημα εἶχες. Ἐν πᾶσι γὰρ ὑποτάσσεται ὁ ὑποτασσόμενος, καὶ ὁ τοιοῦτος ἀμεριμνεῖ περὶ τῆς ἑαυτοῦ σωτηρίας, ὡς ἄλλου ὑπὲρ αὐτοῦ ἀπολογουμένου, ᾧ ὑπετάγη καὶ ἐπίστευσεν ἑαυτόν. Εἰ θέλεις οὖν σωθῆναι καὶ ζῆσαι ἐν οὐρανῷ καὶ ἐπὶ γῆς, φύλαξον ταῦτα καὶ δίδωμι τῷ Θεῷ λόγον ὑπὲρ σοῦ, ἄδελφε. Εἰ δὲ ἀμελεῖς, σὺ ὄψει. Τὴν ἐλπίδα μὴ κόψῃς, αὕτη γὰρ χαρά ἐστιν τοῦ διαβόλου. Τὸν ἀββᾶν ἐποίησα δέξασθαί σε εἰς τὸν κόλπον αὐτοῦ καθὼς ἦς, ἐναρκίασε γὰρ ἀπὸ τῆς ἀπειθείας σου καὶ ἀνηκοΐας σου καὶ ἔπεισα αὐτὸν δέξασθαί σε ἐν φόβῳ Θεοῦ, ὡς υἱὸν γνήσιον καὶ οὐχ ὡς νόθον[n]. Καὶ σὺ κατὰ φόβον Θεοῦ πίστευσον ἑαυτὸν αὐτῷ κατὰ πάντα. Καὶ μαρτυρεῖ μοι ὁ Πατὴρ καὶ ὁ Υἱὸς καὶ τὸ ἅγιον Πνεῦμα ὅτι βαστάζω σου τὴν φροντίδα ὅλην ἐνώπιον αὐτοῦ, καὶ παρ᾽ ἐμοῦ ζητήσει τὸ αἷμά σου, ἐὰν μὴ ἀκυρώσῃς μου τοὺς λόγους. Ἀπὸ τῆς σήμερον οὖν βάλε ἀρχήν, βοηθούμενος ὑπὸ τῆς χειρὸς τοῦ Θεοῦ. Ἰδοὺ νέος γέγονας, φύλαξον σεαυτὸν καὶ μὴ πρόσχῃς μωρολογίαις καὶ φιλίαις ἀνωφελέσιν. Ὁ Κύριος δώῃ σοι σύνεσιν καὶ δύναμιν τοῦ ἀκοῦσαι καὶ ποιῆσαι. Καὶ εἴ τι θέλεις ἐρωτᾶν ἀπὸ καιροῦ εἰς καιρόν,

76 οὖν om. I V ‖ 77 ψυχῆς σου : σῆς ψυχῆς I ‖ 82 πάλιν om. R ‖ 87-88 τῷ θεῷ om. I V ‖ 89 γὰρ + ἡ R ‖ 91 ἐναρκίασε : ἐνάρκησε R ‖ 93 οὐχ : μὴ R ‖ 94 ἑαυτὸν : σεαυτὸν R V ‖ 96 ὅλην : πᾶσαν V ‖ 98 βάλε : βάλον R ‖ 100 καὶ φιλίαις om. V ‖ 102 καιροῦ + καὶ V

n. Cf. He 12, 8

toi compte que personne n'est raide. Pourquoi donc tendre la main et donner prise au diable pour la perte de ton âme? A l'avenir, sois attentif, mon frère, sois vigilant, réveille-toi de ce si profond sommeil et de cette ivresse sans vin qui s'est emparée de toi. Où est l'humilité? Où l'obéissance? Où le retranchement de la volonté en tout? Car s'il y a un point sur lequel tu retranches ta volonté et un point sur lequel tu ne la retranches pas, il est évident que, même sur le point où tu la retranches, tu fais encore ta volonté d'une autre façon. Il est en effet soumis en tout, celui qui est soumis ; et il est sans souci pour son propre salut, du fait que c'est un autre qui répondra pour lui, celui à qui il s'est soumis et confié. Si donc tu veux être sauvé et avoir la vie au ciel et sur la terre, garde cela et je me porte garant pour toi devant Dieu, frère. Mais si tu es négligent, à toi de voir. Ne perds pas espoir, car c'est la joie du diable. J'ai demandé à l'abbé de te recevoir en son sein, comme auparavant[5], car il a été paralysé par ta désobéissance et ton indocilité[6], et je l'ai persuadé de te recevoir dans la crainte de Dieu, comme un fils légitime et non comme un bâtard[n]. Et toi, de ton côté, avec la crainte de Dieu, fie-toi à lui en tout. Le Père, le Fils et le Saint-Esprit sont témoins que j'assume tous tes soucis devant lui ; c'est à moi qu'il demandera des comptes de ton sang, à moins que tu ne fasses aucun cas de mes paroles. Dès aujourd'hui mets-toi donc à l'œuvre, aidé par la main de Dieu. Te voici renouvelé, prends garde à toi et ne t'attache pas à des balivernes et à des affections nuisibles. Que le Seigneur te donne intelligence et force afin d'entendre et de mettre en pratique. Si tu veux interroger de temps

5. ἦς = ἦσθα (tu étais).

6. Deux termes rares : ἐναρκίασε – a paralysé, endormi : verbe du grec tardif que le scribe de R a changé en ἐνάρκησε de ναρκάω (forme classique) et ἀνηκοΐας : surdité, indocilité (voir L. 551).

οὐ μὴ ὀκνήσω ἀποκριθῆναί σοι ὃ δίδει ὁ Θεὸς εἰς τὸ στόμα μου πληροφορῶν τὴν σὴν καρδίαν τί εἰπεῖν σοι πρὸς σωτηρίαν τῆς ψυχῆς σου, ἐν Χριστῷ Ἰησοῦ. Ἀμήν.

615

Ὁ αὐτὸς ἀδελφὸς ἔτι παρακούσας τοῦ ἀββᾶ, καὶ ἐρωτήσας τὸν μέγαν Γέροντα, εἰ συμφέρον ἐστὶ φυλάξαι τινὰ τὰ ἐν ὅρκῳ λαλούμενά τινι ἐν τῇ ὥρᾳ τοῦ θυμοῦ αὐτοῦ ἢ μετανοῆσαι καὶ μὴ τὰ τοῦ ὅρκου πρᾶξαι, ἀπεκρίθη αὐτῷ ὁ Γέρων ταῦτα·

Εἶπεν ὁ Κύριος τῷ Μωϋσῇ· «Κατάβηθι τὸ τάχος, ἠνόμησε γὰρ ὁ λαός, ὃν ἐξήγαγες ἐκ τῆς γῆς Αἰγύπτου, ἐξετράπησαν γὰρ ἀπὸ τῆς ὁδοῦ ἧς ἐνετείλω αὐτοῖς, καὶ ἰδοὺ ἐποίησαν μόσχον καὶ προσκυνοῦσι τῷ εἰδώλῳ[a].» Πῶς ταλαίπωρε, ἐξηπατήθης διὰ τάχους ἀπὸ τῆς ὑπακοῆς, ἧς ἀπαλλοτριῶσαί σε ὁ διάβολος θέλει καὶ μαίνεται κατὰ σοῦ; Οὐ τοῦτ' ἔστιν ὃ εἶπόν σοι, ὅτι ἀνόητος εἶ καὶ ἀπερίτμητος τῇ καρδίᾳ[b]; Ποῦ ἔρριψάς μου τοὺς λόγους; Τί σπεύδεις ἐμπεσεῖν εἰς τὸν βόθρον τοῦ διαβόλου; Τί τυφλώνει σε ὁ ἐχθρὸς περὶ ὧν ἤκουσας; Οὐκ ἐνετάλθης παραδοῦναι σεαυτὸν εἰς χεῖρας Θεοῦ καὶ εἰς τὰς χεῖρας τοῦ ἀββᾶ σου; Οὐκ ἤκουσας ὅτι θέλει τὴν σωτηρίαν τῆς ψυχῆς σου ὡς τὴν ὠφέλειαν τῆς ψυχῆς αὐτοῦ; Καὶ οὐκ ὤφειλες παρακοῦσαι αὐτοῦ, εἰ εἶπέ σοι φόνον ποιῆσαι διὰ τὴν ὠφέλειαν μάλιστα τῶν ἀδελφῶν, ἣν διὰ δικαιώματος ἀπόλλει ἀπὸ σοῦ ὁ Σατανᾶς, ἵνα μήτε σὺ ὠφεληθῇς, μήτε

103 δίδει : δίδωσιν R V

L. 615 RI V

1 ἔτι om. I V ‖ 3 τινι om. R V ‖ 4-5 ἀπεκρίθη – ταῦτα : ἀπόκρισιν ἔλαβε παρὰ τοῦ γέροντος τοιαύτην R ‖ 14 τυφλώνει : τυφλοῖ R V ‖ 16 θεοῦ : ἀνθρώπου R

---

615. a. Cf. Ex 32, 7-8 b. Cf. Ac 7, 51

en temps, je te répondrai sans délai ce que Dieu mettra sur mes lèvres pour inspirer confiance à ton cœur et te dire ce qu'il faut pour le salut de ton âme, dans le Christ Jésus. Amen.

615

Le même frère a encore refusé d'obéir à l'abbé, et il a demandé au Grand Vieillard s'il valait mieux observer le serment fait dans un instant de colère, ou bien se rétracter et ne pas accomplir le serment.

Il reçut du Vieillard la réponse suivante :

Le Seigneur a dit à Moïse : « Descends vite, car le peuple que tu as fait sortir du pays d'Égypte. a prévariqué, ils se sont détournés de la voie que je leur avais prescrite et voici qu'ils ont fabriqué un veau et ils adorent cette idole[a]. » Malheureux, comment as-tu été si vite égaré par la tromperie loin de l'obéissance? Le diable veut t'en détacher complètement et il se démène contre toi. N'est-ce pas ce que je t'ai dit, que tu es insensé et incirconcis de cœur[b]? Où as-tu jeté mes paroles? Pourquoi cette hâte à te précipiter dans le gouffre du diable? Comment l'Ennemi a-t-il dérobé à ta vue[1] les paroles entendues? N'as-tu pas reçu la recommandation de t'abandonner aux mains de Dieu et aux mains de ton abbé? N'as-tu pas reçu l'assurance qu'il veut le salut de ton âme comme le bien de sa propre âme? Et tu n'aurais pas dû refuser de lui obéir, s'il t'avait dit de commettre un meurtre[2], pour le profit principalement des frères et pour le tien que Satan, par une prétention de justice, te fait perdre, de telle sorte que ni toi n'en as profité ni un autre par

1. τυφλώνει – rendre aveugle : verbe plus rare que τυφλοῖ, préféré par les mss R et V.

2. Démonstration de l'obéissance totale par l'absurde, voir L. 288.

ἄλλος διὰ σοῦ. Καὶ θέλεις λαβεῖν τὸ οὐαὶ τῶν Φαρισαίων καὶ τοῦ σκοποῦ τοῦ Ἰεζεκιὴλ περὶ τῆς ἐπερχομένης ῥομφαίας[c]. Ἔστω! Σὺ οὐ δύνασαι ὠφελῆσαί τινα, διὰ τί οὐ λέγεις τῷ δυναμένῳ; Τί ἐγένου ταχὺ ὡς κύων « ἐπιστρέψας ἐπὶ τὸ ἴδιον ἐξέραμα[d] », καὶ ὡς ὗς ἐπὶ κύλισμα βορβόρου[e], οὕτως καὶ σὺ ἐπὶ τὴν σκληροκαρδίαν σου μένων ἀκαμπής; Ἐνετείλατό σοι πάντως εἰπεῖν τὰ γινόμενα κἂν ἡ ἁμαρτία αὐτοῦ ἐστι καὶ παροξύνεις αὐτὸν ὡς ὁ λαὸς τὸν Μωϋσέα[f]. Αἰσχύνθητι λοιπόν, ἀπόθου σου τὴν πάλαι συνήθειαν καὶ ἐπίστρεψον καὶ δέχεταί σε ὁ Θεός, ἐλεήμων γάρ ἐστι. Καὶ μὴ πρόσχῃς ἀνθρωπαρεσκείαις, ἐπεὶ ἀπόλλῃ καὶ οὐ γίνῃ δοῦλος Θεοῦ[g]. Πρόσεχε σεαυτῷ ἄθλιε καὶ φοβοῦ τὸν Θεόν. Ἐν δὲ τῇ ὀργῇ τοῦ θυμοῦ σου οὐ συμφέρει σοι φυλάξαι τὰ ἐν ὅρκῳ ῥηθέντα καὶ παραβῆναι τὴν ἐντολὴν τοῦ Θεοῦ λέγοντος· « Οὐ φονεύσεις[h]. » Κρεῖττον γάρ ἐστι μετανοῆσαι Θεῷ ὑπὲρ τοῦ μεθ' ὅρκου λαληθέντος ποιῆσαι καὶ μὴ ποιῆσαι, καὶ μὴ ἐμπεσεῖν εἰς τὴν κατάκρισιν Ἡρῴδου, ὃς διὰ τὸ στῆσαι τὸν ἀσεβῆ αὐτοῦ ὅρκον, ἀπέτεμε τὴν κεφαλὴν Ἰωάννου τοῦ Προδρόμου[i], καὶ ἐξέπεσε τῆς αἰωνίου ζωῆς, καὶ παρεδόθη τῇ πικρᾷ καὶ ἀτελευτήτῳ κολάσει. Ἀλλὰ μᾶλλον συμφέρει μετανοῆσαι καὶ αἰτῆσαι παρὰ τοῦ Θεοῦ συγχώρησιν τοῦ ταύτην παρασχεῖν δυναμένου. Μακάριος γὰρ ἂν ἦν καὶ Ἡρῴδης εἰ τοῦτο ἐποίησε. Μὴ ποιήσας δέ, ἐγένετο τρισάθλιος καὶ ἐπικατάρατος εἰς τὸν αἰῶνα. Καὶ ὁ Πέτρος δὲ ὁ κορυφαῖος τῶν ἀποστόλων, ὤμοσεν ἐκ τρίτου καὶ ἀνεθεμάτισε μὴ γινώσκειν τὸν Σωτῆρα, ἀλλὰ μεταγνοὺς

23 ἐπερχομένης : ἐρχομένης R ‖ 27 τὴν σκληροκαρδίαν : τῇ -ροκαρδίᾳ I V ‖ σου om. R ‖ 28 κἂν : καὶ V ‖ 32 ἀνθρωπαρεσκείαις : -παρεσκείᾳ R ‖ 42 ἀλλὰ : ἢ R ‖ 44 ἂν om. I V

c. Cf. Ez 33, 1-6 d. Cf. Pr 26, 11 ; 2 P 2, 22 e. Cf. 2 P 2, 22

toi. Tu veux donc encourir la malédiction des Pharisiens et tomber sous la menace de l'épée aperçue par Ézéchiel[c]. Soit! Tu ne peux être utile à personne, mais pourquoi ne le dis-tu pas à celui qui le peut? Comment es-tu devenu si vite semblable au chien «qui retourne à sa propre vomissure[d]», et semblable à la truie qui «se vautre dans le bourbier[e]», inflexible[3] que tu es dans ta dureté de cœur? On t'a enjoint de dire absolument ce qui arrive, même si c'est de sa faute et tu l'exaspères comme le peuple exaspérait Moïse[f]. Maintenant, rougis de confusion, rejette tes anciennes habitudes, reviens et Dieu te recevra, car il est miséricordieux. Ne cherche pas à plaire aux hommes, sans quoi tu te perdras et tu ne seras pas serviteur de Dieu[g]. Veille sur toi, malheureux, et crains Dieu. Il ne faut pas que tu accomplisses ce que tu as juré dans un mouvement de colère ni que tu transgresses le commandement de Dieu qui dit : «Tu ne tueras pas[h].» Il vaut mieux en effet demander pardon à Dieu pour ce que tu avais juré de faire et ne pas le faire, que d'encourir la condamnation subie par Hérode, lequel, pour tenir son serment impie, fit couper la tête de Jean le Précurseur[i]; déchu de la vie éternelle, il fut livré au châtiment amer et sans fin. Il vaut bien mieux se rétracter et demander à Dieu le pardon que lui seul peut te donner. Bienheureux eût été Hérode lui-même s'il l'avait fait! Pour ne l'avoir pas fait, il est devenu misérable entre tous et maudit à jamais. Pierre, lui, au contraire, le prince des apôtres, qui avait à trois reprises juré avec des imprécations qu'il ne connaissait pas le Sauveur, reconnut sa

f. Cf. Ex 32, 9.19 g. Cf. Ga 1, 10 h. Cf. Ex 20, 13 i. Cf. Mt 14, 7-10

3. ἀκαμπής : autre mot rare à la place du terme classique ἄκαμπτος.

ἐν πικροτάτῳ κλαυθμῷ καὶ γνησίᾳ μετανοίᾳ, ἔλυσεν ἑαυτοῦ τὴν ἁμαρτίαν[j], καὶ προσεδέχθη παρὰ τοῦ φιλανθρώπου Δεσπότου, Χριστοῦ καὶ Σωτῆρος. Καὶ οὐ μόνον χαρᾶς ἠξιώθη τοῦ ἀγγέλου εἰπόντος ταῖς γυναιξίν· « Εἴπατε τοῖς μαθηταῖς αὐτοῦ καὶ τῷ Πέτρῳ...[k] », ἀλλὰ καὶ αὐτὸς ὁ Κύριος ἀντὶ τῶν τριῶν ἀρνήσεων, τρίτον ἠρώτησεν αὐτόν, λέγων· « Ἀγαπᾷς με Πέτρε[l] ; » δεικνύων αὐτῷ ὅτι διὰ τῆς καλῆς μετανοίας ἐθεραπεύθη αὐτοῦ ἡ τῶν τριῶν ἀρνήσεων ἁμαρτία. Μηκέτι οὖν ὀμόσῃς[m] παραβαίνων τὴν ἐντολὴν τοῦ Θεοῦ. Ἐὰν δὲ εἰς τοῦτο ἁμαρτήσῃς, μὴ δυσχεράνῃς μετανοῆσαι. Καὶ γὰρ καὶ ὁ Πέτρος ἐὰν ἔστησεν ἑαυτοῦ τὸν ὅρκον μὴ γινώσκειν τὸν ἑαυτοῦ Δεσπότην, ἀλλότριος αὐτοῦ εἶχεν εἶναι καὶ τῆς δόξης αὐτοῦ.

616

Ὁ ἀδελφὸς πληροφορηθεὶς ἐν τούτοις ἠρώτησε τὸν αὐτὸν μέγαν Γέροντα λέγων· Εἶπεν ἡ θεοφιλία σου ὅτι δύναται ὁ ἁμαρτωλὸς τὰ ἑαυτοῦ ἁμαρτήματα διὰ τῆς μετανοίας λῦσαι. Τί οὖν; Οὐ χρείαν ἔχει καὶ τῆς εὐχῆς τῶν ἁγίων; Ἀλλ' ἀρκεῖ ἑαυτῷ; Ἐὰν δὲ καὶ μὴ γνησίαν ἐνδείξηται τὴν μετάνοιαν αὐτός, οἱ δὲ ἅγιοι δεηθῶσιν ὑπὲρ αὐτοῦ, οὐ λύεται δι' αὐτοὺς τὰ ἁμαρτήματα αὐτοῦ;

Ἀπόκρισις Βαρσανουφίου·

Ἐὰν μὴ καὶ ὁ ἄνθρωπος ποιήσῃ τὸ κατὰ δύναμιν καὶ συμμίξῃ τῇ εὐχῇ τῶν ἁγίων, οὐδὲν ὠφελεῖται εὐχομένων τῶν ἁγίων ὑπὲρ αὐτοῦ. Ἐὰν ἐγκρατεύωνται αὐτοὶ καὶ ὑπερεύχωνται ὑπὲρ αὐτοῦ, αὐτὸς δὲ σπαταλᾷ καὶ στρηνιᾷ,

51 δεσπότου om. R ‖ 58 ἁμαρτήσῃς : ἁμάρτῃς V ‖ 59 ἐὰν : εἰ V ‖ 60 ἑαυτοῦ² : ἴδιον R

L. 616 RI V

2 λέγων : οὕτως V

j. Cf. Mt 26, 69-75 k. Cf. Mc 16, 7 l. Jn 21, 15-17 m. Cf. Mt 5, 34

faute et par des pleurs très amers et de sincères regrets l'effaça[j]; et il fut reçu par le Maître bienveillant pour l'homme, le Christ Sauveur. Non seulement il mérita la joie annoncée par l'ange aux femmes «Dites à ses disciples et à Pierre...[k]», mais le Seigneur en retour des trois reniements, lui demanda trois fois, «Pierre m'aimes-tu[l]?» pour lui montrer que la faute de son triple reniement avait été réparée par sa remarquable pénitence. Garde-toi désormais de jurer[m] et de transgresser ce commandement de Dieu. Mais si tu commets encore cette faute, n'hésite pas à te rétracter. Si Pierre avait tenu son serment de ne pas connaître son Maître, il en aurait été séparé et écarté de sa gloire.

616

Le frère, bien convaincu là-dessus, interrogea le même Grand Vieillard en ces termes : Ton amitié avec Dieu m'a dit que le pécheur peut effacer ses propres fautes par la pénitence. Quoi donc? N'a-t-il pas besoin aussi de la prière des saints? Ou bien se suffit-il à lui-même? D'autre part si lui-même ne montre pas une sincère pénitence mais que les saints prient pour lui, ses fautes ne sont-elles pas effacées grâce à eux?

Réponse de Barsanuphe :

Si l'homme ne fait pas son possible et ne s'associe pas à la prière des saints, il ne sert à rien que les saints prient pour lui. S'ils jeûnent et prient à son intention, tandis qu'il s'abandonne au plaisir et à la mollesse[1], quelle utilité peut

1. σπαταλᾷ καὶ στρηνιᾷ : expressions qui apparaissent à partir du IIe s. av. J.C. (Polybe et *Septante*).

τί ὠφελεῖ ἡ δέησις αὐτῶν ἡ ὑπὲρ αὐτοῦ; Πληροῦται γὰρ τὸ εἰρημένον· «Εἷς οἰκοδομῶν καὶ εἷς καταλύων, τί πλέον ὠφέλησαν ἢ κόπους[a];» Εἰ γὰρ ἐδύνατο τοῦτο γενέσθαι, ἵνα, ὑπὲρ οὗ ηὔχοντο οἱ ἅγιοι, μὴ προσέχοντος αὐτοῦ μικρόν τι, σῴζηται, οὐδὲν ἐκώλυσεν, ἵνα καὶ ὑπὲρ ὅλων τῶν ἁμαρτωλῶν τοῦ κόσμου τοῦτο ποιῶσιν. Ἐὰν γὰρ μικρόν τι κοπιάσῃ καὶ ὁ ἁμαρτωλός, χρείαν ἔχει καὶ τῆς εὐχῆς τοῦ δικαίου. Φησὶ γὰρ ὁ Ἀπόστολος· «Πολλὰ ἰσχύει δέησις δικαίου ἐνεργουμένη[b]», τοῦτ' ἔστιν ἵνα, ὅταν ὑπερεύχηται ὁ ἅγιος καὶ δίκαιος, συνεργῇ καὶ ὁ ἁμαρτωλὸς κατὰ τὴν δύναμιν αὐτοῦ διὰ τῆς μετανοίας, τῇ δεήσει τῶν ἁγίων, ἀνίκανος ὢν αὐτὸς μόνος πρὸς τὴν τῶν ὀφλημάτων ἀπόδοσιν. Αὐτὸς μὲν γὰρ ὀλίγα συνεισφέρει, ἡ δὲ δέησις τῶν ἁγίων τὰ πολλά. Ὥσπερ γὰρ ἐάν τις ἔχῃ ἀνάγκην βαστάξαι δέκα μοδίους σίτου, καὶ μηδὲ δύο δύναται, εὕρῃ δὲ ἄνθρωπον φοβούμενον τὸν Θεὸν καὶ βαστάξῃ ἀπ' αὐτοῦ τὰ ἐννέα, καὶ ἀφήσῃ αὐτῷ τὸ ἓν καὶ σῴζει αὐτόν, ἵνα σωθῇ ἕως τῆς πόλεως καὶ μὴ ἐν τῇ ὁδῷ ὑπὸ ληστῶν διαφθαρῇ. Οὕτω καὶ ἐνταῦθα. Πάλιν ὁμοιοῦται ὁ ἁμαρτωλὸς ἀνθρώπῳ χρεωστοῦντι νομίσματα ἑκατόν, ὃς ὑπομνησθεὶς παρὰ τοῦ δανειστοῦ περὶ τῆς καταβολῆς τοῦ χρέους, ἀπῆλθε πρὸς ἄλλον ἄνθρωπον εὐσεβῆ καὶ εὔπορον καὶ παρεκάλεσεν αὐτὸν δοῦναι ὑπὲρ αὐτοῦ κατὰ ἀγάπην ὡς ἡ δύναμις ἔχει. Ἐκεῖνος δὲ φιλάνθρωπος ὢν καὶ βλέπων τὴν θλῖψιν αὐτοῦ, σπλαγχνισθεὶς εἶπεν αὐτῷ· Ἄδελφε, εἴ τι ἔχω εἰς τὰς χεῖράς μου, δίδωμι ὑπὲρ σοῦ, φρόντισον καὶ σὺ ὅθεν δήποτε ἐκ τῶν ἰδίων σου δοῦναι δέκα νομίσματα, ἐγὼ γὰρ ἔχω νομίσματα ἐνενήκοντα καὶ δίδωμι ὑπὲρ σοῦ, καὶ ἐλευθεροῦσαι

13 ἡ[1] – αὐτοῦ : ἡ ὑπὲρ αὐτοῦ δέησις αὐτῶν R ‖ 14-15 πλέον ὠφέλησαν : ὠφέλησαν ἀλλ' R ‖ 17 ἐκώλυσεν : ἦν τὸ κωλύον R ‖ ὅλων : πάντων V ἄλλων R ‖ 24 ἁγίων : δικαίων R ‖ 27 βαστάξαι : -τάσαι V ‖ 28 βαστάξῃ : -τάσῃ V ‖ 30 ἕως – πόλεως om. R ‖ 35 ὑπὲρ αὐτοῦ : αὐτῷ I V ‖ 38-40 φρόντισον – ὑπὲρ σοῦ om. V ‖

avoir leur prière pour lui? Car alors s'accomplit ce qui est écrit : «L'un édifie et l'autre détruit; quel avantage ont-ils de plus sinon leurs labeurs[a]?» En effet, s'il se pouvait que celui pour qui les saints prient soit sauvé sans que lui-même fasse un petit effort, rien n'empêcherait qu'ils fassent aussi cela pour tous les pécheurs du monde. Car si, de son côté, le pécheur fait un petit effort, il a besoin aussi de la prière du juste. L'Apôtre dit en effet : «La prière soutenue du juste peut obtenir beaucoup de choses[b]», c'est-à-dire que, tandis que celui qui est saint et juste prie pour lui, le pécheur, de son côté, coopère selon ses possibilités par la pénitence, à la prière des saints, car seul il est incapable d'acquitter ses dettes. Il y contribue donc pour un peu, et la prière des saints pour beaucoup. C'est comme si quelqu'un devait porter dix boisseaux de blé, alors qu'il ne peut même pas en porter deux, il rencontre un homme craignant Dieu, et celui-ci lui en porte neuf, lui en laisse un et le sauve ainsi pour qu'il arrive sain et sauf jusqu'à la ville sans avoir été dépouillé en route par des voleurs. Il en est de même ici. Le pécheur est encore semblable à un homme qui doit cent deniers; relancé par le créancier pour le remboursement de la dette il va trouver un autre homme qui a de la piété et des ressources et le prie de lui donner par charité tout ce qu'il peut. Cet homme étant charitable et voyant sa détresse, sera ému de compassion et lui dira «Frère, tout ce que j'ai entre les mains, je le donne pour toi, mais arrange-toi pour trouver de ton côté, n'importe où, dix deniers à donner de tes propres ressources, car moi j'ai quatre-vingt-dix deniers que je donne pour toi, et ainsi tu seras libéré de ta dette.» C'est donc

616. a. Cf. Si 34, 28 b. Jc 5, 16

τοῦ γραμματείου. Ἐν τῷ χρεωφειλέτῃ οὖν ἐστι σπουδάσαι τὰ ὀλίγα δοῦναι καὶ τῶν πολλῶν ἐλευθερωθῆναι, ἐὰν γὰρ μὴ ἴδῃ ἐκεῖνος ὁ εὔσπλαγχνος ἄνθρωπος ὅτι ἤνεγκεν ἐκεῖνος τὰ δέκα νομίσματα, ὀκνεῖ αὐτὸς τὰ ἐνενήκοντα δοῦναι, εἰδὼς ὅτι ὁ δανειστὴς οὐ παρέξει τὸ γραμματεῖον, εἰ μὴ πληροφορηθῇ τὰ ἑκατὸν τὰ ὀφειλόμενα[c].

41 σπουδάσαι om. R

au débiteur de s'empresser de donner les quelques deniers pour être libéré d'une grosse dette ; car si cet homme compatissant ne le voit pas apporter ses dix deniers, il attend lui-même pour donner les quatre-vingt-dix, sachant bien que le créancier ne donnera pas le reçu, s'il n'a pas le compte intégral des cent deniers dus[c].

c. Cf. Mt 18, 28

INDEX

I. Index scripturaire

Du volume II, tomes I et II, Lettres 224 – 616.
Les numéros sont ceux des Lettres.
Les italiques signalent une simple allusion scripturaire.

ANCIEN TESTAMENT

NOUVEAU TESTAMENT

1 Corinthiens

Éphésiens

Philippiens

Colossiens

1 Thessaloniciens

2 Thessaloniciens

1 Timothée

2 Timothée

Tite

Hébreux

Jacques

II. Index des noms propres

Du volume II, tomes I et II, Lettres 224-398 et 399-616.

Les chiffres renvoient aux numéros de lettres, suivis du numéro de la ligne du texte grec. Si le terme constitue le sujet principal de plusieurs lettres consécutives, nous n'indiquons pas la ligne du texte grec.

III. Index des principaux thèmes et des mots importants

Du volume II, tomes I et II, Lettres 224 – 398 et 399 – 616.

Les chiffres renvoient aux numéros de lettres, suivis du numéro de la ligne du texte grec.

TABLE DES MATIÈRES

VOLUME II
LETTRES 224-616

TOME II
LETTRES 399-616

SOURCES CHRÉTIENNES

Fondateurs : † *H. de Lubac, s.j.*
† *J. Daniélou, s.j.*
† *C. Mondésert, s.j.*
Directeur : J.-N. Guinot

Dans la liste qui suit, dite «liste alphabétique», tous les ouvrages sont rangés par nom d'auteur ancien, les numéros précisant pour chacun l'ordre de parution depuis le début de la collection. Pour une information plus complète, on peut se procurer deux autres listes au secrétariat de «Sources Chrétiennes» – 29, rue du Plat, 69002 Lyon (France) – Tél. : 04 72 77 73 50 :

1. la «liste numérique», qui présente les volumes et leurs auteurs actuels d'après les dates de publication; elle indique les réimpressions et les ouvrages momentanément épuisés ou dont la réédition est préparée.
2. la «liste thématique», qui présente les volumes d'après les centres d'intérêt et les genres littéraires : exégèse, dogme, histoire, correspondance, apologétique, etc.

LISTE ALPHABÉTIQUE (1-451)

SOUS PRESSE

BERNARD DE CLAIRVAUX, **Lettres.** Tome II. M. Duchet-Suchaux, H. Rochais.

GRÉGOIRE DE NYSSE, **Discours catéchétique.** R. Winling.

Livre d'heures ancien du Sinaï. M. Ajjoub.

PROCHAINES PUBLICATIONS

Les Apophtegmes des Pères. Tome II. J.-C. Guy (†).

ARISTIDE, **Apologie.** B. Pouderon.

BARSANUPHE ET JEAN DE GAZA, **Correspondance.** Volume III. P. De Angelis-Noah, F. Neyt, L. Regnault.

CLÉMENT D'ALEXANDRIE, **Stomate IV.** A. Van Den Hoek.

CYPRIEN DE CARTHAGE, **A Démétrianus.** J.-C. Fredouille.

EUSÈBE, **Apologie pour Origène.** R. Amacker, É. Junod.

FACUNDUS D'HERMIANE, **Défense des trois chapitres.** Tome I. A. Fraïsse.

HILAIRE DE POITIERS, **La Trinité.** Tome III. J. Doignon (†), G.M. de Durand (†), Ch. Morel, G. Pelland.

SYMÉON LE STUDITE, **Discours ascétique.** H. Alfeyev, L. Neyrand.

RÉIMPRESSIONS RÉALISÉES EN 2000

1 bis. Grégoire de Nysse, **Vie de Moïse.** J. Daniélou.

28 bis. Jean Chrysostome, **Sur l'incompréhensibilité de Dieu.** J. Daniélou, R. Flacelière, A.-M. Malingrey.

57.1 Théodoret de Cyr, **Thérapeutique des maladies helléniques**, 2 vol. P. Canivet.

71. Origène, **Homélies sur Josué.** A. Jaubert.

78 Grégoire de Narek, **Le Livre des prières.** I. Kechichian.

79. Jean Chrysostome, **Sur la providence de Dieu.** A.-M. Malingrey.

167. Clément de Rome, **Épître aux Corinthiens.** A. Jaubert.

199. Athanase d'Alexandrie, **Sur l'incarnation du Verbe.** Ch. Kannengiesser.

204. Lactance, **Institutions divines,** tome I. Livre V. P. Monat.

Également aux Éditions du Cerf :

LES ŒUVRES DE PHILON D'ALEXANDRIE
publiées sous la direction de
R. ARNALDEZ, C. MONDÉSERT, J. POUILLOUX.
Texte original et traduction française

1. **Introduction générale, De opificio mundi.** R. Arnaldez.
2. **Legum allegoriae.** C. Mondésert.
3. **De cherubim.** J. Gorez.
4. **De sacrificiis Abelis et Caini.** A. Méasson.
5. **Quod deterius potiori insidiari soleat.** I. Feuer.
6. **De posteritate Caini.** R. Arnaldez.

7-8. **De gigantibus. Quod Deus sit immutabilis.** A. Mosès.
9. **De agricultura.** J. Pouilloux.
10. **De plantatione.** J. Pouilloux.

11-12. **De ebrietate. De sobrietate.** J. Gorez.
13. **De confusione linguarum.** J.-G. Kahn.
14. **De migratione Abrahami.** J. Cazeaux.
15. **Quis rerum divinarum heres sit.** M. Harl.
16. **De congressu eruditionis gratia.** M. Alexandre.
17. **De fuga et inventione.** E. Starobinski-Safran.
18. **De mutatione nominum.** R. Arnaldez.
19. **De somniis.** P. Savinel.
20. **De Abrahamo.** J. Gorez.
21. **De Iosepho.** J. Laporte.
22. **De vita Mosis.** R. Arnaldez, C. Mondésert, J. Pouilloux, P. Savinel.
23. **De Decalogo.** V. Nikiprowetzky.
24. **De specialibus legibus.** Livres I-II. S. Daniel.
25. **De specialibus legibus.** Livres III-IV. A. Mosès.
26. **De virtutibus.** R. Arnaldez, A.-M. Vérilhac, M.-R. Servel, P. Delobre.
27. **De praemiis et poenis. De exsecrationibus.** A. Beckaert.
28. **Quod omnis probus liber sit.** M. Petit.
29. **De vita contemplativa.** F. Daumas et P. Miquel.
30. **De aeternitate mundi.** R. Arnaldez et J. Pouilloux.
31. **In Flaccum.** A. Pelletier.
32. **Legatio ad Caium.** A. Pelletier.
33. **Quaestiones in Genesim et in Exodum. Fragmenta graeca.** F. Petit.

34 A. **Quaestiones in Genesim,** I-II (e vers. armen.). Ch. Mercier.
34 B. **Quaestiones in Genesim,** III-IV (e vers. armen.). Ch. Mercier et F. Petit.
34 C. **Quaestiones in Exodum,** I-II (e vers. armen.). A. Terian.

35. **De Providentia,** I-II. M. Hadas-Lebel.
36. **Alexander** *vel* **De animalibus** (e vers. armen.). A. Terian.

Composition
Abbaye de Melleray
C.C.S.O.M.
44520 La Meilleraye-de-Bretagne

Cet ouvrage
a été reproduit
et achevé d'imprimer
en janvier 2001
par l'Imprimerie Floch
53100 – Mayenne.

Dépôt légal : janvier 2001.
N° d'imprimeur : 50328.
N° d'éditeur : 11330.

Imprimé en France.